주역과 인생

楊慶中 양칭쭝 지음
배용재 裵龍在 옮김

주역과 인생

楊慶中 양칭쭝 지음
배용재 裵龍在 옮김

북앤피플

| 역자의 말 |

역자는 〈주역〉에 그리 해박한 것은 아니지만, 〈주역〉과의 만남은 아주 젊은 시절에 이루어졌다. 법학과에 다니던 어느 날이었다. 철학과 친구의 하숙방에 놀러갔다. 친구가 주역점을 쳐주었다. 지천태 괘가 나왔다. 그 뒤에 점괘가 궁금하고 〈주역〉이란 어떤 책인가 호기심도 일어나 〈주역〉을 구해 읽어보았다. 하지만 전혀 이해할 수가 없었다. 〈주역〉이 이해되려면 3세 전생에 걸쳐 쌓은 복덕이 있어야 한다고 해서, 복덕이 부족하려니 하고 그만두었다.

그런데 1985년 대구지검 검사시절에 우연히 화교 아우의 권유로 다시 〈주역〉을 읽게 되었다. 신기하게도 머릿속으로 쏙쏙 들어왔다. 〈주역〉이 역자의 신변을 떠나지 않은 것은 대체로 그때부터였다.

역자는 주로 중국어로 된, 중국의 〈주역〉 전문가들이 쓴 책들을 읽었다. 어떤 책들은 주역 주해서(예컨대, 김경방 외 1인의 〈주역전해〉*)이고, 어떤 책들은 특정한 방면에서 주역의 내용에 대한 자신의 견해를 밝힌 전문서적(예컨대, 왕명거의 〈적막을 두드려 소리를 구하다〉**)이었다. 주해서는 경전의

* 2013년 12월 31일 심산출판사에서 상, 하 두권으로 번역·출판되었다.

** 1999년 12월, 안휘대학출판사. '〈주역〉 부호미학'이라는 부제가 붙어 있다.

해석에 치중한 것이라 따분한 점이 없지 않았고(물론 씹을수록 깊은 맛이 나오는 법이지만 이는 전문가의 입장에서 볼 때 그렇다), 전문서적은 난해해서 일반인이 쉽게 읽을 것이 아니었다.

그러다가 중국인민대학 국학원 양칭쭝楊慶中 교수가 지은 〈주역과 인생〉이라는 책을 접하게 되었다. 이 책은 원래 사천인민출판사가 〈주역과 경영지도〉 등과 더불어 〈주역인생지혜총서〉 중의 하나인 〈주역과 처세지도〉로 펴낸 것이었는데, 이것이 유명세를 타게 되자 저자가 그 내용을 다듬어 대학 강단의 책으로, 더 나아가 일반인에게 주역을 소개하는 책으로 〈주역과 인생〉이라는 제목으로 다시 출판하게 되었다.

중국 경학 및 주역 연구에 조예가 깊은 저자는 이 책에서 〈주역〉을 의리역학의 입장에서 '중국전통문화의 철학적인 기초'로 자리매김하고, 사람들이 공자가 말한 대로 인생에서 '큰 잘못'이 없이 낙천지명할 수 있도록 하기 위하여 크게 내·외편의 20개 주제 아래 〈주역〉에 담긴 인생지혜를 밝게 드러내고 있다.

우리나라에는 〈주역〉이란 책의 지위가 명확하지는 않다. 일반인은 대체로 〈주역〉을 점치는 책쯤으로 치부해 버릴 뿐이다. 주역이 의리를 밝히는 책이라는 주장이 있는지, 공자가 그런 주장을 한 대표적인 인물인지—이를 아는 사람도 드물다.

이러한 가운데 역자는 이 책을 우리나라에 소개하는 것이 〈주역〉에 대한 이해를 넓히는 데 도움이 될 것이라 생각했다. 지금의 심정은 저자의 소망대로 이 책을 읽은 독자들이 생활 속에서 〈주역〉의 지혜를 십분 활용하여 기복 많은 인생에서 '큰 잘못'에 빠지지 않고 낙천지명을 누리게 되기를 바랄 따름이다.

역자는 〈주역〉에는 깊은 인생 철리가 담겨 있으므로 그 의리 측면을 깊이 천착한 다음, 때로 주역점을 쳐보고 그 의미를 깊이 생각하는 방법으로 〈주역〉을 공부했다. 〈계사전〉에서, "군자가 거처할 때는 괘효의 상을 보고 그 괘사를 음미하고, 어떤 일을 할 때는 그 괘효의 변하는 것을 보고 그 점을 음미한다"라고 한 것처럼 그렇게 〈주역〉과 대화를 나누었다. 구체적인 방법을 말하자면, 〈주역〉 경전을 두어 번 통독한 뒤, 〈계사전〉을 외다시피 숙독하고, 설괘전, 서괘전, 잡괘전도 여러 번 읽고, 다시 〈주역〉 경전을 하나하나 괘별로 정독해 나갔다. 주의할 점은 글의 행간을 읽고 그 이유를 깊이 사유해 보아야 한다는 것이다.

〈주역〉의 철리는, 인격수양 측면과 치세경영 측면이 서로 불가분하게 결합되어 있어, 치세경영에 치우친 유교나 인격수양에 치우친 도교·불교와는 다소 다른 특색을 가지고 있지만, 이들과 서로 배척하는 것이 아니다. 유교, 도교, 불교에 관심을 가진 독자는 그 점에 유의하면서 〈주역〉을 읽어도 좋을 것이다.

이 책을 번역하는 일은 쉽지 않았다. 저자의 뜻을 올바르게 전하고 있는가라는 걱정이 늘 따라붙었다. 하여튼 천신만고 끝에 번역을 마쳤다.

몇 가지 가벼이 일러둘 것이 있다. 원저原著에 강의 어투로 자주 등장하는 '우리들은'이란 주어와 인명人名 뒤의 존칭어 '선생'은 생략하는 것을 원칙으로 삼았으며 '토론'이란 단어는 '논의'로 바꾸었다. 모든 책명은 편의상 〈주역〉과 같이 홑화살괄호로, 모든 강조하는 단어는 "자강불식"과 같이 직접인용에 그렇듯이 큰따옴표로 표시하였다. 그리고 역자가 독자의 편의를 위해 붙인 주석은 그 끝부분에 '역자 주'라고 달아두었다.

온갖 현란한 첨단 혁신기술들이 4차 산업혁명을 눈앞으로 불러들인

시대에 그렇잖아도 불황에 허덕이는 출판계가 〈주역〉 번역서에 별난 관심을 보여줄 것이라는 기대를 가질 수야 없는 노릇이었다. 하마터면 이 책은 빛을 보지 못할 뻔했다는 말이다. 그러나 두 분의 두텁고 따뜻한 우의가 그 불운을 막아주었다. 벌써 7년 전에 타계한 가형家兄의 친구 이동조李東兆 선배님, 사십여 년 전부터 길동무로 걸어온 후배 이대환李大煥 작가가 선뜻 나서서 출판을 격려하고 큰 도움을 아끼지 않았다. 여기에다 각별히 심심한 감사의 마음을 새겨둔다.

2017년 5월 베트남 하노이에서
배 용 재

| 머리말 |

우리의 생활 속에 살아 있는 〈주역〉

1

〈주역〉은 중국 고대의 중요한 철학 전적典籍 중의 하나로서, 〈역경〉과 〈역전〉이라는 두 부분으로 구성되어 있으며, 〈역경〉은 은주 시대에 책으로 만들어지고, 〈역전〉은 대략 전국시기에 책으로 만들어졌다. 한대漢代는 경학박사를 두어 〈주역〉은 경서로 받들어졌다. 이후 2천여 년 동안 그것은 줄곧 봉건시대 주류 학술의 핵심지위를 굳건히 지켜왔고, 중국 전통문화의 발전에 지대한 영향을 끼쳤다.

그러나 〈주역〉 그 자체가 복잡한 데다, 더구나 근대 이래는 전통문화 전적에 대한 생소함마저 더해져서, 〈주역〉에 대한 이해는 심한 편차를 보이고 있다. 혹자는 이를 신비한 천서天書로 여기고, 혹자는 이를 단순히 운명을 헤아려보는 점서占書로 여기기도 하는데, 사회의 몇몇 방문좌도旁門左道마저 〈주역〉에 빌붙어 신비함을 그 이론으로 삼기를 좋아하는 바람에 마침내 〈주역〉의 면모는 기이하게 변하고 말았다.

그런데 사실 〈주역〉은 결코 신비한 것이 아니다. 예컨대, 우리가 일상

생활에 흔히 쓰는 성어成語 중에는 〈주역〉에서 나왔거나 〈주역〉과 관계가 있는 것이 적지 않다. 거안사위居安思危[1]·궁변통구窮變通久[2]·자강불식自强不息[3]·도광양회韜光養晦[4]·비극태래否極泰來·삼양개태三陽開泰[5]·혁고정신革故鼎新·구동존이求同存異[6]·수도동귀殊途同歸[7]·세심혁면洗心革面[8]·의결금란義結金蘭[9] 등등이 그렇다. 이들 4자성어 가운데 "비극태래"는 바로 주역의 〈태〉괘와 〈비〉괘에서 나온 것으로, 〈태〉괘의 다음이 〈비〉괘이니 그 뜻은 나쁜 것이 지나가고 나면 좋은 것이 도래한다는 것이다. "혁고정신"은 〈주역〉의 〈혁〉괘와 〈정〉괘로 이루어진 것으로, 혁은 변혁變革이요, 정은 정립鼎立이다. 옛것을 버리고, 새로운 것을 건립하는 것이 바로 "혁고정신"이라 불린다. "의결금란"은 두 사람 혹은 여러 사람의 감정이 서로 좋아서 형제로서 결의結義하려고 하는 것, 즉 금란金蘭의 우의를 결의하는 것이다. 이 성어는 〈동인〉괘에 대하여 공자가 한 해석—"두 사람이 한 마음이 되면 그 날카로움은 쇠를 자를 수 있고, 한 마음에서 나온 말은 그 향기가 난초와 같다"—에서 나온 것이다. "삼양개태"에서 "삼

1 편안하게 지낼 때 앞으로 닥칠 위태로움을 생각한다는 뜻의 4자성어 -역자 주

2 궁하면 변해야 하고, 변하면 통하며, 통하면 오래 간다는 뜻의 4자성어 -역자 주

3 스스로 강건하기 위하여 노력함에 쉼이 없다는 뜻의 4자성어 -역자 주

4 "자신의 재능을 밖으로 드러내지 않고 인내하면서 기다린다"는 뜻의 4자성어. 한자를 그대로 풀이하면 "칼날의 빛을 칼집에 감추고 어둠 속에서 힘을 기른다"는 뜻인데, 1980년대 중국의 대외정책을 일컫는 용어이기도 하다. -역자 주

5 삼양이 생겨나서 태괘를 이루는 때가 정월이고 입춘이라는 뜻에서 봄이 시작된다는 뜻으로 쓰이는 4자성어 -역자 주

6 "같은 것을 추구하고 이견은 남겨둔다" 혹은 "서로 다름을 인정하되 같은 것을 지향한다"는 뜻의 4자성어. 중국이 외교적 난제가 있을 때마다 자주 사용하는 용어인데, 국내 정치인이 이합집산하거나, 대북정책을 추진할 때도 자주 등장하였다. -역자 주

7 "수殊"는 같지 않은 것이고 "귀歸"는 귀착점이다. 서로 다른 길을 걷더라도 동일한 목적지에 도달함을 일컫는 4자성어로서, 〈주역·계사하〉에서 나왔다. -역자 주

8 마음을 씻고, 얼굴을 바꾼다는 말로서, 철저하게 스스로를 개조한다는 뜻의 4자성어. 최근에, 일부 정당이나 정치인에 대한 국민적 요구를 대변하는 말로서 언론에 사용되기도 하였다. -역자 주

9 형제로서 결의를 맺으면 그 향기가 금란과 같다는 뜻으로서, 날카로움이 쇠를 자를 수 있고, 진정한 마음에서 하는 말은 그 냄새가 난초같이 향기롭다는 〈주역·계사상〉에서 나온 말. 중국의 유명한 장개석은 1911년부터 1921년의 11년간 8명의 결의형제들과 "의결금란" 의 관계를 맺은 것으로 유명함. -역자 주

양"이 가리키는 것은 〈태〉괘의 아래 세 양효이다.

태

또한 중국 북경 고궁의 삼대전三大殿은 보화전保和殿·중화전中和殿·태화전太和殿인데, 이 삼대전[10]은 청대 황제가 거주하며 공무를 보던 곳으로, "보화"·"태화"·"중화"는 〈주역〉에서 나온 것이다. 고궁 안의 건청궁乾淸宮[11]과 곤녕궁坤寧宮[12]은 교태전交泰殿[13]으로 연결되어 있는데, 이것도 〈주역〉의 사상원리에 근거한 것이다. 황제를 "구오지존九五之尊"이라 불렀는데, 이 역시 〈주역〉에서 나왔다. 〈주역〉의 〈건〉괘의 구오 효사는 "나는 용이 하늘에 있으니 대인을 만나는 것이 이롭다 飛龍在天, 利見大人"이다. 건은 하늘을 대표하고 구오는 "나는 용이 하늘에 있는 것"이니 사람들은 그것을 황제에 비유하여 "구오지존"이라 불렀던 것이다.

그 밖에 일상생활의 용어, 예컨대 어떤 일을 결정하였으면서도 그 다음날 생각을 바꾸는 것을 우리는 통상적으로 "또 괘를 바꾸었구나"라고 말하는데, "괘를 바꾸다"라는 말도 〈주역〉에서 나온 것이다. 〈주역〉이란 조금도 신비한 것이 아니며, 그것은 우리의 생활 속에 살아있다는 것을 알 수 있다.

10 자금성 내 궁전으로서, 공적 업무공간인 외조의 세 궁전. 중화전은 신하와 정사를 나누던 곳이고, 보화전은 연회장이었고, 태화전은 외조의 중심으로서 황제의 권위를 상징하던 곳이다. -역자 주

11 황제의 침실 겸 집무실. -역자 주

12 명나라 때에는 황후의 침실로, 청나라 때에는 궁중의 제례의식이 행해졌던 곳. -역자 주

13 황후의 공간으로 명나라 때에는 황후의 침실로, 청나라 때에는 황후의 공식 업무와 옥새를 보관하는 곳으로 사용되던 곳. -역자 주

2

〈주역〉이 아직 우리의 생활 속에 살아 있다면, 우리는 〈주역〉에 대하여 어떤 자리매김을 해야 할까? 바꿔 말하면, 〈주역〉은 도대체 어떤 성질의 책이라 해야 할 것인가? 〈사고전서총목제요〉 중에는 아래와 같은 글이 있다.

> 주역의 도는 넓고 커서 포함하지 않는 것이 없어 주위로 천문·지리·악율·병법·음운학·산술에까지 미치는 바, 도사들의 연단도 〈역〉을 원용하여 자신의 학설로 주장하고, 이변을 좋아하는 자들도 〈역〉을 자신의 이론으로 내세우니, 〈역〉의 설은 더욱 번잡해졌다.

〈주역〉의 도리가 미치는 범위는 매우 넓어서, 주류는 말할 것도 없고, 지류支流로서 천문·지리·악율·병법·음운학·산술과 심지어 도사들의 연단까지에도 미치니, 〈주역〉의 깊은 영향을 받지 아니한 것이 없다는 뜻이다. 이는 〈주역〉이 중국 전통문화의 모든 방면에 작용을 끼쳤다는 것을 설명한다. 이러한 관점에서 보면, 〈주역〉은 중국 전통문화의 철학적 기초인 것이다.

중국역사상 〈주역〉의 지위는 매우 특수하다. 한대漢代로부터 시작하여 모든 봉건시대에 있어서 중국 전통학술의 핵심은 경학經學이었는데, 그 경학의 핵심이 바로 역학이니, 〈주역〉은 전통학술에서 핵심 중의 핵심이라는 지위를 차지하고 있었다. 그래서 당대의 대유大儒 양수명梁漱溟은 일찍이 "역은 대도大道의 근원이다"라고 말했다. 미국에 유학했던 저명한 성중영成中英은 형상적으로 〈주역〉은 중국 전통문화의 살아 움직이는 동력이라 불렀다. 수천 년 간 중국문화는 부단히 〈주역〉을 풀이해 나가는 과정 중에 있는데, 끊임없이 낳고 또 낳아서, 아직도 불꽃처럼 빛나는 청춘이다. 이름 높은 역학가이자 철학가인 주백곤朱伯崑은, 중국인들은 서방인과 접촉하기 전, 즉 근대 이전에는 주로 〈주역〉을 연구함으로써 자기의 사유능력을 높이고, 우주를 이해하며, 사회를 인식하고, 인생을 파악하였다고 한다. 이러한 의미로 말하자면, 〈주역〉은 근대 이전에 중국 지식분자의 철학 교과서였다고도 말할 수 있다.

요컨대, 〈주역〉의 자리매김에 대해서는 세 구절의 말로 개괄할 수 있을 것이다 : 〈주역〉은 중국 전통문화의 철학적 기초이고, 근대 이전에 중국 지식분자의 철학교과서이며, 중국 전통학술 가운데 핵심적 지위를 차지하고 있다.

그렇다면, 우리가 〈주역〉을 학습하는 목적은 무엇인가? 중점을 도대체 어디에 두어야 할 것인가? 저자는 개인적으로는 적어도 세 가지 방면에서 고찰할 수 있다고 생각한다.

첫 번째 방면은, 〈주역〉의 기본내용을 이해하는 것이 우리의 지식을 풍부하게 하는 데 크게 도움이 된다는 것이다. 두 번째 방면은, 〈주역〉을 학습하는 것은 중국 전통문화 및 그 특질을 이해하고, 중국 전통문화의 핵심적 내용을 파악하는 데 매우 큰 도움이 된다는 것이다. 세 번째 방면은, 저자가 이 책 속에서 중점적으로 논술할 것인데, 바로 우리가 안신입명安身立命[14]하는 것을 도와주고, 정확하고 합리적인 생활을 영위에 나가는 데 커다란 계발啓發 의의를 지닌다는 것이다.

이들 세 가지는 성인聖人 공자孔子가 우리를 위하여 찾아낸 〈역〉을 공

14 모든 의혹과 번뇌를 떨쳐버리고 생사와 이해를 초월하여 모든 것을 천명에 맡길 수 있는 안정된 마음상태를 말함. 입명이라 함은 〈맹자〉의 진심편에 나오는 말로서, 수신을 통하여 얻어지는 결과다. 입명을 직역하면 명을 세운다는 뜻으로, 자신에게 주어진 천명을 바르게 세운다는 뜻이다. 하늘이 정해준 인간의 수명은 피할 수 없는 것이고, 오히려 매일 매일의 삶에서 용감하고 투철하게 운명을 직시하여 수양함으로써, 죽음에 임할 때까지 천명을 기다리는 안신입명의 도를 완성할 뿐이라는 의미가 있다. -역자 주

부하는 길이다. 사료의 기재에 의하면, 공자는 일찍이 무당, 박수와 같은 종류는 쳐다보지도 않았기 때문에 〈주역〉도 그리 중요하게 보지 않았는데, 늙어서 〈주역〉을 여러 번 읽고서 그 속에 "옛 사람들이 후세에 전하는 말"이 있는 것을 발견하고, 그 속에서 "덕의德義"를 볼 수 있었기 때문에 "만년에 〈역〉을 좋아하고," "집 안에 있을 때는 책상 위에 두고 나들이 할 때는 행랑에 두며," "이를 읽기로 가죽 끈이 세 번이나 끊어지도록 읽고"서는 "만일 나에게 몇 년을 더해주어서 50살에 역을 배울 수 있었다면 큰 과실이 없었을 것인데"라고 개탄하였다고 한다. 공자는 〈주역〉을 배우는 목적을 "큰 과실이 없음 無大過"에 두었는데, "큰 과실이 없음"은 바로 큰 잘못을 저지르지 않는 것이다. 이것은 그가 〈역〉을 배우고 체득한 것이지만, 오늘날 우리가 〈역〉을 배우는 목적이 되어야 할 것이다.

이 책을 쓴 목적은 바로 〈주역〉의 지혜—큰 잘못을 되도록 적게 범하는 지혜, 안신입명安身立命하는 지혜를 탐구하는 데 있다. 〈주역〉의 지혜는 생활지혜와 생명지혜 두 방면으로 세분할 수 있다.

3

〈주역〉의 생활지혜는 "변變"자 하나로 개괄할 수 있다. "변"은 〈주역〉의 핵심관념의 하나이다. 〈주역〉이 "변"을 강론하는 것은, 사람들은 사물의 발전·변화의 규율에 순응해야 한다는 것을 강조함에 있다. 구체적으로는 다시 두 방면으로 나눌 수 있으니, 한 방면은 성공 혹은 운이 좋은 방향으로 달리고 있을 때에 어떻게 변함을 방지할 수 있는가 하는 것이고, 다른 한 방면은 실패 혹은 불운할 때에 어떻게 변함을 촉진시키는가 하는 것이다. 간단히 말하면, "어떻게 변하고" "어떻게 변하지 않는가" 하는 것이다.

현실의 생활에서 개인이 매우 성공하고 있는 때에는 이러한 추세를 계속 유지하기를, 즉 변화를 방지하기를 바라게 되는데, 변화를 방지하는 방법도 역시 변화이다. 무엇을 변화시키는가? 바로 자신을 추스르고, 겸허하게 자신을 낮추며, 교만함과 성급함을 경계하는 것이다. 이렇게 해야만 자기의 성공을 계속하여 지켜나갈 수가 있다. 청대 명신 증국번曾國藩은 "꽃은 만개하지 않고, 달은 보름달이 되지 않았을 때 花未盡開月未圓"라는 말을 한 적이 있다. 꽃이 만개하게 되면 시들게 마련이고, 달이 완전히 둥글게 되면 줄어들기 마련이다. 현실 속의 꽃은 일정한 정도로 피게 되면 반드시 만개하기 마련이고, 달도 음력 15일과 16일에 이르면 만월이 되기 마련인데, 이것은 자연의 현상이자 법칙이다. 그러나 사람은 꼭 그렇지만 않아서 자기의 노력을 통하여 만개에 이르거나 만월이 되지 않도록 할 수 있으니, 그 방법은 겸허하게 자신을 낮추는 것이다. 〈주역〉의 겸謙괘는 극히 중요한 괘인데, 한대인漢代人들은 이 괘는 크게는 나라를 지킬 수 있고, 중간으로는 가정을 지킬 수 있으며, 작게는 자신의 몸을 지킬 수 있다고 말했다. 현실 속의 많은 기업 혹은 개인들은 한때 이름이 세상에 널리 알려졌다가도 눈 깜박할 사이에 도산하여, "일어날 때는 갑자기 일어났다가 사라질 때는 눈 깜짝할 사이에 사라진다"고 할 수 있는데, 이는 바로 어떻게 변하는 것을 방지해야 할지 모르고, 어떻게 변하는 것을 통하여 변하는 것을 방지해야 할지를 모르기 때문이다.

이와는 반대로, 실패하거나 불운할 때 어떻게 해야 변하는 것을 촉진시키는지를 알아야 하는데, 이를 궁변통구窮變通久[15]라고 부른다. 궁窮은 상황이 뜻과 같이 아니한 순간을 가리키고, 변變은 이 "궁함"을 바꾸어야 한다는 것이며, 통通은 바로 궁함을 극복, 초월한다는 것으로 곤경을 벗어난

15 궁하면 변해야 하고, 변하면 통하며, 통하면 오래 간다는 뜻의 4자성어로서, 〈주역〉 계사전의 "窮卽變, 變卽通, 通卽久"에서 나온 말. 최근 롯데 신동빈회장, 대우건설 박창민 사장이 사용해서 화제가 되었다. -역자 주

다는 것이다. 이것이 바로 "산 첩첩 물 겹겹 길이 없는 듯하더니, 버드나무 그늘 꽃 밝은 곳에 또 한 마을이 있네 山重水復疑無路, 柳暗花明又一村"라는 것이다. 그러므로 실패하면 할수록 더욱 신심이 있어야 한다.

요컨대, 성공으로 휘황찬란할 때는 산 정상에 오른 것에 비유할 수 있는데, 이러한 때 만일 겸허하게 자신을 낮추지 않으면 어느 방향으로 걸어가든지 모두 내리막길이 된다. 실패하고 불운할 때는 골짜기로 내려간 것에 비유할 수 있는데, 이러한 때 신심을 지키고 해이하지 않으며 끝까지 견지해 나가면 어떤 방향으로 걸어가든지 모두 오르막길이 된다. 변함을 방지하거나 혹은 변함을 촉진하는 것은, 바로 사람들이 자기 자신의 형편에 맞게 유지하면서 딱 알맞도록 변하여 불패지지不敗之地에 설 수 있도록 하려는 데 있다. 골짜기를 벗어나는 것이 딱 알맞은 정도에 이르면 바로 성공인 것이고, 내리막길로 내려오는 것을 방지하는 것이 딱 알맞은 정도에 이르면 바로 성공을 유지하는 것이다.

변함을 방지하는 것과 변함을 촉진하는 것은 결국 모두 하나의 변함이다. 다만 변함에 결코 조건이 없다는 것은 아니다. 〈주역〉이 변함을 이야기함에 있어 그 근거는 "시時"인데, 바로 "변통추세變通趨時"[16]이다. 변통추세는 굴신수시屈伸隨時[17]·인시이변因時而變[18]이다. 소위 시時라는 것은 객관변화의 시세時勢이다. 〈주역〉의 괘효사는 괘효상을 해석할 때 "시時"를 매우 강조하여, 시대의 흐름에 따르는지의 여부가 직접적으로 길흉화복에 관계된다고 생각한다. 또한 〈역전〉이 〈주역〉의 고경古經을 해설할 때도 "때와 더불어 함께 행함[與時偕行]"과 "때의 의의[時之義]"에 대한 설명을 중시한다.

어떻게 때를 장악할 것인가? 〈주역〉은 그 관건이 "기미를 앎[知幾]"에

16 정세에 순응하여 요령있게 처리함으로써 시대의 흐름에 따른다는 4자성어. -역자 주

17 시기에 맞게 움츠리고 편다는 4자성어. -역자 주

18 때에 맞게 변화하다, 처리하다는 뜻. -역자 주

있다고 본다. “기幾”는 싹이요 조짐이다. 〈주역〉은 말한다 : “무릇 〈역〉이란 성인이 깊은 곳을 탐구하고 기미를 연구하는 소이라. 깊기 때문에 천하의 뜻을 통할 수 있고, 기미이기 때문에 천하의 일을 이룰 수 있다; 신령하기 때문에 치달리지 않아도 빠르고, 가지 않아도 목적지에 다다른다. 夫〈易〉, 聖人之所以極深而硏幾也. 唯心也, 故能通天下之志; 唯幾也, 故能成天下之務; 唯神也, 故不疾而速, 不行而至.” 사물 발전의 징조를 알아서 천하의 업적을 이룰 수 있다는 뜻이다. 〈주역〉 속에 다음과 같은 말이 있다 : “착함을 쌓은 집안은 반드시 경사로움이 남아돈다. 불선을 쌓은 집안에는 재앙이 넘쳐흐른다. 신하가 그 임금을 시해하고, 아들이 그 아버지를 죽이는 일은 하루 아침저녁의 원인으로 인한 것이 아니니, 그 유래는 조금씩 온 것이지만 그것을 분별하게 된 것은 일찍지 아니한 것이다. 積善之家, 必有餘慶; 積不善之家, 必有餘殃. 臣弑其君, 子弑其父, 非一朝一夕之故, 其所由來者漸矣, 由辨之不早辨也.” 사물의 변화에는 모두 하나의 시작이 있으니, 당신이 제때 빨리 분별·관찰할 수 있다면 길함을 좇고 흉함을 피할 수 있을 것이다. 그러므로 〈주역〉은 특별히 “기미를 아는[知幾]” 공부를 강조한다. 미세한 징조를 발견하고 연구할 수 있다면 커다란 사업을 성취할 수 있으며, 서두르지 않더라도 모든 일을 빠르게 이룰 수 있다; 힘쓸 필요 없이, 작은 노력으로 많은 효과를 거둘 수가 있다. 이것이 “기미를 아는 것이여, 그 얼마나 신령스러운가! 知幾, 其神乎!”라는 것이다. “기미”를 알면, 이 싹과 징조를 알면, 아주 “신령”스러운 정도에까지 이를 수 있다는 것이다. 대다수 사람들은 길흉이 이미 매우 분명하게 되었을 때에야 비로소 길흉을 판단할 수가 있지만, “기미를 앎”에 뛰어난 사람은 길흉이 이제 막 머리를 드러내기 시작할 무렵에, 혹은 길흉이 아직 드러나지 아니하고 겨우 싹만 내미는 때에 이미 그것을 아는 것이다.

4

〈주역〉의 지혜의 두 번째 방면은 생명지혜이다. 생명지혜는 주로 안신입명·종극적인 관심이라는 의미에서 말하는 것으로서, "낙천지명樂天知命"이라는 말을 사용하여 개괄할 수 있다. "낙천지명"이란 하늘이 준 그 천연天然함을 즐기고 그 운명을 안다는 것이다. 그런데 그 천연함을 즐긴다고 할 때의 "즐긴다"는 말은 반드시 "그 운명을 앎[知命]"을 기초로 하니, 결국 "낙천지명"은 "지명知命"으로 돌아간다.

"지명知命"은 공자 사상의 중요한 내용이다. 공자가 말하는 "지명知命"은 바로 너 자신을 알라, 자기가 무엇을 할 수 있고 무엇을 할 수 없는지; 응당 무엇을 해야 하고 무엇을 하지 않아야 하는지를 알라는 것이다. 〈주역〉에서 말하는 "낙천지명"도 이러한 뜻이다.

그렇다면 어떻게 해야 "낙천지명"할 수 있는가? 〈주역〉이 제공하는 사고의 방향은 "이치를 궁구하고 타고난 성품을 다하여 천명에 이른다 窮理盡性以至于命"라는 것이다. 궁리窮理는 바로 음양변역의 법칙을 탐구하는 것이다; 진성盡性은 바로 사람의 인의지성仁義之性을 발휘하는 것이다. 이와 같은 방법을 따라서, 〈주역〉은 특별히 천도天道를 미루어 인사人事를 밝히는 것을 강조한다. 예컨대, 〈주역〉은 다음과 같이 말한다 : "하늘의 운행이 굳건하니, 군자는 이를 본받아 자강불식한다 天行, 健. 君子以自强不息," "땅의 형세가 곤이니, 군자는 이를 본받아 덕을 두텁게 하고 만물을 싣는다. 地勢, 坤. 君子以厚德載物," "구름과 천둥이 둔이니, 군자는 이를 본받아 천하를 경륜한다. 雲雷, 屯. 君子以經綸." 등등. "천행天行"은 일월성진日月星辰이 하늘에서 운행하는 것이고, "지세地勢"는 산악천류山岳川流의 지상에서의 형세이며, "운뢰"는 구름과 천둥이니 이러한 자연현상은 사물의 이치를 포함하고 있다.

〈주역〉은 사람들에게 이러한 사물의 이치를 통하여 사회, 인생의 이치를 체득하기를 가르치는 것이다 : 일월성진이 쉬지 않고 규칙적으로 운행하는 것을 보고, 사람은 이를 본받아 자강불식하는 사람의 준칙을 체득하여야 한다. 대지가 만물을 양육하고 만물을 받들어 싣는 특성을 보고, 사람은 이를 본받아 덕을 두텁게 하고 만물을 싣는 미덕을 체득하여야 한다. 이것은 우리에게 자연을 통하여 인생을 이해할 것을 가르치고, 자연의 이치를 사람의 덕성 차원으로 승화할 것을 가르친다. 그러므로 〈주역〉은 특별히 관물취상觀物取象[19]과 관상취의觀象取義[20]를 강조한다. 천지를 본받아 우주의 이치를 명백히 알고 생명의 도리를 관통할 것을 강조한다. 이것 역시 바로 낙천지명의 목적이다. 이렇게 할 수만 있다면, 우주와 인생을 합리적으로 이해할 수 있고, 이로 인하여 자기의 생명활동도 점차적으로 합리적으로 만들 수 있게 된다. 그런데, 가장 합리적인 상태는 바로 "천지와 그 덕을 합하고, 일월과 그 밝음을 합하며, 사시와 그 차례를 합하고, 귀신과 그 길흉을 합하니, 하늘에 앞서더라도 하늘이 어긋나지 않고, 하늘에 뒤서더라도 천시를 받든다 與天地合其德, 與日月合其明, 與四時合其序, 與鬼神合其吉凶, 先天而天不違, 後天而奉天時." 라는 것이다. 여기서 말하는 합천인合天人·합사시合四時·합귀신合鬼神은 실제로는 우주와 합하여 하나가 되는 것이다. 이러한 합일에 이르면, 생명에 대해서도 새롭게 이해하게 된다. 그리하여 〈주역〉은 생명의 의미로부터 천인합일天人合一을 강론하는 것이다. 이렇기 때문에 〈주역〉은 특별히 "낳고 낳는 것을 역이라 한다 生生之謂易," "천지의 큰 덕을 낳음이라 부른다 天地之大德曰生"라고 함으로써 "생"을 특별히 강조하는데, 또한 이러한 "생"은 바로 우주합리성의 가장 아름다운 표현이다. 그러므로

19 사물을 관찰하여 그 형상의 특징을 취한다는 말. -역자 주

20 관물취상에 한 걸음 더 나아가, 그 취한 형상의 특징을 살펴서 그것에 내재하고 있는 뜻을 취한다는 말. -역자 주

〈주역〉이 변變을 이야기하고 낙천지명 등을 이야기하는 것도 모두 "합리성"으로 귀결할 수 있다 : 우주의 합리성을 이야기하고, 사회의 합리성을 이야기하고, 사람의 합리성을 이야기하는 것이다. "합리성"이라는 이 세 글자를 간단히 하면 바로 "도道"라는 한 글자가 되는데, 사람이 만일 줄곧 이와 같은 하나의 합리성을 따르고, 이와 같은 하나의 도를 따라서 자기를 세우며, 자기의 인생역정을 전개한다면, 우주의 합리성과 합하여 하나가 될 수 있을 것이다. 이러한 합일은 바로 경지가 매우 높은 천인합일이요, 또한 가장 합리적인 존재형식일 것인데, 공자가 말한 "마음이 하고자 하는 바를 따라도 법도에 어긋나지 않는다 從心所慾不逾矩"도 아마 이와 같을 것이다.

이 책은 내·외 두 편으로 나눈 20가지의 역학 명제로 구성하여 〈주역〉의 지혜와 그것의 현실 인생에 대한 지도의의指導意義를 논의할 것이다. 저자는 '사람의 생명활동은 처세방법과 덕성함양이라는 두 가지 방면을 포함하는데, 후자를 버려두고 전자만 이야기한다면 이기적인 장사꾼 심보와 세상을 상대로 장난치는 일로 흘러가기 쉽고, 전자를 버려두고 후자만 이야기한다면 진부陳腐함과 고지식함으로 흐르기 쉽다'고 생각한다. 그래서 "내편"은 인생활동의 덕성기초를 논의하고, "외편"은 인생활동의 방법원칙을 논의한다. 전자는 변화 가운데의 불변하는 것[變中之常]이라고 할 수 있는데, 언제 어디서라도 반드시 지켜서 스스로 자아의 인격수양을 유지하고 완성하도록 하여야 하는 것이다; 후자는 불변 속의 변화[常中之變]라고 할 수 있는데 때와 장소의 다름에 따라 변역變易하여 스스로를 시세時勢의 흐름에 합치고 순응하게 하는 것이다. 그런데 현실생활 속에서 이 둘을 유기적으로 결합하여야만 비로소 중후하고 지혜로울 수 있다.

〈주역〉이란 책의 구조적 특수성과 전문적인 용어를 고려하여, 독자들의 읽기에 편리를 도모하기 위하여 "부록"에 특별히 전문적으로 역학의 기초지식을 소개하는 글 한 편을 수록하고, 〈주역〉 64괘를 덧붙였으니, 독자들은 참고하기 바란다.

내편

1. 자강불식 自强不息
2. 후덕재물 厚德載物
3. 우환의식 憂患意識
4. 개과천선 改過遷善
5. 중정화합 中正和合
6. 겸비예경 謙卑禮敬
7. 순성신실 純誠信實
8. 이이합의 利以合義
9. 지항수지 持恒守志
10. 낙천지명 樂天知命

1. 자강불식 自強不息

"자강불식"이라는 성어成語는 사람들에게 낯설게 느껴지지 않을 것이다. 그러나 그것이 〈주역〉으로부터 나왔다는 사실을 잘 알지 못하는 사람들은 적지 않을 것이다. 〈역전〉은 건괘乾卦의 괘상卦象을 해석할 때, "하늘의 운행이 그침 없이 씩씩하니, 군자는 이를 본받아 자강불식한다. 天行健, 君子以自强不息"라고 했다. 이것이 바로 "자강불식"이란 말의 출처이다.

"하늘의 운행이 그침 없이 씩씩하니, 군자는 이를 본받아 자강불식한다. 天行健, 君子以自强不息"는 이 말은 매우 의미심장하다. "군자이君子以"는 "군자는 마땅히"라는 뜻이다. "군자는 마땅히" 어떻게 하여야 한다 말인가? 마땅히 "자강불식"하여야 한다. 왜 마땅히 자강불식하여야 하는가? 왜냐하면 "천행건[天行健 : 하늘의 운행이 그침 없이 씩씩하다는 뜻]"하기 때문이다. "천행건天行健"은 "군자이君子以"가 그러해야 할 이유이다. 다소 전문적인 용어로 말하면, "군자이君子以"의 철학기초이다.

3획괘 건　6획괘 건

1-1

그런데 왜 "하늘의 운행이 그침 없이 씩씩하다"고 하여 군자는 마땅히 "자강불식"하여야 하는가? 이 문제에 답하려면 〈주역〉의 "건健"자로부터 시작하여야 한다.

"건健"은 〈역전〉 중에 모두 15번 출현한다. 그중, 〈단전彖傳〉에서 10번,

〈상전象傳〉, 〈문언文言〉, 〈계사繫辭〉에 각 1번, 〈설괘說卦〉에 2번 출현한다. 이들 중 〈설괘〉 중의 하나만 진괘震卦를 가리키고 나머지 14개는 나란히 건괘乾卦를 가리키는 말인데, 예를 들면, 〈건·단전〉·〈건·문언전〉·〈수·단전〉·〈송·단전〉·〈소축·단전〉·〈태·단전〉·〈동인·단전〉·〈대유·단전〉·〈무망·단전〉·〈대축·단전〉·〈쾌·단전〉 등이다. 이러한 자료 중의 "건健"자는 기본적으로 모두 괘상 중의 3획괘 건乾을 해석하는데 사용된 것이다. "건健"이 건乾괘가 독자적으로 가지고 있는 품격 중 하나임을 알 수가 있다.

그 밖에 〈주역〉 가운데에는 3획의 건괘乾卦를 포함하고 있는 여러 괘卦가 있으나 〈역전〉은 "건健"으로서 그것을 해석하고 있지 않으니, 리履, 비否, 둔遯, 대장大壯, 구姤 등이 이와 같다. 그러나 비否괘의 〈단彖〉은 "안은 부드럽고 밖은 강하다 內柔而外剛.", 대장괘의 〈단〉은 "강하게 움직인다 剛而動.", 구괘의 〈단〉은 "부드러움이 강함을 만난다 柔遇剛."라고 하여 모두 "강剛"으로 건괘를 해석하고 있는데, "강剛" 역시 건괘의 중요한 성품이라는 것을 설명하는 것이다.

〈역전〉이 "강剛"으로써 건乾을 칭하는 것은 그 나름대로 원인이 있으니, 바로 〈역전〉이 보기에는, 건은 양류속성陽類屬性을 총 대표하는 것으로, 〈계사전〉의 말을 빌리면 "건은 양물이다 乾, 陽物也"라는 것이다. 그러므로 건괘의 괘상은 전부 양효陽爻로 만들어져 있어(3획괘이든 6획괘이든 막론하고), 순양지체純陽之體라 할 수 있다. 그러나 건괘 이외의 기타 괘 가운데의 양효는 그 성질이 자연히 건乾의 성질을 반영하거나 나누어 가지고 있는 것이다. 바꿔 말하면, 〈주역〉의 64괘는, 어떤 괘이든지 불문하고, 그 중 양효는 모두 그 괘 가운데에서 건건乾健의 성질을 밝게 드러내는 작용을 한다, 이러한 작용이 적당한지 여부를 불문하고, 요컨대, 건乾의 성품은 "강건剛健"이다.

그러면, 왜 〈주역〉 가운데 건괘의 성품이 "강건剛健"한가? 그 답은, 건은 〈주역〉 중에서 하늘을 상징하고, 건이 기본적으로 본뜬 모습이 하늘이기 때문이다. 아래의 예를 보자.

하늘의 운행이 그침 없이 씩씩하니, 군자는 이를 본받아 자강불식한다.
구름이 하늘 위에 있으니 수이다.
하늘과 물이 서로 어긋나게 운행하니, 송이다.
바람이 하늘 위로 부니 소축이다.

天行健, 君子以自强不息. (〈乾·象〉)
雲上于天, 需. (〈需·象〉)
天與水違行, 訟. (〈訟·象〉)
風行天上, 小畜. (〈小畜·象〉)

수　송　소축

〈수〉괘와 〈송〉괘를 구성하고 있는 3획괘는 각각 건乾과 감坎인데(위치는 같지 않다), 〈설괘전〉에 의하면, 건은 하늘이고 감은 물이고 또 구름이므로 두 괘의 〈상전〉은 분별하여 "구름이 하늘 위에 있다," "하늘과 물이 서로 어긋나게 운행한다."고 말하고 있다. 소축괘를 구성하는 두 개의 3획괘는 각각 건과 손巽인데, 〈설괘전〉에 의하면 손은 바람이므로, 〈소축〉괘의 〈상전〉은 "바람이 하늘 위로 분다(風行天上)"라고 한다. 그 밖에 〈리·상전〉〈 〈태·상전〉, 〈비·상전〉, 〈동인·상전〉, 〈대유·상전〉, 〈무망·상전〉, 〈대축·상전〉, 〈둔·상전〉, 〈대장·상전〉, 〈쾌·상전〉, 〈구·상전〉 등도 모두 건의 취상을 하늘로 하고, 이에 근거하여 설명한 것이다.

1-2

그렇다면 왜 〈주역〉은 하늘을 건의 취상으로 삼았고, 건을 써서 하늘을 상징하였을까? 이 문제는 복잡한데, 대체적으로 말하면. 고대 천문학의 발전과 관계가 있다. 우선, 자료를 보자.

> 하늘은 순강純剛함이 있으니 건용健用이 있다. 이제 순양의 괘를 그려 이를 비유하니 상이라 일컫는다. …… 천행건天行健에 있어 행行은 운동을 칭稱함이요, 건健은 강장强壯을 이름함이다. 건乾은 뭇 건健의 표준이다. …… 하늘만 말한 것은, 만물이 장건壯健하나, 모두 쇠약해지는 바와 나태함이 있지만, 유독 하늘의 운동은 하루 1번을 돌아 그 운행하고 뜨고 짐에 있어서 휴식이라는 것이 없으니 천행건天行健이라 하는 것이다.
>
> (공영달 〈주역정의〉 권 1)

> 天有純剛, 故有健用. 今畵純陽之卦, 以擬之, 故謂之象. …… 天行健者, 行者, 運動之稱; 健者, 强壯之名. 乾是 衆健之訓, …… 偏說天者, 萬物壯健, 皆有衰怠, 惟天運動, 日過一度, 盖運轉混沒, 未曾休息, 故言 天行健.
>
> (孔穎達 〈周易正義〉 卷 1)

이것은 당대唐代 저명학자인 공영달이 〈주역정의〉 중에서 〈건〉괘의 〈상전〉을 해석할 때 설명한 말이다. 하늘은 순강의 속성을 갖고 있으므로 강건의 효용效用을 갖고 있다는 뜻이다. 〈주역〉이 세 개(혹은 여섯 개)의 양효를 사용하여 그를 상징한 것은 바로 이로써 하늘의 강건한 성질을 비유하기 위한 것이다. 그러나 하늘이 이와 같은 강건한 성질을 갖는 이유는, 그것이 두루 운행하지만 멈춰서거나 쉬는 때가 없다는 데서, 어디에서나 살아 움직이고 쇠약해지는 법이 없다는 데서 비롯되기 때문이다. 공영달이 위 책에서 인용한 삼국시대 저명인물인 유표劉表는 "천체의 운행은 주야로 쉬지 아니하고, 한 바퀴 돌면 다시 시작하며, 모자라거나 물러서는 때가 없으므로 천행건天行健이라 한다. 이는 하늘의 자연의 상을 일컫는 것이다"고 해석했다. 잘 드러나듯이, 공영달이 말한 "하늘의 운동은 하루 한 번을 돈다"는 것도, 유표의 "천체의 운행은 주야로 쉬지 아니한다"는 것도, 그들은 모두 천문학적 의의로서의 하늘을 근거로 삼아 건괘가 "강건剛健"한 성질의 내력을 해석한 것이다. 그리고 삼국시대의 저명 역학가인 우번虞翻은 일찍이 "하늘은 1일 1야로서 한 바퀴 돈다"는 말(李鼎祚 〈주역집해〉에서 인용)로서 "자강불식"을 해석했다. 그 밖에도 유사한 해석은 많다.

중국 고대에는 천문학이 상당히 발달하였다. 전하는 바에 의하면 일찍이 황제 시기에 "성력星曆을 고정[考定 : 조사, 고찰하여 정함]하고, 오행을 세우고, 소식消息을 세우고, 윤달을 바로 세웠다"(사기·歷書). 요황제 시대에 이르러 "366일을 세고, 윤월로 사시를 정하여 해를 이루는"(《尙書·堯典》) 비교적 성숙한 역법계통이 형성됐다. 하상주夏商周 3대에 이르러 천문역법은 더욱 완벽해졌다. 예컨대 은상은 간지干支로 날을 표시하고, 60주周에 다시 시작하며, 1년 12개월로 하고 아울러 윤달을 두었다. 동시에 일식과 신성 등 이상異常 천상天象에 대한 기록까지 있었다. 이러한 것들이 서주 초기에 책으로 이루어진 〈주역〉에 대하여 커다란 영향을 끼쳤다는 사실은 의심할 바 없다.

〈주역〉은 원래 서점筮占[21] 종류의 책이다. 그러나 그것이 서점으로 된 것은 음효와 양효로 이루어진 괘획과 그 괘획으로 만들어진 괘상을 통하여 완성된 것이기 때문에, 분명히 허다한 성상학星象學적 지식과 내용을 흡수하고 있다. 근대 중국의 문일다聞一多는 일찍이 천문학적 지식을 이

21 거북의 껍질을 태워 그 균열로 점을 치는 복점卜占과는 달리 서초라는 막대기로 점을 치는 것이다. -역자 주

용하여, 건괘에 대하여 퍽 특색 있는 해석을 하였다. 이경지李鏡池는 이에 깨달음을 얻어 건괘 중의 "용龍"자를 용성龍星으로 해석하여, "잠용潛龍"은 바로 추분의 용성이라고 여겼다[22]. 그 밖에 "달이 거의 보름달이 되니 길하다 月幾望, 吉"(〈귀매〉 육오), "마땅히 해가 중천에 있다 宜日中"(〈풍〉), "해 가운데 흑점이 보인다 日中見斗"(풍 육이, 구사), "해 가운데 흑점이 보인다 日中見沫"(〈풍〉 구삼), "달이 거의 보름달이 되니 말이 죽는다 月幾望, 馬匹亡"(중부〉 육사) 같은 말에도 분명히 천문성상天文星象과 밀접한 관계가 살아 있다. 특히 〈계사전〉이 팔괘의 기원을 기술할 때, "고개를 들어 천문을 살피고 仰以觀天文", "고개를 들어 하늘의 상을 살피고 仰則觀象於天", "하늘이 상을 내리니 길흉이 드러난다 天垂象, 見吉凶"라고 한 말에 주의를 기울여야 한다. 건괘가 하늘에서 상을 취한 것도 바로 이와 관계가 있다. 〈주역〉은 새로운 방식을 사용하여 새로운 각도로 고대 천문학에 대한 성과의 일부를 총결하고 흡수했다고 할 수 있다. 이것은 이후의 역학가들이 천문학이 연구한 새로운 성과를 빌려 〈역易〉의 사辭(예컨대 한대漢代의 괘기설)를 풀이하는데 근거를 제공하였다.

그러나, 〈주역〉이 새로운 방식을 이용하여, 새로운 각도로 고대 천문학에 대한 성과의 일부를 총결하고 흡수했다고 하여 단순히 자연천상自然天象에 대한 유비類比 혹은 묘사에 머무른 것은 아니며, 더 나아가 의인擬人의 수법으로써 자연천상이 표현하는 품격과 정신을 철학적인 높은 수준으로 개괄하였다. 〈역전〉이 말하는 "천행건天行健"이 〈건〉괘의 괘부호의 특징을 이용하여 하늘의 강건한 품격에 대하여 설명한 개괄이다. 건괘의 〈단전〉은 말한다

위대하도다 건원이여, 만물이 이에 바탕하여 비롯하나니, 건원으로서

22 이경지의 〈주역통의〉 2항 참조, 북경, 중화서국, 1981.

하늘을 거느리도다. 구름이 표연히 흐르고, 감로의 비가 내려 갖가지 사물이 그 흐름 속에서 형성되도다. 태양이 한번 떠오르고 한번 저무는 가운데 여섯 자리 효위가 시간에 따라 완성된다. 때에 맞춰 알맞게 여섯 마리의 거룡을 타고 하늘을 순유巡遊한다. 천도의 변화는 만물의 운명과 본성을 결정하느니 그 본래의 조화로움을 유지하여야 비로소 마땅하며 곧고 바름에 부합하게 된다. 그것은 처음으로 만물을 낳아서 널리 세상으로 하여금 안녕을 얻게 한다.

大哉乾元, 萬物資始, 乃統天. 雲行雨施, 品物流形; 大明終始, 六位時成, 時乘六龍以御天. 乾道變化, 各正性命, 保合太和, 乃利貞. 首出庶物, 萬國咸寧.

아주 아름다운 한 편의 글로서 〈단전〉의 저자는 시와 같은 언어를 사용하여 건괘의 특성을 개괄하였다. 또한 얼마나 가득 차서 넘쳐흐르는 역량인가! 그래서 〈상전〉은 "천행건"을 사용하여 그것을 개괄하려고 한 것이다. "자시資始"란 만물이 이로 인하여 시작된다는 것이다. 명나라의 저명한 역학가 래지덕來知德은 "건원은 바로 천덕의 큰 시작이니, 만물의 생겨남은 이것에 의지하여 시작된다," "자시資始란 그것이 없는 사물은 없다는 것이고, 통천統天이란 그러하지 아니한 때가 없다는 것이다. 그것이 없는 사물이 없고, 그러하지 아니한 때가 없으니, 이것이 건원이 커다란 까닭이다."(《주역집주》)고 했다. 이것은, 우주 가운데 "건원"에 의지하지 않고 창조되거나 시작하는 것은 아무것도 없다는 것이다.

그러나 "시始"는 "생生"과는 다르니, 왜냐하면 비록 만물이 그것에 의지하여 생겨나지만, 그것은 완전한 형태로 생명을 부여할 수 없고, 아직 "지극한 곤원 至哉坤元"의 배합을 기다려야 비로소 "만물을 생겨나게 할 수 있다."[23] 그러므로, "건원"의 "자시資始"는 "창시創始"가 아니며, 종교적인 창세創世의 시작이 아니다. 바로 이와 같은 이유에서 그것은 기독교의 하느님과 같이 6일 동안 작업하여 일체를 모두 만들어낸 것이 아니다. 그와 반대로 그것은 "(그것이) 없는 것이 없는 無物不有", "그러하지 아니한 때가 없는 無時不然" 품성을 구비하여, 우주변역의 과정 중에서 낳고 낳음이 서로 원인이 되어 끝없이 계속되는 것이고, 이것이 바로 〈주역〉이 말하는 생생生生인데, 〈계사전〉의 말을 빌리면, "무릇 건은 조용히 있을 때는 전일하고, 움직이면 곧게 되며, 이로써 크게 낳는다 夫乾, 其靜也專, 其動也直, 是以大生焉"는 것이다.

천도의 "자시資始"와 생생불식生生不息이 강건중정의 품격과 능동진취의 정신을 구비케 하는데, 〈주역〉은 이를 "크게 형통하고 바르니 하늘의 도이니라 大亨以正, 天之道也"(〈臨·彖傳〉), "건원이란 처음으로 시작하고 형통하게 하는 것이라 乾元者, 始而亨者也"; "건이 시작하니 능히 천하를 이롭게 할 수 있다 乾始能以美利利天下"; "크도다, 건이여 강건중정하고, 순수정이로다 大哉乾乎, 剛健中正, 純粹精也"(〈乾·文言〉)라고 일컫는다.

1-3

〈주역〉은 천도의 강건중정의 품격과 능동진취적인 정신에 감격하였는데, 자연의 본질과 규율을 정확하게 인식하려고 하였을 뿐만 아니라, 더욱 중요한 이유는 "하늘의 도를 명확히 하여 백성들의 연고를 살피는 것 明於天之道而察於民之故," 즉 천덕을 의거依據로, 천덕을 모범으로 삼아, 인류의 덕성차원을 제고하여 군자로 하여금 "높은 것은 하늘을 본받

23 건의 일체의 품성은 곤을 기다려 성취될 것을 요구한다. 본장은 건만 이야기하니 곤을 언급하지 않는다. 상세한 것은 본서 제2장을 볼 것.

아" "자강불식"토록 함에 있다.

〈건·상전〉에 있는 "天行健, 君子以 自强不息" 중 "君子以" 석 자는 음미할 가치가 높다. "君子以"는, 인류덕성의 제고는 한편으로는 경험방면에서 본받아야 할 대상("천행天行")을 필요할 뿐만 아니라, 다른 한편으로는 이성방면에서 주체자각("君子以"—군자는 응당 ……하여야 한다)을 필요로 하며, 동시에 도덕실천 속에서 부단히 "대상"(하늘)의 품격과 역량을 자기 것으로 만들어 주체자각의 내용을 풍부하게 하여야 함과 아울러 그 둘의 원만한 융화 속에 자아를 충실하게 하여 인류의 품격과 매력을 밝게 드러내는 큰 본원이 되게 하여야 한다는 것을 나타낸다.

〈주역〉은 인류가 천지의 도를 본받는 것을 아주 중시하고 특별히 강조하는데, 우리들은 심지어 주역의 관물취상觀物取象, 설괘계사設卦繫辭[24]는 바로 천지의 도를 비유하고 이를 형용하여 인류행위를 위한 학습의 표준으로 삼고자 하는 것이라고 말할 수 있다. 예를 들어보자.

> 높은 것은 하늘을 본받고, 낮은 것은 땅을 본받는다(〈계사전〉)
> 천문을 관찰하여 때의 변화를 살피고, 인문을 관찰하여 천하를 감화시킨다(〈비·단전〉)

> 崇效天, 卑法地. (〈繫辭傳〉)
> 觀乎天文以察時變, 觀乎人文以化成天下. (〈賁·彖傳〉)

그리고 〈상전〉은 완전히 직관경험적인 방면으로부터 인류의 덕성을 제고하기 위하여 만들어진 것 같다.

24 괘를 만들고 그에 설명하는 말을 붙임. 이것이 〈주역〉에 있어서 괘사가 된다. -역자 주

하늘의 운행이 굳건하니 군자는 이를 본받아서 스스로 굳세게 하며 쉬지 않는다. (〈건·상전〉)

땅의 형세가 곤이니, 군자가 이를 본받아서 두터운 덕으로 만물을 싣느니라. (〈곤·상전〉)

구름과 우레가 둔괘이니, 군자가 이를 본받아서 나라를 잘 다스린다. (〈둔·상전〉)

산 아래 샘이 솟아나는 것이 몽괘이니 군자가 이를 본받아서 과감하게 행하며 덕을 기른다. (〈몽·상전〉)

天行, 健, 君子以 自强不息. (〈乾·象〉)

地勢, 坤, 君子以 厚德載物. (〈坤·象〉)

雲雷, 屯. 君子以經綸. (〈屯·象〉)

山下出泉, 蒙. 君子以果行育德. (〈蒙·象〉)

여기서 천지자연은 의심할 바 없이 자신의 품격매력으로 인하여 인류가 본받아야 하는 본보기가 되었다. 그러나 이러한 본보기도, 그 작용은 역시 인류의 인지능력을 빌리고, 특수한 부호화(괘효부호)의 과정을 거친 후에 표현된 것이다. 예컨대, 하늘의 강건한 성질은, 순 양효로 이루어진 건괘의 해석 기능을 거쳐서 비로소 인류가 하늘의 강건한 품격을 내화하는 철학적 의거依據가 된 것이다. 그러므로 〈주역〉이 강조하는 "높은 것은 하늘을 본받고, 낮은 것은 땅을 본받는다 崇效天, 卑法地"는 것은, 종교적 의미의 복종과 다를 뿐만 아니라, 상대주의자 장자莊子의 "하늘에 가려 사람을 알지 못한다 蔽於天而不知人"(즉 단지 평면적으로 사람의 하늘에 대한 순응만 강조하고 인간이 본래 가지고 있는 주관능동성을 보지 못한다)는 것과도 같지 않다. 그것은 주체적인 자각과 천도에 대한 이해 및 생명활동 속의 착실한 실천에 의거하여, 하늘과 인간 사이에 덕성이 상호작용하는 것을 부단히 실현하는 것이다.

1-4

〈주역〉을 통틀어 보건대, 적어도 네 가지 덕행이 건건乾健의 덕과 관계가 있다. 그것은 자강自强정신, 일신日新정신, 병박拼搏정신[25], 그리고 호연정기浩然正氣이다.

앞에서 살펴본 바와 같이, 자강정신은 하늘의 강건한 품격으로부터 연유하는데, 이러한 품격이 인류의 덕성으로 내화된 뒤 곧바로 인류의 자강자존의 덕행으로 발휘되어 인류의 자강자존의 정신적 에너지가 되었다. "자강"이란, 공영달이 말하기를, "자강면력自强勉力[26]이다"(〈주역정의〉 권 1). 장대년(張岱年)은 "자강이란 향상하려고 노력하고, 적극적으로 진취하는 것"[27]이라고 말한다. 이것에 의하면, 우리는 "자강"이란 자아긍정이요, 자아면려勉勵요, 적극 향상向上이요, 초지일관이라 생각할 수 있다. 자아긍정은, 자아의 가치를 긍정하고 자기의 인격존엄과 독립의지를 견지하며 자기 자신에 대하여 신심信心으로 충만하는 것이다. 장대년은 "고대철학 중에서 강건자강과 밀접한 관계가 있는 것은 독립의지, 독립인격과 원칙을 견지하기 위하여 개인의 생명을 희생할 수 있는 사상에

25 전력을 다해 끝까지 싸우는 정신. -역자 주
26 스스로 강건해지기 위하여 노력하다'는 뜻임. -역자 주
27 장대년 : 〈중국문화적기본정신〉, 〈문화론〉 85항을 보라. 석가장, 하북교육출판사, 1966.

관한 것이다"[28]라고 말했다. 이 방면에서 가장 전형적인 의의를 가지는 사람은 대개 공자인데, 공자는, "삼군에게서 통솔을 뺏을 수 있어도 필부에게서 지조는 뺏을 수 없다 三軍可奪率, 匹夫不可奪志"(〈논어·자한〉)라고 강조하여 사람마다 독립의지를 갖고 있음을 긍정하였으며, 백이숙제가 "그 지조를 굽히지 아니하고 그 몸을 욕되게 하지 아니함 不降其志, 不辱其身"(〈논어·미자〉)으로써 독립인격을 지킨 것을 찬양하였다. 동시에 "지사는 인자한 사람이지만, 목숨을 구하려고 인을 해하지 아니하고, 목숨을 버리더라도 인을 이룬다 志士仁人, 無求生以害仁, 有殺身以成仁"(〈논어·위령공〉)라는 점을 특별히 지적하면서, 인덕을 실행하기 위하여 개인의 생명을 희생할 수 있다고 여겼다. 이러한 것들은 모두 그 강건자강한 인격매력을 표현한 것이다.

공자는 그러한 품격을 갖추었기 때문에 일생 동안 구도하면서 태연자약하였고 어떤 곤란에 처하더라도 내내 낙심 한 번 하지 않았다.

〈회남자〉의 기재에 의하면, 공자가 열국을 주유할 때 진陳·채蔡의 땅에 갇혀서 칠일 동안 밥 같은 음식을 먹지 못하였다. 그러나 공자는 방안에서 거문고를 켜며 노래를 불렀고, 안회는 밖에서 야채를 다듬고 있었다. 자로와 자공은 함께 불평을 털어 놓았다. "우리 선생님은 노魯에서 쫓겨나고, 위衛에서 숨어 지냈으며, 송宋에서는 죽이려고 쫓아와서 이에 쫓기어 현재 진·채의 땅에 갇혀 있다. 선생님을 죽이려는 사람은 죄가 없고, 선생님을 모욕하는 사람은 제지를 받지 않는데도 선생님은 거문고를 켜고 노래를 부르는 것을 그치지 아니하니, 설마 군자가 이러한 형편에 대하여 수치를 느끼지 못한다 말인가?" 안회는 그들의 논의를 듣고 아무 말을 하지 않고 방 안에 들어가 공자에게 알렸다. 공자는 다 듣

28 앞과 같음

고 난 뒤, 안색을 바꾸고, 거문고와 노래를 중지하고 탄식하여 말하기를 "유由와 사賜는 참으로 소인이구나. 그들을 불러오라. 내 그들에게 할 말이 있다"고 했다. 자로와 자공은 불려왔다. 자공이 먼저 "우리가 이와 같은 처지에 이른 것은 궁곤窮困의 극치라 할 수 있겠지요"라고 말했다. 공자가 반박하여 말하기를 "무슨 말이냐? 군자의 달통함은 도에 달통하는 것이요, 군자가 궁박한 것은 도에 궁박한 것이다. 현재 나 공구孔丘는 비록 태어나 난세를 만났지만 인의의 도리를 가슴에 품고 나의 이상을 굳게 지키고 있는데 어떻게 궁곤의 극치라고 말할 수 있다 말이냐? 자기를 반성하고 도의 체득방면에 허물이 없으며, 어려움을 직면하여도 덕의 수양방면에 빠뜨림이 없다. 겨울이 오고 서리와 눈이 내릴 때 나는 더욱 더 송백의 무성함과 품격을 안다. 과거 제환공이 무지의 난[29]을 겪고 거莒에서 도망치고, 진문공이 여희의 참언[30]을 당하여 조曹를 떠났으며, 월왕 구천은 오吳와 싸워 패하여 회개지산에서 와신상담하였다. 그들은 모두 눈앞의 불리함 때문에 두려워함이 없었고 오히려 자려자성自勵自省[31]하여 마침내 나라를 다시 세웠다. 현재 진·채의 땅에서 이러한 곤란을 겪고 있는 것은, 나 공구로서 말하자면, 또한 일종의 행운이 아니겠느냐?"고 했다. 공자는 말을 마치고 의기가 충만하여 다시 거문고를 켜고 노래를 불렀다. 자로도 의기가 넘쳐 방패를 들고 춤을 추었다. 자공은 감탄하여 "선생님의 성덕은 하늘처럼 높고 넓고, 땅처럼 두터우니 내가 어찌 감히 이해할 수 있겠는가!"라고 말했다. 곤경에 처하여도 굳건하고,

29 공손 무지(公孫 無知, 기원전 729년[1] ~ 기원전 685년, 재위 기원전 685년)가 일으킨 난. 공손무지는 기원전 685년, 대부 연칭과 관지보에 의해 양공을 살해하고 제나라 15대 왕으로 옹립되었다. 이에 양공의 아우 공자 규는 관중과 함께 노나라로 달아났고, 공자 소백은 포숙아와 함께 거나라로 달아났다. -역자 주

30 춘추오패의 두 번째인 진문공이, 부왕 헌공이 자가 아들을 후계자로 만들려는 여희라는 애첩의 참언을 듣고 태자 신생를 자진시키자 동생인 이오와 함께 적狄, 제齊 등 나라로 망명하게 된 고사를 말한다. -역자 주

31 스스로 독려하고 스스로 반성함 -역자 주

초지일관하면, "서리와 눈이 내려야" 비로소 "송백의 무성함을 알게 되는 법"이니, 이것이 일월과 같이 빛을 발하는 위대한 인격이 아니란 말인가? — 이것이 바로 "자강불식"의 공자이다.

강건자강과도 서로 관련이 있는 건건乾健의 덕의 또 다른 표현은 "일신정신日新精神"이다. 일신이란 그 덕을 나날이 새롭게 하는 것이니, 〈계사〉에서 말하는 "나날이 새로워지는 것을 성덕이라 한다 日新之謂盛德"는 것과 같다. 군자는 강건자강하고, 적극 진취하면, 자연히 나날이 그 덕을 새롭게 하고, 용맹하게 똑바로 앞으로 나아갈 수 있다. 덕성의 수련은 쇳물로 도구를 찍어내는 것과 같이 단번에 성공할 수 있는 것이 아니라, "얇은 것을 쌓아서 두텁게 만들고 낮은 것을 모아서 높은 것을 만들며 積薄爲厚, 積卑爲高"(〈淮南子·繆稱訓〉), "깎고 다듬은 듯, 쪼고 간 듯 如切如磋, 如琢如磨"(〈詩·衛風·淇奧〉) 해야 하는데, 그것은 사람의 일생이 걸리는 일이다. 공자가 말한 바의 "발분하여 먹는 것도 잊고, 즐거워 걱정도 잊고, 장차 늙음이 이를 것임을 알지 못하는 發奮忘食, 樂以忘憂, 不知老之將至" 것이니, "나날이 도도히 자신을 새롭게 하고, 늙음이 자기에게 이를 것이라는 것을 잊는 것 日滔滔以自新, 忘老之及己"(〈淮南子·繆稱訓〉)이라 할 수 있다. 송대 사상가는 "일신日新이란 나날이 앞으로 나아가는 것이다. 나날이 새로워지지 아니하는 자는 반드시 나날이 퇴보하는 것이며, 앞으로 나아가지 아니하면서 퇴보하지 아니하는 자는 이제까지 없었다."(〈二程集·暢潛道錄〉)라고 말했다. 참으로 건괘의 구삼 효사[32]가 말한 바 "군자는 종일 건건하고, 저녁에 두려워하는 것 君子終日乾乾, 夕惕若"과 같다. 즉, 군자는 하루 종일 정신을 진작하고 진덕수업進德修業하며 피

32 구삼은, 〈건〉괘의 제3효를 가르킨다. 상세한 것은 부록의 "〈주역〉개설"을 보라. 뒷글에 나타나는 유사한 상황에 대하여는 부록을 참고하기 바란다. 글 가운데에 재차 일일이 주석하지 않는다.

곤을 모르고 야간까지 이르러 근신하고 조심하여야 한다. 이와 같아야 비로소 "나날이 새로워지고, 또 나날이 새로워짐 日日新, 又日新"(《예기·대학》)을 해낼 수 있다.

인류는 하늘의 강건자강, 일신불이日新不已[33]의 품격을 본받아 내화內化함과 동시에 스스로 강하고 용감한 병박정신拼搏精神을 성취하였다. 이러한 병박정신은 "황망하여 정신이 없더라도 여기에, 엎어지고 자빠져도 여기에 造次必於是, 顚沛必於是"라는 항구적인 추구와 "사람들은 그 걱정을 감당하지 못하는데도 안회는 그 즐거움을 고치지 않는다 人不堪其憂, 回也不改其樂"라는 순성심지純誠心志[34]로 구체적으로 표현된다. 우리는 이 정신을 "우공이산愚公移山"이라는 고사보다 더 뛰어나게 형상으로 구현할 수 없을 것이다. 이 고사는 자강불식의 병박정신을 반영한 것으로서 중화민족의 강건한 덕성의 진실한 모습이다. 노신魯迅이 "우리들은 예부터 억척스레 일에 몰두하는 사람, 목숨을 걸고 고집스럽게 일에 몰두하는 사람, 민民을 위하여 목숨을 가볍게 여기는 사람, 몸을 던져버리고 법을 구하는 사람 등이 있었다. 비록 황제, 장상將相의 족보와 같은 '정사正史'도 왕왕 그들의 광휘를 감추지 못 하였으니, 이것이 바로 중국의 척추다"[35]라고 말한 바와 같다.

호연정기는 사람의 자존자신自尊自信과 밀접하게 상관된 인격특징인데, 그것 역시 사람의 강건자강의 품격수양으로부터 나온다. 그것은 구체적으로 사람의 정직, 기절氣節과 정신기개精神氣概, 지조함양으로 표현되기도 하며 또한 사람의 정신적 경지로 표현되기도 하는데, 맹자가 말한 "호연지기浩然之氣"가 바로 그것이다. 맹자는 "나는 나의 호연지기를 잘 기른다"고 하였는데, 이러한 "호연지기"는 "기로서 지대하고 지강하

33 하루 하루 새로워짐이 끝이 없음 -역자 주

34 순수하고 참된 마음 -역자 주

35 〈노순전집〉, 제6권, 118항, 북경, 인민문학출판사, 1980.

며 곧게 기르되 해가 없으며, 천지간에 가득 차 있다."(〈맹자·공손축상〉) 이러한 기는 "지대지강"하기 때문에, "부귀로서 음란하게 할 수 없고, 빈천으로 지조를 바꾸게 할 수 없으며, 위무로서 굴복케 할 수 없는 富貴不能淫, 貧賤不能移, 威武不能屈" 대장부의 인격을 이루어 낸다. 송나라의 재상이자 영웅 문천상은 한 편의 〈정기가正氣歌〉를 지었는데, 시의 형식과 언어로서 "호연지기"를 묘술하였다.

천지에는 정기가 있어
서로가 뒤섞여 온갖 형태를 이룬다.
아래에서는 강과 산을 이루고,
위에서는 해와 별을 이루었다.
사람에게 나타나면 호연浩然이라고 부르는데
온 천지에 또한 가득 찼더라.
정치의 흐름이 맑고 안정될 때에는
화기和氣를 머금어 밝은 뜰(조정)에 토하고
때가 막히면 절개가 드러나
하나 하나 역사에 드리웠더라.
제齊나라 때에는 태사太史의 역사기록이 있고[36]
진晉나라 때에는 동호董狐의 붓이 있으며[37]

36 제나라 재상 최저가 주군을 살해하였을 때, 역사 기록관은 죽간에 "최저가 주군을 살해했다"고 썼기에 처형당하였다. 그 기록관의 동생은 다시 "최저가 주군을 살해했다"고 적었고, 최저는 또 그를 죽였다. 그러자 그 기록관의 막내동생이 또 "최저가 주군을 살해했다"고 작성하니, 최저도 결국 어쩌지 못하였다. 역사의 진실을 전하고자 하는 절개의 정기가 역사에 남았음을 알리는 글이다. -역자 주

37 진나라의 조천이 군주인 영공을 죽이자 기록관이던 동호는 조천의 형이자 권력가였던 조순이 동생을 처벌하지 않았기에 "조순이 주군을 살해했다"고 기록했다. 권력에 아부하지 않는 절개의 정기가 역사에 남았다는 뜻이다. -역자 주

진秦나라 때에는 장량張良의 철퇴가 있고[38]

한漢나라 때에는 소무蘇武의 부절이 있네[39].

엄嚴장군의 머리가 되고[40]

혜시중嵇侍中의 피가 되고[41]

장저양(張雎陽)의 이빨이 되고

상산 안고경의 혀가 되었더라[42].

어떤 때는 요동(遼東)의 삿갓이 되어

맑은 지조는 얼음이나 눈보다 매서웠고[43]

어떤 때는 출사표가 되어

그 장열함, 귀신을 울렸고[44]

어떤 때는 강 건너는 삿대가 되어

강개함이 오랑캐를 삼켰으며

어떤 때는 도적을 치는 홀이 되어

38 장량은 진시황제를 죽이려고 역사를 고용해 암살을 기도했다. 폭군을 두려워하지 않는 절개의 정기이다. -역자 주

39 한나라의 소무는 흉노에 19년 동안이나 잡혀 있었으나, 자신이 사자로 왔음을 알리는 부절을 결코 버리지 않았다. 애국의 정기가 역사에 남았다. -역자 주

40 엄장군, 엄안은 장비에게 패배하여 포로가 되었으나, 차라리 목이 잘릴지언정 항복하지 않겠다고 큰소리쳤다. 불굴의 용기의 정기가 역사에 남았다. -역자 주

41 혜시중 혜소는 진 혜제를 보호하다 사방에서 화살이 날아오자 자신의 몸으로 화살을 막아 주군을 살리고 자신은 죽었다. 혜제는 평생 자신의 옷에 묻은 혜소의 피를 지우지 않았다. 지극한 충성심의 정기가 역사에 남았다. -역자 주

42 장순과 안고경은 안록산의 난 때 반란군을 막다 잡히게 되었지만, 결코 뜻을 굽히지 않아 죽었다. 장순은 전쟁을 지도하면서 분노로 이를 얼마나 갈았던지 이가 다 부러졌고, 안고경은 안록산을 욕하다가 혀가 뽑혀서 죽었다. 열사의 피의 정기가 역사에 남았다. -역자 주

43 관녕은 삼국시대의 인물인데, 요동으로 피난해 있는걸 조조가 불렀으나 끝까지 한의 유민으로 행세하며 결코 위나라의 관직에 오르지 않았다. 그는 늘 소박한 옷차림과 삿갓 하나만 쓰며 지냈다. -역자 주

44 출사표란 '군대를 일으키며 임금에게 올리는 글'이라는 뜻이다. 촉한(蜀漢) 제1대 황제 유비(劉備)는 위나라 땅을 수복하지 못하고 죽었으며, '반드시 북방을 수복하라'는 유언을 남겼다. 제갈량은 유비의 유언을 받들어, 군사를 끌고 위나라를 토벌하러 떠나는데, 떠나는 날 아침 촉한의 제 2대 황제 유선(劉禪) 앞에 나아가 바친 글이 출사표라 전해진다. 출사표에는 국가의 장래를 걱정하고, 각 분야의 현명한 신하들을 추천하며, 유선에게 올리는 간곡한 당부의 말이 담겨 있다. -역자 주

역적의 머리를 깨부수기도 했지[45]

이 숨이 힘차 가득할 때

얼음인 듯 불인 듯 만고에 살았으니

정기가 해와 달을 뚫을 때

어찌 생사를 논하리.

天地有正氣, 雜然賦流形.

下則爲河岳, 上則爲日星.

於人曰浩然, 沛於塞蒼冥.

皇路當淸夷, 含和吐明廷.

時窮節乃見, 一一垂丹青.

在齊太史簡, 在晉董狐筆.

在秦張良椎, 在漢蘇武節.

爲嚴將軍頭, 爲嵇侍中血.

爲張睢陽齒, 爲顔常山舌.

或爲遼東帽, 淸操厲氷雪.

或爲出師表, 鬼神泣壯烈.

或爲渡江楫, 慷慨呑胡羯.

或爲擊賊笏, 逆竪頭破裂.

是氣所旁薄, 凛烈萬古存.

當其貫日月, 生死安足論.

철학가 풍우란馮友蘭은 문천상의 〈정기가〉는 먹물로만 쓴 것이 아니라

45 단수실은 탈라스전투에도 참가했던 당나라의 장수로 반란을 일으킨 주자를 만나 홀로 그의 머리를 내리쳤으며, 동진의 장군 조적은 빼앗긴 땅을 회복하려고 강을 건너며 노를 부셔버리면서, 땅을 수복하지 못하면 절대로 살아서 강을 건너지 않을 것을 결의하였다. -역자 주

선혈로 쓴 것이라고 말했다.[46] 문천상의 신세경력은 통쾌하기 그지없이 강건유위剛健有爲, 자강불식의 정신품격을 구현하였다.

2. 후덕재물 厚德載物

〈주역〉 가운데 건괘와 서로 정면으로 대응되는 괘가 있으니 그것이 바로 곤괘이다. 건괘는 여섯 양효로 구성되고, 곤괘는 여섯 음효로 구성된다; 건은 하늘을 표상하고, 곤은 땅을 표상한다; 건의 성격은 강건유위이고, 곤의 성격은 유순관후柔順寬厚이다. 그래서, 〈곤·상전〉은 "땅의 형세가 곤이니 군자는 이로써 덕을 두텁게 하고 만물을 싣는다 ; 地勢坤, 君子以厚德載物"고 한다. 이 말 중의 "곤坤"자는 어떤 학자들의 말에 의하면, 원래는 "巛"이었는데, "巛"은 "순順"자의 가차자假借字이었으므로, "지세곤地勢坤"은 바로 "지세순地勢順"의 뜻이라는 것이다.[47]

건과 곤 둘은 서로 대응하는데, 두 괘는 두 가지 방면으로 자연우주의 기본품격을 표현하고 있다. 천도—건에 대한 인식과 마찬가지로, 옛사람들은 지도地道—곤坤에 대한 인식 가운데서 민족덕성을 드높이는 길을 찾았으니, 바로 "후덕재물厚德載物"이다. 장대년은 "자강불식과 후덕재물은 중화민족 공동심리의 핵심내용을 구성하고 있다"[48]고 말했다. 그것이 중화민족의 품격을 빚어내는 방면에서 이미 거대하게 작용했음을 알 수 있다.

46 풍우란, 〈중국철학사 신편〉(제2책), 94페이지, 북경, 인민출판사, 1984.
47 참고 상병화 : 〈주역상씨학〉 권1, 북경, 중화서국, 1980.
48 장대년 : 〈중화민족정신여중화민족적응취력〉, 〈문화론〉 68항을 보라.

☷ ䷁

3획괘곤 6획괘곤

2-1

제1장에서 말했듯이, 군자의 "자강불식"의 철학기초는 "천행건"이다. 군자의 "후덕재물"도 그 철학적 기초, 혹은 좀 더 현대적으로 말하자면 그 형이상학적 근거가 있으니, 이것이 바로 "지세곤" 혹은 "지세순"이다. 〈주역〉을 통틀어 보면, "순順"이 곤괘의 가장 기본품격임을 알 수 있다.

"순順"자는 경문經文(즉 64괘사 384효사)에서는 보이지 않으나, 〈역전〉에는 51차례 나타난다. 그 중 특별히 곤괘를 지적한 것은 약 18개이니, 〈사師〉, 〈비比〉, 〈태泰〉, 〈예豫〉, 〈임臨〉, 〈관觀〉, 〈박剝〉, 〈복復〉, 〈진晋〉, 〈명이明夷〉, 〈췌萃〉, 〈승升〉 등이다. 이들 괘는 그 여섯 효 부호 중에 모두 한 개의 3획 곤괘坤卦를 포함하고 있어, 〈상전〉이나 〈단전〉은 공히 이를 "순順"자로 해석하고 있다. 〈설괘〉와 〈계사〉도 일치하여 "곤坤은 순順이다", "무릇 곤坤이란 천하의 지순至順이라"고 지적한다.

당연히 몇몇 괘는 3획 곤괘를 포함하고 있지만 〈단전〉, 〈상전〉에서 "순順"자로 해석하지 아니한다. 예컨대 〈비〉괘는 아래가 곤이고 위가 건인데, 〈단전〉은 "안은 음이고 밖은 양이며, 안은 부드럽고 밖은 강하며, 안은 군자이고 밖은 소인이다 內陰而外陽, 內柔而外剛, 內君子而外小人"라고 하여 "순順"자를 쓰지 않았다. 그러나 이 구절에서 "유柔"자는 곤괘를 가리키는 말이다. 따라서 "유柔"도 곤괘의 가장 기본적인 품격이다. 이와 같이 건괘의 품격이 "강건剛健"인 것과 서로 대응하여 곤괘의 품격은 "유순柔順"이다.

건괘의 "강건"이 여섯 개 양효의 기초 위에 세워진 것과 같이, 곤괘의

"유순"도 여섯 음효 위에 세워졌다. 그러므로 우리들은 그것을 순음지괘로 부를 수 있고 음성陰性의 대표로 볼 수 있는데, 64괘 중에 무릇 "유순"하다고 부르는 것도, 비록 일부 괘에서는 삼획 곤괘가 나타나지 않지만, 기본적으로는 곤성坤性에 대하여 말한 것이다. 몇몇 괘에서는 여섯 효 가운데 3획괘 곤이 나타나지 않지만, 〈상전〉 또는 〈단전〉은 여전히 "순順"을 써서 풀이하고 있다. 아래의 예를 보자.

> "여는 조금 형통하다"는 것은 밖에서 중도를 얻었고 강을 따르기 때문이다. (〈여·단〉)
> 강하고 중정에 공손하며 뜻이 행하여진다. 부드러움이 모두 강함에 따른다. (〈손·단〉)

> "旅, 小亨", 有得中乎外而順乎剛 …… (〈旅·彖〉)
> 剛巽乎中正而志行, 柔皆順乎剛 …… (〈巽·彖〉)

위의 인용문은 대부분 해당괘 중의 음효를 해석하는 데 사용된 것이다. 예컨대, "'旅, 小亨', 有得中乎外而順乎剛" 중의 "순順"자는 육오효를 가리켜 말한 것이다. "順乎剛"은 위로 상구효의 양효를 받든다는 것을 가리킨다. 또, "剛巽乎中正而志行, 柔皆順乎剛" 중의 "순"자는 바로 초육효와 육사효를 가리켜 말한 것인데, 초육은 구이를 순승[順承 : 따르고 받듦]하고 육사는 구오를 순승한다. 그러나 "부드러움은 모두 강을 따른다柔皆順乎剛"는 한마디는 음효가 유柔하고, 순順하다는 특성을 더욱 더 잘 말하고 있다.

요컨대, 곤의 품격은 "유순柔順"이다.

2-2

건괘의 "강건"품격이 하늘에서 나온 것처럼, 곤괘의 "유순"품격은 땅에서 나왔다. 왜냐하면, 곤괘는 〈주역〉 중에서 땅을 대표하고, 곤의 기본 취상이 땅이기 때문이다. 예를 들어보자.

> 땅 가운데 물이 있으니 사라 한다. (〈사·상〉)
>
> 땅 위에 물이 있으니 비라 한다. (〈비·상〉)
>
> 밝음이 땅 속에 들어가니 명이라고 한다. (〈명이·상〉)

> 地中有水, 師. (〈師·象〉)
>
> 地上有水, 比. (〈比·象〉)
>
> 明入地中, 明夷. (〈明夷·象〉)

위의 인용문에서 "지地"자는 모두 6획괘 중의 3획괘 곤의 취상에 대하여 말한 것이다. 사괘師卦는 감坎과 곤의 두 3획괘로 구성된 것인데, 곤이 위에 있고 감은 아래에 있으며 감은 물이므로 〈상전〉은 이를 "지중유수地中有水"라고 한 것이다. 비괘比卦도 역시 감과 곤 두 개의 3획괘로 구성된 것이나 다만 두 괘의 위치가 서로 뒤바뀌어져서 곤이 아래에 있고 감이 위에 있으므로 〈상전〉은 "지상유수地上有水"라 했다. 진괘晋卦는 곤과 리 두 개의 3획괘로 구성되어 있고 곤이 아래에 있고 리가 위에 있으며 〈설괘전〉은 "리離는 명明이다"라고 하고 있으므로, 〈상전〉은 이를 "명출

지상明出地上"이라고 하였다. 명이괘明夷卦는 진괘와 정반대로 리가 아랫괘이고 곤이 윗괘이므로 〈상전〉은 이를 "명입지중明入地中"이라 한다. 그래서 〈설괘〉는 "곤이라는 것은 땅이다 坤也者, 地也 ……", "곤은 땅이다 坤爲地"라 한다.

䷆ ䷇ ䷢ ䷣
사 비 진 명이

〈주역〉은 곤괘의 괘상으로서 땅을 대표하는데, 그 원인이 있다. 농업으로 나라를 세운 민족에게 토지는 무엇을 의미하는지는 말하지 않아도 알 수 있다. 따라서 하늘에 대한 인식과 마찬가지로 중국 옛사람들은 "토지"에 대하여도 일찍이 독특하고 깊은 정감을 낳았다. 〈주역〉은 은주의 시기에 주나라 사람의 손에 의하여 책으로 성립하였는데, 주나라 사람들의 조상은 농업에 종사한 전문가였고, 대를 이어 요, 순, 우의 부락연맹 중에서 농관農官을 역임하였다. 〈국어〉에 의하면, 채공모부는 목왕에게 집안내력에 대하여 설명할 때 일찍이 다음과 같이 말하였다. "옛날 나의 선왕은 대대로 농사를 관장하는 직책을 맡아 우虞[49]와 하夏[50]나라를 섬기어 일을 하였다. 하夏시대가 쇄락할 무렵 농사관직을 버리고 복무하지 않았는데, 선왕은 곧 그 관직을 잃고 스스로 융, 적의 무리들 사이에 숨어 지냈다. 그러나 감히 농관의 업을 게을리하지 아니하고 그 계통을 모으고 이어받아 완전하게 하면서 그 가르치는 책을 고쳤으며, 조석으로 삼가고 근신하며 이를 돈독히 지키고 충신忠信으로 받들어 누대에 걸쳐 덕을 쌓아 앞사람을 욕되게 하지 않았다." 그 대의大意는, "우리 주나라 사

49 우. 중국 전설상의 왕조로서 순이 건국하였다고 함. -역자 주

50 하. 중국 전설상의 왕조로서, 치수에 공로가 있는 우禹가 순으로부터 선양받아 세운 나라. -역자 주

람들의 선조들은 요, 순, 우의 시대에 계속하여 농업을 관장하여 왔다. 부락연맹이 해체된 뒤 하夏나라에서 후씨에게 내쫓겨 농관의 직책을 잃고 융戎, 적狄(서북 소수민족의 집거 지역) 사이로 피난하였으나, 여전히 조상의 사업을 엄수하고, 부지런히 경종耕種하여 농업을 발전시켰다."는 것이다. 농업이 그들에게 얼마나 중요하였는지를 알 수 있다.

농업에 대한 중시와 농업생산의 발전으로 중국의 선민先民은 토지에 대하여 비교적 풍부한 지식을 갖고 있었고, 농후한 정감을 낳았다. 또한 이 때문에 옛사람들은 대지의 변화에 대한 관찰을 아주 중시하였을 뿐만 아니라, 그 숭배의식을 진행함에 대하여 심심한 경외감을 품고 있었다. 고대의 사신社神 숭배활동은 바로 토지에 대한 일종의 가장 중요하고 성대한 숭배형식의 하나였다.

> 사는 토지지신을 제사하니 토지지신은 음기를 주관한다. (〈예기·교특생〉)
> 사는 땅의 도를 신성하게 받드는 것이다. 땅은 만물을 싣고, 하늘은 상을 드리운다. 재물을 땅에서 얻고 법을 하늘에서 배운다. 그런 까닭에 하늘을 존경하고 땅을 친애한다. (〈예기·교특생〉)

> 社祭土, 而主陰氣也. (〈禮記·郊特牲〉)
> 社, 所以神地之道也. 地載萬物, 天垂象; 取財於地, 取法於天, 是以尊天而親地也. (〈禮記·郊特牲〉)

사신숭배는 바로 토지신 숭배이다. 중국 고대에 토지묘가 없는 곳은 없었으니 토지숭배가 보편적이었음을 알 수 있다. 사람들이 토지를 숭배하는 이유는 그것이 만물을 실을 수 있고 무궁한 자재를 사람에게 제공하여 쓸 수 있게 하였기 때문인데, 한마디로 개괄하면 "사람은 토지 없이는 살 수 없다"는 것이다. 〈주역〉은 "고개를 들어서는 하늘에서 상을 보고, 굽어서는 땅에서 법을 본다"고 하였는데, 건곤 두 괘로 본뜨고 상을 지은 것이 이해하기 어렵지는 않을 것이다.

하늘에 대한 인식과 같이, 〈주역〉은 대지에 대한 인식이 단순히 정감의 동일시와 현상의 묘사에 그친 것이 아니라 철학적인 높이로 그 생식적 효용과 유순한 품성에 대하여 추상적으로 개괄하였다.

"미덕이 지극하구나, 하늘과 짝하여 만물을 창설한 대지여! 만물이 그것에 의지하여 성장하고, 그것은 하늘의 뜻을 순종하고 받든다. 지체地體는 심후하고 널리 만물을 실으며, 덕성은 널리 합하여 끝없이 오래되고 멀다. 그것은 일체를 머금어 양육하고 일체를 넓고 크게 발양發揚시키고, 만물은 막힘없이 형통하고, 두루 자양을 얻는다. 암말은 땅 위 동물이요, 영원히 끝없는 대지를 뛰어다니는데, 그것은 유화하고 온순하며 바르게 굳게 지키는 것이 이롭다. 군자가 앞으로 나아감에 있어 만일 다투어 앞장서면 반드시 갈림길로 잘못 들어가서, 한쪽으로 치우쳐 정도를 잃게 되고, 만일 다른 사람의 뒤를 따라가고 온화유순하면 홍복과 경사가 오래간다. 서남쪽으로 나아가면 벗을 얻어 벗들과 함께 앞으로 나아갈 수 있으며, 동북쪽으로 나아가면 벗을 잃게 될 것이나 최종적으로는 기쁜 경사와 상서로운 복이 있다. 편안하게 따르고 바르고 굳게 지킴의 길상吉祥은 바로 대지의 미덕이 영원히 무강無疆함과 부합한다."[51] (〈곤·단전〉)

至哉坤元, 萬物資生, 乃順承天. 坤厚載物, 德合無疆. 含弘光大, 品物咸亨. 牝馬地類, 行地無疆, 柔順利貞, 君子攸行. 先迷失道, 後順得常. 西南得朋,

51 황수기등 : 〈주역역주〉 25-26항, 상해, 상해고적출판사, 1989.

乃與類行; 東北喪朋, 乃終有慶. 安貞之吉, 應地無疆. (〈坤·彖傳〉)

위의 인용문은, 〈역전〉의 작자가 곤괘의 특성을 개괄하고 찬미한 것이다. 이 단락의 생동하는 말을 통하여, 곤괘의 품덕을 세분하면 대체로 세 가지로 나눌 수 있음을 알 수 있다. 하나는 하늘을 받들어 만물을 이로 인하여 낳는 것, 또 하나는 돈후하고 널리 만물을 싣는 것, 마지막 하나는 만물을 자양滋養하고 밝고 크게 하는 것이다.

〈주역〉의 머리인 건·곤에 있어, 건은 순양이고 곤은 순음인데, 이 둘은 서로 의존하고 서로 쓰임이 되어서 하나가 빠져도 안 된다. 상대적으로 말하면, 건양은 강건하고 나아가는 것을 주로 한다. 곤음은 유순하고, 따르는 것을 주로 한다. 그러므로 곤괘는 건양을 성취시키는 것을 자기의 임무로 한다고 할 수 있다. 〈단전〉이 말하는 "자생資生"은 건괘의 "자시資始"에 서로 대립되는 말이다. 공영달은 "자생資生이란 만물이 땅에 의지하여 생겨난다는 것을 말한다. 처음으로 그 기를 주는 것을 시始라고 하고, 모양을 이루는 것을 생生이라고 일컫는다. 건은 근본으로 기의 시초이므로 '자시資始'라고 한다. 곤은 이에 근거하여 형태를 이루므로 '자생資生'이라고 한다."(〈주역정의〉 권1)고 하였다. "근거"한다는 것은 건원의 시始에 근거한다는 것을 가리킨다. 이것은, 곤원은 건원의 "자시資始"를 떠나서 독립하여 만물을 생육할 수 없다는 것을 나타낸다. 그것은 반드시 건원을 "따르고 받들어" 그 생육의 효용을 이룰 수 있다. 그런데 곤이 건원을 "따르고 받들 수" 있는 것은 그것의 돈후함이 만물을 족히 널리 실을 수 있고, 그것의 자양이 족히 만물을 밝고 크게 할 수 있음에 있다. 혹은 곤괘의 건원에 대한 "따르고 받듦"으로 인하여 곤은 동시에 만물을 생육하고, 만물을 널리 싣고, 만물을 밝고 크게 하는 위대한 품격을 구비하게 되었다고 바꿔 말할 수 있을 것이다. 그러므로 〈단전〉은 "땅의 형세가 곤이니 군자는 이를 본받아서 덕을 두텁게 하고 만물을 싣는다 地勢, 坤. 君子以厚德載物"라고 한다.

2-3

인생철학의 입장에서 말하자면, 〈주역〉이 말하는 대지의 만물을 생육하고, 만물을 널리 싣고, 만물을 밝고 크게 하는 위대한 품격은 세 가지 방면에서 인류의 덕성수양을 향상시키는 데 아주 중요한 의의를 갖는다. 하나는 관광능용[寬廣能容 : 능히 넓게 받아들임]이고, 둘은 돈후능재[敦厚能載 : 능히 두텁게 실을 수 있음]이며, 셋은 이유제강[以柔濟剛 : 부드러움으로 강함을 구제함]이다.

관寬과 용容은 대지의 기본품격 중의 하나이다. 관은 끝없이 넓음을, 용은 그 받아들이지 아니함이 없음을 말한다. 이 점에 관하여 선진 법가의 대표인물인 한비자韓非子는 일찍이 정곡을 찌르는 논술을 한 적이 있다.

> 위에 아득하게 넓은 천공天空이 없다면 온 세상을 보편적으로 덮을 수가 없고, 아래에 넓은 대지가 없다면 만물을 받들어 실을 수 없다. 태산은 토석에 대하여 좋아하고 싫어하는 것 없이 모두 용납하므로 그의 높고 큼을 형성할 수 있고, 강해江海는 세류에 대하여 선택함이 없이 모두 흡수하므로 그의 광대함을 이룰 수가 있다. 그러므로 군자는 천지와 같이 기백이 웅대하여야만 만물을 완비할 수가 있고, 산해와 같이 함양이 넓어야만 국가를 부강하게 할 수 있다. (〈한비자·대체〉)
>
> 上不天則下不遍覆, 下不地則物不必載, 泰山不立好惡, 故能成其高; 江海不擇小助, 故能成其富. 故大人寄形於天地而萬物備, 厲心於山海而國家

富.(《韓非子·大體》)

여기서 비록 한비자가 권계[勸戒 ; 타이르고 깨우치게 함]하고자 한 사람은 군주였지만, 그 속의 도리는 모든 사람에게도 적용되는 것이다.

관용은 예로부터 미덕으로 여겨졌으며, 일찍이 주대周代의 어떤 사람은 "받아들임이 있으면, 덕은 큰 것이다"(《주서·군진》)고 지적했다. 춘추시기의 공자도 관용의 의의를 특별히 중시하였는데, "마음이 넓으면 무리를 얻을 수 있다"(《논어·양화》), "옛 잘못을 마음에 두지 않으며, 원망은 거의 하지 않는다"(《논어·공야장》), "기왕의 것은 나무라지 않는다"(《논어·팔유》), "군자는 현인을 존경하고 무리를 용납하며, 선을 아름답게 여기고 할 수 없는 자를 가엾게 여긴다. 내가 크게 현명함이여, 다른 사람에 있어 용납하지 아니함이 있는가? 내가 현명하지 아니함이여, 사람이 나를 거절하려는데 내가 어찌 사람을 거절할 것이요?"(《논어·자장》). 전국 말기 유학의 말학 순자荀子는 더욱 명확하게 관용의 중요성을 강조하였다. 그는, 군자는 자신을 헤아릴 때는 새끼줄로 바르게 재듯 하여야 하고, 다른 사람을 접대할 때는 흰 상여줄로 안내하듯이 이끌어야 한다고 했다. 자신을 헤아릴 때는 새끼줄로 바르게 재듯 하여야만 천하 사람들이 본받을 만하고, 다른 사람을 접대할 때는 흰 상여줄로 안내하듯이 이끌어야만 백성을 관용하고, 백성을 믿고, 천하의 대사를 완성할 수 있다.(《순자·비상非相》 참고) 이것은 관용이 군자의 미덕임을 강조한 것이다. 그리하여 수나라 사상가인 왕통王通은 "군자는 다른 사람이 미치지 못하는 바를 책責하지 아니하고, 다른 사람이 할 수 없는 것을 강요하지 않는다"(《중설·위상》)고 했다. 송대 철학가 육구연陸九淵도 "관용이라는 것은 군자의 미덕이다"(《여신유안》, 《육구연집》 권5)라고 여겼다.

고대에 관용에 관한 이야기는 도처에 있다. 한 가지 예를 들어보자.

춘추시기의 저명한 정치가 관중은 어릴 때 포숙아와 교제를 하였다. 포숙아는 그가 현명하고 재간이 있다는 것을 알았다. 관중은 집이 빈한하여 늘 포숙아의 덕을 보았다. 그러나 포숙아는 시종일관 그에게 좋게 대했으며, 이러한 일로서 그에게 어떤 원망의 말도 하지 않았다. 후에 포숙아는 제국의 공자 소백을 모셨고, 관중은 공자 규를 모셨다. 소백이 즉위하여 환공으로 옹립된 뒤, 환공은 노국으로 하여금 공자 규를 죽이도록 하였고, 관중 또한 체포되었다. 이때 포숙아는 제 환공에게 관중을 추천하여 중용하게 하였다. 환공은 관중의 지모에 힘입어 멀지 않아 패업을 성취하였으며, 패주의 신분으로 여러 차례 제후들과 회합을 가져 천하가 하나로 돌아오게 하였다. 관중은 감개하여 늘 다음과 같이 말했다. "내가 당초 빈곤할 때, 포숙아와 같이 장사를 한 적이 있다. 이익을 나눌 때 언제나 내가 좀 더 가졌으나 포숙아는 내가 재물을 탐한다고 하지 않았다. 그는 우리 집이 가난하다는 것을 알고 있었기 때문이다. 일찍이 나는 포숙아를 위하여 어떤 일을 도모한 적이 있는데 사정이 좋지 아니하여 오히려 그를 곤경에 빠뜨렸으나 포숙아는 내가 어리석다고 여기지 아니하고 시운에는 좋고 나쁨이 있다고 여겼다. 내가 일찍이 여러 차례 관직에 올랐다가 여러 차례 군주에게 쫓겨났지만 포숙아는 내가 그릇이 되지 못한다고 여기지 않았고, 내가 때를 잘못 만났다고 여겼다. 내가 일찍이 여러 차례 전쟁터에서 도주하였지만 포숙아는 내가 비겁하다고 여기지 않았다. 나에게는 봉양하여야 할 노모가 있다는 것을 알고 있었기 때문이다. 공자 규가 실패한 뒤, 난리 때문에 몸을 희생당하기 위해 체포되어 굴욕을 당하였으나 포숙아는 내가 염치가 없다고 하지 않았다. 내가 사소한 절개를 부끄러움으로 여기지 아니하고 공명을 천하에 드날리지 못함을 부끄럽게 여긴다는 것을 알고 있었다. 나를 낳고 길러준 것은 부모이지만, 진정으로 나를 이해한 것은 포숙아로다." 포숙아가 관중을 추천한 이후, 자기를 관중의 아래에 둘 것을 간절히 원했다. 이 때문에 천하 사람들은 관중의 재간을 칭찬하지 아니하고 오히려 포숙아의 사람 앎을 찬미하였다.(《사기·관영열전》 참고)

포숙아에게는 사람을 알아보는 방면에 확실히 독보적인 혜안이 있었지만 그 심중이 넓고 능히 받아들일 수 있음이 아마도 더욱 중요할 것이다. 참으로 〈사·상전〉이 "땅 가운데 물이 있으니 사이다. 군자는 이로써 백성을 받아들이고 무리를 모은다. 地中有水, 師. 君子以容民畜衆"라고 말한 바와 같다. 또한, 한인漢人이 "다른 사람을 있게 하면, 스스로 서게 되게 된다. 다른 사람을 막으면, 스스로를 막는 셈이 된다 ; 存人, 所以自立也; 雍人, 所以自塞也"(《한서·매복전》)고 말한 바와 같다.

2-4

돈후능재敦厚能載도 대지의 품격의 하나다. 지구의 직경이 얼마나 되는지, 원주가 얼마나 되는지? 현대인은 알고 있지만, 옛사람은 알지 못했다. 그러나 옛사람들은 감수성에 의지하여, 사람들이 여기서 출생하고 여기서 자라고 여기서 삶을 마치는 이 토지에 대하여 잘 이해하고 있었다. 그들은 대지의 후중온건厚重穩健한 품격과 대지의 만물을 실어 기르는 능력에 설복되었으며, 대지의 이러한 품격과 능력으로부터 노고를 마다 않고 원망을 두려워하지 아니하는, 괴로움을 참고 힘든 일을 견디어내는, 자비롭고 양보할 줄 아는 덕성의 근원을 깨달았다.

"두터움"의 미덕에 관하여 〈주역·계사전〉에 하나의 해석이 있다. "수고로워도 원망하지 아니하고, 공이 있어도 덕이 있다 하지 아니하니 두터움의 지극함이여 ; 勞而不怨, 有功而不德, 厚之至也."(《역·계사전》) 이에 대하여 한인 유향劉向이 〈설원說苑〉에서 설명을 한 것이 있어 단락의 각주로 삼을 수 있는데, 다음과 같다.

> 공자가 이렇게 말하였다 : "덕이란 외롭지 않는 것이니 반드시 이웃이 있다." 무릇 덕을 베푸는 자는 그에 대한 보상을 받지 않는 것을 귀히 여겨야 하고, 은혜를 입은 자는 오히려 반드시 갚아야 하는 것이다. 이러한 까닭으로 신하된 자는 힘쓰고 부지런히 하여 임금을 위하되 그 상을 요구하지 않으며, 임금된 자는 은혜를 베풀어 아랫사람을 먹이고 길러 주되 이에 덕을 베풀었다고 여겨서는 안 된다. 그래서 〈역경〉에 "노고를 베풀되 원망하지 않고, 공을 이루었으나 덕이라 여기지 않으니, 후덕의 지극함이여!"라고 하였다. (〈유향 : 〈설원·복은〉)

> 孔子曰: "德不孤, 必有隣." 夫施德者貴不德, 受恩者尙必報; 是故臣勞勤以爲君, 而不求其賞; 君持施以牧下, 而無所德. 故〈易〉曰 "勞而不怨, 有功而不德, 厚之至也."(劉向: 〈說苑·復恩〉)

중국의 옛사람은 "후도厚道"의 품격을 아주 좋아하여, 그것을 사람의 미덕으로 여겼다. 공자는 "스스로 자신의 덕을 두텁게 하고, 다른 사람을 책하는 것은 가볍게 한다 ; 躬自厚而薄責於人"(〈논어·위공령〉)고 했다. 진인晋人 갈홍葛洪은 이것을 "두터우면 친애親愛함이 생겨나고, 야박하면 악감정이 맺어진다 ; 厚則親愛生焉, 薄則嫌隙結焉."(〈포박자·교제〉)고 해석했다. 이러한 "후덕"의 품격이 있으면 능히 수고를 마다하지 아니하고, 능히 참을 수 있고, 입장을 바꾸어 생각하는 선행을 낳을 수 있다. 〈순자〉의 〈수신편〉 중에 이러한 말이 있다. "노인들을 존경하면, 장년들도 이 때문에 귀순한다. 가난하고 고통받는 이들을 싫어하지 않으면 사리에 밝은 이들이 이 때문에 모여들 것이다. 암암리에 좋은 일을 하고 보답을 바라지 아니하면 현명한 사람들과 현명하지 아니한 사람들이 이로써 동화될 것이다. 만일 사람에게 이와 같은 세 가지 행위가 있으면 그에게 큰 죄과가 닥쳐온다 하더라도 하늘이 그를 보호하지 않겠는가?" 여기에서 말하는 세 가지 행위는 사람의 돈후한 덕성으로부터 나오는 것임은 의심할 여지가 없다. 그리하여 고대 사상가들은 특별히 "퇴기급인推己及人[52]"을 강조하였으니, 공자는 "자신이 서고 싶으면 다른 사람을 세우고, 자신이 통달하고 싶으면 다른 사람을 통달시켜라"(〈논어·옹야〉)고 했고, 맹자는 이것을 "옛 성인들이 크게 일반사람들을 뛰어넘은 이유"의 근본으로 보았다. 그것은 다음과 같다. "나의 어른들을 공경함으로써 그 마음이 다른 사람의 어른들에게 미치게 하고, 나의 어린이들을 친애함으로써 그 마음이 다른 사람의 어린이들에게 미치게 하면, 천하를 손바닥 안에서 움직일 수 있다. 〈시〉에 '우선 부인에게 좋은 본을 보여 교화시키고, 나아가 형제들을 덕으로 감화시키며, 마침내는 은덕을 가지고 집안과 나라를 다스리도다 刑於寡妻, 至於兄弟, 以御於家邦'라고 하였는데 이는 바로 육친肉親을 사랑하는 어진 마음을 뻗어 온 백성들에게 미치게 했음을 말한 것이다. 그러므로 은혜를 베풀면 천하를 보전할 수 있겠으나, 은혜를 베풀지 못하면 자신의 처자조차도 보존할 수 없다. 옛날의 성왕들이 다른 사람들보다 크게 뛰어난 까닭은 별다른 것이 아니라 오직 자신의 어진 마음을 잘 뻗어 백성들을 사랑했기 때문이다."(〈맹자·양혜왕상〉) 맹자가 말하는 "자신의 어진 마음을 다른 사람에게 잘 미치게 하는 사람"이란 실제로는 자기의 선량 돈후한 품성을 잘 드러나게 하여 타인에게 은혜를 베풀고 영향을 미치는 사람을 가리키는 것이다.

52 자기 마음에 비추어 다른 사람의 마음을 헤아리다. 역지사지易地思之하다. -역자 주

2-5

앞에서 유순이 대지의 특수한 품격임을 알게 되었다. 이러한 품격은 관광능용, 돈후능재 이외에도 그 "유柔"로써 "강剛"의 부족을 구할 수 있으니, 바꿔 말하면, 그 부드러움으로써 강이 강함이 될 수 있도록 만들 수가 있으니, 이것이 〈주역〉이 첫머리가 건이고 다음이 곤인 비밀이다. 아래와 같은 자료를 보자.

> 강유가 서로 떠밀어 변화를 낳는다. (〈계사전〉)
> 한번 음이고 한번 양인 것을 도라고 부른다. (동상)
> 천지의 기운이 무르익으니 만물이 생겨난다. 남녀가 서로 정을 통하니 만물이 생겨난다. (동상)
> 천지가 감응하니 만물이 생겨나고, 성인이 사람의 마음을 느끼게 하니 천하가 화평하다. (〈함·단전〉)

> 剛柔相推而生變化. (〈繫辭傳〉)
> 一陰一陽之謂道. (同上)
> 天地絪縕, 萬物和醇, 男女構精, 萬物化生. (同上)
> 天地感而萬物化生, 聖人感人心而天下和平. (〈咸·彖傳〉)

이러한 자료는 천지, 건곤, 음양이 서로 상대방의 쓰임이 되어 잠시라도 떠날 수 없다는 도리를 설명한다. 중국 옛사람들은 음양이 서로 모자라는 부분을 보태어주는 것을 특별히 중시하였고, 이유제강[以柔濟剛 : 유로써 강을 구하는 것]을 특별히 중시하였다. 동한 시기의 저명한 철학자 왕충王充은 "음양이 화합하여야 만물이 자란다 ; 陰陽和, 則 萬物育"(〈논형·선한편〉)라고 했다. 명청 시대의 저명한 철학자 왕부지王夫之는 더욱 음양상자[陰陽相資 : 음양이 서로 도와 줌], 강유상제[剛柔相濟 : 강유가 서로 구제해줌]가 사물발전의 법칙이라고 여겼으며, “만일 서로 도와줌으로 인하여 서로 구제할 수 없다면, 일이 요행으로 성공되었다 하더라도 어떻게 성공되었는지를 알지 못한다”(〈정몽주正蒙注·동물〉)라고 했다.

유이제강柔以濟剛에 관하여 춘추시대의 제 환공桓公은 매우 아름다운 의론을 하였다. “쇠붙이는 딱딱하면 부러지고, 가죽이 딱딱하면 찢어지며, 임금된 자가 강하면 나라가 멸망하고, 신하된 자가 강하면 교제가 끊어진다. 무릇 강하기만 하면 화합하지 못하고, 화합하지 못하면 사용할 수가 없다. 그러므로 마차를 끄는 네 마리 말이 서로 조화를 이루지 못하면 먼 길을 갈 수 없고, 부자가 불화하면 그 세가世家는 파망破亡하며, 형제가 불화하면 함께 오래 살지 못하고, 부처夫妻가 불화하면 가정에 큰 흉조가 들게 된다. 〈역〉에 이르기를 ‘두 사람이 같은 마음이 되면 그 날카로움은 쇠를 끊는다’라고 하였으니 이는 바로 강하지 않은 것으로 시작해야 한다는 뜻이다.” 이 글에서 비록 중점은 “화和”자를 강조함에 있지만, ‘강하기만 하고 부드럽지 못하면 부러지고 찢어진다’는 도리가 오히려 아주 중요하다.

이 밖에 삼국시대의 저명한 정치가이자 군사가인 제갈량諸葛亮도 한마디 관련된 의론을 하였다. “훌륭한 장수는, 그 강함은 부러뜨릴 수가 없고 그 부드러움은 휩쓸어 버릴 수 없다. 그러므로 약한 것으로써 강한 것을 제압하고, 부드러움으로써 강함을 제압한다. 오로지 부드럽고 오로지 약하기만 하면 그 세는 반드시 사그라질 것이요, 오로지 굳세고 강하기만 하면 그 세는 반드시 망한다. 부드럽지도 않고 굳세지도 아니한 것이 합도合道의 기본이다.”(〈제갈량·장원〉) 제갈공명의 이 의론은 강유상제剛柔相濟의 오의奧義를 잘 갈파한 것이라 해야 할 것이다. 이것은 또한 사람들에게 자기의 덕성수양과 처세행위에 있어서 유순柔順한 품격을 잘 배양하고 유순의 작용을 잘 발휘하여 강유剛柔가 서로 구제하고 서로 이익을 주는 효과를 거둘 수 있도록 하여야 한다는 것을 깨우쳐준다.

〈주역〉의 첫머리가 건이고 그 다음이 곤인 것과 마찬가지로 이 책은 맨 먼저 "자강불식"과 "후덕재물"의 두 가지 품격을 논의하였는데, 이 두 가지 품격은 대자연의 품격이요, 천지의 품격이요, 건곤의 품격이다. 〈주역〉은 그것들은 응당 "높은 것은 하늘을 본받고, 낮은 것은 땅을 본딴다 崇效天, 卑法地"는 군자의 품격이어야 한다고 여긴다. "자강불식"과 "후덕재물"은 사람의 덕성수양의 양대 기조라 할 수 있다. 이 책의 뒤편 장절은 비록 그 논의하는 중점에 서로 다른 점이 있다 하더라도 기본적으로 이 양대 기조를 이탈하지 않는다. 이것 역시 〈역전〉이 "한 번 음이고 한 번 양인 것을 도라고 하고, 이를 잇는 것이 선이며, 이를 이루는 것이 성이다 ; 一陰一陽之謂道, 繼之者善也, 成之者性也"(〈계사전〉)라고 말하는 바와 같다.

3. 우환의식 憂患意識

우환의식이란 "사람이 자기의 처지와 현상에 대하여 언제나 경계하는 마음을 가지고, 설사 평안무사하고 사업이 발달, 흥성하는 때에 있더라도 예사로 생각하지 아니하고, 설사 곤경과 역경에 처하더라도 용기를 잃지 아니하고 자기의 원칙과 신념을 견지하며, 반성을 통하여 현상을 바꾸고 광명의 내일을 맞이하는 것"[53]을 가리킨다. 좀 더 엄격히 말하자면, 우환의식은 처세의 방법과 원칙에 더 가깝다. 그러나 중화민족의 오랜 역사발

53 주백곤 : 〈역경의 우환의식과 민족정신〉, 〈북경대학학보〉 1997년 제1기.

전에서 이러한 의식이 민족주체의 덕성자각에 깊이 내화됨으로써 일종의 덕성향선[德性向善 : 덕성을 추구하고 따름]의 성향이 되었으니, 그래서 우리는 덕성방면에서 〈주역〉의 우환의식을 논의할 수 있을 것이다.

3-1

은주의 시기에 서점筮占의 책으로 형성된 책으로서의 〈역경〉은 그 목적이 사람들을 인도하여 환란을 미연에 방지하고, 위험한 상태를 평온하게 하며, 흉함을 피하고 길함을 가져오려고 함에 있다. 그리하여 그 괘효상 및 괘효사 중에는 깊은 우환의식을 포함하고 있다. 〈역전〉은 이러한 의식을 "우환과 그 원인을 밝히는 것 明於憂患與故"으로 개괄하고 있다.

〈주역〉, 이 생명철학의 보전은 사람들은 잠시라도 이를 떠날 수가 없다. 그것이 사람들에게 깨우치고자 하는 도리는, '변화는 쉼이 없고 운동은 일정한 형식에 구애받지 않는다. 상하 등 서로 다른 방소方所나 강유 등 서로 다른 체성 사이를 두려워하는 바가 없이 두루 유동한다. 따라서 그것은 구속되지 아니하고, 집착하지 아니하며, 일체 시간, 장소, 조건에 따라 전이한다.'는 것이다. 그 밖에 그것은 사람들의 출입행장出入行藏을 절도 있게 하고, 행위처세에 있어 경계하고 두려워하는 마음을 갖게 하며, 아울러 사람들에게 우환의 소재와 우환의 원인을 인식할 수 있도록 한다. 〈역〉이 있기 때문에 비록 사보[師保 ; 옛날 황태자를 가르치며 보좌하는 관리]의 교훈과 인도가 없어도 늘 부모가 신변에서 독촉, 감호하는 것과 같다고 할 수 있다.

〈易〉之爲書也不可遠, 爲道也 屢遷. 變動不居, 周流六虛, 上下無常, 剛柔相

易, 不可爲典要, 唯變所適. 其出入以度, 內外使知懼, 又明於憂患與故, 無有師保, 如臨父母.(〈繫辭傳〉)

이 문장 중에서 "우환과 그 원인을 밝히는 것 明於憂患與故"이 화룡점정畵龍點睛이라 할 수 있고, 그 밖의 "사람의 출입행장을 절도 있게 하고, 행위처세에 있어 경계하고 두려워하는 마음을 갖게 하는 것 出入以度, 內外使知懼" 등은 "우환의 소재와 그 원인 憂患與故"의 구체적인 반영에 불과할 뿐이다. 바꿔 말하면, "우환과 그 원인에 대하여 잘 알기 때문에[明於憂患與故]" 사람들은 "출입에 절도가 있고, 안팎의 처세에 있어 두려워함을 알게[出入以度, 內外使知懼]" 되며, 바로 주역이 "우환과 그 원인에 대하여 잘 아는 생명철학의 보전"이기 때문에 사람들로 하여금 마치 부모와 같이 늘 당신을 깨우쳐주고, 당신을 인도하고, 당신을 보호하고 있다고 느끼도록 하는 것이다.

〈역전〉은 어떻게 하여 이같은 결론을 낼 수 있는가? 그 답은 〈역경〉 속에 있다. 서점 종류의 저작으로서 〈역경〉은 그 주요 구성이 괘상, 괘사와 효사로 되어 있는데, 이것은 은대에 성행하였고, 〈역경〉 시대에 아직도 유행하였던 구복龜卜과는 크게 다른 것이다. 이에 대하여 주백곤은 다음과 같이 비교하였다.

"첫째, 거북이껍질을 뚫어서 상을 취함에 있어 그 찢어진 흔적은 자연적으로 생기는 무늬이지만, 괘상은 손으로 서초를 셈하여 나온 수로서 규정된 변역법에 따라 추리연역하여 성립하는 것이다. 전자는 자연에서 나온 것이지만, 후자는 인위적인 추산에 의거하는 것이다. 둘째, 구상(龜象;거북이의 상)은 형성된 뒤에는 고칠 수가 없으며, 복자卜者는 그 무늬에 따라 길흉을 판단할 수 있을 따름이다. 그러나 괘상卦象은 형성된 뒤에 괘상에 대한 여러 가지 분석, 심지어는 논리적인 추리연역을 거쳐야 비로소 길흉의 판단을 이끌어낼 수 있다."[54]

여기서 말하는 논리상의 추리연역이 실제로는 이성적인 분석을 가리키는데, 그것의 직접적인 결과는 주체의 자각으로서, 피동적으로 복조卜兆의 계시를 순종하는 것으로부터 주동적으로 우환을 미연에 방지하는 길을 찾는 것이다. 〈역경〉의 괘사와 효사는 주로 "길吉", "흉凶", "리利", "불리不利", "유회有悔", "무회無悔", "회망悔亡", "구咎", "무구無咎", "린吝" 등과 같은 각종각양의 점사占辭 혹은 서사筮辭로 구성되어 있다. 이러한 단어[斷語 ; 점을 결단하는 말]는 모두 회오悔悟 혹은 회한悔恨을 통하여, 과실을 고치고 스스로 새로워져서 자신을 곤공에서 벗어나도록 함으로써 흉凶을 길吉로 만들거나 불행을 면하게 한다.[55] 임의로 아래와 같이 세 가지 예를 들자.

너무 높이 오른 용은 후회가 있다. (〈건〉 상구)

집안을 잘 방비하니 후회가 사라진다. (〈가인〉 초구)

평평한 것으로서 경사가 지지 않는 것이 없고, 가는 것으로서 다시 오지 않는 것이 없다. 어렵되 굳게 바르게 지키니 허물이 없다. (〈태〉 구삼)

亢龍有悔. (〈乾〉 上九)

閑有家, 悔亡. (〈家人〉 初九)

不平不陂, 無往不復, 艱貞, 無咎. (〈泰〉 九三)

54 주백곤 : 〈역학철학사〉, 제1권, 제7항, 북경, 화화출판사, 1995.

55 주백곤 : 위와 같음

위에서 인용한 세 효사 중, 첫 번째는 용이 너무 높이 날아서 아래로 떨어질 위험을 피할 길이 없어 회한을 낳는다는 것을 말하고 있다. 그것은 사람들에게 일을 함에 있어 너무 극단으로 치닫지 말고 적당한 정도에서 그만둘 것을 환기시킨다.

두 번째 효사는 집안일을 다스림에 있어 법도에 어긋나는 것을 예방하면 후회를 면할 수 있다는 것이다.

세 번째 효사는, 인생 여정은 순탄하기만 한 것이 아니라, 평탄한 일이 있으면 가파른 비탈도 있고, 가는 것이 있으면 오는 것도 있으니, 곤란이 닥치더라도 놀라 허둥대며 어찌할 줄 모르는 행동을 하지 아니하면 허물이 없을 것이라는 것을 말하고 있다.

이와 관련한 자료는 너무 많은데, 〈역경〉 전체는 그와 같은 점사단어占辭斷語로 구성되어 있다고도 할 수 있다. 어떤 것은 선민先民의 구생求生지혜와 생활경험을 포함하는데, 이를 발견하기란 어렵지 않다. 이것은 "〈역경〉, 이 오래된 전적典籍은 점서의 형식을 빌려 사람들에게 자기의 환경과 언행에 대하여 늘 경계하고 두려하는 마음을 지니도록 한다. 즉, 우환의식을 가지게 하여 자신의 처지를 반성하고 개과천선하여 흉을 길로 변화시키고 불행을 면하게 한다."[56]는 사실을 표명한다. 바로 이 때문에 〈역전〉은 "우환과 그 원인을 밝히는 것 明於憂患與故"의 작용을 특별히 강조하고, "성인이 덕을 높이고 사업을 넓히는 聖人所以崇德而廣業" 인생보전이라고 보는 것이다.

56 주백곤 : 〈역경의 우환의식과 민족정신〉

3-2

〈역경〉은 괘의 효사와 그 구조형식을 통하여 선민의 우환의식, 구생지식 및 생활경험을 구현하였다. 이러한 우환의식, 구생지식 및 생활경험은 또한 깊은 문화기초와 유구한 역사배경을 갖고 있는 것이다. 그것은 주周 민족의 문화역사 전통을 계승한 것이다. 〈주서周書〉를 펼치면, 주공을 대표로 하는 주나라 초기 통치자들의 우환의식이 아주 강렬하였다는 것을 발견하기가 어렵지 않다.

주나라 초기 통치자들은 은조殷朝 멸망의 교훈을 깊이 깨닫고 그 역사교훈을 총결하기 위해 숙고하면서 은殷을 거울로 삼을 것을 재삼 강조했다. 예컨대, 주공이 그의 동생에게 다음과 같이 말했다.

> 봉아, 너는 이와 같이 해서는 안되니 크게 훈계하노라. 옛사람들의 말에 이런 말이 있다. '사람은 물에 비추어 보는 것이 아니라 사람에 비추어 보아야 한다.' 오늘날 은나라의 천명이 땅에 떨어진 것을 내가 크게 비추어 보지 않을 수가 없으니, 때에 맞게 백성들을 어루만져 주어야 한다. (〈주서·주고〉)

> 封, 予不惟若兹多誥. 古人有言曰 : '人, 無於水監, 當於人監.' 今惟殷墜命, 我其可不大監, 撫於時."(〈周書·酒誥〉)

"감監"은 시[視 : 보다] 계[戒 : 조심하다]로서, "감鑒"과 뜻이 통한다. 위의 말은 주공이 강숙 봉에게 신민臣民을 거울로 삼아 은殷, 상商 멸망의 역사교훈을 받아들이라고 한 것이다. 주공의 이러한 가르침은 곳곳에 거안사위居安思危의 우환의식을 나타내고 있다. 주나라 초기 통치자의 우환의식은 그 민족문화와 역사적 배경을 가지고 있다. 그들은 선조 역시 똑같이 그와 같은 우환의식을 가지고 있었다고 여겼다. 주나라 사람의 손에 의해 책으로 이루어진 〈역전〉에는 다음과 같이 말하고 있다. "〈역〉이 흥한 것은 은의 말세, 주의 덕이 흥성할 때인가? 문왕과 주紂의 일인가?" 이 말은 의심할 바 없이 〈역경〉의 우환의식이 주나라 민족의 역사문화 속에서 발전되어온 것임을 표명하고 있다. "〈역〉의 도道", "두려워하는 마음으로 마치고 시작하면, 그 중요한 부분에 허물이 없다 懼以終始, 其要無咎."(《계사전》)라는 말도 역시 주나라 민족의 역사문화 속에 있는 우환의식에 대한 철학적 개괄이자 총결이다.

주나라 사람들은 우환의식을 제창하여 사람의 도덕과 품행을 특별히 강조하였으니, 예컨대, "왕위는 오직 덕의 근본자리에 있다 其惟王位在德元"(《주서·소고》) ; "크고 빛나도다, 문왕이여, 덕을 밝게 이루고 벌을 신중히 하였도다 惟乃丕顯文王, 克明德愼罰"(《주서·강고》)와 같다. 〈주역〉은 우환의식을 제창하였고, 또한 특별히 덕성수양의 공부를 중시하였다. 이 점에 있어 위의 둘은 일맥상통하는 것인데, 아래와 같은 여러 가지 자료를 인용할 수 있다.

> 구삼의 효사는 말한다 : "군자는 온 종일 건강하게 분발하고, 밤에도 늘 경계하고 두려워하며 근신하여야 한다. 이렇게 하면 설사 위험이 닥치더라도 해를 면할 수 있다." 이는 무슨 뜻인가? 공자가 말하기를 "이는 군자는 아름다운 덕을 증진하고, 업적을 닦아야 한다는 것을 비유한 것이다. 충성하고 신실하면 아름다운 덕을 증진시킬 수 있다. 성실하고 진지한 감정에서 나오는 언사言辭를 잘 다듬으면 업적을 쌓을 수 있다. 진취적인 목표를 알고, 그를 실현하려고 노력하는 사람, 이러한 사람과는 사물발전의 징조에 대하여 같이 논할 수 있다. 그쳐야 할 때를 알고 때에 맞게 그치는 사람, 이러한 사람과는 사물발전의 적당한 상태를 같이 보

전할 수 있다. 이와 같기 때문에 윗자리에 오르더라도 교만하거나 오만하지 아니하며, 아랫자리에 처하더라도 근심걱정이 없다. 만일 항상 강건하게 분발하고, 늘 경계하고 두려워하며 근신한다면 설사 위험이 닥치더라도 해를 면할 수 있다."(〈건·문언전〉)

九三 曰 : "君子終日乾乾, 夕惕若, 厲無咎." 何謂也? 子曰 : "君子進德修業. 忠信, 所以進德也; 修辭立其誠, 所以居業也. 知至至之, 可與言幾也; 知終終之, 可與存義也. 是故居上位而不驕, 在下位而不憂. 故乾乾因其時而惕, 雖危無咎矣."(〈건·문언전〉)

건괘의 구삼 효사는 우환의식으로 충만한 서사筮辭라 할 수 있다. 그런데, 〈역전〉이 구삼의 이러한 우환의식을 "군자진덕수업[君子進德修業 : 군자가 덕을 증진시키고 업적을 닦음]"으로 집중 개괄한 것은 의미심장하다. 그것은 '각종 우환 중에서도 덕성수업과 상관이 있는 우환이 가장 관건이다'라는 것을 나타낸다. 따라서 주나라 사람과 마찬가지로, 〈역전〉도 "덕德"의 가치와 작용을 특별히 강조한다. 〈계사전〉은 다음과 같이 말한다.

〈역〉이 일어난 것은 중고中古시대에서인가? 〈역〉을 지은 자는 우환이 있었는가? 그러므로 리履괘는 덕의 기초라, 겸謙괘는 덕의 자루라, 복괘는 덕의 근본이라, 항괘는 덕의 굳음이라, 손괘는 덕의 닦음이라, 익괘는 덕의 남음이라. ……

〈易〉之興也, 其於中古乎? 作〈易〉者 有其憂患乎? 是故 履, 德之基也, 謙, 德之柄也, 復, 德之 本也, 恒, 德之 固也; 損, 德之修也; 益, 德之裕也. ……

〈리〉, 〈겸〉, 〈복〉, 〈항〉, 〈손損〉, 〈익〉, 〈곤〉, 〈정〉, 〈손巽〉 등 아홉 괘의 의의는 이 책의 뒤에 모두 언급이 있을 것이므로 여기서는 상술하지 않는다. 〈역전〉은 이 9괘에 대하여 선후로 3차례 강설하여 역학사상 삼진구덕[三陳九德 ; 아홉 덕에 대하여 세 번 이야기하다는 뜻]이라 불리는데, 64괘 중 이 9괘의 중요성이 일반 괘와 같지 아니함을 표명한 것이다. 그리하여 소위 "덕의 근본", "덕의 기초" 등이라 하여 덕성수양이 우환의식 중에서 갖는 의의를 충분히 나타내고 있다.

3-3

은상 시기에 성행한 구복龜卜과 서로 비교할 때, 주나라 사람들과 〈주역〉이 "덕"을 중시하였다는 사실은 사람의 자아인식이 심화되었다는 점을 반영한 것임은 의심할 여지가 없다. 비록 서점筮占도 마찬가지로 신비의 계시라는 측면을 떠날 수는 없지만, 그런 가운데 기울인 이성정신이 부단히 강화되어 왔기 때문에 그것의 중심은 신의 권위방면에 있지 아니하고 사람의 행위자각—덕성수행방면에 있었다. 혹은, 그것은 준종교적인 형식으로 사람의 도덕행위의 합리성을 긍정하였으며, 따라서 인생운명의 주동권主動權이 부분적으로 사람의 수중으로 전이되었고, 춘추시기에 이성적 각성을 위한 조건을 준비하였다고 말할 수 있다. 공자는 가죽끈이 세 번 끊어지도록 〈역〉을 읽었는데[57], 아마 이러한 점이 눈에 들었기 때문일 것이다. 〈계사전〉은 다음과 같이 말한다.

> 일양일음의 모순변화를 바로 "도"라고 한다. 이 도를 전승하는 것(광대하게 발양하여 만물을 열어 창조하는 것)은 바로 "선"이고, 이 도를 울창하게 이

57 〈사기·공자세가〉

루는 것(유순하게 곧게 지켜 만물을 배태하고 키우는 것)이 바로 "성"이다. ……
천지의 "도"는 인덕에 나타나고(그리하여 우주 간에 널리 드리우고), 나날이 쓰는 것에 감추어져 있으며(그러나 쉽게 발견할 수 없다), (자연 무위 중에) 만물을 고취하여 움직이고 화육化育하지만 ("도"를 체득한) 성인이 우환의 마음을 늘 간직하고 있는 것과는 같지 아니하다.[58]

一陰一陽之謂道. 繼者之善也, 成者之性也. …… 顯諸仁, 藏諸用, 鼓萬物而不如聖人同憂.

여기서 제일 긴요한 말은 "자연 무위 중에 만물을 고취하여 움직이고 화육化育하지만 성인이 우환의 마음을 늘 간직하고 있는 것과는 같지 아니하다 鼓萬物而不如聖人同憂"는 것인데, 이것은 "걱정하는 것"은 사람의 일이지 천지 자연의 일은 아니라는 것을 설명한다. 바꿔 말하면, "걱정하는 것"은 순전히 인류의 주체적 행위로서 인류의 주체적 자각에 속한다. 이 점에서는 "자강불식", "후덕재물"과 크게 다른 것이다. "자강불식"과 "후덕재물"은 모두 형상의 기초를 가지니 "천행, 건", "지세, 곤"이다. 사람은 천지의 이러한 품행에 근거하여 이를 인식하고, 이를 학습하고, 이를 본받으며, 그렇기 때문에 군자의 덕성과 인격을 성취할 수 있다. 그러나 "걱정" 혹은 우환의식은 이와 같이 이를 인식하고, 이를 학습하고, 이를 본받을 수 있는 기초가 없으며, 그것은 모방할 것 없이 순전히 주체의 이성자각에 맡겨져 있고, 사람의 사람됨이라는 책임의식의 확충이요 밝게 드러남이다.[59] 당대唐代 학자인 서복관徐復觀은 "자기가 문제의 책임을 담당할 때에 비로소 우환의식이 있다. 이러한 우환의식은 실제로

58 번역은 황수기등 〈주역역주〉 제538항 참조.
59 전통유가철학 중에는 종교관념이 비교적 담박한데, 이것이 주요 원인 중의 하나이다.

는 견강의지와 분발의 정신을 감추고 있다"[60]고 말했다. 그의 이러한 견해는 일리가 있다.

그러면, 〈주역〉 중에 성인은 어떻게 걱정하는가?

성인은 상을 보고 괘를 만들고 말을 붙여 길흉을 분명히 하였다.

聖人設卦觀象, 繫辭焉而明吉凶. (〈계사전〉)

이 구절은, 성인은 먼저 상을 보고 괘를 그은 후에 다시 괘상에 근거하여 그것에 말을 붙여서 사람들에게 길흉의 이치를 나타냈다는 것을 알려준다. "설괘관상設卦觀象"이란, 좀 더 현대적으로 말하자면, 실제 상은 바로 우주인생의 여러 가지 현상을 관찰하여 괘효부호로서 종류별로 나누어 한곳으로 모은 것이라는 것이다; "말을 붙여 길흉을 명백히 하였다 繫辭焉而明吉凶"는 것은 이러한 관찰과 분류의 기초 위에 이론적으로 총결하여 "길흉"의 규율을 찾아내는 것이다. 한마디로 말하면, 철학적 각도로부터, 이성적 인식을 통하여, 서점의 형식을 빌려, 흉함을 피하고 길함을 좇아가는 도리를 나타낸 것이다.

3-4

서사筮辭 중에서 점을 판단하는 말인 "길吉", "흉凶"은 주로 일종의 결과를 표시하는 데 사용된다. 흉함을 피하고 길함을 좇아가는 관건은 주로 "취(趣 ; 좇아감)"와 "피(避 ; 피함)"의 두 글자 위에 있다.

60 서복근 : 〈중국인성론사 · 선진편〉, 제129항, 대북, 상무인수관, 1984년판.

是故吉凶者, 失得之象也; 悔吝者, 憂虞之象也. (〈繫辭傳〉)

吉凶者, 言乎其得失也; 悔吝者, 言乎其小疵也; 無咎者, 善補過也. (〈繫辭傳〉)

辨吉凶者存乎辭, 憂悔吝者存乎介, 震無咎者存乎悔. (〈繫辭傳〉)

세 인용문의 대의는 각각 다음과 같다.

"길", "흉"은 일을 처리함에 있어 혹은 얻고, 혹은 잃는 것의 상징이다; "회", "린"은 일을 처리함에 있어 작은 잘못이 있어 하는 근심, 걱정의 상징이다.

"길", "흉"은 일을 처리함에 있어 혹은 얻고, 혹은 잃는 것을 말한다; "회", "린"은 일을 처리함에 있어 약간의 병폐가 있음을 말한다; "무구"는 잘못을 잘 고치는 것을 말한다. "길", "흉"을 변별하는 상징은 괘효사에 있다. "회", "린"을 걱정하는 상징은 방미두점[防微杜漸 : 나쁜 일이 아직 경미할 때 더 이상 커지지 않도록 방지함]에 있고, "무구"를 몹시 두렵게 하는 상징은 내심의 회오(悔悟)에 있다.

여기서 주의할 가치가 있는 것은 "회悔", "린吝" 두 글자이다. 주희는 〈어록〉에서 "길흉회린吉凶悔吝의 상에 있어서, 길과 흉은 양 끝머리이고, 회린은 그 중간이다. 회는 흉에서부터 길로 나아가는 것이고, 린은 길에서부터 흉으로 나아가는 것이다"라고 했다. 이 둘이 "취趣"와 "피避"의 연결점에 있음을 알 수 있다. 만일 작은 잘못이 있으나 후회할 수 있다면 근심, 걱정의 상이 나타나고 길로 나아가게 된다. 만일 작은 잘못에 뜻을 두지 않고 여전히 즐거워하고 걱정을 잊어버린다면 흉으로 나아가게 된다. 하나의 길과 하나의 흉은 그 출발점의 차이는 그다지 크다고 할 수 없으니 "소자[小疵 ; 작은 잘못]"가 그것이다. 그러나 바로 이 "소자小疵"의 자리이기 때문에 우환의 마음으로 이를 처리할 필요가 있는 것이다.

"구咎는 재해災害[통상 우리말로서는 '허물'이라고 번역한다]가 있는 것인데, 흉보다는 가볍고, "회"와 "린"보다는 무겁다. 장재張載는 〈횡거역설〉에서 "무릇 무구無咎라고 하는 것은 반드시 그 시초에는 후회가 있었으나 지금 능히 그것을 고칠 수 있는 것이다. 허물이 있으나 면한 것으로, 두려워하여 고치기를 잘하는 것이다"라고 하였다. 주진朱震은 〈한상역전〉에서 "무구라는 것은 본래에는 허물이 있으나 잘못을 잘 고쳐서 무구에 이르는 것이다"라고 했다. 회린과는 달리 무구는 잘못이 있는 때에 잘못을 잘 고치는 것임을 알 수 있다. 이는 회린의 때에 비록 미리 방지하고 살펴 알지는 못하였으나 허물이 있게 되었을 때 그것을 고치기를 잘하면 여전히 흉함을 피하고 길함을 좇아가는 목적을 달성할 수 있다는 것을 설명하고 있다. 그리하여 〈역전〉은 역도를 "두려함으로써 마치고 시작하면, 중요한 부분에 허물이 없다 懼以終始, 其要無咎"라고 개괄한다. "구이종시 기요무구 懼以終始, 其要無咎"는 〈주역〉 작자가 마음을 쓴 자리이며, 또한 〈주역〉이 보여주고자 한 큰 도리道理이다. 이로써 〈주역〉 중의 우환의식을 세 개의 방면으로 나눌 수 있으니, 처음을 신중히 하는 것, 과실을 잘 고치는 것, 길함으로 나아가는 것이다. 이 세 개의 방면은 크게는 천하국가를 가리킬 수도 있고 작게는 자아를 가리킬 수도 있다. 가리키는 것이 어느 방면이든지 간에 그것을 담당하는 자는 모두 사람(혹은 개체이든 혹은 군체群體이든)이므로, 주체 자각적이고 덕성향선德性向善적이다.[61] 그러나, 이 세 개 방면은 동시에 일종의 생활경험과 지혜로 표현되기 때문에 그것은 또한 인지적認知的이다. 〈역전〉 중에 다음과 같은 글이 있다.

61 〈주역〉 속의 "길흉"은 가치방면에서 말하자면 "선악"에 대응시킬 수 있다. 심지어는 "길흉"이 바로 "선악"이라고 여길 수 있다. 이 점에 관하여 우리들은 장차 "개과천선"의 장절 중에서 상세하게 토론한다.

선한 업을 쌓은 집안에는 반드시 경사로운 일이 넘친다. 악한 업을 쌓은 집안에는 반드시 재앙이 넘친다. 신하가 그 임금을 시해하고, 아들이 아버지를 죽이는 일은 하루아침 저녁의 원인으로 그렇게 된 것이 아니다. 그 원인으로 오는 것은 조금씩 천천히 오는 것인데, 이를 분별할 것을 일찍 분별하지 못했기 때문이다.

積善之家, 必有餘慶; 積不善之家, 必有餘殃. 臣弑其君, 子弑其父, 非日朝日夕之故, 其所由來者漸矣, 由辨之不早辨也.(〈坤·文言傳〉)

문장 중의 "일찍 분별하지 못함[不早辨]"은 그 시초에 신중하지 아니한 것이고, "그 원인으로 오는 것이 조금씩 천천히 온다는 것[由來者漸]"은 싹이 나타난 뒤에 그 잘못을 잘 고치지 아니하고 그것이 점차 쌓여서 결과가 필연적으로 흉하다는 것이다. 그런데 "일찍 분별함[早辨]" 과 "일찍 분별하지 못함[不早辨]"이 바로 "적선積善"과 "적불선積不善"이다. 이 둘은 〈주역〉이라는 책에서는 주체적 우환정신 속에서 함께 작용하는 것으로 설명하고 있으며, 인지판단 중에 가치방면의 내용을 포함하고 있다.

공자는 늙어서 〈역〉을 좋아하여 스스로 그 덕의德義를 좋아한다고 하였는데, 실제로 그것이 포함하고 있는 우환정신과 인생지혜를 보고 마음에 들었던 것이다. 이러한 사실은 〈계사전〉이 공자의 말을 인용한 중에서 어렵지 않게 찾아볼 수 있다.

무릇 위험하게 되는 것은 모두 일찍이 그 자리에서 안일하게 즐기며 지냈기 때문이다; 무릇 멸망하는 것은 모두 일찍이 스스로 오랫동안 생존을 보존할 수 있을 것이라 여겼기 때문이다; 무릇 폐란廢亂하는 것은 모두 일찍이 만사가 잘 다스려질 것이라고 교만하게 굴었기 때문이다. 따라서 군자는 편안히 있을 때에 위태로움을 잊지 아니하고 생존할 때 멸망을 잊지 아니하며, 잘 다스려질 때 폐란을 잊지 아니 하는데, 이와 같이 하여야 비로소 자신을 안전하게 하고 국운을 늘 새롭게 할 수 있다. 그러므로 〈주역〉은 "(마음 속에 늘 스스로 경계하여) '멸망할 것이다, 멸망할 것이다' 라고 하여야만 총생叢生한 뽕나무에 붙어 있는 것과 같이 편안무강할 것이다"라고 말한다. (〈계사전〉)

子曰 : "危者, 安其位者也; 亡者, 保其存者也; 亂者, 有其治者也, 是故 君子安而不忘危, 存而不忘亡, 治而不忘亂, 是以身安而國家可保也. 〈易〉曰 ; '其亡其亡, 繫於苞桑.'"(〈繫辭傳〉)

이 말은 공자가 〈비좀〉괘 구오 효사를 설명할 때 제출한 견해이다. 공자의 우환은, 방미두점[防微杜漸 : 나쁜 일이 아직 경미할 때 더 이상 커지지 못하게 방지하다는 뜻]에서 드러날 뿐만 아니라, 때때로 실패와 멸망의 경험이 주는 교훈을 "반면교사"로 삼아 자신을 깨우치고 "종일건건"하여 재앙을 면하라고 하는 점에서도 드러나고 있는 것이다. 공자는 우환의식이 아주 강열한 사상가이다. 이 점은 〈논어〉의 관련된 기재 중에서 증명될 수 있다. 예컨대, "사람이 깊고 먼 사려가 없으면 반드시 가까운 곳에서 우환이 생긴다 ; 人無遠慮, 必有近憂" (〈논어·위령공〉) ; "덕을 닦지 아니하고 학문을 강습하지 아니하며, 의를 듣고도 남에게 옮기지 못하고, 선하지 아니한 것을 고치지 못하는 것이 나의 근심이다 ; 德之不修, 學之不講, 聞義不能徙, 不善不能改, 是吾憂也" (〈논어·술이〉) ; "남이 나를 알지 못하는 것을 근심하는 것이 아니라, 내가 남을 알지 못하는 것을 근심한다 ; 不患人之不己知, 患其不能也" (〈헌문〉) 등등. 공자의 우환의식은 여러 곳에 표현되어 있으나, 여기서는 임의로 몇 가지 예만 들었다. 공자가 가장 걱정한 것은 주체자아의 능력배양과 덕성수양이다. "덕을 닦지 아니하고 학문을 강습하지 아니하며, 의를 듣고도 남에게 옮기지 못하고, 선하지 아니한 것을 고치지 못하는 것이 나의 근심이다 ; 德之不修, 學之不講, 聞義不能徙, 不善不能改, 是吾憂也"는 것은 주공周公과 〈주역〉의 "우[憂 : 근심]"와 완전히 일치한다고 말할 수 있다.

맹자는 〈주역〉 및 공자의 우환의식을 계승하여, "우환에 살고 안락에 죽는다"는 저명한 논의를 내놓았으며, 우환은 사람을 생존케 하고 안일 쾌락은 사람을 멸망케 한다고 여겼다. 맹자는 다음과 같이 말했다.

> 순임금은 애당초 밭에서 일하다가 기용되었고, 부열傅說은 담 쌓는 노동자로 있다가 등용되었고, 교력膠鬲은 어물전 장사꾼으로 있다가 등용되었고, 관이오管夷吾는 옥에 갇힌 죄수로 있다가 등용되었고, 손숙오는 바닷가에 있다가 등용되었고, 백리해는 장터에 있다가 등용되었다. 그러고도 하늘이 이들에게 큰 임무를 내리고자 하면 우선 그들의 마음과 정신을 괴롭히고, 그들의 근골을 수고롭게 만들고 몸을 굶주림에 시달리게 하고 그들의 몸에 걸칠 옷도 없게 하고 또 그들의 하는 일을 어긋나게 만든다. 이는 하늘이 그들에게 시련을 주어 마음을 분발시키고 인내성을 키워서 그들이 하지 못하던 경지까지 할 수 있게 능력을 증대시켜 주겠다는 하늘의 배려에서 한 짓이다. 사람은 언제나 잘못한 후에 고칠 줄 알고, 마음이 막히고 생각이 빗나가야 비로소 분발하고, 또 안색에 나타나고 소리로 말을 해야 비로소 알아차리게 마련이다. 나라 안의 법도를 지키는 세신이나 임금을 보필하는 현신이 없거나, 또 나라 밖에 대적하는 나라나 외부적 화난이 없으면 그 나라는 언제나 망하고 말 것이다. 그러므로 알 수가 있다. 즉 우환 속에서 살 수 있고, 안락 속에서 죽게 마련임을.

舜發於畎畝之中, 傅說擧於版築之間, 膠鬲擧於魚鹽之中, 管夷吾擧於士, 孫叔敖擧於海, 百里奚擧於市. 故天降大任於斯人也, 必先苦其心志, 勞其筋骨, 餓其體膚, 空乏其身, 行拂亂其所爲, 所以動心忍性, 增益其所不能. 人恒過, 然後能改; 困於心, 衡於慮, 而後作; 征於色, 發於聲, 而後喩. 入則無法家拂士, 出則無敵國外患者, 國恒亡. 然後知生於憂患死於安樂也."

(〈孟子·告子下〉)

이 문장에서 맹자는 순, 부열, 교력, 관이오, 손숙오, 백리해 등 고대의 저명인물의 행적을 예로 들어 우환의식을 논의하였다. 그가 보기에는 "우환"은 자아를 연마하고 자아를 수련하는 과정이었다. 이 과정은 고난과 고통으로 가득 차 있어 사람들은 백 배의 기백과 용기로 대면하고 극복할 것이 요구되며, 이러한 대면과 극복 속에서 자기의 의지를 단련하고 자기의 능력을 증강하며, 자신의 경지를 드높인다. 한마디로 말하자면 자기의 덕성을 완벽하게 한다.

주나라 사람이 제창하고, 〈역경〉이 총결하고, 공자와 맹자가 계승하여 설명한 우환의식은 중국 역사의 발전 중에 부단히 충실해지고 고양되었다. 저명한 논리학자 라국걸羅國杰은 이를 훌륭하게 개괄하였는데, 그는 "우환의식은 이미 중화민족정신의 중요한 부분이 되었으며 그것은 일종의 우국우민의 애국주의 정신일 뿐만 아니라 국가와 인민에 대하여 관심을 갖는 일종의 책임의식임과 동시에 일종의 자력갱생, 간고분투[艱苦奮鬪 : 각고 분투함], 발분도강[發憤圖强 : 분발하여 강해지기를 꾀함]와 무사봉헌無私奉獻의 정신이다"[62]라고 말했다. 그의 개괄에 동의한다. 다만 이 장에서는 우환의식의 덕성기초를 중점적으로 논의하고, 우환의식의 기타방면에 대하여는 기본적으로 전개하지 않고 뒤에서 상관된 논의를 펼칠 것이다.

62 라국걸 : 〈우환의식과 거안사위〉, 〈주인과 처세〉 2000년 제7기에 실림.

그 밖에 앞에서 말한 "자강불식", "후덕재물"과는 달리, "우환의식"은 천지의 도를 기초로 하지 아니하고 순전히 사람의 마음이 발현發顯한 것이다. 이러한 의미로 말하면, 우리는 "우환의식"의 기초는 사람의 마음 가운데에 있고, 사람의 덕성향선의 정해진 태세 가운데에 있다고 할 수 있다. 그러나 사람의 마음과 천지의 도는 서로 통하는 것이다. 따라서 우환지심憂患之心은 또한 자강불식, 후덕재물의 도덕수양으로 나타날 수 있다; 자강불식, 후덕재물의 도덕수양 또한 우환의 마음으로 가득 찰 수 있고 종일건건終日乾乾하며, "구이시종懼以始終"케 할 수 있다. 그러므로 자강불식, 후덕재물과 우환의식은 〈주역〉의 정수精髓라 할 수 있다.

4. 개과천선 改過遷善

앞 장에서 성인이 우환憂患하는 목적은 사람으로 하여금 길함을 좇고 흉함을 피하게 하려는 것임을 지적하였다. 어떻게 길함을 좇고 흉함을 피하는가? 이것이 〈주역〉 전체가 해결하려는 문제이다. 그러나 덕성수양의 방면에서 말하자면, 〈주역〉이 중점적으로 강조하는 것은 "개과천선改過遷善"이며, 이것이 바로 〈상전〉이 말하는 "군자는 선을 보면 다른 사람들에게 옮기고, 잘못이 있으면 바로 고친다 君子以見善則遷, 有過則改"라는 것이다.

어떤 의미로서 말하자면, 길함을 좇고 흉함을 피하는 것이 바로 개과천선이다. 〈설문說文〉은 "길이란 선이다 吉, 善也 "라고 한다. 당대唐代에 고인이 된 저명 역학가 고형高亨은 말한다 : "무릇 일에 좋은 결과가 있는 것을 길하다고 한다. 그래서 길을 선善이라 풀이한다. …… 〈주역〉

에 있어서 길吉자는 모두 이 뜻이다."[63] 이에 의하면 우리가 "길함을 좇음[趣吉]"을 "선함을 좇음[趣善]", "선을 지향함[向善]"으로 이해하는 것은 완전히 이유가 있다. "과過"에 있어서, 그 큰 것이 "흉凶"임은 의문이 없고, "개과改過"가 "피흉避凶"임은 의문이 없다. 따라서 길함을 좇고 흉함을 피하는 것은 개과천선과 같다.

당연히 〈주역〉은 모두 길함을 좇고 흉함을 피하는 도리를 강론하는 데 있다. 이 책을 쓰는 목적도 사람들이 길함을 좇고 흉함을 피하는 것을 도우려는 데 있다. 다만, "길吉"을 "선善"이라고 풀이하자면, "길함을 좇음[趣吉]"은 실제로 "선을 행함[爲善]"과 동일하고, 이 "선을 행함"은 두 가지 내용을 포괄한다 : 하나는 행위방면에서 선을 행하는 것이고, 다른 하나는 덕성방면에서 자기의 착한 성품을 수양하는 것이다. 비교하여 말하면, 후자가 더욱 근본적이다. 여기서 "개과천선"을 강론하는 것은 주로 후자에 무게를 두고 있다.

4-1

인간의 여러 현상은 복잡다난하고, 길흉吉凶이 나타나는 형식도 천태만상이다. 단지 〈주역〉이 길함을 좇고 흉함을 피하는 것을 강론함은 그 중심이 "개과천선"의 도리를 제시하는 데 있다. 공자의 말을 빌려 말하면, 그 중심은 "큰 잘못이 없다고 할 수 있다 可以無大過"는 도리를 제시하는 데 있다. 그것이 분명하게 드러내 보이는 것은 구체적인 어떤 길함과 어떤 흉함이 아니라, 길함을 좇고 흉함을 피하는 개과천선의 과정 중에서 필연적으로 부딪치게 되는, 경중이 다른 여러 가지 가능성의 형식이다. 그것들을 통하여 사람들은 스스로 경계하고 스스로 노력하여, 자

63 고형 : 〈주역고경금주〉, 제126쪽, 중화서국 1984년 3월판.

신의 진로를 바르게 닦을 수 있는 것이다. 〈주역〉을 전체적으로 보면, 여러 가지 형식은 다음과 같이 분별된다 : 린吝·려厲·회悔·구咎·흉凶·리利·길吉. "리利"자는 우리들이 "리이합의利以合義"라는 장절章節에서 토론하기로 하고, 여기서는 나머지 여섯 가지를 강론한다.

"린吝"은 〈주역〉 중에서 20차례 나타나는데, 표현형식에는 "린吝"·왕린往吝"·"소린小吝"·"종린終吝"·"정린貞吝" 등이 있다. 근대 역학가 상병화尙秉和의 해석에 의하면, "린吝"자는 〈주역〉에서 두 가지 뜻이 있다 : "무릇 '왕린往吝'이라는 것은 마땅히 '행하는 것이 어렵다 行難'의 뜻으로부터 온 것이다; 단지 '린吝'이라고만 말한 것은 마땅히 '한스럽고 애석하다 恨惜'라는 뜻으로부터 온 것이다."[64] "행난行難"은 바로 출행出行이 매우 어렵다는 것이다; "한석恨惜"은 애석哀惜하다, 유감遺憾이다라는 뜻이다. 아래의 예를 보자.

(육사는) 곤한 몽이니 애석하도다.

(육이는) 일가끼리 함께 함이니 애석하도다.

(육오는) 언덕과 동산에게서 꾸밈을 얻으니, 묶은 비단이 자잘하면 애석하나 마침내 길하리라.

困蒙, 吝. (〈蒙〉 六四)

同人于宗, 吝. (〈同人〉 六二)

賁于丘園, 束帛戔戔, 吝, 終吉. (〈賁〉 六五)

네 개의 효사에는 모두 "린吝"자가 나타났다.

〈몽蒙〉괘는 하감상간下坎上艮으로서, 어리석고 유치함을 상징한다. 육

64 항수기등 〈주역역주〉 제44항에서 인용하다.

사는 육삼과 육오의 두 개 음효의 포위 속에 놓여 있고 구이의 양효와는 멀리 떨어져 있어, 어리석고 유치함의 어려움에 빠져 있어 애석함의 상이 있다. 이것은 사람들에게 '배우고 지식을 구함에 있어 자기를 가르쳐 줄 사람에게 가까이 가야 하며[65], 이렇게 하여야만 언어로 된 가르침을 얻을 수 있을 뿐만 아니라 행동으로 된 가르침을 얻을 수 있고, 견문을 넓힐 수 있을 뿐만 아니라 자기의 수양을 드높일 수 있다'라는 것을 환기시킨다. 그렇지 않으면, 길거리에서 지나가는 사람의 이야기를 듣고 전하듯 와전訛傳되어 진정한 가르침을 얻지 못한다.

〈동인同人〉은 하리상건下離上乾으로, 사람과 함께 지내고, 사람과 화목하게 같이 한다는 것을 상징한다. 그런데 이 괘는 5양 1음으로, 5양이 모두 육이의 음효를 가까이 하려고 한다는 뜻이 있다. 그러나 육이는 구오와 정응正應하여 오로지 오五와만 친하려 하여, 가까운 사람(예컨대 종족이나 친족 내부의 사람)과만 서로 친하고 서로 같이 지내려고 하는 혐의를 면하기 어렵다. 이것은 사람들에게 '너그럽게 후하게 다른 사람들을 대하고, 넓게 친구를 사귀어야 하지, 너무 편협하게 능력에 관계없이 자신에게 가까운 사람만 임용하여서는 안 된다'는 것을 경계한다. 만일 그렇게 한다면, 반드시 유감스러운 바가 있다.

〈비賁〉괘는 하리상간下離上艮인데, 〈주역〉은 그것으로써 꾸밈을 상징한다. 육오가 이 존위尊位에 자리하지만, 아래에는 응하는 사람이 없어[66] 유감을 면하기 어렵다. 그렇지만 상구의 꾸밈을 받을 수 있다. 비록 꾸미는 것이 검소하고 인색하지만, 바탕이 꾸밈보다 뛰어나고 오히려 꾸밈이 없어 자연스러워, 마침내 길상吉祥하게 된다. 이것은 사람들에게 '응당

65 荀子가 이르기를 "배움은 그 사람에게 가까이 가는 것 만한 것이 없다 學莫便乎近其人."이라 하였다(〈순자·권학〉). 그 뜻은, 학습은 자기를 가르칠 사람에게 접근하는 것보다 더 편리한 것이 없다는 것이다. 바로 이 효사의 脚註로 할 수 있을 것이다.

66 〈주역〉의 體例에 따르면, 1괘 6효 가운데 5위가 가장 존엄한 자리다. 또한 二五 음양이 응하여야 한다. 지금 五는 음이고, 二 또한 음이어서 응함이 없다.

근본에 힘써야지 자기를 꾸며서 교활하게 허세를 부려서는 안 된다'라는 것을 환기시킨다.

이 세 가지 예에서 보듯이, 〈주역〉 중에서 단순이 〈린吝〉만 말한 것은 대부분 작은 과실로부터 일어날 수 있는 유감스럽고 애석함을 가리킨다. 유감스럽고 애석함이 비록 작은 것이지만 경계하지 않을 수 없고, 만일 작다고 하여 소홀히 하면 반드시 "길함으로부터 흉함으로 향하게 된다."(주희朱熹의 말) 다시 아래의 예를 보자.

> (육삼은) 사슴을 좇음에 몰이꾼이 없느니라. 오직 숲속으로 들어감이니, 군자가 기미를 보아 그치는 것만 같지 못하니, 가면 애석하리라.
>
> (육삼은) 말린 고기를 씹다가 독을 만남이니, 조금 애석하나 허물이 없으리라.
>
> (구삼은) 가인이 엄하게 하니 너무 엄하게 한 후회는 있으나 길하고, 부녀자가 희희덕거리면 마침내 애석한 일이 있으니라.
>
> (구삼은) 그 덕이 항구하지 않음이라. 혹 부끄러운 일을 당할 수 있으니 그대로 고집하면 애석하리라.

> 卽鹿無虞, 惟入于林中, 君子幾無入, 舍 往吝. (〈屯〉 六三)
>
> 噬臘肉, 遇毒, 小吝, 無咎. (〈噬嗑〉 六三)
>
> 婦子嘻嘻, 終吝. (〈家人〉 九三)
>
> 不恒其德, 或承之羞, 貞吝. (〈恒〉 九三)

"왕린往吝"은 계속해서 앞으로 나아가면 반드시 곤경에 빠진다는 뜻이다. 둔괘屯卦는 사물이 처음 시작하는 때의 어려움을 상징한다. 육삼의 뜻은 '산림 속에 들어가서 사냥을 하는데, 길을 안내하는 사람(몰이꾼)이 없으면 그만두는 것이 낫다. 그렇지 않으면 곤경을 초래할 수 있다'는 것이다. 이것은 사람들에게 '일을 함에 있어 먼저 정황을 자세하게 파악하여야 하고 경거망동하지 않아야 한다'는 것을 일깨운다.

"소린小吝"은 작은 유감이 있다는 것이다. 서합噬嗑은 형옥刑獄을 상징한다. 이 구절은 소금에 절여 말린 고기를 먹다가 독을 만나는 표현을 써서 형刑을 시행하는 것이 순조롭지 않다는 것을 형용하고 있지만, 아직 재앙이나 해로움을 일으키지는 않았다. 그것은 사람들에게 '다른 사람을 바르게 하기 전에 먼저 자신을 바르게 하고, 자신이 바르게 된 뒤에 다른 사람을 바르게 하여야만 비로소 다른 사람이 따르게 된다'는 것을 일깨운다.

"종린終吝"은 끝내 유감을 초래한다는 것이다. 가인家人은 가정관계를 상징한다. 구삼의 뜻은, 만일 부인과 아이들이 희희낙락하고 엄숙하지 않으면, 가정 내에 예를 잃어버리는 일이 발생하여 유감을 초래한다는 것이다. 이것은 사람들에게 '가정을 다스리는 데는 엄하게 하여 법도에서 벗어나는 일이 발생하지 않도록 하여야 한다'는 것을 환기시킨다.

"정린貞吝"은 과도하게 집착하면 반드시 유감이 있다는 것이다. 항괘恒卦는 항구恒久함을 상징한다. 구삼의 뜻은 '한 사람이 일을 함에 있어 마음 속으로 이런저런 생각을 하고 이랬다저랬다 변덕을 부리면 반드시 수치스런 일을 초래한다'는 것이다. 그것은 사람들에게 '응당 한결같은 마음을 가져야 하지, 그렇지 않으면 하나의 일도 이루어지는 것이 없다'는 사실을 일깨운다.

위에서 본 몇 가지는 비록 "린吝"의 구체적인 표현형식은 다르지만, 모두 일종의 난처함·유감과 곤란함을 표현하고 있다. 그것은 사람들에게 '이러한 때에 처하면 무서워하고 겁을 내어서는 안 되고, 그 자리에서 즉시 결단을 내려서 잘못된 것을 고쳐서 바르게 하여야 하며, 이렇게 하여야만 "작은 허물"로 인하여 흉함이 초래하는 것을 막을 수 있다'는 것을 드러내 보여주고 있다.

4-2

"려厲"자는 〈주역〉 중에 27차례 나타나는데 표현형식에는 "려厲"·"유려有厲"·"정려貞厲" 등이 있다. 〈주역〉의 괘효사 중에서 "려厲"는 "위危" 즉 "위험危險"으로 풀이한다. 건구삼은 "厲, 無咎"인데, 〈문언전〉은 이를 "……비록 위태롭지만 허물이 없다 雖 危, 無咎矣"로 해석하여 "위危"로서 "려厲"를 해석한다. 〈역전〉을 제외하고, 기타 〈경전석문〉, 〈주역집해〉, 〈광아廣雅·석고釋詁〉 등의 전적 중에도 역대 역학가들이 "위危"로서 "려厲"을 해석한 예를 기재하고 있다. 이것은 "려厲"가 바로 "위危"·"위험危險"이라는 것을 설명한다.

(구삼은) 군자가 종일토록 굳건히 하다가 저녁이 되어서는 두려운 마음으로 반성하면, 위태로우나 허물은 없으리라.

(초육은) 아버지의 일을 주관함이니, 아들이 있으면 죽은 아버지가 허물이 없을 것이니, 위태롭게 여기고 조심해야 마침내 길할 것이다.

(구사는) 어긋남에 외로와서 착한 지아비를 만나서 미덥게 사귐이니, 위태하나 허물이 없으리라.

(초육은) 기러기가 물가에 나아감이니, 소인과 어린 아이는 위태해서 말이 있으나 허물이 없느니라.

君子終日乾乾, 夕惕若, 厲 無咎. (〈乾〉 九三)

干夫之蠱, 有子考, 無咎, 厲 終吉. (〈蠱〉 初六)

睽孤 遇元夫, 交孚, 厲, 無咎, (〈睽〉 九四)

鴻漸干干, 小子厲, 有言, 無咎. (〈漸〉 初六)

"종일건건終日乾乾"은 종일토록 꺼리고 삼가며 두려워하면서 자강불식하는 것이다. "석척약夕惕若"은 저녁이 되어서도 여전히 마음속으로 걱정하고 두려워하며, 조금이라도 감히 마음을 풀고 게으르지 않는 것이다. 이것은 사람들에게 '경계하고 두려워하는 마음을 가지고 종일토록 해태하지 말라'고 경고한다. 이렇게 하면 비록 위험한 정황을 만나더라도 잘못을 저지르는 일이 없을 것이다.

"간부지고干夫之蠱"는 아버지대의 폐란을 바로 잡는다는 것이다. "유자고有子考"는 아들이 있어 아들이 선대의 덕업을 성취할 수 있다는 것이다. 효사의 뜻은 '이와 같이 하면 아랫것이 위를 범한다는 감이 있지만, 그 목적이 정확하기 때문에 어떤 허물이나 해로움이 있지 아니하며, 비록 어떤 위험이 있다 하더라도 그 위험을 제거하고 길상함을 얻는다'는 것이다. 이것은 사람들에게 '어지러운 세상을 바로잡아 다스리게 되면 자신의 아버지대를 포함하는 많은 사람들의 이익을 건드리게 되어 위험을 면하기 어렵다. 그러나 그 목적이 앞사람의 사업을 계승하여 빛나고 위대하게 하기 위한 것이기 때문에 끝내 만족하는 결과를 얻을 수 있다'는 것을 일깨워준다.

"규고睽孤"는 배반하고 반목하는 일에 처하여 고립무원의 처지에 있는 것이다. "우원부遇元夫"는 생사를 같이할 사람을 만난다는 것이다. "교부交孚"는 서로 참된 믿음을 나눈다는 것이다. 이것은 사람들에게 '서로 반목하고 등지는 시대에는 자기의 경우와 같은 사람과 덕을 같이 하고 서로 사귀며, 지성으로 서로 합하여야 한다. 이렇게 하면 위험이 발생하더라도 허물이나 해로움이 없다'는 사실을 일깨워준다.

"홍점간간鴻漸干干"은 큰 기러기가 물가로 날아든다는 것이다. "소자小子"는 나이가 어린 무지한 사람이다. 효사는 큰 기러기가 낮은 곳에서 높은 곳으로 날아오르는 비행으로 점진의 도리를 비유하고, 사람들에게 '지위가 비천하고 생활이 불안녕不安寧한 때에는 점진하되 초조하게 굴어서는 안 된다는 가르침을 굳게 지켜야 하며, 이렇게 한다면 위험이 있고 심지어는 중상을 입더라도 허물이나 해로움이 없을 것이다'라는 사실을 일깨워준다.

이상과 같은 네 가지로부터 "려厲"는 바로 위험이라는 것을 알 수 있다. 다만 이 네 가지 효사에 대하여 말하자면, 위험은 결코 두려워할 것이 아니며, 경계하고 두려워하며 근신하기만 하면 능히 위험을 편안함으로 바꿀 수 있다는 것이다. 물론 어떤 효사에 있어서는 〈주역〉은 그 위험성만 강조하고 있을 뿐 결과를 표명하지 않고 있다. 예를 들면 다음과 같다.

> 구오는 깎는데도 믿으면 위태함이 있으리라.
> 구삼은 나그네가 그 머물던 곳이 불타고 어린 종에 대한 바름을 잃으니 위태하니라.

> 孚于剝, 有厲. (〈兌〉 九五)
> 旅焚其次, 喪其童僕貞, 厲. (〈旅〉 九三)

"부우박孚于剝"은 교언영색巧言令色의 소인에게 진실한 믿음을 베푸는 것이다. 효사는 '소인에게 믿음을 베푸는 것은 속임을 당하는 것을 면하기 어려우므로 위험이 있다'고 여기고 있다.

"여분기차旅焚其次"는 여행하면서 기거하던 방이 불에 타 훼손되었다는 것이다. "상기동복喪其童僕"은 어린 종이 주인을 버리고 떠나버렸다는 것이다. 효사의 뜻은 '여행하는 사람은 곳곳마다 겸손하며 윗사람을 존경하고 아랫사람에게 부드러워야 한다. 그렇지 않으면 반드시 손실을 입어 위험을 초래하게 된다'는 것이다.

이 두 구절의 효사는 위험성만 강조하고 있을 뿐, 그러한 위험에 있어 그 결과가 어떠한지는 지적하지 않고 있다. 하지만 위험성을 지적하는 것은 깨우쳐주는 것과 같다. 사람들이 그로 인하여 걱정하고 두려워한다면 허물이 없게 될 것이고, 아무렇지도 않은 태도를 취한다면 반드시 위험하고 흉함을 초래할 것이다. 효사 한 구절을 더 보자.

지나치지 않아서 만남이니, 가면 위태하므로 반드시 경계하고 쓰지 말며, 오랫동안 바름을 지키고 있어야 하느니라.

弗過遇之, 往吝, 必戒, 勿用, 永貞. (〈小過〉 九四)

"필계必戒"라는 말이 아주 중요하다. 어떤 의미에서는 그것이 〈주역〉 책 한 권의 실제를 지적하고 있다고 말할 수 있다. 개과천선에 있어서 그 중점은 "계戒"자 하나에 있다. "경계"하므로, 선이 아무리 작다고 하더라도 하게 되는 것이고, "경계"하므로, 악이 아무리 작다고 하더라도 하지 않게 되는 것이다.

4-3

"회悔"자는 〈주역〉 중에 33차례 나타나는데, 표현형식에는 "회悔"·"회유회悔有悔"·"유회有悔"·"무회無悔"·"회망悔亡" 등이 있다. 그 뜻은 '후회하고 한스러워하다'이다. 〈주역정의〉가 "회悔는 그 일이 이미 지나갔는데 이를 돌이켜 후회하는 것이다"라고 말한 바와 같다. 그 밖에 자그마한 곤액困厄을 가리키기도 한다.[67] 예를 들어보자.

상구는 지나치게 높은 용이니 뉘우침이 있으리라.

67 고형: 〈주역고경금주〉 제131쪽.

구삼은 솥귀가 떨어져서 솥을 옮겨 가지 못하여 꿩죽을 먹지 못한다. 바야흐로 비가 내려 후회가 사라지게 하니 마침내 길하게 되리라.

상구는 동인이 먼 들에서 함께 함이니 뉘우침이 없으리라.

초구는 집에서 법도로 방비하면 후회가 없어지리라.

구사는 뉘우침이 없어지니, 미더움이 있으면 개혁해서 길하리라.

亢龍有悔. (〈乾〉 上九)

鼎耳革, 其行塞, 稚膏不食, 方雨, 虧悔, 終吉. (〈井〉 九三)

同人于郊, 無悔. (〈同人〉 上九)

閑有家, 悔亡. (〈家人〉 初九)

悔亡, 有孚改命, 吉. (〈革〉 九四)

"항룡유회亢龍有悔"는 용이 너무 높이 날아올라서 떨어질 위험이 있어서 회한이 있을 수 있다는 것을 말한다. 이것은 사람들에게 '항룡亢龍을 경계로 삼아서 일을 처리할 때 극단으로 치달아서는 안 된다'는 것을 깨우치고 있다.

"정鼎"은 고대에 있어서 물건을 찌고 삼던 기구이다. "치고稚膏"는 꿩죽이다. 효사의 뜻은 '정鼎의 귀가 떨어져서 밥을 먹는 장소로 들고 갈 수가 없어 맛있는 꿩죽을 먹을 수가 없는데 날씨마저 비가 오려고 한다.(다만 솥의 오미五味를 조화하고 새롭게 사람을 갱생하는 특징과 장점을 발휘하기만 하면) 곤란한 일은 빨리 지나가고 길상함이 마침내 도래할 것이다'라는 것이다. 그것은 사람들에게 '작은 곤란한 일과 부닥치게 되면 마땅히 적당하게 변통하여서 스스로 새로워져야 한다'는 것을 제시한다.

"교郊"는 성의 바깥이다. 효사의 뜻은 '황량하고 먼 교외에서 사람과 서로 화합하면, 비록 의기가 투합하고 지향하는 바가 같은 이를 얻기 어렵지만 심령의 편안함을 지킬 수 있으니 후회가 없다'는 것이다. 그것은 사람들에게 '뜻하는 바를 펼치지 못하고 의견이 대중들의 호응을 받지 못할 때에는 마땅히 평정을 유지하여서 후회를 면하여야 한다'라는 것을 제시한다.

"한閑"은 '방지防止하다'이다. 효사의 뜻은 가정 일을 다스림에 있어서 법도에 벗어나는 일을 방지하면 회한을 면할 수 있다는 것이다. 그것은 사람들에게 '가정 일을 다스림에 있어서 우환을 미연에 방지하여야 하며, 이렇게 하면 부끄러운 일이 발생하여 회한을 초래하는 일을 피할 수 있다'는 사실을 제시한다.

"유부有孚"는 마음속에 진실한 믿음을 갖는 것이다. "개명改命"은 옛 정권을 제거하고 새 정권을 세우는 것이다. 효사의 뜻은 '어려운 일은 이미 지나갔으니, 실질적으로 구정을 혁파하면 반드시 길상함을 얻을 것이다'라는 것이다. 그것은 사람들에게 '구舊제도를 개혁함에는 시기가 필요한데, 시기가 성숙하면 그 개혁의 의지가 필연적으로 순조롭게 진행될 것이다'는 사실을 제시한다.

이상의 여러 가지 예에서 알 수 있듯이 "회悔"에는 "회한悔恨"·"곤란"의 뜻이 있다. 그런데 회한은 곤란으로부터 일어나고 곤란은 필연적으로 회한을 일으키며, 이 둘은 비록 약간 다르지만 사람에게 경고하는 바는 하나이지 둘이 아니다. 회한은 자성自省이고 자성으로부터 잘못을 알게 되며, 잘못을 알게 됨으로써 잘못을 고치게 되는 것이 필연적인 추세이다. 그러므로 "회悔"와 "개改"가 서로 이어져서 "회개悔改"라는 낱말이 성립된다. 주희가 "회悔는 흉함으로부터 길함으로 나아가는 것"이라고 말한 것은 바로 회개하여 길함을 이룬다는 뜻이다. 공자는 "잘못이 있으면서도 고치지 않는 것을 잘못이라 하느니라 過而不改, 是謂過矣"고 말하고(《논어·위령공》), "잘못이 있더라도 이를 고치면 잘못이라 하지 않느니라 過而改之, 是不過也"고 말했다(〈한씨외전〉 권3에서 인용). "불과不過"는 잘못이 없다는 것이고, 잘못이 없으면 회한·곤란이 자연히 소멸한다. 그러므로 〈주역〉 중에서 "회悔"자가 비록 33번 보이지만 〈건·상구〉의 "항룡유회亢龍有悔"와 〈예豫·육삼〉의 "쳐다보며 즐거워함이라. 뉘우침이 있으며 더디게 하여도 후회가 있으리라 豫悔, 遲有悔"의 두 조항이 "회悔"의 결과를 명백히 말하고 있지 않는 것을 제외하면 그 나머지 여러 조항은 모두 분명하게 사람들에게 "회悔"의 결과는 "무구無咎"·"무대구無大咎"·"길吉"·"종길終吉"·"무회無悔" "회망悔亡"이라는 것을 알려주고 있다. "회悔"는 개과천선과 함께 밀접한 관계가 있다. 고대에는 덕이 있는 사람은 다른 사람이 자신의 잘못을 지적해 주어서 회개하는 것을 특별히 좋아하였다. 다음의 예를 보자.

고규는 안자를 위하여 3년 동안 집안일을 맡아 처리하였는데, 큰 잘못을 범하지 않았는데도 안자에 의하여 쫓겨났다. 그 이유는 이렇다 : "어떤 일을 하더라도 모두 규범에 들어맞고 한 점의 잘못이 없는 것은 오직 성인만이 해낼 수가 있다. 나 안영(안자)은 무지하고 조루한 사람일 뿐이다. 만일 나의 좌우에 있는 사람이 내가 제때 바로 잡을 수 있도록 도와주지 않으면 예의염치를 바로 지킬 수 없다. 고규는 나를 위하여 3년 동안이나 집을 관리하여 주었지만, 나를 위하여 한 번도 잘못을 바로 잡아준 바가 없어서 나는 그를 그만두게 한 것이다."

晏子使高糾治家, 三年而辭焉. 左右諫曰 "高糾之事夫子三年, 曾無以爵位而逐之, 敢請其罪." 晏子曰 "若夫方立之人, 維聖人而已. 如嬰者仄陋之人也, 若夫左嬰右嬰之人不擧, 四維將不正. 會此子事吾三年, 未嘗弼吾過也. 吾是以辭之." (〈晏子春秋〉)

안자와 같이 잘못을 들으면 기뻐하고 회개를 잘하는 사람에게는 틀림없이 "허물이 없고" "길할 것"이라 생각한다.

4-4

"구咎"자는 〈주역〉 중에서 출현하는 빈도가 비교적 높아서 모두 98차례인데, 표현형식은 "위구爲咎"·"비구匪咎"·"하구何咎"·"무구無咎" 등이다. 그 뜻은 "재해災害"[68]이다. 고형은 "〈주역〉에서 말하는 '구咎'는 회悔보다 중하고 흉凶보다 가볍다. 회는 비교적 작은 곤란이고, 흉은 거대한 재앙禍殃이며, 구咎는 비교적 가벼운 재환災患이다"[69]라고 말했다. 예를 들어 보자.

(초구는) 앞 발가락에 상처를 입었는데도 나가면 이기지 못하고 허물이 되리라.

(초구는) 사귐으로 인한 해가 없음이 허물은 아니니, 어렵게 처신하면 허물이 없으리라.

(구사는) …… 믿음을 두고, 도에 벗어나지 않고, 밝음으로써 하면 무슨 허물이 있으리오?

(초육은) 성심으로 도와야 허물이 없으리니.

(구삼은) 평평한 것은 기울어지지 않음이 없으며, 간 것은 돌아오지 않는 것이 없으니, 어렵게 생각하고 바르게 하면 허물이 없다.

(육삼은) 절제하지 않아서 (이를) 슬퍼하고 탄식하면 허물이 없다.

68 우리 말로서는 대체로 "허물"이라 풀이 한다. -역자 주

69 고형: 〈주역고경금주〉 제133쪽.

壯于前趾, 往不勝, 爲咎. (〈夬〉 初九)

無交害, 匪咎, 難則無咎. (〈大有〉 初九)

有孚在道, 以明, 何咎. (〈隨〉 九四)

有孚, 比之, 無咎. (〈比〉 初六)

無平不陂, 無往不復, 難貞無咎. (〈泰〉 九三)

不節若, 則嗟若, 無咎. (〈節〉 六三)

"장壯"은 상처 또는 상처를 입다는 뜻이다. 효사의 뜻은 '앞 발가락에 상처를 입었는데 계속 전진하면 승리를 거둘 수 없고 필연적으로 화를 조성하게 된다'는 것이다. 그것은 사람들에게 '일을 처리할 때는 억지로 무리해서는 안 되며 역량을 보고 해야 한다. 그렇지 않으면 일과 바람이 어긋나게 된다'는 사실을 제시한다.

"교交"는 교왕交往, 교접交接이다. "비匪"는 아니다라는 뜻이다. 효사의 뜻은 '교왕을 하지 않으면 화를 불러일으키지 않으며 자연히 잘못과 해로움이 생기지 않게 된다'는 것이다. 단, 어려움을 생각하고 삼가 두려워하며, 교만하고 사치스러운 마음을 내지 않아야 비로소 허물과 해로움을 면할 수 있다는 것을 명백히 알아야 한다. 그것은 사람들에게 '함부로 분란을 일으키지 말고, 교제를 적게 하면 해를 입는 것을 면할 수 있지만 그것은 해를 면하는 근본적인 처방이 아니다. 근본적인 방법은 어려움을 잊지 말고 근신하며 절제하여야 한다'라는 것을 제시하고 있다.

"유부有孚"는 마음속에 참된 믿음을 갖는 것이다. "재도在道"는 정도에 부합하는 것이다. "명明"은 명백하고 공명정대하다는 것이다. 효사의 뜻은 '마음에 참된 믿음을 갖고, 정도에 부합하며, 명백하고 공명정대하면 무슨 해가 있겠는가!'라는 것이다. 이것은 사람들에게 '몸과 마음을 단정히 하고 충성스럽고 신실信實하는 것도 해를 면하는 방법의 하나이다'라는 것을 제시하고 있다.

"비比"는 가깝게 친하는 것이다. 효사의 뜻은, '가깝게 친하게 지내며 마음속에 참된 믿음을 갖는 사람은 필연적으로 해가 없다'는 것이다. 그것은 사람들에게 '사람과 가까이 지낼 때는 성심으로 대하며, 상대방도 착한 사람을 택하여 따라야 한다'는 것을 제시하고 있다.

"피陂"는 비탈이다. "복復"은 돌아오는 것이다. 뜻은, '평지로서 비탈로 변하지 않는 것이 없고, 밖으로 나가는 것으로서 돌아오지 않는 것이 없으며, 어려움에 처하더라도 중도를 굳게 지키면 해로움이 생기지 않을 것이다'라는 것이다. 이것은 사람들에게 '어떤 일도 늘 순풍에 돛을 올리듯이 순조롭지는 않아서 곤란을 맞이하게 되는데, 이때 놀라고 당황하여 실수를 해서는 안 된다. 마땅히 중도를 견지하고 어려움에 맞서서 앞으로 나아가야 한다'라는 것을 제시하고 있다.

"절節"은 절제이다. "차嗟"는 '슬퍼하여 탄식하다'이다. 뜻은 '자신이 절제하지 못한 일로 탄식하고 뼈 깊이 후회하면 해를 면할 수 있다'는 것이다. 그것은 사람들에게 '잘못이 있더라도 제때 반성하고 뼈저리게 후회하면 큰 잘못을 저지르지 않게 된다'는 것을 제시한다.

이상의 여러 가지 예는 "구咎"가 "재환災患"의 뜻이 있다는 것을 설명하고 있다. 그런데 〈주역〉 중에서 구咎 자는 98번 나타나지만, 단지 한 번만 "위구爲咎"(즉, 장차 재환災患을 조성할 수 있다)이다. 그 나머지는 "비구匪咎"(허물, 재환이 아니다)가 1번, "하구何咎"(무슨 허물, 재환이 있겠는가, 즉 허물이 없다)가 3번, "무구無咎"가 93번이다. 그러나 "비구匪咎", "하구何咎", "무구無咎" 등 셋은 그 뜻이 기본적으로 일치하는데, 모두 어떤 재환災患이 발생하지 않는다는 것을 가리킨다. 그러므로 〈주역〉에서 비록 누차에 걸쳐 "구咎"가 나타나지만, 절대 다수는 "무구"로 끝을 맺는다. 〈계사전〉이 "허물이 없는 것은 잘못을 잘 보충하기 때문이다 無咎者, 善補

過也”, “허물이 없도록 진작하는 것은 후회하는 데에 있다 震無咎者 存乎悔”, “그 중요한 것은 허물이 없는 것이다 其要無咎”라고 말하는 것이 조금도 이상하지 않은 것이다. 이것은 ‘〈주역〉에서 말하는 “구咎”의 목적은, 사람들에게 잘못이 있으면 후회하고 그 잘못을 잘 보충하여 허물이 없도록 하라고 깨우치게 하는 데 있다’라는 것을 설명한다. 위진 시대의 저명한 철학가 왕필王弼은 말한다. “무릇 ‘허물이 없다’라고 말하는 것은, 본래 모두 허물이 있는 것이다. 그 길을 방비하기 때문에 허물이 없게 되는 것이다.”(〈주역약례〉) 북송 시대의 저명한 철학가 장재張載는 말한다. “무릇 ‘허물이 없다’라고 말하는 것은, 반드시 그 시초를 살펴 모두 후회하는 바가 있어 지금 능히 이를 고칠 수 있다는 것이다. 허물이 있지만 면할 수 있는 것은 고치는 일을 잘 진작시키기 때문이다.”(〈횡거역설〉) 남송 시대의 저명한 역학가 주진朱震도 말한다. “‘허물이 없다’라는 것은 본래는 실제 허물이 있지만, 잘못을 잘 고쳐서 허물이 없는 곳에 이르는 것이다.”(〈한상역전〉) 〈주역〉에서 보면, “허물”은 결코 무서워할 것이 아니며, 무서워할 것은 허물이 있지만 스스로 알지 못하고, 허물이 있지만 고칠 생각을 하지 않는 것이다. 그 반대로 “종일 부지런히 힘쓰고 終日乾乾”, “처음부터 끝까지 두려워하는 마음을 가지면 懼而終始”, “그 중요한 바에 허물이 없게 된다 其要無咎.” 여기서 조그만 이야기 하나를 들어봐도 좋을 것이다.

그해 초, 주방의 아들 처處는 힘이 장사였으나 사회생활에 필요한 도덕규범을 닦지 않아서 향리 사람들이 그를 걱정하였다. 하루는 처가 나이 든 어른에게 물었다 : “지금은 날씨도 좋고 곡식도 풍년이 들었는데, 사람들이 즐거워하지 않으니, 어찌된 일입니까?” 나이든 어른이 탄식하여 말하였다 : “세 가지 걱정거리가 없어지지 않았는데 무슨 즐거움이 있겠는가?" 처가 말했다 : "세 가지 걱정거리란 무엇을 말하는 것입니까?" 나이든 어른이 말했다 : "남산에 있는 흰 머리의 호랑이, 장교에 살고 있는 교룡, 그리고 자네를 합하여 셋이네." 처가 말했다 : "만일 걱정거리가 이것밖에 없다면, 내가 이를 제거하지요." 그러고 나서는 산에 들어가 호랑이를 찾아서 화살로 쏴 죽였다. 물에 들어가서 교룡의 목을 졸라 죽였다. 그리고 이러한 기우를 좇아서 수업을 받고 뜻을 독실히 하여 책을 읽고 품행을 갈고 닦아서 마침내 과거에 급제하였는데 주정부가 그에게 선물을 내렸다.

初, 周魴之子 處, 膂力絶人, 不修細行, 鄉里患之. 處嘗問父老曰 : "今時和歲豐而人不樂, 何事?" 父老嘆曰 : "三患不除, 何樂之有?" 處曰 : "何謂也?" 父老曰 : "南山白額豪, 長橋蛟, 弁子爲三矣." 處曰 : "若所患止此, 吾能除之." 乃入山求虎, 射殺之. 因投水, 搏殺蛟. 遂從機, 云受學, 篤志讀書, 砥節礪行, 比及期年, 州府交辟.

고사 중의 주처周處는 원래는 힘이 장사이고 다른 사람을 괴롭히는 지방의 불량배여서 그 지방 사람들은 그를 맹호, 교룡과 더불어 세 가지 우환으로 불렀다. 그러나 어느 노인의 가르침이 있고 교육을 받은 뒤에는 예전의 잘못을 깊이 뉘우치고, 호랑이를 활로 쏴서 죽이고 물의 괴물을 목 졸라 죽이고서는 악을 버리고 선을 좇아서 마침내 전도유망한 인물로 바뀌었다. "잘못을 고치는 것"이 "허물이 없음"과 얼마나 밀접한 관계를 가지고 있는지를 알 수 있다. 이 고사는 훗날 경극京劇으로 개편되었는데, 그 이름이 〈제삼해除三害〉로서, 어느 누구나 다 알고 있는 이야기이다.

4-5

"흉凶"자는 주역 중에 56번 나타나는데, 그 뜻은 흉험凶險·화앙禍殃이고, 그 표현형식은 "흉凶", "정흉征凶", "종흉終凶", "유흉有凶", "정흉貞凶" 등이다.

(초육은) 군사를 내는데 율법으로 함이니, 그렇지 않으면 이기더라도 흉하니라.

(구삼은) 대들보가 휘어졌으니 흉하다.

(상육은) 항상 빠르게 진동하니 흉하니라.

(육삼은) 미제에 싸움하러 나아가면 흉하니라.

(상육은) 고통스러운 쓴 절제이니 고집하면 흉하고 뉘우치면 흉함이 없어지리라.

師出以律, 否臧凶. (〈師〉 初六)

棟橈, 凶. (〈大過〉 九三)

振恒, 凶. (〈恒〉 上六)

未濟, 征凶. (〈未濟〉 六三)

苦節, 貞凶. (〈節〉 上六)

"율律"은 기율紀律이다. "부장否臧"은 좋지 않다는 뜻이다. 효사의 뜻은, '군대가 출정함에 있어 기율이 엄격하고 분명하여야 하지, 군기가 엄격하지 않으면 반드시 흉하게 패한다'는 것이다. 이것은 출병出兵, 전쟁을 이야기한 것인 동시에, 사람들에게 어떤 일을 하든지 간에 그 규율을 위배하지 않아야 하며, 그렇지 않을 경우 반드시 실패를 초래한다는 것을 시사한다.

"동요棟橈"는 대들보가 구부러졌다는 것이다. 대들보가 구부러지면 방에 위험이 생기므로 "흉"하다고 말하는 것이다. 그것은 사람들에게 '일을 꾀할 때에는 먼저 그 근본을 단단하게 해야 하며, 근본이 단단하지 않으면 뿌리가 견고하지 않으며, 뿌리가 견고하지 않으면 기울어져 부러지기 마련이라서 흉험凶險하게 된다'는 것을 시사한다.

"진振"은 정해진 법칙 없이 조급히 움직이는 것이다. 효사의 뜻은 '정해진 법칙 없이 조급히 움직이고 공연히 스스로 놀라고 소란을 불러일으키면 항구지도恒久之道를 지킬 수 없고 반드시 흉험함을 초래하게 된다'는 것이다. 그것은 사람들에게 '사람답게 처세함에 있어서는, 〈단전〉에서 "천둥과 바람이 항이니, 군자는 이로써 몸을 세워서 그 방향을 바꾸지 않는다 雷風恒, 君子以立不易方"라고 말한 바와 같이, 한결같은 마음을 가지고 하려는 정신이 있어야 한다'는 것을 시사한다. 즉, 입신함에 항구함을 지켜야지 그 길을 함부로 바꾸어서는 안 된다.

"미제未濟"는 능력이 닿지 않는다는 것이다. 효사의 뜻은 '자신의 능력이 닿지 않을 때에 급히 나아가 취하려고 하면 반드시 흉험함이 있다'는 것이다. 이것은 사람들에게 '처세하고 일을 꾀함에 있어 마땅히 자신의 능력을 보고 정하여야 하며, 능력이 모자랄 때 무모하게 나아가서는 안 되며, 그렇지 않으면 반드시 흉험함을 초래한다'는 것을 시사한다.

"고절苦節"은 지나치게 절제하는 것이다. 효사의 뜻은 '절제가 정도를 넘으면 사람들이 감내하기 어려운데, 그런데도 계속 외곬으로 견지하면 반드시 흉험함을 초래한다'는 것이다. 이것은 사람들에게 '일을 처리함에는 과분해서는 안 되니, 과함은 모자라는 것보다 못한데, 과함에도 불구하고 그치지 않으면 필연적으로 결과가 바람과 어긋나게 된다'는 것을 시사한다.

이상의 여러 예는 "흉"은 흉험의 뜻이라는 것을 나타내고 있다. 〈주역〉

중에서 흉험함을 만나는 것은 가장 난처한 일이므로 마땅히 고도로 중시하여야 한다. 그런데 〈주역〉을 지은 것도 바로 사람들이 "흉"을 인식하는 것을 돕고, 이러한 경험적 지식을 바탕으로 하여 "흉함을 피하는 방법"을 찾게 하기 위함이다. 〈계사전〉 중에서 말한다 : "길흉이란 잃고 얻는 상이다." "잃는 것"으로서 "흉함"을 해석한 것은 매우 의미심장하다. 송나라 사람 양만리楊萬里는 〈성제역전〉에서 이렇게 말했다 : "말과 행동 사이에 가장 좋은 것이 득得이라 하고 가장 좋지 않은 것을 실失이라 한다." 청나라 사람 이광지李光地는 〈주역절중〉에서 조옥천趙玉泉의 말을 빌려 말했다 : "길吉은 이치에 따름으로써 얻는 상이요, 흉凶은 이치를 거스름으로써 잃는 상이다." "실失"의 함의가 매우 광범하여 일사일물一事一物의 잃음에 한정되는 것이 아님을 알 수 있으니, 보편적인 의미로 말하자면, "실失"은 "이치를 거스름[逆理]"이다. "이치를 거스름"은 "도를 잃음", 즉 객관적인 법칙을 위배하는 것이다. "도를 잃으면 도와주는 바가 적은 법"이니, 그 결과는 필연적으로 흉험하다. 한인 유향은 〈설원〉에서 공자의 말을 인용하였는데, "실失"과 "흉凶"의 관계를 퍽이나 잘 설명하였다.

> 君失之, 臣得之; 父失之, 子得之; 兄失之, 第得之; 夫失之, 婦得之; 士失之, 友得之; 故無亡國破家, 悖父亂子, 放兄棄第, 狂夫淫婦, 絶交敗友.

대의는 이렇다.

> 군왕의 과실은 신하가 능히 보정補正할 수 있다; 부친의 과실은 아들이 능히 보정할 수 있다. 형의 과실은 동생이 능히 보정할 수 있다; 남편의 과실은 부인이 능히 보정할 수 있다. 선비의 과실은 친구가 능히 보정할 수 있다. 이와 같이 이렇게 한다면 장차 멸망하거나 패망한 국가와 가정,

역리逆理하는 아버지와 오역忤逆하는 아들, 방종하는 형과 버림받은 동생, 광란한 남편과 음탕한 부인, 절교한 나쁜 친구가 없을 것이다.

이 단락이 강조하는 것은 과실을 보정하는 것의 중요한 의의이다. 그와 반대로, "실失"이 있는데도 보정할 수 없으면, 그 결과는 반드시 "멸망하거나 패망한 국가와 가정, 역리逆理하는 아버지와 오역忤逆하는 아들, 방종하는 형과 버림받은 동생, 광란한 남편과 음탕한 부인, 절교한 나쁜 친구"가 있게 될 것이다. 이것이 극히 커다란 화앙禍殃이 아니겠는가? 〈주역〉이 "흉凶"을 말하는 것은, 바로 사람들에게 "실失"이 있더라도 능히 "보정補正"하여 개과천선하고, 위험하고 혼란한 상태를 평화롭고 평온한 상태로 만들며, 흉함을 피하고 길함을 좇게 하는 것을 깨닫게 하려는 데 있다.

4-6

"길吉"자는 〈주역〉 중에 출현빈도가 가장 높아서 100번을 초과한다. 그 뜻은 "선善"이고, "득得"이고, "호好"이고, "유리有利"이다. 주요 표현 형식은 "길吉", "초길初吉", "중길中吉", "종길終吉", "정길貞吉", "대길大吉" 등이다. 예컨대, 다음과 같다.

도로부터 회복하니 무슨 허물이 있으리오? 길하리라. (〈소축〉 초구)

그 믿음이 서로 사귀는 것이니, 위엄 있게 하면 길하리라. (〈대유〉 육오)

달콤한 절제라 길하니 나아가면 숭상됨이 있으리라. (〈절〉 구오)

구멍에 들어가고 청하지 않는 세 사람이 오나 공경하면 마침내 길하리라. (〈수〉 상육)

멀지 않아 돌아올 것이다. 후회하는 데까지는 이르지 않을 것이니, 크게 착하고 길하다. (〈복〉 초구)

느껴서 임함이니 굳고 바르게 해서 길하리라. (〈임〉 초구)

復自道, 何其咎, 吉. (〈小畜〉 初九)

厥孚交如, 威如, 吉. (〈大有〉 六五)

甘節, 吉, 往有尙. (〈節〉 九五)

入于穴, 有不速之客三人來, 敬之終吉. (〈需〉 上六)

不遠復, 無祇悔, 元吉. (〈復〉 初九)

咸臨, 貞吉. (〈臨〉 初九)

"복復"은 본래의 자리로 돌아오는 것이다. 효사의 뜻은 '자아를 굳게 지키고 정도를 벗어나지 않으면 어디 무슨 잘못이 있으리오?'라는 것이다. 잘못이 없으니 당연히 길할 것이다. 그것은 사람들에게 '시대가 자기에게 "은거하며 숨어 살기"를 바라면 반드시 "은거하며 숨어 살아야지" 작은 이익에 유혹되어 조급히 무모하게 나아가서는 안 되며, 이렇게 하면 반드시 길상을 얻는다'라는 것을 시사한다.

"궐厥"은 그것이라는 것이다. "교交"는 교제한다는 것이다. 효사의 뜻은, '참된 믿음을 가지고 상하가 교제하면, 위엄이 자연히 드러나니 길상하다'는 것이다. 그것은 사람들에게 '사람의 위엄은 가장하여 나타나는 것이 아니라 자기의 정직하고 신실한 품격으로 인하여 밝게 드러난다'는 것을 시사한다.

"상尙"은 가상嘉尙하다는 것이다. 효사의 뜻은 '딱 알맞은 절제는 좋은 것이며, 그것을 굳게 지켜 가면 반드시 가상함이 있다'는 것이다. 그것은 사람들에게 '절제는 미덕이지만 알맞은 정도를 지켜야 하며, 딱 알맞은 정도에 맞아야 예기한 성과를 거둘 수 있다'고 지적한다. 그렇지 않고 절제가 과도하면, 힘들고 겁나는 길이라고 보여 사람들이 염증을 느끼고 그만두게 되거나, 과분한 절제가 사람의 심리상태에 변화를 가져오게 된다.

"혈穴"은 아주 위험한 곳이다. 효사의 뜻은 '몸이 위험한 처지에 빠지고 세 사람의 빠르지 아니한 손님이 찾아왔는데, 공경하게 대접하니 마침내 길상을 얻는다'는 것이다. 그것은 사람들에게, '환경이 자기에게 불리할 때 더욱 근신·공경하고 예로써 사람을 대하여야 하며, 이렇게 하면 흉함을 피하고 길함을 얻을 수 있다'는 것을 제시한다.

"지祗"는 재병災病이다. "회悔"는 작은 재앙이다. 효사의 뜻은 '멀리 가지 아니하고 (자신의 잘못을 깨달았기 때문에) 정도正道로 회복하면 반드시 재환災患·회한悔恨이 없으며, 장차 커다란 좋은 일이 있을 것이다'라는 것이다. 그것은 사람들에게 '잘못이 있으면 될 수 있는 한 빨리 뉘우치면 화를 피할 수 있을 뿐만 아니라 좋은 일도 있게 된다'는 것을 제시한다. 그래서 그 효의 〈상전〉은 말한다 : "'멀지 않아 돌아온다' 함은 이로써 몸을 닦는 것이다 '不遠之復', 以修身也." 될 수 있는 한 빨리 자신의 잘못을 깨닫고 이를 회개할 수 있는 것은 수신양성修身養性을 잘 하기 때문이라는 뜻이다. 공자는 일찍이 자신이 제일 마음에 들어 했던 문하생인 안연을 예로 들어 복괘의 초육 효사를 해석하여 말했다 : "안씨의 아들은 거의 기미를 알았던가? 선하지 않음이 있으면 알지 못하는 바가 없고, 그것을 알면 행동을 정도로 돌려놓지 않음이 없었도다. 〈역〉에 이르기를 '멀지 않아 돌아올 것이다. 후회하는 데까지는 이르지 않을 것인즉, 크게 착하고 길하다'고 하였다. 顔氏之子, 其殆庶幾乎? 有不善, 未嘗不知, 知之, 未嘗復行也. 易曰, '不遠復, 無祇悔, 元吉.'" 안연은 '개과천선'의 좋은 본보기임을 알 수 있다.

"함咸"은 느끼다[感]이다. 효사의 뜻은 '감화의 방법으로 천하에 군림

하면, 반드시 길상함을 얻는다'는 것이다.

이상의 여러 가지 예들은 "길吉"이 "길상吉祥"·"이롭고 좋은 것[好處]" 임을 설명하고 있다. 그러나 이 장을 시작할 때 지적한 바와 같이 "길吉"은 바로 "선善"이요, "길吉"은 "선善"에 다름이 아니다. 그러므로 〈주역〉이 말하는 "길吉"은 순수한 공리적인 의미에서의 "선善"이 아니다. 그것이 내포하고 있는 함의는, 덕성방면으로 말하면 일종의 완미한 수양이요, 인사人事방면으로 말하면 일종의 규율에 부합하는 활동이다. 이 둘의 조화로운 통일이 바로 개과천선이다.

"개과천선"에 관하여 전국시대 저명한 사상가 순자는 의론을 말한 바 있다 : "선량한 행위를 보게 되면 반드시 단정하게 자신에게 반문하여야 한다; 선량하지 아니한 행위를 보게 되면 반드시 정색을 하고 전전긍긍하며 자신을 반성, 검토하여야 한다; 선량한 행위가 자신의 신상에 있으면 확고하게 자신을 애호하여야 한다; 선량하지 아니한 행위가 자신의 신상에 있으면 재앙을 입은 것처럼 자신을 통렬하게 원망하여야 한다. 見善, 修然必以自存也. 見不善, 愀然必以自省也. 善在身, 介然必以自好也, 不善在身, 災然必以自惡也."(〈순자·수신〉)

순자의 이 의론은, '"개과천선"이 사람의 덕성수양과 사업성패에 대하여 가지는 관계는 〈주역〉이 제시하는 "취길피흉"·"개과천선"의 사상과 일치한다고 할 수 있다'는 것을 나타내고 있다. 다만 〈주역〉은 "린吝", "려厲", "회悔", "흉凶", "리利", "길吉" 등의 점을 판단하는 말로서 "취길피흉"·"개과천선"의 이치를 제시하며, 한층 더 깊은 의미를 가지는 것은 이러한 점단占斷의 말을 통하여 사람들이 시비를 분별하는 인지능력을 향상시킬 뿐만 아니라, 사람들의 개과천선하는 수양공부를 고양시킨다는 점이다. 그 목적은 사람의 덕성을 충실히 하고, 사람의 사업을 광대하게 하며, 사람들이 일종의 합목적적인 활동 속에서 생명의 즐거움을 누리게 함에 있다.

5. 중정화합 中正和合

4장의 말미에서 〈주역〉은 사람들로 하여금 일종의 합목적적인 활동 속에서 인생의 즐거움을 향유할 수 있도록 해준다고 말했다. "합목적合目的"은 바로 규율에 부합하는 것, 우주, 인생의 존재현상 및 규율에 적응하고 그것으로부터 치우쳐 멀어지지 않는 것이다. 이것은 바로 "중中"이고 또한 바로 "정正"이다. 〈주역〉은 사람들이 "길함을 좇고 흉함을 피하고", "개과천선"함에 있어서 "중中"과 "정正"의 의의와 작용을 매우 중시한다. "중정中正"설이 〈주역〉의 도덕수양과 처세철학의 핵심내용이 되었다고 말할 수 있다.

중정中正을 숭상하는 것은 중국전통사상의 커다란 특색이다. 〈역전〉은 이 사상을 운용하고 발휘하는 방면에 있어서 힘을 아끼지 않았다. 청인淸人 전대흔錢大昕은 "〈단전〉에서 '중'을 말한 것이 33번; 〈상전〉에서 '중'을 말한 것이 30번이다. 그 '중'을 말하는 것이 '중정中正'이라 말하기도 하고, '시중時中'이라고 말하기도 하고, '대중大中'이라 말하기도 하고, '중도中道'라고 말하기도 하고 '중행中行'이라고 말하기도 하고, '행중行中'이라고 말하기도 하고, '강중剛中'이라고 말하기도 하고, '유중柔中'이라고 말하기도 한다. 강유剛柔가 중中이 아니더라도 중中을 얻은 것은 허물이 없다. 그러므로 64괘 384효를 한마디로 말하면 오로지 중中일 따름이다."(〈잠연당집·중용설〉)고 말했다. 그의 주장은 한마디로 중中이라고 할 수 있다.

〈역전〉이 중정中正을 숭상하는 것은 〈역경〉이 "중위中位"를 중시하는 것으로부터 연원한다. 소위 "중위中位"는 바로 이二·오五의 자리이다. 이二는 하괘下卦의 가운데에 위치하고, 오五는 상괘上卦의 가운데에 위치한다. 전문가의 연구에 의하면, 〈주역〉에서 이二·오五효의 길사吉辭가 제일 많고, 합계 47.06%을 차지하여 대체로 전체의 반을 차지한다; 그것의 흉사凶辭는 제일 적어 합계 13.94%를 차지한다. 삼효三爻는 흉사가 제일 많고 상효는 그 다음인데, 삼三·상上의 합계는 62.3%를 차지한다; 삼효는 길사吉辭가 제일 적은데, 겨우 6.5%만 차지할 뿐이다; 초初·사四爻는 흉함 가운데에 길을 구하는 종류가 제일 많은데 44.54%를 차지한다.[70] 예를 들면 다음과 같다.

(구이는) "나타난 용이 밭에 있으니 대인을 봄이 이롭다"는 말은 무슨 말인가? 공자께서 말했다. "용의 덕으로 올바르게 가운데 있는 사람이니 ……"

"수는 믿음이 있어서 빛나고 형통하며, 곧고 바르게 지켜 길함"은 그 자리가 하늘의 자리에 있고 바르고 중정한 도로 하기 때문에 ……

(구오는)"술과 음식으로 기다림이니 굳게 바르고 길하느니라"함은 중정하기 때문이다.

"대인을 만남이 이롭다"는 것은 중정을 숭상하기 때문이다.

(구오는)"송이 크게 길하다"함은 중정으로 하기 때문이다.

크게 보는 것으로 위에 있으며, 순하고 공손하며, 중정으로 천하를 바라본다.

九二曰 : "見龍在田, 利見大人." 何謂也? 子曰 : "龍德而正中者也. ……"

70 황패용 : 〈역학건곤〉, 제146쪽, 〈대만〉 대안출판사 1998년판. -역자 주

(〈乾·文言傳〉)

"需有孚, 光亨貞吉", 位乎天位, 以正中也. (〈需·彖傳〉)

"酒食貞吉", 以正中也. (〈需〉 九五 〈象傳〉)

"利見大人", 尙中正也. (訟·彖傳〉)

"訟 元吉", 以中正也. (〈訟〉 九五 〈象傳〉)

大觀在上, 順而巽, 中正而觀天下. (〈觀·彖傳〉)

"현룡재전 리견대인 見龍在田, 利見大人"은 의심할 바 없이 길하고 이로운 징조인데, 〈문언전〉은 그 길한 이유는 그것이 건괘 구이九二라는 가운데 자리에 있어서 "중정中正하고 치우침이 없는" 용덕을 갖고 있기 때문이라고 생각한다.

수괘需卦의 괘사는 "有孚·光亨·貞吉"으로서, 그 뜻은 '마음속에 진실한 믿음을 가지니, 빛나고 형통하며, 바르게 지키니 길상하다'는 것이다. 〈단전〉은 수괘의 구이와 구오는 모두 양효로서, 양강陽剛이 중정의 자리에 있으므로 "유부·광형·정길"의 상象이 있다고 생각한다. 그 괘의 구오 효사는 "需于酒食, 貞吉"인데 그 뜻은 연회를 베풀어 음식을 먹으며 시기를 기다리면 능히 길상함을 얻을 수 있다는 것이다. 〈상전〉의 해석은 구오가 중정中正의 자리를 얻어서 "술과 음식을 들며 기다려도" 길상함을 얻을 수 있다는 것이다.

송괘의 괘사 중에는 "리견대인利見大人"이라는 말이 있는데, 〈단전〉은, 이것은 구오를 가리키는 것으로서 구오가 양효이고 양강이 중정의 자리에 있기 때문에 "대인을 만나니 이롭다"고 여기고 있다. 그 괘의 구오 효사는 "訟, 元吉"인데, 뜻은 쟁송에서 이겨서 크게 길하다는 것이다. 〈상전〉은 구오가 "크게 길한" 것은 양강으로서 중정의 자리에 있기 때문이라고 여긴다.

관괘觀卦는 곤하손상坤下巽上으로서 구오는 양이고 그 아래 네 효는 모두 음인데 군주가 위에 처하고 신하와 백성이 아래에 있는 모습을 상징하고 있다. 〈단전〉은 구오가 바른 자리(양효로서 양자리에 있음)로서 중中을 얻은 것이 '군주가 중정의 도로서 천하를 살펴 아랫사람들이 감화를 받아 복종하게 만드는 것'을 상징한다고 여기고 있다.

이상의 여러 예는 이二·오五의 효는 길하고 이로운 효이며, 그것이 길하고 이로운 이유는 바로 이 중정의 자리에 있기 때문이라는 것을 설명하고 있다. 주의할 것은, 〈주역〉은 "상을 보고 말을 붙였기 때문에" 그 길흉여부에 대한 근거가 매우 많은데, 예컨대 당위설當位說, 승승설承乘說, 상응설相應說 등등[71]이 그것으로서, "中正"은 하나의 예에 지나지 않는다. 그러나 서로 대비하여 말하자면, 중정설中正說은 다른 여러 설보다 비교적 더 중시되고 있는데, 가장 두드러진 예는, 어떤 효사는 당위·승승承乘·상응相應 등 여러 설에 위배되어 이론에 따르면 흉할 것이지만 이二·오五의 자리에 있어서 능히 길함을 얻을 수 있다는 것이다. 〈단전〉은 서합괘噬嗑卦를 해석하여 "유가 중을 얻어서 위로 가니 비록 자리는 마땅하지는 않으나 '형벌과 옥사를 쓰는 데 이롭다.' 柔得中而上行, 雖不當位, '利用獄'也."라 말하고 있다. "柔得中"은 육오를 가리키는데, 이 효는 음으로서 양자리에 있어서 마땅한 자리가 아니며, 아래로 육이 음효와 응함이 없다. 그러나 "가운데를 얻었으므로" 옥사를 판단함에 이롭다. 또 대축괘大畜卦 구이는 "여탈복輿說輻"이다. 수레가 앞으로 나아가는 중

71 〈역전〉이 경을 해석하는 體例에 의하면, 한 괘의 6효 가운데 일,삼,오는 양의 자리이고, 이,사,육은 음의 자리이다. 양효가 양자리에 있고 음효가 음자리에 있는 것을 당위라고 하고, 그렇지 않는 것을 부당위라고 한다. 당위는 길하고 부당위는 흉하다. 소위 승승은, 두효가 서로 인접해 있고, 음양이 서로 다르며, 위에 있는 것이 아래에 있는 것에 대하여 말하는 것이 승乘이고, 그 반대의 경우를 승承이라 한다. 〈주역〉은 양강이 음유를 타고 있는 것[乘]을 순順이라 하고 그 반대를 역이라 한다. 소위 상응이란, 한 괘의 초와 사,이와 오 삼과 상에 있어서 그 자리가 서로 호홍하는 것을 가리킨다. 무릇 양효와 음효가 상응하는 것이 유응이고, 그렇지 않는 것이 무응이다. 유응은 길하고 무응은 흉하다.

에 바퀴살이 떨어져 나갔다는 뜻인데, 앞으로 나아감에 곤란함이 있다는 것을 비유하고 있다. 이는 본래 불길한 상이다. 그러나 〈상전〉은, 수레가 앞으로 나아감에 있어 바퀴살이 빠지는 것은 비록 좋은 일은 아니지만, 구이가 가운데 거처하여 능히 중도를 행할 수 있으므로 마침내 한스러움이나 걱정이 없다고 여기고 있다. "중정"이 〈주역〉의 "상을 관찰하여 말을 붙임 觀象繫辭" 중에서 차지하고 있는 역할을 알 수 있다. 만일 "길흉" 및 "개과천선"과 관계를 지워 보면, 역시 "중정"이 사람의 덕성수양 중에서 차지하는 무게를 가히 알 수 있다.

5-2

왜 "중효中爻"가 이렇게 많은 매력을 갖고 있는가? 〈계사전〉은 아래와 같이 말하고 있다.

> 역의 책됨은 처음을 살펴서 마침을 얻는 것을 그 바탕으로 삼고, 여섯 효가 서로 섞이는 것은 오직 그때의 그 물건이다. 그 처음(初爻)은 알기 어렵고, 그 마지막(上爻)은 알기 쉬우니 본말이기 때문이다. 처음 말(初爻辭)을 이리저리 비겨보면, 마침내(上爻辭) 그 끝을 이루니라. 만약 잡물과 덕을 가리고 옳고 그름을 분별하는 것은 그 중효가 아니면 갖추지 못할 것이다. 아아! 존망과 길흉을 살피고자 하면 곧 가만히 있어도 알 수 있거니와, 지혜로운 사람이 그 단사를 살펴보면 반 이상을 알 수 있으리라. 이효二爻와 사효四爻는 공功은 같되 자리가 달라서 그 착함이 같지 아니하니, 이효는 명예가 많고 사효는 두려움이 많은 것은 사효가 (오효와) 가깝기 때문이다. 부드러움(음)의 도됨이 오효와 먼 것이 이롭지 않지만 육이가 허물이 없는 중요한 원인은 부드러움으로 중도를 쓰기 때문이다.

삼효三爻와 오효五爻는 공은 같으나 자리가 달라서 삼효는 흉함이 많고 오효는 공이 많은 것은 귀하고 천한 차등이 있기 때문이니, 그 부드러운 것은 위태하고 그 강한 것은 이겨낼 것인져!

〈易〉之爲書也, 原始要終, 以爲質也. 六爻相雜, 唯其時物也, 其初難知, 其上易知, 本末也. 初辭擬之, 卒成之終. 若夫雜物撰德, 辨是與非, 則非其中爻不備. 亦要存亡吉凶, 則居可知矣. 知者觀其彖辭, 則思過半矣. 二與四同功而異位, 其善不同, 二多譽, 四多懼, 近也. 柔之爲道, 不利遠者, 其要無咎, 其用柔中也. 三與五同功而異位, 三多凶, 五多功, 貴賤之等也. 其柔危, 其剛勝邪?

이 단락은 길흉회린 등 점사가 하나의 괘 여섯 효 가운데 왜 서로 다른 원인으로 표현하고 있는가에 대한 〈계사전〉의 설명이다. 그것의 중요한 것은 효위설에 근거하여 서법筮法의 각 도로부터 각 효가 처하고 있는 형편에 대하여 서로 다른 분석을 하고 있다. 계사전이 보기에는, 각 효 사이의 관계가 다름은 한마디로 말하면 시위時位가 서로 다르기 때문이다. 시위가 서로 다르기 때문에 그 환경, 그 처지 또한 같지 않은 것이다. 예컨대, 이효는 아래 괘의 가운데에 처하고 있기 때문에, 자신의 음유陰柔한 성질에 대하여 스스로 아는 밝음이 있기 때문에 화순하고 곧게 지킬 수 있고 분수를 모르는 헛된 생각을 갖지 않기 때문에 아름다움과 명예를 많이 얻을 수가 있는 것이다. 그런데 사효는 같은 음유한 성질을 갖고 있지만 그 자리는 군주의 핍박을 받는 데다가 이익과 녹봉의 유혹을 면하기 어렵고, 나아가 군주를 동반하기를 호랑이를 동반하는 것과 같아서 일시 스스로를 지키지 못하고 잘못과 해로움을 초래하므로 걱정과 두려움을 많이 머금게 되는 것이다. 삼三·오五가 서로 다른 것도 같은 이치이다.

좀 더 설명할 필요가 있는 것은, 이 단락은 그 뜻이 각 효의 길흉회린이 같지 않고, 이효는 명예가 많고 사효는 두려움이 많으며, 삼효는 흉이 많고 오효는 공이 많은 이유를 설명하는 데 있지만, 이효에 거처하는 것이 반드시 명예가 많고 사효에 거처하는 것이 반드시 두려움이 많으며, 삼효에 거처하는 것이 반드시 흉이 많고 오효에 거처하는 것이 반드시 공이 많다는 것을 긍정하는 것이 아니라는 점이다. 오히려 그것은, 어떤 효이든 간에 그 효와 서로 적응하는 자세와 정황이 있다는 것을 표명하고자 하는 것이다. 당신이 어떤 효에 처해 있고, 당신의 태도와 정황이 그 효위와 적응한다면, 위태로움을 피할 수 있고, 흉함을 피할 수 있다. 그러므로 〈주역〉 가운데 삼효의 자리에 있다하더라도 길사吉辭가 있을 수 있고, 이효의 자리에 있다하더라도 흉상凶象이 있을 수 있다. 다만 당신이 중도를 지니고 바름을 지키기만 하면, 어떤 효에 거처하든지 간에 반드시 좋은 결과가 있게 된다. 예컨대 "중행中行"은 "중도로서 행한다"라는 뜻인데, 효사 중에서 5차례 나타난다.

> 더해줌을 흉한 일에 쓰는 것은 허물이 없다. 믿음을 갖고 중도로 행해며 옥규(도장)를 사용하듯 신심을 다하여 윗사람에게 알려야 할 것이다. (〈익〉 육삼)
>
> 중도로 행하며 윗사람에게 알려 따르게 할 것이니, 윗사람에게 의지하여 나라를 옮김이 이롭다. (〈익〉 육사)
>
> 중도로 행하며 홀로 돌아오도다. (〈복〉 육사)
>
> 거친 것을 포용하고, 걸어서 강을 건너며, 먼 것을 버리지 않으고, 붕당이 사라지면 중도에 행함에 가상함을 얻으리라. (〈태〉 구이)
>
> 현륙을 결단하고 또 결단하면 중도를 행함에 허물이 없으리라. (〈쾌〉 구오)

益之, 用凶事, 無咎. 有孚中行, 告公用圭. (〈益〉 六三)

中行告公從. 利用爲依遷國. (〈益〉 六四)

中行, 獨復. (〈復〉 六四)

包荒, 用馮河, 不遐遺, 朋亡, 得尙于中行. (〈泰〉 九二)

莧陸, 中行, 無咎. (〈夬〉 九五)

이 다섯 가지 효사 중에서 태괘의 구이와 쾌괘의 구오가 중효로서 "중행"을 이루고 있는 것을 제외하면, 그 나머지 셋 중 하나는 "흉이 많은" 삼효이고, 둘은 "두려움이 많은" 4효이다. 이는 "중도로서 행하는 것"이 이二·오五효의 특허품이 아니라는 것을 설명한다.

익괘 육삼의 뜻은, '많은 보탬을 받았는바, 이를 흉함을 구하고 위험을 다스리는 일에 쓰려고 애쓴다면 반드시 허물과 해로움이 없다; 그러나 마음에 참된 믿음을 갖고, 중도로서 신중하게 행하며, 때때로 손에 옥규를 잡고 왕공王公에게 뜻을 다하는 것과 같이 경건한 믿음을 갖고 공경하여야 한다'는 것이다. 육사의 뜻은, '중도로서 신중하게 행하며, 왕공王公에게 성심껏 말하여 그 말하는 바를 듣게 하고 계책을 따르게 하는 것이, 임금을 의지하여 천도하고 백성들에게 이익을 주는 데 이롭다'는 것이다. 복괘復卦 육사의 뜻은 '중도로 처신하고 바르게 행하며, 전심전력으로 회복함으로써 정도를 따른다'는 것이다.[72]

중도를 견지하고 바름을 지키는 것은 하나하나의 효가 모두 할 수 있는 것이고, 또한 응당 그렇게 해내야 한다는 것을 알 수 있다. 다만 〈주역〉이 만들어진 것과 그 목적이 마음속에 우환의식을 갖도록 세상 사람들을 경계하는 데 있고, 그렇기 때문에 중효 이외의 각 효로써 과過와 불

72 이상 세효사의 해석에 대하여는 황수기 등의 〈주역역주〉 제348쪽, 349쪽, 209쪽을 참고하기 바란다. 상해고적출판사 1989년판.

급不及을 암시하고, 이二효·오五효로써 가장 좋은 점을 암시하여 사람들로 하여금 본받게 할 따름이다. 어느 효위에 있든 모두 자기에게 딱 들어맞는 바를 해낼 수 있다. 각자에게 딱 들어맞는 것이 바로 중정이다.

5-3

중정은 각자에게 딱 들어맞는 것이요, 또한 과가 없고 불급함이 없는 것이다. 전해 내려오는 이야기로, 주나라 종묘宗廟에 "우좌지기右坐之器"[73]라고 불리는 일종의 그릇이 있었는데, 이 그릇은 물을 가득 부으면 엎어지고, 물을 모두 비워 버려도 기울어지며, 마땅한 곳에 딱 들어맞아야 단정해진다. 〈설원·경신敬愼〉에 따르면, 공자는 직접 가서 시험해 보았다.

> 공자가 주나라 종묘에서 기기攲器가 있는 것을 보고, 종묘를 지키는 사람에게 물었다: "이것은 무슨 물건인가?" 대답하기를 "우좌지기라는 물건입니다." 공자가 말했다: "내가 듣건대 우좌지기는 가득 차면 엎어지고, 다 비우면 기울며, 중간이 되어야 바로 선다고 하는데, 그것인가?" 대답하기를 "그렇습니다." 공자는 자로를 시켜 물을 떠와 시험하게 하였는데, 가득 차니 엎어지고 중간이 되니 바로 섰다가 다 비우니 기울어졌다. 공자는 한숨을 쉬고 탄식하였다. "오호라! 어찌 가득 채우고도 뒤집어지지 않는 것이 있으리오!" 자로가 물었다 : "감히 묻건대 가득 채우고도 이를 지킬 수 있는 도리는 없습니까?" 공자가 말했다 : "가득 찬 것을 유지하는 도리는 그것을 덜어내어 양을 줄이는 것이지." 자로가 물었다 : "덜어내어 양을 줄이는 데도 도리가 있습니까?" 공자가 말했다 :

73 우리나라에서는 계영배(戒盈盃), 즉 가득 차는 것을 경계하는 잔으로 알려져 있다. -역자 주

"지위가 높으면서도 능히 낮추어 행동하고, 가득 찼으면서도 능히 빈 듯이 하며, 부유하면서도 능히 검소할 줄 알며, 고귀하면서도 비천한 듯이 처신할 줄 알고, 지혜가 있으면서도 능히 어리석은 듯하며, 용감하되 능히 겁약怯弱한 듯이 하고, 말을 잘 하면서도 어눌語訥한 듯이 하며, 넓은 지식이 있어도 능히 얕은 듯이 하고, 명철하면서도 어두운 듯이 하는 것, 이것이 덜어내서 극한에 이르지 않는 것이라 한다. 이 도리를 능히 익힐 수 있는 것은, 오직 지극히 덕이 있는 사람만이 이를 수 있느니라."

(〈설원·경신〉)

이 이야기는 가장 먼저 〈순자荀子·유좌宥坐〉에서 보이는데, 〈회남자·도응훈道應訓〉·〈한씨외전·삼서三恕〉·〈공자가어·제구第九〉도 모두 이를 인용하고 있다. 공자는 "우좌지기"로부터 "가득 참을 보존·유지"하는 방법을 깨달았는데, 이러하다 : "몸이 높은 지위에 있더라도 아래 사람들을 잘 대하고, 가득 찼으면서도 빈 듯이 할 줄 알며, 부유하면서도 절약하고 검소할 줄 알며, 존귀하면서도 비천하게 처신할 줄 알고, 기지가 있으면서도 스스로 우졸愚拙함을 감내할 줄 알며, 용감하면서도 스스로 겁이 많음을 자처할 수 있고, 웅변이면서도 스스로 어눌語訥함을 감내하며, 박대博大하면서도 천박淺薄함을 자처하고, 현명하면서도 스스로 암약暗弱하다고 할 수 있는 것이다. 요컨대, 어느 정도 덜어내고 손해를 봐서 그것으로 하여금 극치極致에 이르지 않게 하는 것이다."

주나라 종묘 안에 "우좌지기"가 있었는지 여부는 현재로서는 고증할 길이 없다. 그러나 우리는 〈주역〉이 바로 문자 형태로 존재하는 "우좌지기"이며, 그것의 충정은 세상 사람들로 하여금 장래를 걱정하게 하는 것이고, 그것의 목적은 길함을 좇고 흉함을 피하게 하는 것이며, 그것의 방법은 중정화합中正和合·개과천선이라고 말한다. "우좌지기"의 의의는 사람들에게 중도가 바른 것이고, 과한 것은 모자라는 것과 같다[과유불급 : 過猶不及]는 것을 일깨워주는 데 있다. 〈주역〉이라는 한 권의 책도 중도가 올바른 것이고, 과한 것은 모자라는 것과 같다는 도리를 강론하는 데 있다. 예컨대, 대과괘大過卦는 하손상태下巽上兌로서 두 음이 네 양을 감싸고 있는데, 양강陽剛이 너무 심하고 음유陰柔가 너무 약한 모양을 반영하고 있다. 〈주역〉은, 이러한 "대과大過"의 상은 반상[反常 : 일반적인 통상의 이치에 반함]에 속하는 상으로서, 이를 해결하는 방법은 강유상제剛柔相濟로서 음양이란 두 역량을 평형平衡되게 하는 것이라고 여긴다 : "괘사가 먼저 대들보가 아래로 꺾이어 굽어진 것을 비유로 하여 '양강'은 너무 과하고, '음유'는 그 기세를 이기지 못하는 경황을 나타내고 있다; 그 다음으로 이때에 '대과인[大過人 : 크게 일반 사람보다 뛰어난 사람]'이 분투奮鬪하여 어려움에서 건져내는 것을 기대하면, 음양을 조화하여 '형통'함으로 나아갈 수 있다는 것을 지적하고 있다. 괘 가운데의 여섯효는 각기 '대과'를 잘 대처하는 도리를 설명하고 있는데, 그 주된 의의는 다음과 같다 : 상하의 두 음은 반드시 강을 취하여 음을 다스리고, 중간의 네 양은 반드시 음을 취하여 양을 다스려야 한다. 이와 같이 서로 다스려야 '대과'의 폐단을 구하여 조화의 공을 이룰 수 있다. 단 여러 효가 처한 시기가 각자 달라서 길흉을 이룸에 차이가 있다. 초初·이二효는 서로 따르는 사이라서 강유剛柔를 서로 잘 조절하므로, 초효는 '허물이 없음'이고 이효는 '이롭지 아니함이 없음'이다; 오五·상上효도 서로 따르는 사이인데 음양이 특별히 너무 심하므로 비록 전력으로 조절하고 구한다고 하더라도 마침내 원만하게 성공하기 어려우므로, 오효는 '허물도 없고 명예도 없음'이고 상효는 '흉하고, 허물이 없음'이다; 오직 삼三·사四의 두 양은 두 음과 가장 멀리 떨어져 있어서 반드시 스스로 양강을 덜어내고 조용히 움직이지 않으면서 순조롭게 있어야 하는데, 삼三효는 이 도리에 역행하므로 '흉함'을 초래하고, 사四효는 이 도리를 따르므로 '길함'을 얻는다. '대과'의 어려움을 해결하는 근본원칙은 '강유상제剛柔相濟'요, 힘써 음양의 평형을 구하는 것이라는 사실을 알 수 있다."[74] 강유상제하고, 음양평형을 유지하는 것은 바로 "지위가 높으면서도 아래에 거처하고, 가득 찼으면서도 비울 줄 알고, 부유하면서도 검소할 줄 알며, 고귀하면서도 비천하게 행동할 줄 알고, 지혜가 있으면서도 어리석은 체 할 수 있으며, 용맹하되 비겁한 척할 수 있고, 웅변이되 눌변인 척할 수 있으며, 박식하면서도 천박한 척할 수 있고, 현명하되 어리석은 척할 수 있는 처신"을 해내는 것이다.

당연히 〈주역〉 가운데 대과는 비교적 특수한 예이지만, 괘효사 전부를 꿰뚫어보면, 64괘 384효 모두가 서로 다른 시간·장소·조건 하에서, 음양강유의 두드러진 서로 다른 성품을 분별하여, 자기의 목표를 실현하고 최종적으로 중정화합—즉, 길하고 불리함이 없는 경지—에 도달한다는 것을 애써 밝히고 있다고 할 수 있다.

5-4

강유상제와 음양평형은 〈주역〉이 중정을 달성하는 방법이고 또한 〈주역〉이 중정을 이룬 결과이기도 하다. 그러나 관건적인 문제는 바로 "화和"이다. 〈주역〉이 중정을 달성하는 것은 바로 "화和"를 구하는 과정이라고 할 수 있다; 〈주역〉이 중정을 달성하는 것은 바로 "화"의 경지에 이르는 것이다. 〈주역〉 가운데, 이오二五의 두 중효가 음양상응陰陽相應하는 것을 "화和"라고 부르고, 이오二五의 두 중효의 음양이 당위當位[75]이면서

74 황수기등 : 〈주역역주〉, 제240쪽.

75 음은 음자리에, 양은 양자리에 있는 것. 예컨대, 초효·삼효·5효는 양자리인데 그 양자리에 양이 오고, 이효·사효·상효는 음자리인데 그 음자리에 음이 오는 것. -역자 주

도 상응相應[76]하는 것을 "중화中和"라고 부른다. "중화"는 "태화太和"라고 부르기도 한다. 〈건·단전〉은 다음과 같이 말한다:

건도가 변화함에 각자가 자신의 성명을 바르게 한다. 이로써 이롭고 정고하게 되느니라.

乾道變化, 各正性命. 保合太和, 乃利貞.

왕필은 그 가운데 "보전하고 합하여 크게 화합함 保合太和"이라는 구절에 대하여 "화합하지 아니하면 강폭하게 되기 때문"(《주역주》)이라 했다. 그 뜻은, '만일 건도, 즉 양강이 곤도, 즉 음유와 서로 사귀고 서로 화합하고 서로 통일하지 않으면, 양강은 급박하게 변화하여 자기의 반대쪽으로 발전함으로써 스스로를 존재하기 어렵게 만든다'는 것이다. 이것은 음양이 서로 제약하고 강유가 서로를 다스려야 중정화합을 이루고 평온과 안정을 유지할 수 있다는 것을 설명한다. 정이程는 음양이 중효에서 서로 만나 사귀는 것을 "강유상제剛柔相濟"라고 불렀다. 이 점에 대하여, 〈기제旣濟〉괘를 예로 들어도 무방할 것이다. 〈기제〉는 하리상감下離上坎으로서, 초初·삼三·오五효가 양이고, 이二·사四·상上효가 음이다. 각 효와 각 효 사이에는 당위當位·중정中正·비응比應[77] 어느 하나 갖추지 아니한 것이 없다. 그러므로 〈단전〉은 "바름을 굳게 지키고 있음이 이롭다. 강유가 바르고 마땅한 자리에 있기 때문이다 利貞, 剛柔正而當位也"라고 말

76 음이 양과, 양이 음과 서로 응하는 것. 예컨대, 초효에 양이 오면 그에 대응하는 사효에 음이 오는 것. 주역의 체계에 의하면, 초효와 사효, 이효와 오효, 삼효와 상효는 서로 대응한다고 보고, 서로 대응하는 효가 음과 양으로 조화를 이루면 상응이라 하고, 음과 음, 양과 양이 대응하면 무응이라 한다. -역자 주

77 비응에 있어서 비는 서로 붙어 있는 효끼리 음양인 것을 가르킨다. 응은 상응쪽을 참고할 것. -역자 주

한다. 전통역학은, 이 괘는 건·곤 두 괘가 각각 자기가 갖고 있는 것으로서 상대방이 갖고 있지 아니하는 것을 구제하고, 각각 자기의 지나친 것으로서 상대방의 부족한 것을 구제하는 것으로 형성되었다고 생각한다. 그것은 전형적으로 음양·강유의 교호착종[交互錯綜 : 서로 뒤섞여 어울림]·호보[互補 :서로 도와 모자는 것을 보충함]·참화[參和 : 조화에 참여함. 또는 서로 참여하여 조화를 이룸]·통일의 중화中和 상태를 표현하고 있다.

기제

"화和"에 관하여 옛사람들 사이에는 여러 가지 의론이 있다.

> 무릇 열매를 맺게 하고 사물을 낳음에 있어서 같은 것이면 대를 계통을 잇지 못한다. 다른 것으로 다른 것을 바르게 하는 것을 화和라고 한다. 그러므로 풍성하게 하고 길러낼 수 있어 사물이 그것에 돌아간다. 만일 같은 것으로 같은 것을 도우면, 소진하여 내버리게 된다. 그리하여 선왕은 토와 금목수화를 섞어서 만물을 이루었다. (《國語·鄭語》)
>
> 화和는 국을 끓이는 것과 같아서, 물·불·초·간장·소금·매실에다 삶은 생선이나 고기를 넣고, 나무로 불을 때고 요리사가 그것들을 조화시키고 맛을 보아 모자라는 것은 더 넣고 많은 것은 덜어내어 만든다. (《좌전·소공 20년》)
>
> 군자는 화합하되 같지 않고, 소인은 같되 화합하지 않는다. (《논어·자로》)

상술한 자료에는 하나의 두드러진 사상관점이 있는데, "화和"는 "동同"과 같지 않다는 것이다; "화和"는 다양성의 통일이다. 춘추시대의 저명 인물인 안영晏嬰은 "물로써 물을 구하는 것[以水濟水]"이 바로 "동同"이라고 생각했다. 그는 다음과 같이 말했다 : "만일 물로써 물을 구하면 누가 이를 먹을 수가 있겠는가? 만일 금琴과 슬瑟이 오로지 하나와 같다면 누가 그 소리를 들을 수 있겠는가? 같아서는 안 되는 것이 이와 같다."(〈좌전·소공20년〉) 물로써 물을 구하면, 마실 수 있는 어떤 음료품도 만들 수 없으니, 그 결과는 역시 물이다; 늘 하나의 음조만 튕긴다면 어떤 들을 만한 음악을 연주할 수 없으니, 결과는 역시 그 음조일 뿐이다. "동同"은 차별이 없는 절대적인 같음으로, 차별이 없기 때문에 서로 보충할 수 없다는 것을 알 수 있다. 이것은 동同이란 덕행이 비천한 한 무리의 동류합오[同流合汚 : 나쁜 사람과 어울려 함께 못된 짓을 하다, 나쁜 물이 들다]로 잘 비유할 수 있는데, 누구도 자기로 말미암아 다른 사람들이 좋은 점을 배우게 할 수 없고, 그 결과 반드시 날이 갈수록 그 덕을 더럽히게 된다. 이와 반대로, "화和"는 "다른 것으로써 다른 것을 평평하게 하는 것[以他平他]"으로, 성질이 다른 것들이 복잡하게 서로 주고받아서 "그 부족한 것을 구제하고 그 과한 것을 배설시키는 것 濟其不及, 以泄其過"이다. "화和"는 분별 있는 다양성의 통일로서, 다양성 때문에 서로 보충해줄 수 있음을 알 수 있다. 이것은 덕행이 고상한 한 무리의 사람들이 화목하게 같이 지내는 것으로 잘 비유할 수 있는데, 누구도 상대방의 몸에서 좋은 것을 배울 수 있어 결과는 당연히 나날이 그 덕을 새롭게 하게 된다.

다양성의 통일은 일종의 "화이부동[和而不同 : 서로 화합은 하지만 똑같지는 아니함]"이다. "화이부동"은 또한 일종의 "중도에 이르는 것"이다. 바꿔 말하면, 여러 가지 성질이 각각 그 분수를 지키고, 각각 그 법도를 따라서 일종의 중정中正 조화의 상태에 이르는 것이다. 앞서 언급한 안자에는 군자의 처세를 논한 말이 있는데, 중정조화의 상태를 잘 표현하고 있다.

숙향이 안자에게 물었다 : "군자의 대의는 어떠합니까?" 안자가 대답했다 : "군자의 대의는, 주위사람들과 서로 순응하고 서로 협조하되 인연, 세류에 아부하며 흘러가지 않으며, 깊이 생각하고 밝게 살피되 남에게 가혹함을 구하지 아니하고, 장중하고 경숙敬肅하되 교활하지 아니하며, 온유하고 화순하되 남의 눈치를 보지 않고, 엄하고 분명하되 다른 사람에게 상해를 가하지 않으며, 행동이 깨끗하되 다른 사람의 잘못을 드러내지 않고, 높고 먼 곳을 추구하되 뒤쳐진 사람을 내버리지 아니하며, 부귀하되 다른 사람을 업신여기지 아니하고, 빈궁하더라도 그 덕행을 바꾸지 아니하며, 현명하고 능력 있는 사람을 존경하되 모자라는 사람을 배척하지 아니 하는 것, 이것이 군자의 대의입니다."(〈안자춘추〉 권4)

안자의 의론이 나타내고자 하는 바는 처세방면의 중정화합이다. 그런데 처세방면의 중정화합은 수신방면의 중정화합을 기초로 하는 것이므로, 옛사람은 중정화합이 신심수양의 목표가 됨을 강조하였다. 순자는 다음과 같이 말하였다.

治氣養心之術, 血氣剛强, 則 柔之以調和; 知慮漸深, 則 一之以易良; 勇毅猛戾, 則 輔之以道順; 齊給便利, 則 節之以 動止; 狹隘小, 則 廓之以廣大; 卑濕重遲貪利, 則 抗之以高志; 庸衆駑散, 則 劫之以師友; 怠慢棄, 則 炤之以禍災; 愚款端푕, 則 合之以禮樂, 通之以思索. …… 夫是之謂治氣,養心之術也."(〈荀子·修身〉)

대의는 이러하다.

기를 다스리고 마음을 기르는 방법은, 혈기가 너무 경직되고 억센 사람은 마음을 평온하게 하고 기를 화평하게 하는 방법을 써서 이를 부드럽게 하고, 생각이 너무 깊은 사람은 쉽고 어진 것으로써 그것을 바로 잡아야 하며, 용맹하고 성질이 삐뚤어진 사람은 온순한 마음과 합리적인 생각으로 그것을 보조하여야 하고, 성질이 급하고 약삭빠른 사람은 행동거지를 침착하게 함으로써 그것을 절제하도록 하며, 도량이 좁고 옹졸한 사람은 관용과 큰 그릇으로 그것을 깨우치게 하여서 이끌어야 하고, 비굴하리만큼 더디며 탐욕스러운 사람은 뜻을 고상하게 함으로써 그것을 억눌러야 하며, 용렬하고 산만한 사람은 훌륭한 스승과 도움이 되는 친구를 이용하여 그를 채찍질하여야 하고, 게으르고 자포자기하는 사람은 닥쳐올 재앙과 화를 분명히 일깨워주는 방법으로 그를 깨우치게 하여야 하며, 어리석고 고지식한 사람은 예락으로 그를 다스리고 사색을 잘하게 하는 방법으로 생각이 통하게 하여야 한다. 이것을 바로 기를 다스리고 마음을 기르는 방법이라 한다.[78]

순자의 이 의론은, 신심수양 중의 "중화를 이룸[致中和]"이라 부를 수 있을 것이다. 〈중용中庸〉은 말한다 : "致中和, 天地位焉, 萬物育彦." 그 뜻은 "중화"의 도로써 일을 추진해 가면, 천지만물이 모두 그 자리를 얻어 모두 자기의 천성을 다할 수 있으며, 모두 자기의 삶을 꾸려 나갈 수 있게 된다는 것이다. 이것도 역시 〈주역〉이 말하는 "대중[大中 : 크게 중도에 들어맞음]"이다. "대유는 유가 높은 자리를 얻고 크게 가운데 하며 위와 아래가 응하여 대유라고 했으니, 덕이 강건하고 문명하며 하늘에 응해서 때에 맞게 행한다. 이 때문에 크게 착하고 형통하느니라. 大有, 柔得尊位大中, 而上下應之, 曰 大有. 其德剛健而文明, 應乎天而時行, 是以元亨."(〈대유·단전〉) 〈대유〉괘는 음효가 오효 자리에 있고 양효가 이에 화답

78 번역문은 양유교의 〈荀子詁譯〉 제31쪽을 참고.

하여 강건문명剛健文明하고, 하늘과 때에 순응한다. 그러므로 대유괘가 얻는 바가 지극히 형통하다. "대중大中"은 바로 공자가 말하는 "중용의 덕은 지극하구나. 中庸之爲德也, 其至矣夫."(〈논어·옹야〉)의 "중용의 덕"이다.

대유

5-5

마지막으로, "중용中庸"과 "향원鄕原"[79]의 구별에 대하여 약간의 설명을 할 필요가 있다. 공자는 말했다 : "향원은 결국은 큰 덕을 해치는 도둑이다 鄕原, 德之賊也."(〈논어·양화〉) 무엇이 "향원"인가? "향원"이란 바로 세속 사람들이 말하는 "호호선생[好好先生 : 우리말에는 '무골호인'이 이에 해당한다]"이다. 이러한 사람은 늘상 "중용"이라는 간판을 내걸고 자신의 부끄러움을 감추기를 좋아해서 역대 사상가들이 아주 싫어했다. 〈맹자·진심하〉편에는 맹자가 만장과 나눈 대화가 기록되어 있는데, 바로 이 문제를 토론한 것이다.

> 만장萬章이 맹자에게 물었다. "공자께서 진陳나라에 계실 때에 항상 곤액을 겪으셨으며 따라서 '어찌 노魯나라로 안 돌아갈소냐! 나의 고향 노나라의 젊은이들은 기개가 높고 행동이 대범하고 진취적이며 또 당초의 뜻을 잊지 않는다'라고 말씀하셨는데, 왜 공자께서 진나라에 계시면서 노나라의 억센 무리들의 생각을 하셨을까요?"

79 한국에서는 통상 "속인들 틈에서 의리를 지킨다고 칭찬받는 사람"으로 풀이한다. -역자 주

이에 맹자가 말했다. "공자께서는 '도를 바르게 지킬 사람들을 못 얻을 바에는 반드시 기개가 높고 자기의 본분을 지키는 사람들이라도 얻고 싶구나! 억세고 기개가 높은 사람은 진취적이고, 본분과 절개를 지키는 사람은 부끄러운 짓은 안하게 마련이다'라고 하셨다. 공자께서 왜 도를 바르게 지킬 중도中道의 인물을 얻기를 원치 않으셨겠느냐? 허나 얻을 수가 없으셨으니, 별수 없다. 다음가는 차원의 인물들을 생각하신 것이니라!"

만장: "감히 여쭈어 보겠습니다. 어떤 사람을 광자狂者라 합니까?"

맹자: "금장琴張(공자의 제자인 자장의 아버지)·증석曾晳(증자의 아버지)·목피牧皮 같은 사람들이 공자께서 말씀하신 광자狂者들이다."

만장: "광狂은 어떤 뜻입니까?"

맹자: "그들은 뜻이나 말이 지나치게 크고 과장되어 노상 '옛 성현이여! 옛 성현이여!'를 입으로만 되뇌지만 그들의 행동을 잘 살펴보면 말이나 뜻에 어울리지 못하는 사람들이다. 그러나 이러한 자들도 얻을 수가 없으면 창피하고 더러운 짓을 하지 않는 사람이라도 얻어 같이 사귀고자 할 것이니, 이러한 창피하고 더러운 짓을 하지 않은 사람을 견獧이라고 하며, 이들은 광狂의 다음가는 사람들이다. 공자께서는 '내 집의 문전을 지나가면서 내 방에 안 들어와도 내가 섭섭하게 안 여길 사람은 오직 향원鄕原, 즉 시골의 위선자뿐이다. 향원은 덕을 해치는 위선자이다'라고 하셨다."

만장: "그런데 어떻게 하는 것을 이른바 향원, 즉 시골의 위선자라 합니까?"

맹자: "〈향원은 광狂한 사람을 보고 다음과 같이 욕한다.〉 왜 저렇게 뜻만 높고 큰소리만 하나? 말이 행동에 맞지 않고, 행동이 말을 따르지 않는다. 그리고 오직 '옛 성현이여! 옛 성현이여!'라고 외치기만 한다. 〈또 향

원은 견獧한 사람을 다음과 같이 욕한다.〉 왜 외따로 떨어져 고독하고 냉랭한 짓만을 하나? 이 세상에 태어났으니, 이 세상과 어울리는 것이 바로 좋은 일이라 할 수가 있다. 〈그들 향원은 이렇게 남을 욕하고 자신들은〉 음흉陰凶하게 세상에 아첨한다. 이러한 자들을 위선자 향원이라 하는 것이다."

만장이 물었다. "한 고을에서 모두 〈위선자인 줄 모르고 그를〉 점잖은 사람 즉, 원인原人이라고 부르면 어디에 가나 원인으로 통하겠거늘, 공자께서 원인을 덕을 해치는 자라고 규정하신 이유는 무엇이겠습니까?"

맹자가 말했다. "〈그들 위선자는 표면으로는 점잖게 꾸미고 뒤에서 저속하고 추악한 짓을 하니까〉 그들의 비행을 들추어내기가 어렵고, 또 그들의 결점을 공격하기도 어렵다. 그러나 그들은 유속流俗과 동조하고 더러운 속세와 짝을 맞추고 있다. 표면으로는 충신忠信을 꾸민 태도로 처신하고 또 청렴한 듯 행동을 취하는 고로 모든 사람들이 좋아하고, 따라서 자신들도 옳거니 자인하고 있다. 그러나 이러한 위선자, 즉 원인들은 절대로 요순지도堯舜之道에 들어갈 수가 없다. 따라서 그들은 덕을 해치는 자라고 하는 것이다. 공자께서 다음과 같이 말씀하셨다. '사이비似而非가 밉다. 가라지를 미워하는 까닭은 곡식의 싹을 어지럽힐까 두려워서다. 간녕奸佞한 자를 미워하는 까닭은 대의大義를 어지럽힐까 두려워서다. 입 잘 놀리는 자를 미워하는 까닭은 신의를 어지럽힐까 두려워서다. 음란한 정나라의 음악을 미워하는 까닭은 순수한 음악을 어지럽힐까 두려워서다. 자줏빛을 미워하는 까닭은 주홍빛을 어지럽힐까 두려워서다. 위선자 향원鄕原을 미워하는 까닭은 덕을 어지럽힐까 두려워서다.' 군자는 본줄기로 돌아갈 따름이다. 본줄기가 바로 잡히면 서민들도 도덕적으로 일어나게 되고, 서민들이 도덕적으로 일어나면 사특邪慝한 행동이 없어지게 된다." (〈맹자·진심하〉)

맹자와 만장의 이 대화에서 알 수 있듯이 공자는 "향원", 즉 소위 "호호선생"을 가장 싫어하였다. 그리고 중정하고 도에 부합하는 사람과 교제하기를 가장 원하였다. 부득이 그 다음의 사람을 찾는다면 포부가 높고 크지만, 말이 자신의 실질을 넘어서는 사람이다. 그런 사람을 못 찾아서 그 다음의 사람을 찾는다면 나쁜 짓을 하지 않는 사람이다. 맹자의 해석에 의하면, "호호선생"은 기분 내키는 대로 하는 사람의 언행불일치보다 못하고, 견개지사[狷介之士 : 고집이 세고 지조가 굳어 나쁜 무리에 휩슬리지 않는 사람]의 고독하여 다른 사람과 잘 어울리지 못하는 것보다도 못한데, 스스로는 십분 노련하여 모든 것을 꿰뚫어 본다고 여기고 항상 마치 아무렇지도 않다는 듯이 "이 세상에 태어나, 이 세상을 위하여 일하다가 그렇게 살아갈 수 있으면 그만이다"고 말한다. 이러한 사람은 (표면적으로 점잖게 꾸미고 뒤에서 저속하게 추악한 짓을 하니까) 다른 사람이 나쁜 사람이라고 지적하여 비판해도 무슨 큰 잘못을 들춰내기가 어렵고, 다른 사람이 그를 욕해도 욕할 만한 것을 찾아내기가 어렵다. 그의 사람됨이 성실하고 믿을 수 있는 것처럼 보이고, 행동이 방정하고 순결한 것 같아서 모두들 그를 좋아하고, 그 스스로도 정확하다고 여기지만, 성인의 도리와는 완전히 위배된다. 한마디로 말하면, 이러한 사람은 팔방미인에다 모난 귀퉁이가 없다. 사방으로 모든 사람에게 환심을 사지만, 책임을 지지 않는다. 그래서 공자는 "덕을 훔치는 도적배[德之賊]"라고 배척하였다. "향원"은 겉으로 모양은 중정화합한 것 같으나 실제로는 "그들의 비행은 들추어내기가 어렵고 그들의 결점은 공격하기가 어려우며", 용의주도하고 이익을 좇는 데 선수인 가짜 군자라는 사실을 알 수 있다. 이러한 사람은 그 언행과 그 마음 씀씀이가 중도에 부합하지 않을 뿐만 아니라 거꾸로 중도와 배치된다.

여기에 이르러, 본장의 첫머리로 돌아가도 될 것 같다: "〈주역〉은 사람들이 일종의 합목적적인 활동 중에서 인생의 즐거움을 향수하도록 만든다. '합목적'이란 바로 규율에 들어맞는 것이고 또한 우주인생의 존재상황과 규율에 적응하는 것으로 그것으로부터 편차가 있어서는 안 된다. 이것이 바로 '중中'이고, 또 바로 '정正'이다." 이같은 중정은, 행위방면에서 말하면, 규범을 벗어나지 않는 생활이다; 심령心靈방면에서 말하면, 평화롭고 즐거운 경지이다; 생명방면에서 말하면, 하늘과 인간이 화순하게 존재하는 것이다. 그래서 〈중용〉은 말한다 : "중中은 천하의 큰 근본이고, 화和는 천하의 통달한 원리이다. 中也者, 天下之大本也, 和也者, 天下之達道也." 이 모든 것을 어찌 호호선생이 해낼 수가 있으랴? 덕이 있는 군자가 종일 힘쓰고 수양에 부지런해야 비로소 그러한 경지에 부단히 접근하거나 도달할 수 있을 것이다.

6. 겸비예경 謙卑禮敬

주나라 사당에 있던 "우좌지기"는 물을 너무 많이 부으면 바로 엎어지고, 물을 부족하게 부으면 기울어진다. 가장 알맞은 곳에 이르러야 비로소 평온하게 바로 선다. 어떻게 하여야 가장 알맞은 곳에 이를 수 있는가? 방법은 이렇다 : 너무 가득 차면 약간 덜어내고, 너무 적으면 약간 더 첨가한다. 사람의 덕성수양과 행동처세에 대하여 말하면, 감손減損과 첨가添加는 바로 겸손하게 낮추고 자신의 분수를 알며, 공경하고 예를 지키는 것이다. 왜냐하면, "겸謙"은 사람이 교만한 것을 면하게 하고, 또한 사람으로 하여금 부족한 것을 알게 한다. 바꿔 말하면, "겸謙"은 능히 그 과한 것을 새어 나가게 하고, 모자라는 것을 구제할 수 있다. 그러므로 "겸謙"

은 중화中和를 이루는 가장 아름다운 길의 하나라고 말할 수 있다.

〈주역〉 가운데에는 "겸謙"의 도리를 전문적으로 강설한 괘 하나가 있는데, 이 괘의 이름이 바로 "겸謙"이다. 〈주역〉을 전체로 통해서 보면, 겸괘는 퍽이나 특수하다. 송인宋人 호일계胡一桂는 말한다 : "〈겸〉괘 6효에 있어서 아래 세 효는 모두 길하고 흉이 없으며, 위 세 효는 모두 이롭고 해가 없다. 〈역〉 가운데 길하고 이로움이 이와 같이 6효 전부에 있는 것은 드문데, 겸을 본받아야 하는 이유가 이와 같다."[80] "겸"의 본받음이 어찌 이렇게 큰가? 〈주역〉의 체제에 의하면, 중도로써 행하고 바르면[中正], 길하다. 겸의 길하고 이로움은, 그것이 중정의 도리에 부합하며, 적어도 중정의 도리에 위배되지 않는다는 것을 표명한다.

겸

6-1

〈주역〉의 64괘의 순서 중에서, 겸괘謙卦는 대유大有의 바로 뒤에 따라온다. 대유는 크게 수확이 있다는 것이다. 〈서괘전〉은 말한다 : "크게 수확이 있는 것은 가득 차게 할 수 없기 때문에 겸괘로 받는다 大有者 不可以盈, 故 受之以謙." "영盈"은 가득 참이다. 이는 "겸"과 "대유"는 서로 대대적待對的이라는 것을 설명한다. 왜 "크게 수확이 있는 것은 가득 차게 할 수 없는가?" 〈단전〉의 설명을 보자.

겸은 형통하다. 하늘의 도가 내려가 사귀어서 광명하고, 땅의 도가 낮춤

80 황수기등 〈주역역주〉, 제143쪽에서 인용

으로써 올라가 행함이라. 하늘의 도는 가득 찬 것을 이지러지게 하고 겸손한 데는 더해주고, 땅의 도는 가득 찬 것을 변하게 하여 겸손한 데로 흐르게 하고, 귀신은 가득 찬 것을 해롭게 하고 겸손함에는 복되게 하고, 사람의 도는 가득 찬 것을 미워하고 겸손한 것을 좋아하도다. 겸은 높으면 빛나고, 낮아도 넘지 못하니, 군자의 마침이다.

謙, 亨. 天道下濟而光明, 地道卑而上行. 天道虧盈而益謙, 地道變盈而流謙, 鬼神害盈而福謙, 人道惡盈而好謙. 謙, 尊而光, 卑而不可逾, 君子之終也.

이것은 겸괘의 괘사인 "겸은 형통하다. 군자에게 마침이 있다 謙, 亨, 君子有終."에 대한 〈단전〉의 해석이다. 괘사 중의 "겸"은 바로 "겸허"이고, "형"은 형통이다. 〈단전〉의 해석에서 두 번 "천도天道"를 언급하고, 두 번 "지도地道"를 언급하며, 한 번 "귀신鬼神"을 언급하고, 한 번 "인도人道"를 언급하고 있다.

천도에 대하여 말하자면, 그 특징에는 두 가지가 있다 : 하나는 "천도하제이광명天道下濟而光明"이고, 또 하나는 "천도휴영이겸익天道虧盈而益謙"이다. "하제下濟"란 아래로 내려와 만물을 제생濟生한다는 것이다[81]. "천도하제이광명天道下濟而光明"의 뜻은 상천上天의 체성體性은 아래로 내려와 만물을 제생하고 일월日月의 빛남은 이로 인하여 더욱 선명해진다는 것이다. 고형高亨이 이렇게 말한 바와 같다 : "천도가 하행下行하여 만물을 이루는 것은, 일광日光이 아래로 비춰서 만물을 따뜻하게 하고, 번개가 아래로 진동하여 만물을 움직이고, 바람이 하행하여 만물을 불고, 비가 아래로 내려 만물을 윤택하게 하는 것을 말한다. 광명光明이란 일월日月을 말한다. 천도하제天道下濟는 천도의 겸허함이고, 천도광명天道光明

81 〈주역정의〉

은 천도의 형통함이다. 이 구절은 천도로서 겸허하면 형통하다는 이치를 설명한 것이다."[82] "휴虧"란 덜어낸다는 뜻이다. "천도휴영이익겸天道虧盈而益謙"의 뜻은 상천上天의 체성體性은 가득 찬 것을 덜어내고, 겸허한 것은 보태어준다는 것이다. 최경崔憬이 말한 바와 같다 : "해가 중천에 있으면 서쪽으로 기울고, 달이 만월이 되면 이지러지는 것과 같이 남는 것을 덜어서 모자라는 것을 보탠다."(〈주역집해〉에서 인용)

지도地道에 대하여 말하자면, 그 특징에도 두 가지 방면이 있다 : 하나는 "지도비이상행地道卑而上行"이고, 또 하나는 "지도변영이유겸地道變盈而流謙"이다. "상행上行"은 지기地氣가 상승하는 것을 가리킨다. "지도비이상행地道卑而上行"의 뜻은, "지체地體는 낮고 부드럽지만 기氣는 상행上行하여 하늘과 사귀고 통하여 만물을 낳는다"는 것이다.(〈주역정의〉) "변變"은 변역變易이고, "류流"는 더하고 보탠다는 것이다. "지도변영이유겸地道變盈而流謙"의 뜻은, 땅의 품성은 가득 찬 것을 바꾸어 겸허한 것을 충실하게 한다는 것이다. 고형이 이렇게 말한 바와 같다 : "지도는 가득 찬 것을 훼손시키는데, 언덕이 높으면 점점 깎이고, 하천이 불어나면 제방을 무너뜨리는 것과 같다. 지도地道는 겸허함에 보태어주는데, 땅이 오목하게 낮으면 점점 평평해지고, 도랑이 비면 물이 흘러 들어오는 것과 같다."[83]

한 권의 서점筮占의 책으로서 〈주역〉은 귀신의 "겸謙"에 대해서까지 말하고 있는데, "귀신해영이복겸鬼神害盈而福謙"이 그것이다. 귀신의 특징은 가득 찬 것을 위태롭게 하고, 겸허한 것에 복을 내린다는 뜻이다.

"인도人道"에 이르러, 〈단전〉은 "인도해영이호겸人道惡盈而好謙"이라 하는데, 인류의 규율은 가득 찬 것을 증오하고, 겸허한 것을 좋아한다는 뜻이다. 〈단전〉의 결론은 여전히 인간에게 귀결된다: "겸은 높으면 빛이 나

82 고형 : 〈주역대전금주〉 제136쪽, 濟魯書社 1998년 4월 판.

83 고형 : 〈주역대전금주〉 제136쪽, 濟魯書社 1998년 4월 판.

고 낮아도 남이 업신여길 수 없으니 군자의 마침이라 謙, 尊而光, 卑而不可踰, 君子之終也." '겸허하고 미덕을 갖춘 사람은 높은 자리에 있으면 도덕이 더욱 빛나고, 낮은 자리에 거처하더라도 업신여기기가 어렵다. 군자는 그것에 의지하여 영원히 좋은 결과를 얻을 수 있다'는 뜻이다.

이상과 같이, 〈단전〉은 "영盈"과 "겸謙"을 한 짝의 모순矛盾으로 대비시켜, 천도·지도·귀신·인도의 네 개의 방면으로 "영"은 오래갈 수 없고, "겸"은 이익을 얻는다는 사실을 설명하였다. 이 단락은 한 편의 간단하고도 정련精練한 철학논문이라 할 수 있다. 천도의 "겸"으로부터 지도의 "겸"까지 이야기하고, 지도의 "겸"으로부터 귀신의 겸까지 이야기하며, 마지막으로 인도의 "겸"으로 귀결하였다. 〈주역〉이 천지를 본떴다는 사유노선에 비추어 보면, 천지의 "겸"은 바로 인도의 "겸"의 기초가 된다. 하늘이 능히 "하제이광명下濟而光明", "휴영이익겸虧盈而益謙"할 수 있으면, 사람은 능히 "존이광尊而光"할 수 있다. 땅이 능히 "비이상행卑而上行", "변영이유겸變盈而流謙"할 수 있으면, 사람은 능히 "비이불가유卑而不可踰"할 수 있다. 이것이 바로 "가득 차는 것을 두려워하고 겸허하게 처신하면, 마침내 경사가 있다"는 것이다.(갈홍 : 〈포박자·신절〉)

6-2

하늘·땅·귀신·사람 모두가 겸허함을 좋아하고 가득 찬 것을 싫어하므로, 사람은 겸허하기만 하면 하늘의 도움과 귀신의 도움과 사람의 신임을 자연스럽게 얻을 수 있다. 겸괘 여섯효에는 비록 실위失位·무응無應·승강乘剛 등이 있지만, "아래 세 효는 모두 길하고 흉함이 없고, 위 세 효는 모두 이롭고 해로움이 없는 것"은 이러한 이유 때문이다. 먼저 "길하고 흉함이 없는" 아래 세 효를 보자.

초육은 겸손하고 또 겸손한 군자니 큰 내를 건너더라도 길하다.

상에 말하기를 "겸손하고 또 겸손한 군자"는 낮춤으로써 스스로를 기르는 것이다.

육이는 이름이 널리 알려져 있음에도 겸손함이니 바르고 굳게 하면 길하다.

상에 말하기를 "이름이 널리 알려져 있음에도 겸손함이니 바르고 굳게 하면 길하다" 함은 마음속에서 얻은 것이다.

구삼은 공로가 있음에도 겸손함이니 군자가 마침이 있으니 길하다.

상에 말하기를 "공로가 있음에도 겸손한 군자"는 만백성이 승복함이라.

初六, 謙謙君子, 用涉大川, 吉.

〈象〉曰: "謙謙君子", 卑以自牧也.

六二, 鳴謙, 貞吉.

〈象〉曰: "鳴謙貞吉", 中心得也.

九三, 勞謙, 君子有終, 吉.

〈象〉曰: 勞謙君子, 萬民服也.

"겸겸謙謙"은 겸손하고 또 겸손한 것이다. "이것은 초육初六의 음유陰柔가 겸손하고, 아래 괘의 아래에 있어서 '겸겸謙謙'의 상象이 있다는 것을 말하는데"[84], 효사의 뜻은 '겸허하고도 겸허한 군자는 대하大河의 거센 물결도 건널 수 있어 길상함을 얻는다'는 것이다. "대천大川"은 여기서 어렵고 험준함을 비유하고 있다. 그것은 사람들에게, '군자는 겸손하고 겸손하기만 하면 간난艱難을 헤쳐 나갈 수 있고, 길상함을 얻게 된다'는 것을 제시한다. "비이자목卑以自牧"은 스스로 비하卑下함을 감내甘耐하며, 극기克己하고 겸손함을 기른다는 것이다. 〈상전〉은, 초육효가 길한

84 황수기 등 : 〈주역역주〉, 제139쪽.

것은 군자가 겸비謙卑하고 극기克己한 결과라고 여긴다.

"명鳴"은 이름이 널리 알려졌다는 뜻이다. "명겸鳴謙"은, 이름이 널리 알려졌음에도 겸허한 미덕을 행한다는 것이다. 효사의 뜻은, '명성이 널리 알려져 있음에도 여전히 겸허하고 근신勤愼하면, 길상함을 얻을 수 있다'는 것이다. 그것은 사람들에게, '명성이 크면 클수록 더욱 거드름을 피워서는 안 되며, 겸허하고 근신해야 하며, 이렇게 하여야 더욱 더 사람들의 사랑과 존경을 받는다'는 것을 제시한다. 그런데, 사실 이와 같이 할 수 있다는 것은 참으로 어려운 일이어서 〈상전〉은 "'鳴謙貞吉', 中心得也"라고 말하는 것이다. 송대宋代의 호원胡瑗은 이렇게 해석한다 : "군자가 하는 행동거지 하나하나는 모두 마음에서 얻어진 뒤에 밖으로 드러나는 것이어서 도道에 들어맞지 않는 것이 없다. 그래서 이 겸겸兼謙은 마음 가운데서 얻어 그 소문이 다른 사람에게 알려지기에 이르는 것으로, 스스로 바름의 길함[自正之吉]을 얻는 것이다."(《주역구의》) "명성을 얻었음에도 겸허한 덕을 행하는 것"은 마음에서 생겨나 밖에서 행하여지는 것으로, 하는 흉내만 내서 해낼 수 있는 것이 아니라는 것을 알 수 있다.

"노勞"는 공로功勞가 있다는 것이다. "노겸勞謙"은 큰 공로가 있지만 겸양謙讓하고 자처自處할 수 있다는 것이다. 효사는, '큰 공로가 있지만 겸양하고 자중할 수 있으면 반드시 좋은 결과가 있고, 반드시 길상함을 얻을 수 있다'고 여긴다. 〈상전〉의 뜻에 비추어 보면, 이렇게 하면 필히 만민의 신임을 얻어 만민이 따르게 된다. 그래서 공자는 말했다 : "애를 썼음에도 자랑하지 않고, 공功이 있어도 덕이 있다고 뽐내지 않으니 두터움의 지극함이다 勞而不伐, 有功而不德, 厚之至也."(〈계사전〉) 이것은 사람에게, '공로를 다투지 말고, 공로가 있다며 스스로 오만하지 않으면 사람을 얻을 수 있다'는 것을 제시한다.

이상의 세 효사는 모두 "겸謙"으로 인하여 크게 이로움을 얻은 것이다.

자리가 낮을 때 겸허하고, 겸허하면 커다란 어려움과 싸워 이길 수 있다; 명성이 멀리까지 알려졌을 때 겸손하고 근신하면 커다란 길상함을 얻을 수 있다; 공로가 아주 클 때 겸허하고 오만하지 않으면 만민을 따르게 할 수 있다. 어떤 상황이든 "겸兼"은 사람들에게 이익을 가져다줄 수 있다.

다시 "이롭고 해로움이 없는 利而無害" 위의 세 효를 보자.

육사는 겸손함을 베풀어 폄에 이롭지 않음이 없느니라.

상에 이르기를 "손함을 베풀어 폄에 이롭지 않음이 없음"은 법칙에 어긋나지 않기 때문이다.

육오는 이웃으로 인하여 부유하지 않게 된 것이다. 승복하지 않는 자를 정벌함이 이로우니 이롭지 않음이 없으리라.

상육은 명성이 널리 알려졌음에도 겸손함이니 군사를 동원해서 읍국을 침이 이롭다.

상에 이르기를 "명성이 널리 알려졌음에도 겸손함"은 뜻을 얻지 못한 것이니, 군사를 동원해서 읍국을 치는 것이 옳을 것이다.

六四, 無不利, 撝謙.

〈象〉曰 : "無不利, 撝謙", 不違則也.

六五, 不富以其鄰, 利用侵伐, 無不利.

〈象〉曰 : "利用侵伐", 征不服也.

上六, 鳴謙, 利用行師, 征邑國.

〈象〉曰 : "鳴謙", 志未得也. 可用行師, 征邑國也.

"위撝"는 시행施行한다는 것이다. "위겸撝謙"은 언제 어디서든지 겸허한 미덕을 발양發揚하고 전파한다는 것이다. 효사는 '이렇게 하면 불리함이 없다'고 여긴다. "불위칙不違則"은 겸손의 도리에 위배되지 않는다는 것이다. 바로 〈단전〉에서 말하는 "하늘의 도가 내려가 사귀어서 광명하고, 땅의 도가 낮춤으로써 올라가 행함이라. 하늘의 도는 가득 찬 것을 이지러지게 하고 겸손한 데는 더해주고, 땅의 도는 가득 찬 것을 변하게 하여 겸손한 데로 흐르고, 귀신은 가득 찬 것을 해롭게 하고 겸손함에는 복되게 하고, 사람의 도는 가득 찬 것을 미워하고 겸손한 것을 좋아하도다. 天道下濟而光明, 地道卑而上行. 天道虧盈而益謙, 地道變盈而流謙, 鬼神害盈而福謙, 人道惡盈而好謙."이다. 〈상전〉은 '때때로 또 일마다 겸허한 미덕을 밝게 드러내는 것은 하늘을 따르고 사람에 감응하는 겸허의 도리이다'라고 여긴다. 그것은 사람들에게 "겸겸"도 좋고 "명겸"도 좋고 "노겸"도 좋은데, 모두 때마다 일마다 밝게 드러내야 하며, 이것이 바로 겸허의 도리를 행하는 것이라고 제시한다. 한 순간의 "겸謙"은 비록 좋은 결과를 가져오지만 오래갈 수 없는 법이다.

"불부이기린不富以其鄰"은 인접한 나라의 소요騷擾 때문에 자신의 나라의 물자가 풍부하지 않게 되는 것이다. 육오는 음유陰柔한 몸으로 가운데 있어서 마음을 비우고 겸손한 처신을 하고 있는데, 이것이 인접 국가의 착각을 불러일으켜 업신여기고 늘 침탈하려는 마음을 갖고 있다. (그는) 육오의 부드럽고 겸손함이, 천지가 가득 찬 것을 미워하고 겸허함을 좋아한다는 도리에 딱 들어맞는다는 사실을 모른다. 그래서 육오가 일단 일어나 가득차서 교만하고 사치스런 나라를 정벌하게 되면, 필히 불리함이 없다. 이것은 바로 송대의 정이程頤가 말한 바와 같이 겸괘는 "비하卑下함 가운데에 숭고崇高함을 감추고 있다"는 것인데(〈정씨역전〉), 그것은 사람들에게 '겸비謙卑는 연약軟弱함과 같지 않으며, 유손柔遜함은 무능無能과 같지 않다'고 시사한다. 겸비의 도는 비록 부드럽지만 실은 강하고, 비록 낮지만 실은 높다. "행사行師"는 병사를 이끌고 전쟁을 하는 것이다. 효사의 뜻은, '명성이 멀리 퍼졌지만 겸허한 것은, 병사를 이끌고 전쟁을 하고 서로 인접한 사방의 소국을 정벌하는 것에 이롭다'는 것이다. 〈상전〉은, '군자가 겸허의 도를 지켜서 행하는 것은 겸허를 위한 겸허가 아니며, 마땅히 "가득 찬 것을 덜어서 겸허한 것에 보태어주고, 가득 찬 것을 변경하여 겸허한 것을 채워주는" 천지의 이치를 본받아 한판 큰 일을 벌여야 한다'고 여긴다. 그러므로 단순히 "명겸鳴謙"으로만은 군자가 그 뜻을 완수하는 데 부족하다. 더 나아가 "하늘을 따르고 사람에 응하여" 정의를 신장하고, "남는 것을 덜어서 부족한 것을 보충하여" 천하국가를 위하여 화평을 도모하여야 한다.

이상의 세 효사는 초·이·삼효에 이어서 겸허하되 오래갈 수 있고, 부드럽되 능히 강할 수 있으며, 낮되 높을 수 있음을 강조하고 있다. 한마디로 겸의 도를 행함에 있어서는 "겸겸"·"명겸"·"로겸"이 필요할 뿐만 아니라, 더 나아가 "많은 것을 덜어내서 적은 것에 보태어주고, 물건을 저울질하여 베풂을 고르게 하여 裒多益寡, 秤物平施", 우주인생의 중정과 화합을 실현하여야 한다.

6-3

겸괘 여섯 효는 인도人道의 "겸謙"이 존재하는 몇 가지 주요한 정황에 대하여 간략히 묘사하고 있다. 그것은 "겸겸"·"명겸"·"로겸"·"위겸" 등을 언급하고 있다. 그러나 인생의 모습은 천태만상이고, 세상의 일은 너무 다양하고 변화무쌍한데, 여섯 효의 비유가 어찌 모든 일을 다 밝히겠는가? 그래서 〈대상전〉은 구체적 사실을 자세히 이해하고, 일반적인 사실을 움켜쥐어 정련精練하게 겸괘의 본질 및 군자가 그 가운데에서 얻어야 할 교훈을 개괄하였다.

땅 속에 산이 있는 것이 겸괘이니 군자가 이를 본받아서 많은 것을 덜어 내어 적은 데에 더하고, 물건을 저울질하여 베풂을 고르게 하느니라.

地中有山, 謙; 君子以裒多益寡, 秤物平施.

겸괘는 하간下艮 상곤上坤으로서, 〈설괘전〉에 의하면 간艮은 산이고, 곤坤은 땅이어서, 〈상전〉은 "땅 속에 산이 있다 地中有山"고 하였다. 정현鄭玄은 이렇게 주석하였다 : "간은 산이고, 곤은 땅이다. 산의 본체는 높은데 가까이 땅 아래에 있다. 그것은 사람의 도리에 있어서 보면 높은 것이 낮은 것의 아래로 거처하니 겸허한 모습이다."(〈주역집해〉에서 인용) 그러나 〈상전〉의 체제에 의하면, 이 구절은 "산이 땅 가운데에 있다"라고도 부를 수 있다. 그런데 "산이 땅 가운데에 있다 山在地中"라고 말하지 않고 "땅 속에 산이 있다 地中有山"라고 말한 것에 대하여, 정이는 "비하卑下한 것 가운데 숭고崇高함을 숨기고 있는 것을 말한 것"이라고 여긴다. 정씨의 이 설說에는 크게 깊은 뜻이 있다. 근대인近代人 고형高亨은 이 학설을 이어받아, "땅은 낮고 산은 높다. 땅 속에 산이 있다는 것은 안은 높고 밖은 낮다는 것이다. 겸허하다는 것은, 재주는 높으나 스스로는 그렇다고 여기지 아니하고, 덕이 높으나 스스로는 긍지를 가지지 아니하고, 공로는 높으나 스스로는 공이 있다고 하지 아니하며, 명성이 높으나 스스로 명예롭다고 여기지 않으며, 자리가 높으나 스스로 거만하지 아니한 것, 이 모두가 안으로 높고 밖으로 낮은 것이니 그래서 괘명을 〈겸〉이라 한다."[85]고 하였다.

〈한씨외전〉 중에 호구장인과 손숙오의 대화 기록이 있다.

85 고형 : 〈주역대전금주〉, 제137쪽.

손숙오孫叔敖가 호구장인狐丘丈人을 만나자 호구장인이 물었다. '제가 듣기에 세 가지 이익이 있으면 반드시 세 가지 환난도 있다던데 그대는 알고 계십니까?' 이에 손숙오는 움츠려 들면서 얼굴을 바꾸고 대답하였다. '저같이 불민不敏한 자가 어찌 알 수 있겠습니까? 감히 여쭙건대 세 가지 이익이란 무엇이며 또 세 가지 환난이란 무엇입니까?' 이에 호구장인은 이렇게 설명하였다. '작위가 높으면 사람들이 질투하고, 관직이 크면 임금이 미워하며, 녹이 많으면 원망이 그에게 몰리지요. 이를 두고 하는 말입니다.' 이에 손숙오가 반박하고 나섰다. '그렇지 않습니다. 나는 작위가 높을수록 뜻을 더욱 낮추고 관직이 커질수록 마음을 더욱 작게 가지며, 내 녹이 많을수록 더욱 널리 베풀고 있습니다. 그러니 감히 환난을 면할 수 있지 않겠습니까?' 그러자 호구장인은 감탄하였다. '훌륭하오. 그 말씀이여! 요堯, 순舜도 오히려 그렇게 못한 것을 병으로 여겼다오!'
(〈한씨외전〉 권 7)

손숙오가 말한 '작위가 높을수록 뜻을 더욱 낮추고 관직이 커질수록 마음을 더욱 작게 가지며, 내 녹이 많을수록 더욱 널리 베푸는 것'은 "안은 높으나 밖으로는 낮추는 것"이라 할 만하다. 이것은 겸손유순謙遜柔順 가운데에 강건자강剛健自强함이 들어 있다는 것이다. 바로 이러하기 때문에, 군자는 이를 본받아서 "많은 것을 덜어서 적은 것에 보태어주고, 물건을 저울질하여 베풂을 고르게 할 수 있다 裒多益寡, 稱物平施." "부裒"는 취取한다는 뜻이고, "칭稱"은 저울에 단다는 것이며, "시施"는 베풀어준다는 것이다. 〈상전〉은 '군자는 이러한 "땅 속에 산이 있는 상"을 보고, 마땅히 이를 본받아서, 그 많은 쪽에서 취하여 그 적은 쪽을 보태주어야 하고, 재물의 과다를 저울질하여 사람들에게 공평하게 베풀어줘야 한다'고 여긴다.

"많은 것을 덜어서 적은 것에 보태어주고, 물건을 저울질하여 베풂을 고르게 하는 것"이 "겸도謙道"의 본질이다. 이에 대하여 안과 밖의 두 가지 방면에서 설명할 수 있을 것이다. 안에 대하여 말하자면, 그것은 군자의 도덕수양을 반영하고 있다; 밖에 대하여 말하자면, 그것은 군자의 지향하는 바를 반영하고 있다. 안과 밖을 합하여 관찰하면, 군자는 중도로 행하고 바름을 지키며, 하늘을 따르고 시기에 응하여야 한다는 인생의 염원을 반영하고 있다.

먼저 "안"을 이야기하자. 소위 "안"은, 한편으로는 자신을 비우는 아름다움, 즉 "자기 자신은 가지고 있지만 그 형상은 마치 없는 듯하고, 자기 자신은 실하지만 그 용모는 마치 빈 듯한 것 已之雖有, 已狀若無, 已之雖實, 已容若虛"[86]을 가리킨다; 한편으로는 배우는 사람의 장점, 즉 "세 사람이 길을 가면 반드시 나의 스승이 있다 三人行必有我師焉[87]", "선비는 배움에 염증을 느끼지 않으므로 그 성스러움을 이룰 수 있다 士不厭學, 故能成其聖[88]"는 것을 가리킨다. 자기를 비우는 아름다움은 교만하지 않는 것이요, 배우는 사람의 장점은 할 수 있는 바를 해내는 것이다.

다음으로 "밖"을 이야기하자. 소위 "밖"은, 주로 군자가 겸허함을 좋아하고 가득 참을 싫어하는 천도의 규율에 순응하여 천하를 화목하게 하려는 포부를 가리킨다. 이러한 의지는 비록 군자의 이상 중에 내재되어 있지만, 그 좋은 풍속이 두루 미치게 되면, 천하의 백성이 이익을 입게 된다. 공자가 말한 바와 같다 : "내 들은 바, 국가를 맡아 다스리는 사람은 백성 적음을 걱정하지 않고 고르지 못함을 걱정하며, 가난을 걱정하지 않고 불안함을 걱정한다 했다. 대개 고르면 가난하지 않고, 화락하면

86 오극 : 〈정관정요·경양〉
87 〈논어·위령공〉
88 〈관자·형세해〉

백성이 적지 않을 것이고, 평안하면 기울지 않을 것이다."[89] 여기서 공자의 "걱정"은 덕행이 고상한 사람의 우환지심憂患之心을 반영함과 동시에 "많은 것을 덜어내서 적은 것에 보태어주고, 물건을 저울질하여 베풂을 고르게 하는" 그 위대한 포부를 실현한 것이다. 그러므로 공자의 이 사상은 중국의 역사상 특히 여러 차례의 농민운동에 상당한 영향을 끼쳤다.

〈주역〉이 천도에서부터 인사人事에 이르기까지 "겸謙"을 논하면서, 사람의 겸겸지덕謙謙之德을 칭송하였을 뿐만 아니라, 사람은 응당 천도에 순응하여 천하를 고르게 평안하게 할 것을 강조하였는데, 부드러움 가운데 강함이 있고[柔中有剛], 강함과 부드러움이 서로 구제하는 것[剛柔相濟]이라 할 수 있다. 이 뒷부분의 뜻에 대하여, 사람들은 거의 주의를 기울이지 않고 역대 사상가조차도 논한 바가 거의 없는데, 이는 〈주역〉이 "겸"을 논한 하나의 큰 특징이다. 그것은 자신을 비우는 것도 좋고 균빈均貧도 좋지만, 그 목적은 모두 하늘을 따르고 때에 응하며, 그 차고 비는 것을 조절하고, 중도로 바름을 지켜 오래갈 수 있음을 구하는 데 있는 것이다. 바꿔 말하면, 바로 "중화를 이루는 것[致中和]"이다.

6-4

〈주역〉 중에서 "겸비謙卑"와 서로 관계되는 것이 "예경禮敬"이다. 이러한 관계는 주로 "겸"으로부터 "예경禮敬"에 이르는 것, 즉 "겸손함으로써 예를 만든다 謙而制禮"로 표현된다. 공자가 말한 바와 같다 : "덕은 성대함을 말하는 것이고 예는 공손함을 말함이니, 겸손하다는 것은 공손함을 이루어 그 지위를 보존하는 것이다 德言盛, 禮言恭, 謙也者 致恭 以存其位者也."(〈계사전〉)

89 〈논어·계씨〉

전통 예제禮制를 이야기하면, 사람들은 일종의 등급이 삼엄하다는 느낌을 면하기 어렵다. 〈주역〉도 명분과 등급을 강조하는 바, "하늘은 높고 땅은 낮으니 건곤이 자리를 정한다. 낮고 높음이 베풀어졌으니 귀하고 천한 것이 자리하였다 天尊地卑, 乾坤定矣. 卑高以陳, 貴賤位矣"와 같으니, 바로 귀천과 등급의 구분을 강조한 것이다.[90] 그러나 〈주역〉은 동시에 "지혜는 높이는 데 있고 예는 낮추는 데 있다 知崇禮卑"의 사상을 명확하게 제시하고 있다. 〈계사전〉에는 다음과 같은 말이 있다.

> 子曰 : "〈易〉其至矣乎! 夫〈易〉, 聖人所以崇德而廣業也. 知崇禮卑, 崇效天, 卑法地. 天地設位, 而〈易〉行乎其中矣. 成性存存, 道義之門."

> 공자가 말했다. 〈주역〉의 도리는 지선지미至善至美하니, 성인은 그것으로써 그 덕행을 높고 크게 하고 그 사업을 광대하게 한다. 지혜의 귀함은 숭고함에 있고, 예절의 귀함은 겸비謙卑함에 있는데, 숭고함은 하늘을 본받았고, 겸비는 땅을 본받았다. 천지가 상하 존비의 위치를 창설하면 〈주역〉의 도리는 그 사이에서 변화, 통행通行한다. (역의 이치에 따라 몸을 닦아) 아름답고 착한 덕성을 성취하고 반복하여 함양하여 안으로 보전하는 것이 바로 "도"와 "의"로 통하는 문호를 찾는 것이다.'[91]

여기서 저자는 "예비禮卑"의 관념을 제시하고 그것이 대지의 품성을 본받은 것이라 생각하고 있다. 이것은 매우 주의할 만한 가치가 있다. "예"는 비록 "천지설위[天地設位:천지가 자리를 베풂]"로 성취되는 것이지만, 그 실질은 돈후敦厚한 사람의 덕성으로서, 사람으로 하여금 천지간에

90 〈주역〉 가운데 가장 두드러진 표현이 "당위설"인데, 상세한 것은 본서 하편 및 부록 참조.

91 번역문은 황수기 등 : 〈주역역주〉 제542항. 참조

서 자기의 사업을 넓히고 크게 하도록 해주며 도의의 규범에 부합한다.

〈설괘전〉에 따르면, 〈주역〉 가운데 리괘履卦가 "예"를 강론한 것이다. 그것은 "리는 예이다 履者, 禮也"고 말한다. 현대의 학자 황수기는 이렇게 해석한다: "괘명 '리履'자의 뜻은, 〈서괘전〉에서 말하는 '물건을 쌓은 뒤에 예절이 있기 때문에 리괘로 받는다 物畜然後 有禮, 故受之以履'는 것으로, 〈이아·석언〉에는 '리는 예이다'로 되어 있다. 발걸음을 옮김에 있어 예를 위배하지 않는다는 뜻이 있는데, 상 선생은 말한다: '〈태현〉은 "예"를 비겨서 말하기를 예는 위와 아래를 분별하고 높은 것과 낮은 것을 정하는 것보다 큰 것이 없다', '사람이 행리[行履:행주좌와 어묵동정 등 일상생활에서의 모든 행위]하는 바가 이보다 큰 것이 없다'(〈상씨학〉). 또, 〈본의〉는 말한다: '리履는 밟아서 나아간다는 뜻이다.' 즉, 조심하여 예를 따르고 행한다는 뜻을 겸하여 가지고 있다."[92] 리괘履卦의 괘사는 "호랑이의 꼬리를 밟으나 물지 않으니 형통하다 履虎尾, 不咥人, 亨."이다. 저명한 역학가 김경방은 말한다: "괘사의 첫머리에서 '리호미履虎尾'라고 말하고 있는데, 상을 취한 것이 십분 기이하고 특이하다. 리履는 밟아서 같이 나아간다는 뜻이 있다. 호랑이의 꼬리를 긴밀하게 밟으며 길을 걷는 것은 인간세상에서 가장 위험한 일이라 할 수 있는데, 호랑이는 오히려 당신을 물지 않고, 당신에게 형통 무사를 보장한다. 괘사는 이처럼 사람의 입신처사立身處事에 있어서 예로써 행하고 화열和悅하며 겸비謙卑한 태도로 사람을 접대한다면, 비록 가장 흉맹한 호랑이를 만나더라도 편안무강便安無疆할 것이라는 것을 강조하고 있다."[93] 리괘의 "형亨"은 화열和悅, 겸비謙卑를 전제로 한다는 것을 알 수 있다. 이 점에 관하여 〈단전〉의 해석이 가장 명백하다.

92 황수기 등 : 〈주역역주〉 제97항.

93 김경방등 : 〈주역전해〉, 제100쪽. 장춘, 길림대학출판사 1989년판.

履, 柔履剛也. 說而應乎乾, 是以履虎尾不咥人, 亨. 剛中正, 履帝位而不疚, 光明也.

대의는 이러하다.

리는 음유한 사람이 조심스럽게 양강한 사람의 뒤를 따라 걸어가되, 화열공경하는 태도로 강건한 사람에게 순응하는 것이다. 그래서 괘사는 '조심스럽게 호랑이의 뒤를 걸어가면 맹호가 사람을 물지 않으니 형통하다'고 말한다. 또, 리괘는 양강陽剛이 가운데 자리에 있으면서 바름을 지키고, 조심스럽게 지존의 자리를 밟아 행하니 무슨 하자나 병病이 없고 사방으로 광명하다.

여기서 세 가지의 주의할 가치가 있다: 하나는 "부드러움이 강함을 밟는다[柔履剛]"이다; 또 하나는 "기쁘게 건에 응한다[說而應乎乾]"이다; 다른 하나는 "강함이 중도에 있고 바르다[剛中正]"이다. 이 세 가지 점은 "예"의 정신을 통쾌하기 그지없이 구현하고 있다. "부드러움이 강함을 밟음"은 부드러움으로써 강함을 극복하는 것으로, 강유상제剛柔相濟이다. 그것은 예의 쓰임은 아래가 위에 대한, 부드러움이 강함에 대한 절대적인 복종이 아니라 조화를 귀하게 여긴다는 것이다. "기쁘게 응함"은 겸비자처謙卑自處하고, 공경화순恭敬和順하다는 것이다. 그것은 예의 "화和"는 결코 등급을 필요로 하지 않는 것이 아니라, 아래가 위에 대한, 부드러움이 강함에 대한 공경과 화순을 나타낸다. "강함이 중도에 있고 바름"은 강건한 것이 중도를 가지고 바름을 지키니 덕은 높고 자리가 드러난다. 이것은 "기쁘게 응함"에는 조건이 없는 것이 아니라 조건이 있는데, 기뻐하는 대상과 응하는 대상은 덕망이 높고 무거우며 중도에 부합하여야 한다는 것이다. 이상의 세 가지 점에서 "기쁘게 건에 응함 說而應乎乾"이 가장 관건인데, 가장 잘 "예비禮卑"의 사상을 구현할 수 있다. "겸이제례謙以制禮"는 겸덕을 발휘하고 극기복례克己復禮하는 것인데, 바로 이러한 "기쁘게 응함"을 가리켜 말한 것이다. 그것은 사람이 예를 행하고, 예를 좋아하며, "예가 아니면 행하지 말라 非禮弗履"는 덕성의 기초라고 말할 수 있다. 〈계사〉는 말한다 : "리는 덕의 기틀이다." 〈좌전〉에 이런 말이 있다 : "비양卑讓은 덕의 기초이다."(〈좌전·문공원년〉) 그러므로 옛사람은 다음과 같이 강조하였다: "무릇 예라는 것은 자기를 낮추고 다른 사람을 높이는 것이다. 비록 짐을 지고 물건을 파는 사람도 반드시 존엄이 있거늘 부귀한 사람이야 말할 것이 있겠는가? 부귀하면서 예를 사랑할 줄 알면 교만하지 않고 음란하지 않는다; 빈천하면서 예를 사랑할 줄 알면 의지가 약해지지 않는다."(〈예기·곡례상〉) "편안하게 윗자리에 있으면서 백성을 다스림에 있어 예만한 것이 없다. 예라는 것은 공경일 뿐이다. 그러므로 그 아버지를 공경하면 아들이 기뻐하고, 그 형을 공경하면 동생이 기뻐하며, 그 임금을 공경하면 신하가 기뻐하고, 한 사람을 공경하면 만인이 기뻐한다. 공경하는 대상은 적지만 기뻐하는 자는 무리가 되니, 이것이 도의 요체라고 하는 것이다."(〈효경·광요도장〉) 이 두 단락의 말은 한마디로 귀결할 수 있으니, 예는 자신을 낮추고 다른 사람을 높이는 것이다.

이상의 세 방면, 즉 "부드러움이 강함을 밟음[柔履剛]", "기쁘게 건에 응함[說而應乎乾]", "강함이 중도에 있고 바름[剛中正]"은, 〈주역〉에서 말하는 "예"는 중도를 전제로 하는 것이라는 것을 설명하고 있다. 이것은 바로 공자가 말한 "예로다. 대저 예는 절제해서 중정을 이루는 것이다 禮乎 禮, 所以制中也."(〈예기·중니연거〉)와 같다. 또한, 순자가 말한 바와 같다 : "선왕의 도는 인이 융성한 것이다. 중도에 비추어 이를 행했다. 무엇이 중도인가? 예의가 그것이다."(〈순자·유효〉) "중中"은 "화和"이니 그래서

공자는 또 말한다: "예의 쓰임은 화를 귀하게 여긴다."(《논어·학이》) 〈계사〉도 말한다: "리는 화합하되 지극하다 履, 和而至", "리로써 행동을 조화롭게 한다 履以和行". 예의롭고 화합하면, "교제하고 회통함"에 있어 아름답지 않는 곳이 없다. 그러므로 〈건·문언전〉은 말한다 : "모임을 아름답게 함은 족히 예에 합당하다 嘉會足以合禮."

6-5

〈주역〉의 "겸비예경" 사상은 리괘 여섯 효 중에 특히 두드러지게 표현되어 있다.

초구는 본래 밟은 대로 가면 허물이 없으리라.
구이는 밟는 길이 탄탄하니 은거해서 도를 닦는 사람이라야 바르고 곧아서 길하리라.
구삼은 애꾸가 능히 보며 절름발이가 능히 밟음이라. 호랑이 꼬리를 밟아서 사람을 무니 흉하고, 무인이 임금이 되도다.
구사는 호랑이 꼬리를 밟음이니 조심조심하면 마침내 길하리라.
구오는 쾌쾌하게 밟음이니 바름을 얻어 행하더라도 위태하리라.
상구는 밟아온 것을 봐서 상서로운 것을 살피되 두루 잘 했으면 크게 착하고 길하리라.

初九, 素履往, 無咎.
九二, 履道坦坦, 幽人貞吉.
六三, 眇能視, 跛能履, 履虎尾, 咥人, 凶, 武人爲于大君.
九四, 履虎尾, 愬愬終吉.

九五, 夬履, 貞厲.

上九, 試履考祥, 其旋元吉.

리

"본래 밟은 대로 감[素往履]"은 〈중용〉에서 말하는 "군자는 자신의 처지대로 행동하고 분수 밖의 일은 원하지 않는다 君子 素其位而行 不願乎其外"라는 것이다. 효사의 뜻은 '소박하고 꾸밈이 없고, 분수를 편안히 여기고 예를 지키면, 아무런 잘못이나 해로움이 없다'는 것이다. 이것은 사람들에게, '리의 초효에 처하여서는 응당 안분수기安分守己하고, 예의를 준수하여 행동해야지, 자기 분수가 아닌 것을 할 생각을 하지 말아야 한다'는 것을 일깨워준다.

"유인幽人"은 "그윽하고 고요한 곳에서 편안하고 즐겁게 지내 세상과 다툼이 없는 사람"이다.[94] 효사의 뜻은, '평탄한 대도를 걸어가며 그윽하고 고요한 곳에서 편안하고 즐겁게 지내며 근엄하게 예를 지키는 사람은 길상함을 얻을 수 있다'는 것이다. 이것은 사람들에게 '전도가 평탄하면 할수록 더욱 더 근신하고 분수를 지켜야지 외물에 어지럽혀서는 안 된다'는 것을 일깨워준다. 이렇게 해야만 긴 평탄함으로 인해 우환지심憂患之心을 상실하게 되지 않는다. 그러므로 〈상전〉은 말한다: "'은거해서 도를 닦는 사람이 바르고 곧아서 길함'은 마음(中)이 스스로 어지럽지 않음이라 '幽人貞吉', 中不自亂也."

"무인武人"은 용감 무모無謀한 사람이다. 효사의 뜻은 '눈이 멀었는데도 억지로 보려고 하고, 다리를 절면서도 강행하여 호랑이의 뒤를 걸어

94 김경방 등 : 〈주역전해〉, 102쪽

가면, 맹호에게 물려 상처를 입으니 흉험凶險하다'는 것이다. 다른 사람보다 용맹하나 지력이 부족한 사람이라도 대인大人·군주를 위하여 충성을 다하면, 힘으로써 자기의 장점을 발휘할 수 있다. 이는 사람들에게 '마땅히 장점을 발휘하고 단점을 피하여야 하지, 만일 효사 중에서 말한 바와 그렇게 억지로 자기의 단점을 발휘하려고 하면, 비록 그 정신이 가상嘉尙해도 그 결과는 반드시 흉험하다'는 것을 일깨워준다.

"색색愬愬"은 겁을 먹고 근신하는 것이다. 효사의 뜻은 '비록 호랑이의 뒤를 걸어가더라도 만일 조심하고 근신한다면 능히 길상을 얻을 수 있다'는 것이다.

"쾌夬"는 과감하게 결단하는 것이다. 효사의 뜻은, '너무 과감하게 결단하면 위험이 있다'는 것이다. 이 괘 중, 구오는 양으로서 양의 자리에 앉아 "강중정剛中正"이므로 응당 "길하고 불리함이 없다"고 하여야 할 것이다. 그런데, "리는 예"이고, "예의 쓰임은 화를 귀하게 여기기 때문에", 너무 과감하게 결단하고 만일 부드러움으로 구제하지 않으면, 제멋대로 하고, 고집불통이어서 남의 말을 듣지 않기를 면하기 어렵다. 이것은 사람들에게 '어떤 상황에 있든지 어떤 위치에 있든지를 불문하고, 응당 예로써 사람을 대하여야 하고, 포용하는 정신을 가져야 한다'는 것을 제시한다. 절대로 자신이 옳다고 우겨서는 안 되는데, 그렇게 하면 마침내 오래가지 못할 것이다.

"고상考祥"은 화복득실을 살핀다는 것이다. "선旋"은 완벽하게 준비, 주선周旋한다는 것이다. 효사의 뜻은, '조심스럽게 걸어온 과정을 되돌아보고, 화복득실의 증상을 살펴서, 시종 예에 따라 행하고, 완벽하게 준비하고 주선한다면 대길大吉하다고 할 수 있다'는 것이다.[95] 그것은 사람들에게, '예에 따라서 행하되, 반드시 시작을 잘하고 끝냄을 잘하여야 한

95 김경방 등 : 〈주역전해〉, 제102쪽, 길림대학출판사 1989년판.

다. 이렇게 하여야만 "예가 아니면 행하지 말라"는 말을 실천했다고 할 수 있으며, 최후의 승리를 획득할 수 있다'는 것을 일깨워준다.

이상의 여섯 효로부터, 무릇 겸비謙卑의 태도로 예에 따라 행하면 모두 좋은 결과가 있다는 것을 알 수 있다. 그렇지 않으면, 반드시 위태로움이 있다. 전자의 가장 선명한 예는 구사이다. 리괘 중에서 구사는 "지존(구오)에 가장 가까이 있고, 양으로서 양을 받들고 있고, 두려움이 많은 자리(사효는 두려움이 많다〈四爻多懼〉……〈계사전〉)이므로, 호랑이 꼬리를 밟는다고 말한다."(왕필 〈주역주〉) 처한 상황이 아주 위험하다. 그러나 그 효는 "양으로서 음의 자리에 있고, 겸손함을 근본으로 하니, 비록 겁나고 두려운 처지에 있지만 결국 그 뜻을 얻으니, 그러므로 마침내 길한 것이다."(왕필 〈주역주〉) 후자의 가장 선명한 예는 육삼이다. 왕필은 말한다 : "〈리履〉의 자리에 있을 때, 양으로서 양의 자리에 있는 것은 겸손하지 못하다고 할 것인데 하물며 음으로서 양의 자리에 있고, 유柔로서 강剛을 올라타고 있는 것은 말할 것조차 있겠는가? 그러므로 이와 같이 밝은 것이 애꾸눈을 가진 자이고, 이와 같이 가는 것이 절름발이라. 이와 같이 위험을 밟으면 물리게 되는 것이다."(왕필 〈주역주〉) 이것은, 육삼의 흉은 겸비안분謙卑安分하지 못한 것과 관계가 있다는 것을 설명한다. 어찌 육삼에만 그치겠는가? 바로 존엄한 자가 있는 오위五位인데, 만일 겸도謙道를 실천하지 아니하면 "바름을 얻어 행하더라도 위태함 貞厲"의 우虞를 면하기 어렵다. "무릇 예라는 것은 자기를 낮추고 다른 사람을 높이는 것"임을 알 수 있다.

〈한시외전〉 중에서 말한다 : "〈역〉에는 도가 있는데, 큰 것은 천하를 지킬 만하고, 중간 것은 국가를 지킬 만하며, 가까운 것은 그 몸을 지킬 만하니, 겸을 말한 것이다." 중국인은 "겸덕謙德"의 배양을 중시하기 때문에 특별히 "예경禮敬"의 수련을 강조한다. 겸허하고 예를 안다는 것이 일종의 미덕이라는 사실은 이미 역대 중국인의 공통된 인식이 되었다. 사서

史書의 기재에 의하면, 주공周公이 그의 아들 백금伯禽을 훈계할 때 일단의 의미심장한 말을 하였다고 한다 : "떠나거라. 너는 노나라를 가졌다는 것으로 선비들을 무례하게 대하여서는 안 된다. 나는 문왕의 아들, 무왕의 동생, 현재 왕인 성왕의 숙부이로다. 또한 천자를 보필하는 재상으로서 나는 천하에서 가벼운 인물이 아니다. 그러나 나는 한 번 목욕하는 동안에 세 번이나 머리카락을 쥐고 나왔고, 한 번 밥을 먹을 동안에도 세 번이나 수저를 놓고 나와 찾아온 선비를 만나 주었는데[96], 천하의 선비를 잃을까 두려워했기 때문이다. 내가 듣자 하니 덕행을 널리 베풀면서 이를 공손함으로 지키는 자는 영화를 얻고, 토지를 넓게 가져 부유하면서도 검소함으로 지키는 자는 안녕을 얻으며, 녹위가 높고 성대하되 이를 낮춤으로써 지키는 자는 귀함을 얻으며, 많은 무리에 강한 병사를 가졌으면서도 이를 두려움으로 지키는 자는 승리를 얻고, 총명예지로우나 우매한 듯이 지키는 자는 이익을 얻으며, 널리 듣고 많이 기억하나 스스로 낮은 듯이 지키는 자는 지혜롭다고 한다고 들었다. 무릇 이 여섯 가지는 모두 겸덕이다. 무릇 천자처럼 귀한 자리에 사해를 다 가진 부를 누리는 것은 이 덕으로 비롯된 것이다. 겸손하지 아니하면 천하를 잃고 그 몸을 망치고 마느니 걸주桀紂가 바로 그런 예이다. 그러니 어찌 삼가지 않을 수 있겠느냐!" 이 말 중에서 주공은 우환지심을 가지고 장차 자신의 봉지封地에 가서 제후가 되려는 아들에게 겸덕의 중요한 작용을 강술講述하였는데, 겸덕의 중요함을 표출하였다. 주공은 예락을 아주 중시하였다.[97] "우환憂患" 때문에 "겸謙"을 중시하였고, "겸謙"을 중시하였기 때문에 "예禮"를 제정하였는데, 여기에 내재적인 논리관계가 있는가? 반드시 있다고 생각한다.

96 이 고사를 토포악발(吐哺握發)이라고 함. 윗글에서 처럼 주공(周公)이 내객을 맞이함에 있어 식사 중이면 입안의 음식을 내뱉고, 목욕 중이면 머리를 쥔 채 손님을 맞았다는 고사로서, 위정자가 인재를 얻기 위해 애쓰다 라는 뜻임. -역자 주

97 역사는 주공이 예를 제정하고 음악을 지었다고 전하는데, 최근의 연구는 이 설이 따를 만하다고 밝혔다.

일찍이 예학의 명가名家였고 만년에는 늘 "꿈에 주공을 보는 것"을 길조로 여겼던 공자 역시 "겸덕"의 수련과 배양을 중시했다. 고서적에 의하면 다음과 같다.

공자公子가 〈주역周易〉을 읽다가 손괘損卦·익괘益卦에 이르자 위연히 탄식을 하였다. 자하子夏가 이를 보고서 자리를 피해 앉으며 물었다. "선생님께서는 어찌하여 탄식을 하십니까?" 공자의 대답은 이러하였다. "무릇 스스로 손해를 보고자 하면 이익을 얻게 되고, 스스로 이익만 구하는 자는 손해를 본다고 하였으니, 내 이를 보고 감탄하는 것이다." 이에 자하가 다시 물었다. "그러면 공부하는 것도 이익을 구할 수 없는 일입니까?" 그러자 공자가 이렇게 설명해주었다. "그렇지 않다. 하늘의 도를 보면 완성된 것은 오래 지속된 것이 없다. 학문이라는 것은 빈 마음으로 받아들이는 것이다. 그래서 얻음이 있는 것이다. 진실로 지식을 접하고 가득 찬 것을 놓지 않으려고 한다면, 천하의 선한 말들이 귀로 들어올 수가 없다. 옛날 요堯임금은 천자의 지위를 실천하면서 오히려 공손을 다하여 이를 지켜나갔고, 허정虛靜으로 아랫사람을 대해주었다. 그래서 일백년이 지났어도 그 이름이 더욱 높아졌고, 지금에 이르도록 더욱 빛나게 된 것이다. 그런가 하면 곤오昆吾는 스스로 뽐내고 득의만만하여 높이 올라갈 데까지 가고도 그칠 줄을 몰랐다. 그래서 당대에 이미 기울고 패하였을 뿐만 아니라, 지금까지도 그 악명이 사그라지지 않는 것이다. 이것이 바로 손損·익益의 징험徵驗이 아니겠느냐? 나는 이러한 이유로 겸손이란 공경을 지극히 하여 그 자리를 지키는 것이라고 말한 것이다. 무릇 큰 광명이 있으면서 부지런히 움직이기 때문에 능히 클 수 있는 것이다. 그러나 지극히 크고 나면 기울게 마련인 것이다. 나는 바로 이를 경계해야 한다고 본다. 그래서 해가 한낮이 되면 서쪽으로 기울기 시작하고, 달이 차면 기울어 줄어들게 된다. 천지의 차고 기우는 것은 시간이 흐름에 따라 자라고 줄어드는 것을 말한다. 그래서 성인은 오히려 아주 극성極盛함을 감당할 수 없다고 여겼다. 수레를 타고 가다가 세 사람을 한꺼번에 만나면 수레에서 내려섰고, 두 사람을 만나면 난간을 잡고 인사하여, 그 차고 기욺을 잘 조절하였기 때문에 성인이 이렇게 장구長久할 수 있었던 것이다." 자하가 이 말을 듣고 "알아들었습니다. 청컨대 종신토록 이를 외우겠습니다."라고 하였다.(《설원·경신》)

"우좌지기" 앞에서 느낀 감개感慨와 같이, 이 단락의 말 중에서 공자는 마찬가지로 "그 차고 비는 것을 조절"하는 도리를 사용하여 무엇을 겸덕이라고 하는지와 어떻게 겸덕을 간직하고 지켜야 하는지를 설명하였다. "그 차고 비는 것을 조절하는 것"은 실제로는 바로 공자가 말한 "예로다. 대저 예는 절제해서 중정을 이루는 것이다 禮乎 禮, 所以制中也."라는 것이다. 그러므로 겸비예경은 "중화를 이룸[致中和]"의 다름이 아니다.

7. 순성신실 純誠信實

앞 장에서 말한 "겸비예경"의 실질은 "중화를 이루어내는 것[致中和]"이다. "중화"는, 천도의 방면에서 논한다면 우주 본연의 상태이고, 인도의 방면에서 논한다면 인심의 순성신실[純誠信實 : 지극히 성실하고 믿음직하여 거짓이 없음][98]이다. 따라서 겸비예경을 이야기하자면, 반드시 순성신실

98 맹자는 말했다. "성이란 하늘의 도이다. 그러한 성을 이루고자 생각하는 것은 사람의 도이다." (《맹자·이루상》)

純誠信實을 기초로 하여야 한다. 성신[誠信 ; 참되고 성실한 마음. 정성]이 없는 "겸비"는 허위요, 성신이 없는 "예경"은 겉만 번지레한 형식이다. 혹은 진정한 "겸비"는 내심의 순성[純誠 ; 지극히 성실함]으로 나오고, 진정한 "예경"은 내심의 신실[信實 ; 믿음직하여 거짓이 없음]로부터 나온다고 바꿔 말할 수 있다. 그러므로 중화의 전통적 처세지도 중에서 사람들은 "겸비예경"을 중시함과 동시에, 마찬가지로 "순성신실"도 매우 중시했다.

7-1

〈주역〉의 괘효사에 "성誠", "신信" 두 글자는 나타나지 않는다. 그러나 〈역전〉의 해석에 근거하면, 64괘 가운데 중부中孚괘가 바로 성신의 도를 말하고 있다. 예컨대, 〈잡괘〉는 "중부는 믿음이라 ; 中孚, 信也"라고 한다. 〈주역정의〉는 "믿음은 가운데에서 발發하니 이를 중부라 한다"고 하였다. 〈단전〉은 중부괘의 "중부는(믿음이) 돼지와 물고기까지 미쳐 길하며, 큰 내를 건넘이 이롭고, 곧게 함이 이롭다 中孚, 豚魚吉, 利涉大川, 利貞"라는 괘사를 다음과 같이 해석하였다.

> 중부는 부드러움이 안에 있고 강건함이 중을 얻기 때문에 기뻐하고 겸손하며, 믿음이 나라를 교화하느니라. "돼지와 물고기까지 하면 길하다"라고 함은 믿음이 돼지와 물고기에까지 미치기 때문이고, "큰 내를 건넘이 이로움"은 나무배를 탔기 때문이며, 중심이 미덥고 바르게 하면 이로우니 하늘에 응하리라.
>
> "中孚", 柔在內而剛得中, 說而巽, 孚乃化邦也. "豚魚吉", 信及豚魚也. "利涉大川", 乘木舟也. 中孚以利貞, 乃應乎天也.

중부

"중부는 부드러움이 안에 있고 강건함이 중을 얻기 때문에 기뻐하고 겸손하며, 믿음이 나라를 교화하느니라 柔在內而剛得中, 說而巽, 孚乃化邦也"는 "중부" 두 글자에 대한 해석이다. 고형은 이렇게 말했다 : 중부괘의 여섯 효 중 안쪽의 두 효는 음효로서 유柔이고, 바깥의 4효는 양효로서 강剛이다. 전체의 효상은 "부드러움이 안에 있음"이니, 사람의 안에 유순의 덕이 있는 것을 상징한다. 이효, 오효 모두 양으로서 강이니 효상이 "강건함이 중을 얻음"이고 사람이 그 강건함을 쓰니 중정의 도에 부합한다는 것을 상징한다. 중부괘의 아래 괘가 태兌이고 위의 괘가 손巽이다. 〈설괘전〉에 의하면, 태兌는 기쁨이고, 손巽은 따르는 것이므로 괘상이 "열이손悅而巽", 즉 즐겁고 기쁘되 겸손하다. "사람이 이 네 가지 덕—안으로 유순하고, 강함을 쓰되 바름을 얻고, 즐겁고 기쁘고, 겸손함—을 얻되 성신誠信에 귀착하니, 그 나라를 감화시킬 수 있는 것이다."[99]

"돈豚"은 도야지이다. 〈주역정의〉는 "물고기란 벌레 중 깊이 숨어 나타나지 않는 것이고, 도야지란 짐승 중 미천한 것이다. 사람에게 참된 믿음이 있으면 비록 미천하고 깊이 숨은 것에도 믿음이 모두 미친다 ; 魚者, 蟲之幽隱, 豚者 獸之微賤. 人主內有誠信, 則雖微隱之物, 信皆及矣."라고 말한다. 〈단전〉의 뜻은, '참된 믿음은 돼지나 물고기 같은 종류의 하찮은 것도 감화시키는데, 그것이 이르지 않는 곳이 없다는 것을 알 수 있다'는 것이며, 그래서 괘사가 이를 "길"하다고 하였다. "목주木舟"는, 위 괘의 위인 손巽이 목木이고, 아래인 태兌가 택澤이며, 연못 위에 있는 나무이니, 목선이 있는 상이 있다. 나무로 만든 배가 있으니 자연히 시

99 고형 : 〈주역대전금주〉 361항.

내를 건너는데 편리하므로, 괘사가 이를 "큰 내를 건넘이 이롭다 利涉大川"라고 한 것이다.

이 단락 중에 "중심이 미덥고 바르게 하면 이로우니 하늘에 응하리라 中孚以利貞, 乃應乎天也"라는 구절이 관건이다. "응천應天"은 "법천[法天 : 하늘을 본받는다]"이라 할 수 있다. 〈주역〉의 "법상천지法象天地"의 사유방식에 의하면, "내응호천乃應乎天"은 사람의 성신誠信을 가리키며, 천도天道의 성誠에서 비롯된 것이다. 천도의 참됨으로부터 사람이 이를 본뜨고 모방한 뒤에야 비로소 인도人道의 참됨이 있다. 그래서 〈단전〉은, "사람이 참된 믿음의 덕을 갖추고, 정도를 지키는 것이 이로운 것은 천도에 부합하고 아울러 천도에 순응하는 것"이라고 말한 것이다.

이것 역시 한 편의 아름다운 단문의 철학논문이다. 그것은 사람의 내심의 성신으로부터 이야기하기 시작하여, 이러한 성신의 실질은 내유강중內柔剛中, 화열겸손和悅謙遜이며, 그 가치는 나라를 감화시킬 수 있는 것임을 지적하고 있다. 만일 이러한 미덕을 넓고 크게 발양시키고, 만물에 두루 미치게 하면, 길하고 불리함이 없다. 마지막으로 그것은 "사람의 성신지덕은 하늘의 성신지덕으로부터 발원한 것임을 밝힌다. 사람으로부터 하늘에 미치게 하는 것은 마음을 다하는 것[盡心], 성을 아는 것[知性], 하늘을 아는 것[知天]이라 할 수 있다. 이러한 사상은 맹자 및 〈중용〉의 관점과 꼭 맞아떨어진다. 맹자는 다음과 같이 말했다.

> 성誠이란 하늘의 도이다. 그러한 성誠을 이루고자 생각하는 것은 사람의 도이다. 지극한 성신에도 마음을 움직이지 않는 자는 이제까지 없었다. 성신이 없는데도 사람의 마음을 움직인 적이 없었다.(〈맹자·이루상〉)

誠者, 天之道也; 思誠者, 人之道也. 至誠而不動者, 未之有者也; 不誠, 未有能動者也.

"성이란 하늘의 도이다 誠者, 天之道"는 성신이 대자연의 법칙이라는 것이다. "성을 이루고자 생각하는 것은 사람의 도이다 思誠者, 人之道"는, 성신을 추구하는 것은 사람됨의 법칙이라는 것이다. 맹자는 '지극히 성신한데도 타인을 감동시키지 못한다는 것은 예로부터 있을 수 없었던 일이고, 조금이라도 성신이라고 할 수 없는데도 타인을 감동시킬 수 있다는 것은 예로부터 있을 수 없는 일이다'라는 것이다. 여기서, 맹자는 천도의 성과 인도의 성을 구분하였다. 그 가운데에서, 천도의 성은 그 본래 그러한 것 혹은 그 본래 이와 같은 것임을 알아내기란 어렵지 않다. 인도의 성은 수련하여 얻으려고 추구하는 것, 혹은 천도를 본받아서 얻는 것이라고 말할 수 있을 것이다. 그러므로 사람이 마음속에 참된 믿음을 가지면 능히 '하늘에 응할 수' 있고, '하늘에 응할 수' 있으면 '하늘이 돕고' 나아가 천하를 감화하니(성신으로 나라를 감화시킴 孚乃化邦) 길하고 불리함이 없다(돼지와 물고기가 길하다 豚魚吉), 이것이 소위 "중심을 미덥고 바르게 하면 이로우니 하늘에 응하리라 中孚以利貞, 乃應乎天也"이다.

7-2

이상의 괘사와 〈단전〉은 중부괘의 총체로부터 성신의 도를 말한 것이다. 그 괘의 여섯 효는 각각 서로 다른 시기 및 정황을 나누어서 정반正反의 양방면으로 성신의 덕에 대한 의의를 논증하고 있다. 그 중 초·이·사·오효는 정면의 논술이고, 삼·상효는 반면의 주의환기이다.

먼저, 정면의 논술을 보자.

초구는 편안하게 하면 길하나, 다른 마음이 있으면 마음이 편치 못할 것이다.
구이는 우는 학이 그늘에 있거늘 그 자식이 화답하도다. 내게 좋은 벼슬이 있어 나와 네가 더불어 얽히도다.
육사는 달이 보름에 가까우니 말의 짝이 없어지면 허물이 없으리라.
구오는 믿음이 있기를 당기는듯하면 허물이 없으리라.

初九, 虞吉, 有它不燕
九二, 鳴鶴在陰, 其子和之; 我有好爵, 吾與你靡之.
六四, 月幾望, 馬匹亡, 無咎
九五, 有孚攣如, 無咎

"우虞"는 안安이다. "그가 있다 有它"함은 응함이 있다는 뜻이다. 이는 초구효와 육사효가 정응正應이라는 것을 가리킨다. 그러나 효사는 '중부괘의 초효의 자리에 있어서 편안히 성신을 지키면 길한 것인데 달리 응함을 구하면 안녕을 얻을 수 없다'고 여긴다. 이에 대하여 현대 학자인 황수기는 〈주역역주〉에서 다음과 같이 해석한다. "초구효는 음으로 〈중부〉의 첫 자리에 앉아 편안히 성신을 지킬 수 있으면 길하다. 비록 육사효와 응함이 있으나, 구이효가 앞에서 저지하고 있어 그를 마음에 두고 나아가 응하려고 하면 안녕을 얻을 수 없다."[100] 이것은, 믿음을 실천하는 초기에 믿음의 도가 아직 밝게 드러나지 않았으므로 마땅히 성신을 편안히 지키는 것을 중시해야 하지, 만일 구하기에 급급하다면 신임을 받지 못하고 골칫거리만 만들어내는 결과를 피하기 어렵다는 것을 설명한다. 사람들에게는 '다른 사람의 신임을 얻으려면 반드시 자기가 먼저 적막

100 황수기등 : 〈주역역주〉 제497항

함을 참아내고 착실히 성신誠信 속에서 노력을 기울여야 한다. 왜냐하면, 신용과 명예를 세우는 것은 구한다고 하여 얻어지는 것은 아니기 때문이다'라는 것을 일깨워준다.

"명학鳴鶴", "아我", "오吾"는 구이효를 가리키고, "기자其子", "니你"는 구오효를 가리킨다. 중부괘의 구이효사는 그대로 한 수의 아름다운 시인데, 시험 삼아 아래와 같이 번역해 보자.

학이 산그늘 아래에서 울고 있네.
짝이 있어 서로 즐거이 따르네.
나에게 좋은 술이 있어
그대와 함께 한잔하고 싶네.

鳴鶴在山陰, 有儔相和隨.
我有好陳酒, 與君干一盃.

이 효사는 구이효와 구오효를 오랜 친구와 같이 노래를 부르고 함께 술을 마시며 즐거움을 나누는 것으로 묘사하고 있다. 현대 학자인 김경방은,"구이효는 양으로서 가운데 있어 중부괘의 실질이다. 그와 같이 정성을 다하기에 같은 무리들과 서로 잘 감응하고 서로 뜻이 잘 통한다. 비록 그는 육삼, 육사효 두 음의 아래에 있어 어둡고 깊이 숨어 있어 사람들에게 쉽게 알려지지 않지만, 그것은 가운데가 실하고 지성至誠이며, 행동이 신임을 잃지 않기 때문에 그의 같은 무리들은 아무리 먼 곳에 있다고 하더라도 그의 음성을 들을 수 있는 것이다."[101]라고 해석한다. 이것은 초구효와는 달리, 구이효의 때에는 성신의 도가 이미 닦아 이루어졌기 때

101 김병방 등 :주역전해, 제418항

문에, 신임하는 자와 신임받는 자 사이가, 마치 오랜 친구가 같이 노래 부르고 술 마시며 노는 것과 같이, 가뿐하고 유쾌하다. 그것은 사람들에게 '초구효의 고된 수련을 겪은 후, 신용과 명예가 세워진 때에는, 신임하고 신임받는 사이에 일종의 아주 조화롭고 아름다운 관계가 생성되며, 서로가 성심으로 상대를 만나고, 같은 소리로 서로 응하여, 가히 서로 느끼고 서로 사귄다고 할 수 있다'는 것을 가르친다.

"기망幾望"은 달이 아직 보름달이 되지 아니한 때이다. "마馬"는 초구효를 가리킨다. "필匹"은 짝이다. 주희의 〈주역본의〉는 말한다 : "육사효는 음으로서 음의 자리에 있고, 임금에 가까운 자리에 있어서 '달이 거의 보름에 이름 月幾望'의 상이 있다. 마필馬匹은 초효와 자기가 짝이라는 것을 말하는데, 사효가 이를 거절하고 위로 오효를 믿으니 '말의 짝이 없어짐[馬匹亡]'의 상이 된다. 점치는 자가 이와 같으면 허물이 없다." 중부괘 가운데 육사효는 두 가지 길을 선택할 수 있다. 하나는 아래로 초구와 응하는 것이고, 둘은 위로 구오를 받드는 것이다. 그러나 육사효는 음으로서 음의 자리에 있어 자기의 유순의 덕을 발휘하여 아래로 초구효를 끊고[馬匹亡], 구오효를 받드는데 전념하는 길(絶類上—〈象傳〉)을 선택하니 재앙이 없다. 이것은 사람들에게 '성신의 도는 하나에 전념하는 것에 그 귀함이 있으니, 함부로 두 다리를 걸치고 누구에게나 환심을 얻어 이익을 꾀하려고 투기해서는 안 된다'는 것을 가르친다.

"련攣"은 '걸리다'는 뜻이다. 구오효는 지존으로 임금 자리이다. 중부의 때에 처하여 성신으로 천하 사람의 마음을 구슬릴 수 있으면 재앙이 없다. 이 점에 관하여, 공자와 제자 자공 사이의 대화를 증거로 할 수 있다.

자공이 정치를 물었다. 공자가 말했다. "먹는 것이 족하고, 병사가 족하며, 백성이 이를 믿는 것이다." 자공이 물었다. "부득이 하나를 버려야 한다면 이 세 가지 중에서 먼저 어느 것을 버려야 합니까?" 공자가 말했다. "군대를 버려야 한다." 자공이 물었다. "부득이 하나를 버려야 한다면 나머지 두 가지 중에서 먼저 어느 것을 버려야 합니까?" 공자가 대답했다. "먹는 것을 버려야 한다. 자고로 모든 것에는 죽음이 있지만, 백성에게 믿음이 없으면 나라가 설 수가 없다."(《논어·안연》)

子貢問政. 子曰 "足食, 足兵, 民信之矣." 子貢曰 "必不得已而去, 於斯三者何先?" 曰 "去兵." 子貢曰 "必不得已而去, 於斯二者何先?" 曰 "去食, 自古皆有死, 民無信不立."(《論語·顔淵》)

이 단락에서 공자는 "신信"의 가치를 가장 높이 꼽았고, 국민의 정부에 대한 신임이 없으면 국가는 설 수 없다, 서더라도 곧 무너진다고 여겼다. 국민으로부터 신뢰, 믿음을 얻는 것이 얼마나 중요하다고 말하는지 알 수 있을 것이다. 중부괘 구오효의 "믿음이 있기를 당기는 듯함[有孚攣如]"은 이와 같은 신임관계를 세우기 위한 것이다.

이상 여러 효는 시위時位가 다르고, 경황도 각각 같지 않다. 초효는 "지킴〈守〉"을 강조하니 성신誠信을 편안하게 지켜야 한다. 이효는 "감感"자를 강조하니 성실하게 서로 감응하여야 한다. 사효는 "전專"자를 강조하니 성誠과 신信이 오로지 하나이어야 한다. 오효는 "광廣"자를 강조하니 널리 성신을 베풀어야 한다. 성신의 도의 구체적인 응용은 때가 서로 다름에 따라 차별이 있을 수 있다는 것을 알 수 있다. 그러나 차별 중에 같은 점도 있으니 그것이 바로"중부中孚"—참된 믿음이 내심으로부터 발하는 것—이다.

7-3

다시, 반면으로 경계하여 알리는 바를 보자.

육삼은 적을 얻어서 혹 두드리고, 혹 파하며, 혹 울고, 혹 노래하도다.

상구는 나는 소리가 하늘에 오름이니 고집해서 흉하니라.

六三, 得敵, 或鼓或罷, 或泣或歌.

上六, 翰音登於天, 貞凶.

"적敵"은 육사효를 가리킨다. 왕필의 〈주역주〉는 이렇게 말한다 : "음으로 양자리에 있으니, 앞으로 나가려고 하는 자다. 앞으로 나아가려고 하는데 적으로 막히니, '혹 두드리는 것 或鼓'이다. 사효는 바른 자리에 있고 오효를 받들고 있으며 자신이 이길 수 있는 것이 아니므로 '혹 그만 두는 것 或罷'이다. 이기지 못하고 물러나고, 침해하여 욕보임을 당하기를 두려워하니 '혹 우는 것 或泣'이다. 사효는 따르는 것을 실천하고 다른 것과 견주지 아니하므로, 물러나서 해를 입지 아니하니 '혹 노래함或歌'이다. 그 힘을 헤아리지 못하고, 진퇴가 일정하지 아니하니 피곤함을 알 수 있다." 효위설에 의하면, 삼효는 양의 자리인데 육삼효는 음의 몸으로 양의 자리에 있으니 자리가 맞지 않다. 앞에는 육사효를 만나니 육사효와는 같은 성으로 서로 질투하는 상이 있다. 자리가 마땅하지 않으니 근기根基가 평온하지 않고, 의지가 견고하지 않다. 그러나 성질이 질투, 경쟁하기를 좋아하니 밖으로 드러나는 바를 보면 언행이 한결같지 아니하고, 참된 믿음이 부족하다. 그것은, '사람이 만일 성신이 부족하면 사사로운 생각과 환경에 좌우되어 무상無常한 짓을 반복한다'는 것을 설명하고 있다. 그 결과는 온갖 수단을 다 부려도 사람들의 신뢰를 얻지 못하고 오히려 스스로 낭패를 보기가 짝이 없다.

"한翰"은 '높이 날다'이다. 왕필의 〈주역주〉는 "괘의 위 자리에 있으니 믿음의 끝에 처하였다. 믿음이 끝나고 쇠미해지니 충직하고 독실함이 안으로 상실되고 화려하고 아름답게 꾸밈이 밖으로 드높아지니 '나는 소리가 하늘에 오름 翰音登於天'이라 하였다"고 주석했다. "믿음이 쇠미해지면 간사함이 일어나니" 그 결과는 필연적으로 흉하다. 이것은 '온갖 수단을 부려 명예를 추구하는 것은 성신의 커다란 적이요, 허명虛名에 의지하여 구한 미명美名은 오랫동안 유지하기가 어렵다'는 것을 설명한다.

반면反面의 가르침 중에 각 효의 중점은 같지 않다. 삼효는 "변變"자에 드러나 있으니 무상을 반복한다. 상효는 "허虛"자에 드러나 있으니 온갖 수단을 동원하여 명예를 추구한다는 것이다. 그러나 서로 다른 가운데에 일치하는 것이 있으니 바로 마음이 성실하지 않으면 믿음이 부족하다는 것이다. 마음이 성실하지 아니하고 믿음이 부족하면 타인의 신임을 얻기 어렵다.

중부괘의 여섯 효 중 초효의 "수守", 이효의 "감感", 사효의 "전專", 삼효의 "변變", 상효의 "허虛"는 곳곳에서 "성誠을 생각하는 것은 사람의 도이다 思誠者, 人之道也"라는 것을 나타내고 있다. 바꿔 말하면, 사람의 성誠은 사람의 주관능동성의 구현이다. 그리하여 성철선현聖哲先賢들은 다음과 같이 말했다.

> 참된 믿음은 천하의 관건이다. (〈관자·극언〉)
> 사람으로서 믿음이 없으면 그 가함을 알 수 없다. (〈논어·위정〉)
> 시작을 같이 할 수 있고, 마침을 같이 할 수 있으며, 있음과 소통을 같이 할 수 있고, 비천함과 궁박함을 같이 할 수 있는 자는 믿음뿐이로다! (〈여씨춘추·귀신〉)

誠信者, 天下之結也. (管子·極言〉)

人而無信, 不知其可也. (〈論語·爲政〉)

可與爲始, 可與爲終, 可與存通, 可與卑窮者, 其唯信乎!" (〈呂氏春秋·貴信〉)

"결結"은 관건이다. 이 의론들은 그 목적이 모두 성신의 중요의의와 가치를 강조하는 것이다. 그러나 순자는 "성신"을 사람의 덕행의 기초라 하였고, 지성至誠, 지신至信이면 모든 덕이 스스로 갖추어진다고 여겼다. 그는 이렇게 말했다.

君子養心, 莫善於誠. 至誠, 則無它事矣. 唯仁之爲守, 唯義之爲行. 誠心守仁則行, 行則信, 信者能化矣. 誠心行義則理, 理則明, 明則能變矣. 變化代興謂之天德. 天不言而人推高焉. 地不言而人推厚焉, 四時不言而 百姓期焉, 夫此有常以至其誠者也. 君子至德, 嘿然而喩, 未施有親, 不怒而威, 夫此順命以愼其獨者也. 善之爲道者, 不誠則不獨, 不獨則不形. 天地爲大矣, 不誠則不能化萬物, 聖人爲知矣, 不誠則不能化萬民. 父子爲親矣, 不誠則疎. 君上爲尊矣, 不誠則卑. 夫誠者, 君子之所守也, 而政事之本也."(〈荀子·不茍〉)

대의는 다음과 같다.

"군자가 마음을 닦음에 있어 진성眞誠보다 더 좋은 것이 없다. 지성이면 달리 할 일이 없다. 오로지 인애로 몸을 지키고, 오로지 정의로서 행할 따름이다. 성심으로 인애를 지키면 인의는 자연히 바깥으로 나타나서, 신명神明하게 보인다. 신명은 사람을 족히 감화시킬 수 있다. 성심으로 정의를 행하면 정의는 해낼 수 있게 되고, 정의를 해낼 수 있게 되면 광명하게 보이고, 광명은 능히 사람을 개변改變할 수 있다. 감화와 개변은 서로 쓰임이 되니 이를 천덕天德이라 한다. 하늘은 아무 말을 하지 않지만 사람들은 그것을 제일 높다고 생각한다. 땅은 아무 말을 하지 않지만 사람들은 그것이 가장 두텁다고 생각한다. 사시는 아무 말을 하지 않지만 사람들은 모두 그 순서를 알고 있다. 이는 그것들이 영원한 법칙을 갖고 그것들의 진성眞誠을 다할 수 있기 때문이다. 군자는 큰 덕을 품고 말을 하지 않지만 사물을 모두 알고 있다. 행동을 하지 않지만 사람들과 친할 수 있다. 화를 내지 않지만 위엄을 드러낼 수 있다. 이것은 그들이 천명을 순종하고 홀로 있을 때 계신[戒愼 : 경계하고 신중함]하기 때문이다. 도를 잘 행하는 사람은 진성하지 아니하면 홀로 처할 수 없고, 홀로 처할 수 없으면 도를 밖으로 표현할 수 없다. 도를 밖으로 표현할 수 없으면 비록 내심에서 발하여지는 것이라 할지라도 안색에 드러나고, 말에 나타나서 사람들은 그를 순종할 수 없게 된다. 설사 그를 따른다 하더라도 필연적으로 그를 의심하게 된다. 천지는 가장 크지만, 진성하지 아니하면 서로 소원해지게 된다. 성인은 지혜롭지만, 진성하지 아니하면 만민을 감화시킬 수 없다. 부자는 친근한 사이이지만, 진성하지 아니하면 서로 소원하다. 군상은 가장 존귀하지만, 진성하지 아니하면 신하의 경멸을 당한다. 그러므로 진성은 군자가 지켜야 할 바이요, 정사의 기초이다."[102]

순자에게는 성신의 작용 및 의의가 얼마나 큰지를 알 수 있다. 이것이야말로 〈단전〉의 "중심이 미덥고 바르게 하면 이로우니 하늘에 응하리라 中孚以利貞, 乃順乎天也"에 대한 각주라 할 수 있을 것이다.

102 번역문은 양유교 : 〈순자고역〉 58-59항 참조.

7-4

중부괘 한 괘가 성신의 문제를 집중 논의한 것 외에 〈주역〉은 상응하는 각 괘의 상응하는 효사에 성신의 가치와 의의를 제시하였다. 통계에 의하면, "부孚"자는 〈주역〉의 괘효사 중에서 57번 나타나는데, 여기서 몇 가지 예를 든다.

수는 믿음이 있어 빛나고 형통하며, 바르게 해서 길하니, 큰 내를 건냄이 이롭다. (〈수〉)
초육은 믿음을 가지고 친비하니 허물이 없다. 믿음이 있음이 질그릇에 가득차면 마침내 다른 길함이 있을 것이다. (〈비〉 초육)
육사는 믿음을 가지면 피가 사라지고 두려움에서 나와서 허물이 없으리라. (〈소축〉 육사)
구오는 믿음이 있어 서로 당기듯 하니, 부를 그 이웃과 함께할 것이다. (〈소축〉 구오)
육오는 그 믿음으로 사귀는 것이니 위엄 있게 하면 길할 것이다. (〈대유〉 육오)
구사는 따르는 도에 얻으려는 것이 있으면 바르게 하더라도 흉하니, 믿음을 두고 도에 벗어나지 않고 밝음으로 하면 무슨 허물이 있으리오? (〈수〉 구사)
믿음이 있어 오직 마음이 형통하니, 나아가면 가상함이 있을 것이다. (〈감〉)

需, 有孚, 光亨, 貞吉, 利涉大川. (〈需〉)
有孚比之, 無咎. 有孚盈缶, 終來有它, 吉. (〈比〉 初六)
有孚, 血去, 惕出無咎. (〈小畜〉 六四)
有孚攣如, 富以其隣. (〈小畜〉 九五)

厥孚交如, 威如, 吉. (《大有》 六五)

隨有獲, 貞凶. 有孚在道, 以明, 何咎. (《隨》 九四)

有孚, 維心亨. 行有尙. (《坎》)

이러한 괘효사는 모두 서로 다른 측면에서 성신의 문제를 언급하고 있다. 수괘는 '기다리는 때에 마음에 성신을 간직하고 있으면 광명하고 형통하여 길상을 얻을 수 있다'는 것을 강조하고 있다. 비괘 초육효는 '성신의 마음으로 군주와 가까이 교제하면 재앙을 면할 수 있다'는 것을 강조한다. 소축괘의 육사효는'마음에 성신을 간직하면 타인의 도움을 얻을 수 있어 우환과 재앙을 면할 수 있다'는 것을 강조한다. 소축괘의 구오효는'사람이 자기의 성신의 마음을 확충할 수 있으면 그 이웃을 부유하게 할 수 있다'는 것을 강조한다. 대유괘의 육오효는 '성신의 마음으로 상하가 교왕하면 위엄이 저절로 드러나고 길상을 얻는다'는 것을 강조한다. 수괘의 구사효는 '마음에 성신이 있기만 하면, 공명정대하여 어떠한 재앙도 없다'는 것을 강조한다. 감괘는'마음에 성신이 있기만 하면 내심을 형통하게 할 수 있고, 앞으로 애써 나가면 숭상함을 받는다'는 것을 강조한다.

위에서 예를 든 여러 괘효사로부터 일종의 미덕인 성신은 사람에게 매우 유익한 것인데, 당신이 그것을 수양하기만 하면 형통함을 얻을 수 있고, 당신이 그것을 지켜 실행하기만 하면 길상함을 얻을 수 있다는 것을 쉽게 발견할 수 있다. 이것은, 성신의 덕德됨은 사람의 심신행위와 잠시라도 떠날 수 없다는 것을 나타낸다. 따라서 옛사람은 성신의 수양공부를 매우 중시했다.

군자의 말은 신용이 있어 그 징험이 있다. (《좌전》 소공8년)

말이 말인 이유는 신용이 있기 때문이다. 말을 해놓고 신용이 없다면 어

찌 말이라고 하겠는가?(〈곡양전〉 희공 22년)

자고로 모두 죽음이 있지만, 백성에게 믿음이 없으면 나라가 서지 않는다.(〈논어·안연〉)

마음을 기르는 데 있어서 참됨만 한 것이 없다.(〈순자·불구〉)

소위 그 뜻을 참되게 하는 자는 스스로를 속이지 않는다.(〈예기·대학〉)

君子之言, 信而有證.(〈左傳〉 昭公8年)

言之所以爲言者, 信也; 言而 不信, 何以爲言?(〈穀梁傳〉 僖公22年)

自古皆有死, 民無信不立.(〈論語·顔淵〉)

養心莫善於誠(〈荀子·不苟〉)

所謂誠其意者, 毋自欺也.(禮記·大學〉)

선철의 이러한 말은 다시 사람들에게 마음에 성신을 간직하는 것의 중요한 가치를 깨우쳐준다. 그러므로 〈맹자〉와 〈중용〉은 그것을 본체의 높이로 올려서 논의하고 있으니, 앞에서 인용한 "성이라는 것은 하늘의 도이다"와 같은 것이다. 그 밖에 선진先秦 도학자인 장자莊子는 "진[眞 : 참]"으로 성신을 해석하였으니, 성신의 지극함이 바로 "참"이라고 여겼다. 그는 "참이란 정성의 지극함이다. 정성이 없으면 사람을 감동시킬 수 없다. 억지로 우는 자는 슬프지만 애통하지는 않다. 억지로 성내는 자는 엄하지만 위엄이 없다. 억지로 가까이하는 자는 비록 웃지만 화합하지 않는다. 진실로 슬프면 소리를 내지 않더라도 애통하고, 진실로 성나면 밖으로 드러내지 않더라도 위엄이 갖추어진다. 진실로 친하면 웃지 않아도 화합한다. 안에 진실됨이 있는 자는 밖으로 신령하게 감동한다. 그러므로 참을 귀하게 여기는 것이다."(〈장자·어부〉)고 말했다. "진眞"으로 성신을 해석한 것은 그 의미가 참으로 깊다. 이 문장 중에서 비록 장자는 맹자가 그러한 것처럼 본체적인 의의로 성신을 해석하지는 않았지만, 경지의 방면에서 볼 때 "진眞"과 "성이라는 것은 하늘의 도이다 誠者天之道也"라는 것은 서로 통하거나 서로 같은 것이다. 그래서 후일에 "진성眞誠"이란 말이 있게 되었다. 요컨대, 성신의 덕은 크게는 천덕天德의 실질을 구현할 수 있고, 작게는 인도人道의 정신을 밝게 드러낼 수 있다. "천도의 근본"이요 "천하의 관건"이니 어찌 신중하지 않을 수 있겠는가?

8. 이이합의 利以合義

"의리" 문제는 중국사상사에서 아주 중요한 문제의 하나인데, "의리지변(義理之辨 : 의와 리를 분별함)"은 수천 년 간 지속되어, 송 유학에 의하여 "유학자의 제일의 요의要義"라고 칭하여졌다. 〈주역〉의 "의리" 및 그 관계의 견해는 대체적으로는 선진 유가의 관점과 일치하나 다소 다른 점이 있다. 개괄적으로 말하자면, "리利"를 중시하되 반드시"의義"의 규범에 따라야 한다고 여겼다.

8-1

유가儒家를 이야기하면, 사람들은 보편적으로 한 가지 인상을 갖고 있으니, 즉 '그들은 다수가 의義를 중시하고 이利를 경시한다'고 여긴다. 이 문제는 비교적 복잡한데, 한두 마디로 말하기 어렵다. 다만, 한유漢儒에 의하여 오경의 머리로 봉해진 〈주역〉으로 말하자면, "리利"를 아주 중시했다. 예를 들면, 모두 몇 천 자밖에 안 되는 괘효사 중, 리利자는 178번 나타나는데, 이것이 좋은 증명이 된다. 〈주역〉의 "리利"자에는 두 가지 의미가 있으니, 하나는 유리, 이용, 좋다는 뜻이고, 하나는 "의의 조화[義之和]"이다.

먼저, 첫 번째 의미를 보자.

구이는 나타난 용이 밭에 있으니 대인을 봄이 이롭다. (〈건〉 구이)
육이는 곧고 모나고 큰지라 익히지 않아도 이롭지 않음이 없다. (〈곤〉 육이)
상구는 몽매함을 다스리는 것이니, 도적이 됨(도적이 되게 함)은 이롭지 않고 도적을 막음(도적이 되지 않게 함)이 이롭다. (〈몽〉 상구)
상구는 무망에 나아가면 재앙이 있어 이로움이 없다. (〈무망〉 상구)
육오는 기자의 명이이니 바르게 함이 이롭다. (〈명이〉 육오)

見龍在田, 利見大人. (〈乾〉 九二)
直方大, 不習, 無不利. (〈坤〉 六二)
擊蒙, 不利爲寇, 利御寇. (〈蒙〉 上九)
无妄, 行有眚, 無有利. (〈无妄〉 上九)
箕子之明夷, 利貞. (〈明夷〉 六五)

"현見"의 음은 시엔[xian]으로 '나타난다'는 뜻이다. "전田"은 밭이다. "대인大人"은 도덕이 있고 지위가 높은 사람이다. 효사의 뜻은, '용이 밭두렁 사이에 나타나니, 숨어 있던 덕 있는 사람이 나타나서 천하를 다스리는 것이 이롭다'는 것이다. 이것은 사람들에게 '조건이 성숙되었을 때 재능이 있는 사람은 응당 한껏 솜씨를 발휘하여 백성을 위하여 일하여야 한다'는 것을 깨우쳐준다.

"직방대直方大"는, 대지(곤은 땅이다)는 평직平直하고, 방정方正하며, 광대廣大한 특성이 있다는 것을 가리킨다. 효사의 뜻은'대지는 평평하고 곧으며, 방정하고, 광대하며, 천도에 따르고 맡겨 스스로 멋대로 하지 아니하니, 어떠한 불리함도 없다'는 것이다. 그것은 사람들에게 '대지와 같이 중후하고 마음이 넓으며, 하늘을 따르고 사람의 뜻에 순응한다면 어떤 재해도 입지 않는다'는 것을 가르쳐준다.

"격擊"은 다스린다는 뜻이다. 효사의 뜻은'어떤 유형의 아이를 계몽하기 위하여서는 과도하게 격하고 사나운 방식을 쓰면 불리하며, 마땅히 엄격하게 요구하되 순리에 따라 교화하는 방식을 채용하여야 한다'는 것이다. 그것은 사람들에게 '교육은 자질에 따라 교육을 실시하여야 하고 일률적으로 강제해서는 안 된다'는 것을 가르쳐준다.

"생眚"은 재해災害이다. 효사는'제멋대로 행동해서는 안 되며, 제멋대로 행동하는 것은 반드시 재해를 초래하니 어떤 좋은 점도 없다'는 것이다. 이것은 사람들에게'행동은 근신, 신중하여야 하며, 특히 불리한 조건에서는 더욱 조심하여야 한다. 그렇지 아니하면 반드시 불측의 일을 당할 수 있다'는 것을 가르쳐준다.

"기자箕子"는 은殷 주왕紂王의 숙부이다. "명이明夷"는 빛의 밝음이 다른 것에 의하여 차단되고 가리어지는 것이다. 효사의 뜻은'은인殷人 기자가 스스로 그 총명을 가리고 어리석은 채 한 것은 그 방법을 이용하여 정도正道를 굳게 지키기 위해서이다'라는 것이다. 이것은 사람들에게'환경이 극히 열악한 상황 속에서도 흔들리지 않고 정도를 지키며, 내심의 광명을 밝게 비추고 있어야 한다'는 것을 일깨워준다.

이상의 여러 예는 "리利"가 "좋음", "유리有利"와 "이용利用"임을 나타내고 있다. 첫 번째 의미는 〈논어〉에서 공자의 말을 기록한 관련 말과 기본적으로 같다. 예컨대, "공자가 말하기를, '인자는 인에서 편안히 하고, 지자는 인을 이롭게 한다'고 했다. 子曰, '仁者安仁, 智者利仁'"(〈論語·里

仁〉), "공자가 말하기를, '자신의 개인적 이익을 위하여 행한다면 많은 원한을 사게 된다'고 했다. 子曰; '放於利而行, 多怨'"(〈論語·里仁〉), "공자가 말하기를 '군자는 의를 알고, 소인은 이익을 안다'고 했다. 子曰, '君子喩於義, 小人喩於利.'"(〈論語·里仁〉), "공자는 이익을 거의 이야기하지 않았고, 천명과 더불어 하고 인과 더불어 하였다. 子罕言利, 與命與仁."(〈論語·子罕〉), "공자가 이르기를, '빨리 이루려는 욕심을 내지 말라. 작은 이익을 탐하지 말라. 빨리 이루려는 욕심을 내면 통달하지 못한다. 작은 이익을 탐하면 큰일을 이루지 못한다고 했다. 子曰; '無慾速, 無見小利. 欲速, 則不達; 見小利, 則大事不成'"(〈論語·子路〉) 등등.

"리인利仁"은 인을 이용하다는 뜻이다. "방어리放於利"는 개인의 이익에 의거하다는 것이다. "소인유어리小人喩於利"는 소인은 개인의 이익을 안다는 뜻이다. "자한언리子罕言利"는 공자는 이익의 문제를 거의 이야기하지 않았다는 것이다. "무견소리無見小利"는 작은 이익을 탐하지 말라는 뜻이다. 공자의 관련된 말 가운데, 리利란 이익, 좋음이라는 뜻임을 알 수 있다. 이 점은 지금까지 어떠한 변화도 없다. 그러나 〈주역〉이 "리利"를 178번이나 말한 것은, 〈주역〉이 인간의 이익과 좋음에 깊은 관심을 갖고 있었다는 것을 설명한다. 〈주역〉의 우환방면으로 말하자면, 〈주역〉은 바로 자기의 방식을 이용하여 인간들이 이익을 꾀하고 좋은 점을 도모케 하려고 하였다는 것을 알 수 있다. 다만, 〈주역〉이 말하는 "리利"가 사람들이 자기 잇속을 차리게 하고 좋은 것만 탐하게 하는 것이 아니라, 정확한 방향을 지시하는 가운데 길을 좇고 흉을 피하게 하는 길을 추구하게 하는 것이다. 그리하여 〈주역〉 에서"리利"자는 또 한 가지 의미가 있으니 "리는 의로써 조화됨이다 利者義之和"라는 것이다.

8-2

"리는 의로써 조화됨이다 利者義之和"라는 말은 〈문언전〉에 나온다.

원시元始는 뭇 선의 존장이다. 형통亨通은 아름다운 회합이다. 유리有利는 일에 있어서 의로움의 조화이다. 정고貞固는 일을 처리하는 근본이다. 군자는 인자한 마음을 본체로 삼으니 사람들의 존장이 될 수 있다. 아름다운 회합을 탐구하니 예의에 부합한다. 다른 사물에게 이익을 베푸니 의리에 부합한다. 정고한 절조를 견지하니 사무를 잘 처리할 수 있다. 군자는 이 네 가지 미덕을 시행하는 사람이니, '〈건〉괘는 하늘을 상징하여, 원시하고 형통하며 의로서 조화되며 바르고 견고하다'고 한다.[103]

元者, 善之長也. 亨者, 嘉之會也. 利者, 義之和也. 貞者, 事之幹也. 君子體仁足以長人, 嘉會足以合禮, 利物足以合義, 貞固足以幹事. 君子行此四德者, 故曰, 乾, 元亨利貞.

이것은 〈문언전〉이 건괘의 괘사 "원형리정"을 해석할 때 말한 단락이다.

이 단락에서"유리有利는 일에 있어서 의로움의 조화 利者義之和", "다른 사물에게 이익을 베푸니 의리에 부합함 利物足以合義"은 〈역전〉 작자의 〈주역〉 중 "리利"자에 대한 해석이라고 할 수 있다. 주희는 〈주역본의〉에서"리利는 생물이 익어감이고, 사물이 각자 마땅함을 얻어 서로 방해하지 않는 까닭으로 계절로는 가을이 되고 인간에게는 의義가 되어 그 분수의 조화를 얻는 것이 된다"고 하였다. 명인明人 래지덕來知德은 〈주역집주〉에서 "상하 피차가 각각 마땅한 몫을 얻어 서로 어긋나지 아니

103 번역문은 황수기 등이 지은 〈주역역주〉 제10항 참조.

한 것, 이것이 리利요, 의義의 조화로움이다"고 했다. 현대 학자인 김경방은, "리利란 수축·성숙인 바, 가을이 되면 만물은 수축·성숙하니 마땅히 숙살[肅殺 ; 쌀쌀한 가을 기운이 풀이나 나무를 말리어 죽임]하여야 한다. 숙살은 의로움에 합당한 것이다. 의의 조화는, 비록 숙살하는 모습이 있더라도 만물은 오히려 조화롭고 혼란스럽지 아니하고 각자가 각자의 귀결점을 갖는 것을 말한다. 인사人事로 확대하면, 리利는 사회가 안정된 때 사람들이 각자 자기의 몫에 만족하고, 각자가 자기의 직분을 지키며, 각자가 자기의 책임을 다하는 것이다."[104]고 한다. 이렇게 여러 사람의 주해註解는 서로 약간 다른 점이 있으나 어느 정도 기본에서는 일치하는데, 바로 "의로움[義]"을 "마땅함[宜]"으로 보는 것[105]이니, 이에 의하면 "리利"는 바로 만물이 각자 마땅함을 얻고, 조화로우며 혼란하지 아니하고, 서로 어긋나지 않는 것이다.

이러한 "리利"는 사람들이 통상 이해하는 '잇속을 차리다'라는 종류의 '이로운 점'과는 크게 다르다. 〈주역〉이 보기에는, 이러한 "만물이 각자 마땅함을 얻고, 조화로우며 혼란하지 아니하고, 서로 어긋나지 않는 것"의 "리利"야말로 최대의 이로운 점이다. 왜냐하면, 〈주역〉이 반영하는 것은 자연, 사회와 인생의 "마땅한 분수"이고, 그것이 대표하는 것은 자연, 사회와 인생의 최대 이익이기 때문이다. 다음에 보는 바와 같다.

> 역에 이르기를 "하늘로부터 돕는지라 길해서 이롭지 않음이 없다"고 하니, 공자가 이르기를 "우祐는 돕는 것인 바, 하늘이 돕는 것은 자신(하늘)의 이치를 따르는 것이고 사람이 돕는 것은 (사람들이) 믿음이니, 믿음을 행하고 (하늘의 이치를) 따를 것을 생각하며 또한 어진 이를 숭상한다. 이

104 김경방 등 : 〈주역전해〉 제18항, 길림대학출판사 1989년 6월 판.
105 상세한 해석은 본 절 이후의 각 부분을 보기 바람.

때문에 길하고 이롭지 않음이 없느니라.

〈易〉曰; "自天祐之, 吉無不利." 子曰; "祐者, 助也. 天之所助者, 順也. 人之所助者 信也. 履信思乎順, 又以尙賢也, 是以自天祐之, 吉無不利."
(〈계사전〉)

"하늘로부터 돕는지라 길해서 이롭지 않음이 없다 自天祐之, 吉無不利."는 것은 대유괘 상구효의 효사이다. 그것이 길하고 이롭지 않음이 없는 이유는 자연스럽게 하늘로부터 돕기 때문이다. 그러나 하늘이 왜 이를 도울 수 있는가? 공자는 그것의 "순順"때문이라고 보았다. "순順"이란 천도를 따르고 복종한다는 것이다. 천도를 따르고 복종하면 천도의 도움을 얻고, 천도의 도움을 얻으면 자연히 "길하되 불리함이 없"게 된다. "길하고 이롭지 않음이 없음"을 얻는 것이 우주자연의 본질법칙에 부합하는 것과 밀접한 상관이 있음을 알 수 있다. "우주자연의 본질법칙"은 당연히 만물이 각자 마땅함을 얻고, 조화롭고 혼란하지 아니하며, 서로 어긋나지 않게 한다. 따라서 〈계사전〉은 "변하고 통함으로써 이로움을 다하게 한다 變而通之以盡利", "움츠리고 펴고 서로 느끼어 이로움이 생긴다 屈伸相感而利生焉", "〈역〉은 궁하면 변하고, 변하면 통하며, 통하면 오래 간다. 그리하여 하늘에서부터 도우니 길하며 불리함이 없다 〈易〉, 窮則變, 變則通, 通則久. 是以自天祐之, 吉無不利."고 한다. 즉, 사물의 발전변화에 순응하는 과정에서 왕래굴신이 교체하고 서로 감응하는 동시에 천도의 도움을 얻어 최대의 이익을 얻는 것이다.

〈주역〉이 제시하는 이익은 자연, 사회 및 인생의 큰 이익에 부합하기 때문에 〈주역〉은 특별히 '정확한 이익관'은 천하를 이롭게 하고 타인을 이롭게 하는 것임을 강조한다. 아래의 인용문을 보자.

노끈을 매어 그물을 만듦으로써 사냥하고 고기를 잡으니 대개 리괘에서 취했고, 복희씨가 죽자 신농씨가 일어나서, 나무를 깎아 보습을 만들고 나무를 휘어 쟁기를 만들어서, 밭 갈고 김매는 이로움으로써 천하를 가르치니, 대개 저 익괘에서 취하고, 한낮이 되면 시장을 만들어서 천하의 백성을 오게 하며, 천하의 재화를 모아서 교역하고 돌아가게 하여 각각 그 얻고자 하는 바를 얻게 하니 대개 서합괘에서 취했다. ……

作結繩而爲網罟, 以佃以魚, 蓋取諸〈離〉. 包犧氏沒, 神農氏作, 斲木爲耜, 揉木爲耒, 耒耨之利, 以敎天下, 蓋取諸〈益〉. 日中爲市, 致天下之民, 取天下之貨, 交易而退, 各得其所, 蓋取諸〈噬嗑〉. ……

이상의 여러 자료들은 모두 〈계사전〉에 보이는데, 내용은 고대 성왕이 상을 보고 기물을 만들어 천하의 곤궁함을 제도하고 천하가 이용하는 데 이롭게 하였다는 것을 말하는 것이다. 바로 〈계사전〉에서 말하는 "만물을 갖추어 쓰임을 이루게 하고, 기물을 세우고 만들어서 천하를 이롭게 한다 備物致用, 立成器而爲天下利"는 것이다. 〈주역정의〉 중 공영달의 말을 빌리면, "천하의 물건을 갖추어 천하가 사용토록 하고, 천하의 기물을 세우고 만들어서 천하를 이롭게 한다"는 것이다. 〈계사전〉은 이 단락의 "성도왕공聖道王功"을 강술하기 전에 철학적인 말을 하였다. "古者包犧氏, 王天下也, 仰則觀象於天, 俯則觀法於地, 鑵鳥獸之文, 與地之宜, 近取諸身, 遠取諸物, 於是 始作八卦, 以通神明之德, 以類萬物之情." 그 뜻은 이렇다. "옛날 복희씨가 천하를 다스릴 때, 그는 고개를 들어 천상의 표상表象을 관찰하고, 몸을 구부려 대지의 형상을 관찰하고, 날짐승과 길짐승의 무늬를 관찰하고 지상에 알맞게 존재하는 여러 가지 사물을 관찰하고, 가까이는 사람의 몸에서 취하여 상으로 하고, 멀리로는 여러 가지 종류의 사물의 형상을 취하여 상징으로 하여 비로소 팔괘를 창작하여, 사용하매 신명神明한 덕성을 관통하고, 사용하매 천하사물의 정태를 분류하였다."[106] 이는 비록 복희씨가 괘를 그린 과정을 이야기하고 있으나, 개괄적으로 옛사람이 "만물을 갖추어 쓰임을 이루게 하고, 기물을 세우고 만들어서 천하를 이롭게 한 것"을 나타내고 있으며, 단순히 이익에 사로잡힌 것이 아니라 고개를 들어 우러러 하늘을 관찰하고 몸을 구부려 대지를 관찰함으로써 "신령스럽고 밝은 덕을 통하고 만물의 정을 분류한" 결과이다. 그러므로 그 뒤를 이은 "성왕聖王"[107]들은 사물의 특성과 그 발전 변화의 법칙에 근거하여 밭 갈고 김맴, 배와 노, 교역 등과 같은 종류의 기물제도를 발명, 창조하여 천하백성이 최대의 이익을 꾀하도록 하였다.

천하 사람들의 이익을 꾀하는 것이 옛사람 이익관利益觀의 핵심의 하나이다. 또한 그것은 옛사람이 특별히 강조한 "의"와 결합하여 사람들이 자신의 덕성을 수련하고 다른 사람들의 행위를 평가하는 기준의 하나가 되었다. 옛사람이 강구한 민족기절 등은 모두 그 이익관과 밀접하게 관련되어 있다.

당연히 천하, 국가의 이익을 추구한다고 하여 개인, 가정, 단체의 이익을 부정하는 것은 아니다. 〈주역〉으로 볼 때, "사물이 각기 그 마땅함을 얻고, 조화롭고 혼란하지 아니하며, 서로 어긋나지 않기만 하면" 어떠한 이익도 추구할 수가 있다. 심지어 "사물이 각기 그 마땅함을 얻고, 조화롭고 혼란하지 아니하며, 서로 어긋나지 않는 것", 이러한 이익이 바로 "길"이며, 이러한 이익을 추구하는 것이 "길함을 좇고 흉함을 피하는 것"이라 할 수 있다. 이러한 점에서, "리利"는 바로 "의義"이며, "리利"는

106 번역문은 황수기 등 : 〈주역역주〉 제573항.

107 고서 중의 소위 성왕은 대부분 중화문화를 창조 혹은 발전시킨 걸출한 대표인물이다.

또한 "의義"와 같다.

8-3

〈주역〉을 관통해 보면, "의義"자에는 몇 가지 서로 다른 뜻이 있는데, 이것은 문제의 각도가 다르다는 것을 반영하고 있을 뿐이며 내용은 비교적 일치한다. 예컨대, 〈곤·문언〉은 다음과 같다.

> "직"은 사람의 바르고 정대한 것을 표현한 것이고, "방"은 사람의 중후하고 이타적인 것을 표현한 것이다. 덕행이 있는 사람은 정중하고 소홀함이 없이 내심의 정직을 기르고, 중후하고 이타심으로 타인 및 사회와의 관계를 처리한다. 정중하고 소홀하지 아니하며, 중후하고 이타심을 가지면 그의 함양은 심후하며 천박하고 비루하지 않다. 그리하여 곤괘 육이효의 효사는 "대지가 평직, 방정하고 광대하며 천도를 따라 그에 맡기되 자기 마음대로 하지 않으니 어떠한 불리함도 없다"이다. 이는 덕행이 있는 사람은 그 행하는 일이 의심할 바가 없다는 것을 나타낸 것이다. (〈곤·문언전〉)

> 直其正也, 方其義也. 君子敬以直內, 義以方外, 敬義立, 而德不孤. "直方大, 不習無不利", 則 不疑其所也.(〈坤·文言傳〉)

이는 〈문언전〉이 곤괘 육이효의 효사에 대하여 한 해석이다. 이 중에서 〈역〉의 작자는 "방은 그 의로움이다 方其義也"라는 명제를 제시하였다. 앞의 논의에서 우리들은 이미 "직直", "방方", "대大"는 대지의 품성이고, 그것은 대지의 중후하고 넓고 천도를 따르고 맡기며, 사심이 없다는 것을 반영한다는 것을 지적하였다. 그런데 〈주역〉은 대지의 품격으로 "의"의 내용을 비유하고, 이러한 "의"는 타인과 사회의 관계를 처리하는 데 사용한다는 것("의리로서 밖을 방정하게 한다")을 가리키고 있는데, 대지의 무사성無私性을 취하였음은 물론이다. 대지의 무사성 또한 그 중후함을 전제로 하고 있는데, 그러므로 "의"의 이러한 방면의 의미는 "중후하고 이타적"임을 알 수 있다.

중후하고 이타적이라는 것은 일종의 도덕요구로서, 그것은 덕행이 있는 사람은 "후덕재물"하는 대지의 품격을 본받는다는 것이며, 그것이 강조하는 것은 무사성과 이타성이다. 그런데, 과분하게 무사와 이타를 강조하는 것은 왕왕 의를 중시하고 리를 경시하거나 혹은 의는 옳고 리는 나쁘다는 평면적인 결과를 초래한다. 그러므로 〈주역〉은 "중후리타重厚利他"를 강조하는 한편, "의義"의 본래 뜻인 "의宜"를 충분히 강조한다.

"의義"는 "의宜"[108]로 통하며, 적의適宜하다, 마땅하다는 뜻이다. 이것이 "의義"자의 본래 함의이다. 〈주역〉은 이러한 점을 잘 인정하고 있다.[109]

> "그 담에 오름"은 의리가 이기지 못함이요, 그 "길함"은 곤해서 법칙에 돌아옴이라. (〈동인〉 구사 〈상〉)
> "수레를 버리고 걸어감"은 의리 때문에 타지 않음이다. (〈분〉 초구 〈상〉)
> "주름살을 지으며까지 회복하려고 하는 것이 위태함"은 의리가 허물이 없는 것이다. (〈복〉 육삼 〈상〉)
> 강과 유가 사귐에 있어 의리가 허물이 없는 것이다. (〈해〉 초육 〈상〉)

> "乘其墉", 義弗克也. 其 "吉", 則困而反則也. (〈同人〉 九四 〈象〉)

108 義와 宜의 원시적 내함은 퍽이나 복잡한데, 龐朴 : 〈유가변증법연구〉, 북경, 중화서국, 1984 참고.
109 앞에서 "리는 의와의 조화"를 강론할 때, 우리들은 실제적으로 이미 이 문제를 섭렵하였다.

"舍車而徒", 義弗乘也. (〈賁〉 初九 〈象〉)

"頻復"之 "厲", 義 "無咎"也. (〈復〉 六三 〈象〉)

剛柔之際, 義 "無咎"也. (〈解〉 初六 〈象〉)

동인괘 구사효의 효사는 "그 담에 올라갔으나 능히 공격하지 않으니 길하다 乘其墉, 弗克攻, 吉."이다. 이는 "높은 성벽에 올라갔으나(성을 공격하는 것을 준비함), 공격이 불리함을 발견하고 손을 놓았다"는 뜻이다. 효사는 시기가 성숙하지 아니한 때에 과감히 실제에 부합하는 선택을 하여야 한다는 것을 비유하고 있다. 〈상전〉은, '높은 성벽에 올라갔으나 공격하지 아니한 것은 시의에 맞지 않다는 것을 인식하게 되었기 때문이고, 그것이 길함은 문제를 발견한 뒤 제때 고칠 수 있었기 때문'이라 여기고 있다.

비괘賁卦의 초구효는 "賁其趾, 舍車而徒."이다. 그 뜻은 "자기의 발꿈치를 치장하고, 큰 수레를 버리고 즐거이 걸어서 간다"는 것이다. 효사는 '사람이 빈천해도 지조를 버리지 아니하며, 세속에 물들지 아니하고 자신의 순결함을 지키는 것을 비유'하고 있다. 〈상전〉은 큰 수레를 버리고 즐거이 걸어가는 이유는 초구가 처한 위치상 수레를 버리고 걸어가는 것이 훨씬 더 마땅하기 때문이라고 여긴다.

복괘의 육삼효는 "빈복, 려, 무구 頻復, 厲, 無咎."이다. 주름살을 지으며 열심히 회복하려고 하니, 비록 위험하지만, 재앙이 없다는 뜻이다. 효사는 사람에게 과실이 있는데 달갑지 않는 마음을 가지고 있으면서도 억지로 고치려고 하는 것을 비유하고 있다. 〈상전〉은 비록 과실을 고치는 것이 달갑지는 않지만 마침내 고치니 재앙이 없는 것은 당연하다고 여기고 있다.

해괘의 초육효는 "허물이 없다 無咎"이다. 뜻은 재앙이 없다는 것이다. 해괘는 아래가 감이고 위가 진이며, 초육효는 음유한데 구사효인 양강의 효와 서로 응하고 있다. 〈상전〉은 초육효가 구사효와 더불어 강유상제剛柔相濟하고, 서로 응하며 그 마땅함을 얻으니 "허물이 없다"고 여기고 있다.

이상의 여러 효는 〈주역〉에서 "의義"는 "의宜"로도 쓰이며, 적의適宜롭다, 마땅하다는 것을 가리킨다는 것을 증명한다. 지적할 필요가 있는 것은, '〈주역〉이 말하는 적의適宜, 마땅함은 "하늘을 따르고 사람에 감응함 順乎天而應乎人"이 그 표준이 된다'는 것이다. 〈주역〉을 지은 목적은 "하늘의 도를 명백히 하고 사람의 연고를 살피는 것 明於天之道而察於民之故"이다. 따라서 그것이 마땅한지 여부는 주로 자연 및 사회의 법칙에 순응하느냐, 부합하느냐의 여부로 나타난다. 이에 부합하면 "리利"는 바로 "의義"이다. 이에 부합하지 아니하면 "리利"는 바로 "사리私利"이다. 이에 부합하면 "곧고 방정하며[直而方]", 이에 부합하지 아니하면 "굽고 둥근 것[曲而圓]"[110]이다. 이러한 의미에서 "의義"는 적의適宜로부터 정당, 합리로 확대할 수 있다. 공맹의 의론을 보자.

> 공자가 말했다. "거친 밥을 먹고 물을 마시더라도 팔베개하여 누우면 즐거움이 그 가운데 있도다. 의롭지 않게 얻는 부귀는 나에게 있어서 뜬 구름과 같도다." (〈논어〉 술이)
>
> 공자가 말했다. "부와 귀는 만인이 바라는 것이지만, 도리로써 그것을 얻지 않는다면 그것을 가지지 않겠다. 빈과 천은 만인이 싫어하는 것이지만, 도리로써 그것을 얻지 않는다면 그것을 버리지 않겠다." (〈논어〉 이인)
>
> 의리가 아니며 도리가 아니면서 천하를 준다하더라도 나는 거들떠보지도 않을 것이다. 천 필의 수레를 준다 해도 나는 보지도 않을 것이다. (〈맹자〉 만장상)

110 이곳의 "圓"은 약삭빠르다[圓滑]는 것을 가르킨다.

子曰; "飯疏食飮水, 曲肱而枕之, 樂亦在其中矣. 不義而富且貴, 於我如浮雲." (〈論語〉 述而)

子曰; "富與貴, 是人之所欲也, 不以其道得之, 不處也. 貧與賤, 是人之所惡也, 不以其道得之, 不去也." (〈論語〉 里仁)

非其義也, 非其道也, 祿之以天下, 弗顧也; 系馬千駟, 弗視也. (〈孟子〉 萬章上)

위에 인용한 공자의 두 단락 중 제2단락은 제1단락의 주해로 볼 수 있다. 공자는'부와 귀는 누구도 모두 얻기를 희망하는 것이지만, 만일 정당한 방도를 통하지 아니하고 획득한다면 덕행 있는 사람은 받아들이지 않는다. 빈과 천은 누구도 아주 싫어하는 것이지만, 정당한 방법을 사용하지 아니하고 버린다면 덕행 있는 사람은 벗어나려고 하지 않는다'고 여겼다. 그러므로, 정당한 수단을 써서 얻은 부귀가 아니면, 덕행 있는 사람에 대하여는 말하자면, 하늘에 있는 구름과 같이 거들떠보지 않는다. 맹자의 의론은 공자를 계승한 것으로, 그의 뜻은 만일 도리에 부합하지 아니하고 법칙에 부합하지 아니하면 천하를 나에게 주더라도 나는 필요 없다는 것이다. 공맹에게는 "의義"는 일종의 "정당"과 "합리"로 표현되고 있음을 알 수 있다. 이는 바로 공자가 말한 "군자가 천하의 일을 함에 있어서는 어떻게 해야 한다는 규정도 없고, 어떻게 하지 않아야 한다는 규정도 없으며, 오로지 의리와 더불어 견주어질 뿐이다 君子之於天下也, 無適也, 無莫也, 義之與比"와 같다. (〈논어·이정〉) 뜻은 이렇다; 군자는 천하의 일에 대하여 어떻게 하여야 한다는 규정도 없고, 어떻게 하지 말라는 규정도 없으며, 어떻게 하는 것이 합리적이고 경우에 들어 맞는다면 그렇게 하면 된다.[111] "〈역〉의 책됨은 멀리할 수 없고, 그 도는 자주 옮겨간다. 변해 움직이고 한 곳에 머물러 있지 않으며, 육허(상하사방)에 두루 흘러서

111 역문은 양백준, 〈논어역주〉 제37쪽, 북경, 중화서국, 1980년을 참조.

오르고 내림에 항상 그러함이 없고, 강하고 부드러운 것이 서로 바뀌어서 전요(典要)를 만들 수 없으며, 오직 그 적당함으로 변화해 간다 ; 易之爲書也不可遠, 爲道也屢遷. 變動不居, 周流六虛, 上下無常, 剛柔相易, 不可爲典要, 唯變所適"는 것이 바로 "적당한 규칙이 없고, 해서 안 되는 것이 없으며, 오로지 의리와 더불어 견주어질 뿐이다"라는 것이 아닌가?

8-4

〈주역〉 체제의 제한 때문에 〈주역〉은 "의義"와 "리利"의 관계에 대하여 많이 논의하지 않았다. 그러나 앞의 논의에서, 〈주역〉이 그 둘의 관계를 아주 중시한다는 사실을 발견하기란 어렵지 않다. 예건대 "리는 의로움의 조화이다 利者義之和", "다른 사물에게 이익을 베푸니 의리에 부합한다 利物足以合義"는 것은 이미 실제로 주역이 "의리"관계를 어떻게 보고 있는지를 밝히고 있다. 그리고 관용구 식의 "의는 허물이 없다 義無咎也" 등은 〈주역〉이 말하는 "의"는 곳곳마다 "리"를 이탈할 수 없다는 것을 설명한다("무구無咎"는 무해無害이고, 무해는 유리有利이다). 〈주역〉을 통틀어 보면, 그 의리관계의 견해에는 대략 세 가지 표현방식이 있다 ; 하나는 의와 리를 같이 중시하는 것이고, 또 하나는 리를 의에 부합시키는 것이고, 다른 하나는 리가 의의 가운데 있는 것이다.

의와 리를 같이 중시하는 것은 공자의 일관된 주장이다. 이는 〈논어〉 중의 관련 기재에서 증명할 수 있다. 한편 공자는 "의"를 아주 중시하였으니, 다음과 같은 것이다.

> 의롭지 않으면서도 부귀한 것은 나에게 있어서 뜬 구름과 같다.
>
> (〈논어〉 술이)

자장이 말했다. "선비는 (국가사회가) 위태로운 것을 보면 목숨을 바치고, 이득을 보면 의리를 생각한다." (〈논어〉 자장)

군자는 의리를 말하지만, 소인은 이익을 말한다. (〈논어〉 이인)

무릇 달통한 자는 바탕이 바르고 의리를 좋아하며, 안색을 보고 살피어 아랫사람들을 배려한다. (〈논어〉 안연)

군자는 의로움으로서 그 바탕으로 삼고, 예의로서 이루며, 겸손함으로 이를 바깥으로 드러내고 믿음으로써 이를 이룬다. (〈논어〉 위령공)

不義而富且貴, 於我如浮雲." (〈論語〉 述而)

子張曰; "士見危致命, 見得思義" (〈論語〉 子張)

君子喩於義, 小人喩於利. (〈論語〉 里仁)

夫達也者, 質直而好義, 察顔而觀色, 慮以下人. (〈論語〉 顔淵)

君子義以爲質, 禮以成之, 遜以出之, 信以成之. (〈論語〉 衛靈公)

이러한 자료 중에서, 공자는 재차 의는 군자의 도덕인격의 중요한 방면이며 응당 잘 수양하여 이를 잘 지녀야 한다는 것을 강조한다. 그러나 공자는 이로 인하여 "리"의 가치를 소홀히 하지 않았다. 다음과 같다.

부와 귀는 만인이 바라는 것이다. (〈논어〉 이인)

부유함은 추구할 가치가 있는 것이니 비록 채찍을 쥐는 마부의 일이라도 나도 할 것이다. (〈논어〉 술이)

임금을 모심에 있어 먼저 그 일을 공경하게 한 뒤 먹을 것이 있다. (〈논어〉 위령공)

나라에 도가 행해짐에도 불구하고 가난하고 천하다면 이는 부끄러운 일이다. (〈논어〉 태백)

富與貴, 是人之所欲也. (〈論語〉 里仁)

富而可求, 雖執鞭之士, 吾亦爲之. (〈論語〉 述而)

事君, 敬其事而後其食. (〈論語〉 衛靈公)

邦有道, 貧且賤焉, 恥也. (〈論語〉 泰伯)

이러한 자료는, 공자가 경제적 부귀나 정치적 지위를 추구하는 것은 충분히 긍정하였다는 것을 나타내고 있다. 그러나 공자는 일방적으로 부귀와 지위를 추구하는 것을 반대하였고, 수단을 가리지 않고 이익과 명예를 가로채는 것을 반대하였다. 그러므로 그는 둘을 같이 중시하였고, "리를 보면 의를 생각하고" 의로써 리를 처리하였다.

앞에서 말한 것처럼, 〈주역〉을 만든 목적은 사람들이 길을 좇고 흉을 피하게 하여 최대의 이익을 얻도록 하는 데 있다. 〈주역〉의 출발점이 "리"이요, 최종 목적도 역시 "리"라고 할 수 있다. 그러나 "하늘의 도를 명백히 하고 백성의 연고를 살피는" 전적典籍으로서의 〈주역〉은, 이익을 꾀하는 방식은 "하늘을 따르고 백성들에게 감응하는 것"이므로, 그것이 강조하는 "리"는 또한 "의"에 부합하는 것이다.

리로써 의에 부합토록 하는 것이 〈주역〉의 의리관義利觀의 특징이며, 공맹의 의리관에 대한 일대 발전이다.[112] 어떤 의미에서 말하자면, "리는 의로움의 조화이다 利者義之和", "다른 사물에게 이익을 베푸니 의리에 부합한다 利物足以合義"라는 사상은 중국사상사에 있어 단편적인 의를 중시하는 이론에 대하여 편향을 바로 잡고 폐해를 고치는 작용을 하였다.

〈주역〉 의리관의 특징은 리를 의에 부합하게 하는 것이므로, 〈주역〉에서 보면, 리는 의 가운데 있는 것이기도 하다.

112 공맹의 의리관에 대하여는 본서에서 깊이 의론하지 않으니 상국군의 〈선진유가인학문화연구〉 서안, 섬서사범문학출판사, 1998년, 제5장 제1, 2절을 참조할 것.

소인과 어린 아이는 위태로우나, 의리에는 허물이 없다. (〈점〉 초육 〈상〉)

"그 수레바퀴를 당김"은 의리에 허물이 없다. (〈기제〉 초구 〈상〉)

나그네로서 포악하게 아래를 대접하니 그 의리를 잃게 되는 것이다. (〈여〉 초구 〈상〉)

小子之 "厲", 義 "無咎"也. (〈漸〉 初六 〈象〉)

"曳其輪", 義無咎也. (〈旣濟〉 初九 〈象〉)

以旅與下, 其義 "喪"也. (〈旅〉 九三 〈象〉)

이 자료들에서 앞의 둘은 "의義"롭기 때문에 "리利"를 얻은 것을 말하고 있다. 마지막 하나는 의롭지 않기 때문에 이익을 잃는다는 것을 말해준다. 여괘의 구삼효의 효사는 "나그네가 그 머물던 곳이 불타고 어린 종이 그 바름을 잃었으니 위태하다 旅焚其次, 喪其童僕, 貞厲."이다. 〈상전〉은 효사가 말하는 "상喪"은 그 행위가 의에 부합하지 않기 때문이라고 여긴다. 이는 반면의 의미로 "리가 의 가운데 있음"을 증명한다.

지적하고자 하는 것은, 〈주역〉이 말하는 "의리"는 "하늘의 도"와 "백성의 연고"를 명찰할 것을 전제로 하는 것이므로 "이익"의 획득도 "믿음을 실천하고 (의를) 따를 것을 생각함"의 필연적 결과라는 것이다. 이러한 의미에서 말하자면, 〈주역〉의 의리관은 천지의 도를 본받아서 획득한 것이므로 그 철학적 근거는 생생불식生生不息하는 우주의 이치 중에 있다.[113]

중국사상사에서 "의와 리의 변별[義理之辯]"은 "유가儒家의 제일의 요의要義"라 불려왔다. 그러나 유가 의리관의 발전에 대하여 말하자면, 많은 사

113 본서의 체제상, 이 문제는 이야기할 수 없다. 오컨대 〈주역〉은 천지를 본받는 것을 강조하고 있는데 천지의 도는 그 이론을 세우는데 있어서 철학적 기초인 것이다. 사람은 이 도를 본받아서 "흉을 피하고 길을 좇고", "개과천선"하는데 있어서의 필요한 수단으로 삼라야 한다. 이것과 공맹의 사유노선은 매우 일치하지 않는다.

상가들이 줄곧 주체의식 및 도덕수양 방면에서 "의"와 "리"의 관계를 토론해왔기 때문에 의를 중시하고 리를 경시하였다는 혐의를 면하기 어렵다. 상대적으로 말하면, 〈주역〉은 천지의 도를 근본으로 하고, 의리문제를 합법칙적, 합목적적인 생명활동 가운데 끌어들여 양자의 모순을 용해하여 이를 합일시킨다. 그 이론과 사유의 의의는 훨씬 큰 것으로 보인다.

당연히 천인상합[天人相合 : 하늘과 인간이 근본적인 면에서 서로 합한다는 사상]의 과도한 추구로 인하여 〈주역〉은 "의리"가 충돌을 발생시켰을 때의 대응방법을 너무 적게 논의하고 있다. 그리하여 도덕감정 방면의 내용이 상당히 결핍된 것으로 보인다. 이에 대해서는 맹자와 순자의 일부 관점이 그 부족한 점을 구해줄 수 있는 것처럼 보인다.

> 맹자가 말했다. "생선은 내가 먹고 싶어 하는 것이요, 곰 발바닥도 내가 먹고 싶어 하는 것이다. 두 가지를 한꺼번에 얻을 수 없다면 생선을 버리고 곰 발바닥을 취할 것이다. 삶도 내가 바라는 것이요, 의리도 내가 바라는 것이다. 두 가지를 한꺼번에 얻을 수 없다면 삶을 버리고 의리를 취할 것이다. 삶도 내가 바라는 것이지만, 바라는 것이 삶보다 더 심한 것이 있다면 구차스럽게 삶을 얻지 않을 것이다. 죽음도 내가 싫어하는 것이지만 싫어하는 것이 죽음보다도 더 심한 것이 있다면 그것을 피하지 아니함이 근심이 될 것이기 때문이다. (〈맹자〉 고자상)
> 의리를 위해서는 권세에 굽히지 아니하고 이익을 돌보지 않는 것이니, 나라를 다 주어도 목표를 바꾸지 아니하고 죽음을 중히 여기고 정의를 지켜 굽히지 않는 것이 바로 사군자의 용기이다. (〈순자〉 영욕)

> 孟子曰; 魚, 我所欲也, 熊掌亦我所欲也. 二者不可得兼, 舍魚而取熊掌者也. 生亦我所欲也, 義亦我所欲也, 二者不可得兼, 舍生而取義者也. 生亦我所

欲, 所欲有甚於生者, 故不爲苟得也. 死亦我所惡, 所惡有甚於死者, 故患有所不辟也." (〈孟子〉 告子上)

義之所在, 不傾於權, 不顧其利, 擧國而與之不爲干觀, 重死而持義不撓, 是士君子之勇也. (〈荀子〉 榮辱)

이것이 바로 중국사상사에서 저명한 "사생취의舍生取義[목숨을 버리고 의를 취함]"설이다. 만일 그것을 〈주역〉과 결합하면 인생의 지혜를 얻을 수 있을 뿐만 아니라 인생의 용기까지 얻을 수 있다. 자연히 리가 의에 부합하고, 리가 의 가운데 있고, 의를 견지하고 굽히지 아니하게 될 것이다.

9. 지항수지 持恒守志

앞에서 "자강", "후덕", "우환", "성신", "의리" 등 여러 가지 덕성수양 방면의 문제를 이야기하였다. 그러나 단순히 이야기만 하여서는 일종의 지식 소개에 불과하고, 자신의 덕성공부로 내화하여 수용하게 하는 데는 부족하다. 이를 위해서는 상술한 여러 덕성수양을 자아수양 덕성의 목표로 삼아서 오랫동안 게으르지 않게 견지하는 것이 필요하다. 그렇게 해야만 비로소 진정으로 부단히 자기의 몸에 다른 사람을 위한 처세의 덕성기초를 세울 수 있다.

9-1

〈주역〉에서 항恒이란 괘는 항구의 도를 전문적으로 이야기하는 것이다. 〈단전〉은 "항은 오래하는 것이다. 恒, 久也."라 한다. 〈서괘전〉도 "항이란 오래하는 것이다 恒者, 久也"라 한다. 〈잡괘전〉 역시 "항은 오래하는 것이다. 恒, 久也"라 한다. 그렇다면, 항괘는 어떻게 항구의 도를 논술하고 있는가? 먼저 괘사를 살펴보자.

항은 형통하여 허물이 없고, 바르고 굳게 함이 이로우며, 나아가는 것이 이로우니라.

恒; 亨, 無咎, 利貞, 利有攸往.

항

〈주역〉의 체제에 의하면, 괘사는 한 괘의 대의를 총술總述하는 것이다. 항괘의 괘사는 "恒; 亨, 無咎, 利貞, 利有攸往."인데, 〈주역〉 64괘 중 가장 길한 괘사라고 할 수 있다.[114] 이러한 길함은, 우리들은 "지항수지[持恒守志 : 한결같이 오래하는 것을 지속하고 지조를 지키는 것]"의 가장 좋은 점으로 이해할 수도 있다. 왕필은, "항괘가 형통한 것은 세 가지 일을 가지런하게 할 수 있기 때문이다. 항의 도됨은 형통하고 재앙이 없는 것이다. 항이 형통하고 재앙이 없으므로 바름이 이롭다. 각자가 그 오래됨을 얻고, 그 상도를 닦으며, 마치면 시작이 있으니 앞으로 나아가더라도 어긋나지 않는다. 그러므로 앞으로 나아감에 이로움이 있다 恒而亨, 以濟三事也. 恒之爲道, 亨乃無咎也. 恒通無咎, 乃利正也. 各得所恒, 修其常道, 終則有始, 往而無違, 故利有攸往也."고 지적했다.(〈주역주〉) 이것은 왕필이 항괘

114 김경방등 : 〈주역전해〉, 242항 참고.

의 괘사 "亨, 無咎, 利貞, 利有攸往."에 대하여 말한 주석이다. "제濟"는 성취한다는 것이고, "제삼사濟三事"는 바로 세 가지 방면의 일, 즉 "허물이 없음[無咎]", "바르게 함이 이로움[利貞]", "앞으로 나아감에 이로움이 있음[利有攸往]"을 성취한다는 것이다.(〈주역정의〉가 저褚씨의 설을 인용) 현대의 말로 하자면, "재앙이 없음", "바름을 지키고 흔들리지 아니함", "앞으로 발전해 감이 이로움"이다. 이 세 가지는 세 가지의 이로운 점 혹은 "지항수지"의 세 가지 수확이라고 부를 수 있을 것이다. 이러한 세 가지의 이로운 점 혹은 수확은 자연히 "가장 길한 것"이다. 따라서 〈상전〉은 아래와 같이 강조하고 있다.

> 우뢰와 바람이 항괘이니, 군자가 본받아서 항구한 도를 확립해 서서 방소를 바꾸지 않느니라.
>
> 雷風恒, 君子以立不易方.

〈주역정의〉는 "방이란 도이다 ; 方猶道也."라고 한다. 이는, 군자는 항괘의 상을 본받아서 오랫동안 지속하고, 자기의 지향을 바꿔서는 아니된다는 것을 말한다. 예컨대, 〈주역정의〉가 말한 바와 같이 "군자는 입신하여 그 항구의 도리를 얻는 것이므로 그 방향을 바꾸지 않는다."

그러나 "항"의 "오래함[久]"에는 또한 "끊임이 없다[不已]"의 뜻이 있다. 그러므로 "도를 확립해서 방소를 바꾸지 아니함[立不易方]"은 계속하여 멈추지 아니하는 시간의 흐름 속에서 실현될 수 있는 것이다. 예컨대, 서기徐幾가 말한 바처럼 "바르게 함이 이로움[利貞]이란 불역不易의 항이다. 앞으로 나아감에 이로움이 있음[利有攸往]은 불이不已의 항이다. 이를 합하여 말하면 바로 상도常道이다. 한쪽에 기울어지면 도가 아니다 ; 利

貞者, 不易之恒也. 利有攸往者, 不已之恒也. 合而言之, 乃常道也. 倚於一偏, 則 非道矣."(〈주역회통〉에서 인용) 그러므로 "항"이란 말은 실로 두 가지 뜻이 있으니 "불역[不易 : 바꾸지 않는다]"과 "불이[不已" : 끊임이 없다]이다. 이 둘은 서로를 기다리고 서로를 이루어내며 분리할 수 없다. "불역"이 없으면 "불이"는 뿌리가 없어 항은 그 지킬 바가 없다. "불이"가 없으면 "불역"은 성취될 수 없어 얻은 바를 지킬 수가 없다. 덕성수양의 방면에서 말하면, "불역"은 "입신지도"이고, "불이"는 "수양공부"이다. "입신지도"가 없으면, 수양은 내용이 없다. "수양공부"가 없으면, "도"는 자아의 덕성 가운데로 내화할 수 없다. 이 둘이 하나로 화합되어야 비로소 서로 상대방의 쓰임이 되어 "재앙이 없음", "바름을 지키고 흔들리지 아니함", "앞으로 발전해 감이 이로움"의 아름다운 결말을 달성할 수 있다.

9-2

항괘의 괘사는 아름답다고 할 수 있을 것이다. 그러나 "항구恒久함"은 어떻게 가능한가? 〈단전〉은 이에 대하여 철학적인 증명을 하고 있다.

> 항은 오래하는 것이니, 강한 것이 올라가고, 유한 것이 내려오며, 우뢰와 바람이 서로 더불어 하고, 공손하게 움직이며, 강과 유가 다 응하는 것이 항이다. "항이 형통하고, 허물이 없고 굳고 바름이 이롭다"함은 그 도에 항구하게 함이니, 천지의 도가 항구해서 그치지 않느니라. "나아가는 것이 이롭다"는 것은 마치면 시작이 있기 때문이다. 해와 달이 하늘의 도를 얻어서 오래 비출 수 있고, 사시가 변화해서 오랫동안 만물을 이룰 수 있으며, 성인이 그 도에 항구해서 천하가 교화해서 이루어지니, 그 항구한 바를 보면 천지만물의 뜻을 볼 수 있을 것이다.

恒, 久也. 剛上而柔下, 雷風相與, 巽而動, 剛柔皆應, 恒. "恒, 亨,無咎, 利貞", 久於其道也. 天地之道, 恒久而不已也. "利有攸往", 終則有始也. 日月得天而能久照, 四時變化而能久成, 聖人久於其道而天下化成. 觀其所恒, 而天地萬物之情可見矣.

여기서 〈단彖〉은, 세분하면 세 방면의 논증을 포함한다. 하나는 괘효의 상象으로부터 항을 논한 것이다. 둘은 괘사의 해석으로부터 항을 논한 것이다. 셋은 천인의 도로부터 항을 논한 것이다. 괘효의 상의 방면에서 말하자면, 그것은 "강한 것이 올라가고, 유한 것이 내려오며, 우뢰와 바람이 서로 더불어 하고, 공손하게 움직이며, 강과 유가 다 응하는 것이 항이다 剛上而柔下, 雷風相與, 巽而動, 剛柔皆應, 恒"라는 부분이다. "강한 것이 올라가고, 유한 것이 내려온다 剛上而柔下"는 것은 괘상을 말한 것이다. 항괘는 아래가 손이고 위가 진이며, 진은 양괘로서 강하고, 손은 음괘로서 유하므로 "강한 것이 올라가고, 유한 것이 내려온다"라고 말한 것이다. "강한 것이 올라가고, 유한 것이 내려온다"는 것은 〈계사전〉에서 말하는 바의 "하늘은 높고 땅은 낮으니 건과 곤이 정해졌고, 낮음과 높음으로써 진열하였으니 귀하고 천한 것이 자리하였다 天尊地卑, 乾坤定矣. 卑高以陳, 貴賤位矣."는 뜻에 바로 부합한다. 그러므로 "강한 것이 올라가고, 유한 것이 내려온다"는 것은 자연의 질서라고 말할 수도 있을 것이다. 자연의 질서에 있어 자연은 항구적이고 옮겨 바꿀 수 없는 것이다. 그래서 왕필은 "강유존비가 그 질서를 얻었다 剛柔尊卑, 得其序也."고 말한 것이다.(《주역주》)

"우뢰와 바람이 서로 더불어 한다 雷風相與"는 것도 괘상을 말한 것이다. 진은 우뢰이고, 손은 바람이다. 우뢰가 위에 있고, 바람이 아래에 있으면서 서로를 필요로 하고 서로 도우니 자연 불변의 상이다. 송인宋人 정이는 "우뢰가 진동하니 바람이 일어나고, 양자가 서로 따르면서 그 힘을 서로 보태니 '상여相與'라고 한 것이며, 그것이 자연현상의 일반된 것이다"(〈정씨역전〉)라고 하였다. 이는 자연계의 항구恒久한 상이라 할 수 있다.

"공손하게 움직인다 巽而動"는 것도 괘상에 대해 말한 것이다. "손巽"은 순順이고, 겸손이다. 진震은 동動이다. "공손하게 움직인다"는 것은 공손하게 한 후에 움직인다는 것이다. 당나라 공영달은 "진震이 움직이고 손巽이 따르며, 어긋나거나 거스르는 것이 없다. 그래서 오래할 수 있다"고 했다.(〈주역정의〉) 정이는 "아래의 손巽은 따르고 위의 진震은 움직여서 공손하게 움직임[巽而動]이 된다. 천지조화가 끊임없이 항구한 것은 따라서 움직이는 것뿐이다. 공손하게 움직임[巽而動]은 항상 오래하는 도이다. 움직이는데 따르지 아니하면 어찌 그리되겠는가?"라고 했다. 그러므로 김경방은 "따르고 움직이며, 사물이 법칙에 맞게 운동하는 것이 상구常久의 도이다"[115]고 했다.

"강함과 유함이 모두 응한다 剛柔皆應"는 것은 효상에 대하여 말한 것이다. 〈역전〉이 역경을 주해하는 체계에 따르면, 초효와 사효, 이효와 오효, 삼효와 상효가 그 자리에 있어 상응한다. 무릇 양효와 음효가 상응하는 것을 유응有應이라 하고, 양효가 양효를 만나거나 음효가 음효를 만나는 것을 무응無應이라고 한다. 항괘의 초육효는 음효이고, 유柔이다. 구사효는 양효이고 강剛이다. 구이효는 양효이고 강이며, 육오효는 음효이고 유이다. 구삼은 양효이고 강이며, 상육효는 음효이며 유이다. 여섯 효 사이에 같은 자리에 있는 효는 모두 상응한다. 강유가 모두 응하니 자연히 균형을 이루고 오래할 수 있다.

요컨대, 괘효의 상의 방면에서 말하자면, 〈상전〉은 자연의 질서, 자연의 상, 자연의 도와 음양화합의 네 방면에서 항괘의 "항구"한 뜻을 논증

115 김경방 등 : 〈주역전해〉, 제238항.

하고 있다. 참으로, "항은 오래하는 것이다 恒, 久也"라고 할 수 있다.

괘사의 석의釋義방면에서 말하자면, 그것은 이러하다. "'항은 형통하고, 허물이 없고 굳고 바름이 이롭다'함은 그 도에 항구하게 함이니, 천지의 도는 항구해서 그치지 않는다. '나아가는 것이 이롭다'는 것은 마치면 시작이 있기 때문이다. '恒, 亨, 無咎, 利貞', 久於其道也. 天地之道, 恒久而不已也. '利有攸往', 終則有始也." 이 중에서 "그 도에 항구함[久於其道]", "천지지도天地之道", "항구해서 그치지 아니함[恒久而不已]"은 괘사 "형통하고 허물이 없고 굳고 바름이 이롭다 亨, 無咎, 利貞"는 것에 대한 해석이다. "마치면 시작이 있다 終則有始"는 "나아가는 것이 이롭다 利有攸往"에 대한 해석이다. 이러한 해석은 기본적인 뜻은 일치되니 모두 괘사에서 말하는 "항恒"이 그 상도常道를 얻어서 끊임이 없는 것을 강조하는 것이다. "그 도에 항구함"은 "정도正道"에서 오래함이며, "정도"가 오래할 수 있는 이유는 그것이 천지의 도가 항구하여 끝이 없다는 이치와 서로 통하고 어긋나지 않으며 서로 합치되어 틈이 없다는 데에 있다. 바로 이러하기 때문에 그것도 천지의 변화에 따를 수 있고, 사물에 따라 변역하는 생명의 역정 속에서 변함없는 지킴을 이룰 수 있어서, 끝나면 다시 시작하므로 가는 것이 끝이 없다. 정이가 말한 바와 같다 : "천하의 이치에 움직이지 않고 오래할 수 있는 것은 없다. 움직이니 끝이 있고 다시 시작하니, 그래서 오래하고 궁함이 없다."(《정씨역전》) 괘사의 석의방면에서 말하자면, 〈단전〉은 천지자연의 도로써 의거를 삼아 항괘의 항구하여 끝이 없는 뜻을 풀어냈음을 알 수 있다.

천도인도天道人道의 방면에서 이를 논한 것은 이렇다 : "해와 달이 하늘의 도를 얻어서 오래 비출 수 있고, 사시가 변화해서 오랫동안 만물을 이룰 수 있으며, 성인이 그 도에 항구해서 천하가 교화해서 이루어진다. 日月得天而能久照, 四時變化而能久成." 이것이 〈단전〉이 천인지도天人之道

를 총괄하여 항괘의 항구하여 끝이 없는 이치를 논증한 것이다. "해와 달이 하늘의 도를 얻어서 오래 비출 수 있다 日月得天而能久照"라는 뜻은, 일월의 운행이 일정한 규율을 따르기 때문에 항구하여 끝이 없다는 것이다. "사시가 변화해서 오랫동안 만물을 이룰 수 있다 四時變化而能久成"는 뜻은, 사시의 변화가 일정한 규율을 따르기 때문에 항상恒常하고 쉬지 않는다는 것이다. "성인이 그 도에 항구해서 천하가 교화해서 이루어진다 聖人久於其道而天下化成"는 뜻은, 성인이 천하의 백성을 교화하고, 천하의 사업을 성취하는 것도 일정한 규율을 따르고 언제나 지켜서 어느 한편으로 기울지 않는다는 것이다. 이것은 천지, 사시 및 사회 인사人事를 불문하고 모두 하나의 영원하고 항구적인 법칙을 떠날 수 없으며, 비록 이 법칙이 우주생명의 커다란 흐름 속에서 구체적으로 나타나는 양식이 천차만별이라고 하더라도 법칙으로서 그것은 영원하고 항구적이며, 영원히 그 생명의 청춘활력을 갖는 것임을 표명하고 있다. 그러므로 "변하지 않는 것[不易]"이고, 또한 "끊임이 없는 것[不已]"이다.

마지막으로, 〈단전〉은 "항"의 뜻을 총결하여 이렇게 지적한다. "그 항구한 바를 보면 천지만물의 뜻을 볼 수 있을 것이다. 觀其所恒, 而天地萬物之情可見矣." 이것은, 천지만물은 일정한 규율을 갖지 않는 것이 없고 일정한 이치를 따르지 않는 것이 없으며, 그렇기 때문에 일종의 "변하지 않는 것[不易]"·"끊임이 없는 것[不已]"의 규율을 나타내고 있지 않는 것이 없다는 것이다. 이러한 규율에 근거하여 인간은 천지만물의 정상情狀을 인식하고 파악하여 "바꾸지 않는 방향을 세울 수 있는 것[立不易方]"이다.

9-3

천지자연·사회인생의 필연의 이치로서의 항구지도恒久之道는 인간에게 "형통하고, 허물이 없으며, 굳게 바르게 함이 이로우며, 나아감이 이로움 亨, 無咎, 利貞, 利有攸往"이라는 큰 이익을 가져다준다. 그러나 실행하자면 결코 쉬운 일이 아니다. 〈주역〉의 64괘 중 항괘의 괘사는 "가장 길하다"라고 말할 수 있으나, 여섯 효의 효사에 있어서 특별하게 훌륭한 것은 거의 없다.

초육은 항상함을 (너무) 깊이 구하는 것이다. 곧게 바르게 해도 흉하니 이로움이 없다.
구이는 후회가 없어지리라.
구삼은 그 덕이 항구하지 않음이라. 혹 부끄러운 일을 당할 수 있으니 고집하면 인색하리라.
구사는 사냥하는데 밭에 새가 없음이라.
육오는 그 덕을 항구하게 되면 바르니, 부인은 길하고 남편은 흉하다.
상육은 항상 빠르게 흔들리니 흉하다.

初六, 浚恒, 貞凶, 無攸利.
九二, 悔亡.
九三, 不恒其德, 或承之羞, 貞吝.
九四, 田無禽.
九五, 恒其德貞, 婦人吉, 父子凶.
上六, 振恒, 凶.

이상의 여섯 효는, 구이의 "후회가 없어짐[悔亡]"이 아름답다고 할 수 있다는 것이다. 그 밖의 여러 효는 혹은 흉하거나 혹은 위태롭거나 혹은 고생을 하지만 공이 없다. 이것을 보건대, 항구함을 지녀서 도를 지키는 것이 얼마나 어렵고도 어려운 것인지를 알 수 있다. 공자마저 개탄한 것이 이상하지 않다 : "선인善人은 만나볼 수 없다. 한결 같은 사람이라도 만나볼 수 있으면 좋겠다."(〈논어·술이〉)

"준浚"은 깊다는 뜻이다. "준항浚恒"은 항구지도를 깊이 구하는 것이다. 초육은 항괘의 처음에 처하여, 부드러움으로서 강한 자리에 있고, 몸은 순한데 성질은 조급하여, 일을 구하려는 마음이 너무 깊고 너무 급한 상이 있다. 그래서 효사가 "곧게 바르게 하여도 흉하다. 나아감에 이로움이 없다 貞凶, 無攸利"로서 경계하고 있다. 그것은 사람들에게 '한결같음을 지킴에 있어서는 오래 견디는 것[持久]을 귀하게 여기고, 오래 견디는 것을 귀하게 여김에 있어서는 점진漸進을 귀하게 여겨야 한다'는 것을 제시한다. 그렇지 않고 이루는 것을 급하게 구하면, "빨리 달성하기를 바라면 달성하지 못한다 欲速則不達."(〈논어·자로〉)와 같이 된다. 바로 송나라 사람 호원胡瑗이 말한 바와 같다 : "그렇기 때문에 학문을 함이 오래되어야 도업道業을 이룰 수 있고 성현에도 도달할 수 있다; 다스림이 오래되어야 교화를 행할 수 있고 요순堯舜에도 도달할 수 있다; 벗됨이 오래되어야 사귐이 갈수록 깊어진다; 군신됨이 오래되어야 간하는 말씀을 올림[諫言]과 간하는 말을 들음[言聽]이 이루어져 그 혜택이 백성에게로 흘러간다. 이러한 것들은 오랜 세월 동안 누적되지 아니하고 이른 것이 없고, 모이지 않고 미친 것이 없다. 지금 이 초육이 아래 괘의 시초의 자리에서 일을 시작함에 있어 그 장구長久의 도와 영원의 효과를 나무라는 것은, 학문을 시작함에 있어 주공과 공자에 이를 것을 바라는 것·다스림을 시작할 때 교화가 요순에 미치기를 바라는 것·친구로서 사귐을 시작할 때 의기가 투합됨을 바라는 것·군신의 관계가 시작될 때 도가 크게 행해짐을 바라는 것과 같다. 이것은 그 일을 오랫동안 쌓지 않고서 상도常道의 깊음을 구하는 것이다."(〈주역구의〉) 호원의 해석은 항괘 초육 효사가 경계하는 뜻에 심히 잘 부합한다고 할 수 있다.

"후회가 없어짐[悔亡]"은 회한이 사라진다는 것이다. 구이 효사는 결과만 말하고 회한이 사라지는 이유를 말하지 않고 있다. 〈상전〉에 의하면, "구이가 '후회가 사라진 것'은 중도를 오래할 수 있기 때문이다"고 한다. 구이가 '후회가 사라지는' 이유가 중도를 오래 지키고 어느 쪽에 기울어지지 않기 때문임을 알 수 있다. 이것은, 한결같음을 유지하는 도리는 중도를 지키는 것을 귀하게 여긴다[持恒之道, 貴在守中]는 것을 설명한다. 중도를 지킨다는 것은 바로 일종의 규율에 들어맞는 생활을 영위하는 것이다. 그러므로 구이의 "후회가 사라짐"은 천지만물의 정을 가장 잘 구현한 것이라 말할 수 있다. 또, 구이는 양으로서 음의 자리에 있어 비록 당위當位가 아니지만, 유순하면서 여러 사정을 살펴 나중에 움직인다는 뜻이 있는데, 이것도 "후회가 사라짐"의 원인이 된다.

"그 덕이 항구하지 않으면 혹 수치를 당할 수 있다 不恒其德, 或承之羞"라는 말은 일찍이 공자에게 인용되어 〈논어·자로〉편에 실려 있다. 공자가 말했다 : "남쪽사람들에게 이런 속담이 있다. '사람에게 상常됨이 없으면 무당이나 의사가 될 수 없다.' 참으로 그렇다. '그 덕이 항구하지 않으면 혹 수치를 당할 수가 있다.' 공자가 말했다. '점을 치지 않을 뿐이다.' 子曰: '南人有言曰 : 人而無恒, 不可以作巫醫.' 善夫. '不恒其德, 或承之羞'. 子曰 : '不占而已矣,'" 남인南人은 남쪽지방 사람이다. "사람에게 상常됨이 없으면 무당이나 의사가 될 수 있다"는 말은 남쪽지방 사람의 속담이다. 이 속담에 대하여 공자는 퍽 찬동하여, 〈주역〉 항괘 구이의 효사를 인용하여 말하기를, 이런저런 딴 마음을 가지고 이랬다저랬다 변덕을 부리면 끝내 수치와 모욕을 초래할 것이라고 했다. 이 속담과 효사는 공자로 하여금 하나의 도리를 깨닫게 하였는데, 그것은 바로 "점을 치지 않을 뿐"이라는 것이다. 공자의 말 속에서 알 수 있듯이, 덕을 한결같이 지키지 않는 것을 옛사람들이 크게 금기시하였고, 그래서 〈상전〉은 사람이 만일 그 덕을 한결같이 지키지 못하면 장차 천지간에 도망할 곳이 없다고 여겼다. 또한 〈역전〉의 경전을 해석하는 체계에 의하면, 구삼과 상육은 바르게 응한다. 그러나 아래 괘의 끝에 처했기 때문에 "자리는 비록 바르나 너무 강하고, 가운데 있지 아니하며 뜻이 위로 따르니, 그 자리에 오래 있을 수 없어 '그 덕을 오래하지 않으면 혹 수치를 당함[不恒其德, 或承之羞]'의 상이 있다"(《주역본의》) 한결같음을 지키는 도리는 인내의 공부를 필요로 하며, 때가 아님에도 움직이는 것은 필히 언행이 서로 앞뒤가 모순되는 사람이라고 조롱받게 될 것이라는 사실을 알 수 있다.

"밭에 새가 없음[田無禽]"은 밭 사냥을 하였으나 수확이 없다는 것이다. 〈상전〉은 "그 자리에 오래하지 못하니 어찌 날짐승을 얻을 수 있으리오?"라고 해석하였다. 구사가 수확이 없는 주요 원인은 그것의 부당위不當位에 있다. 효위설에 의하면, 사효는 음자리이나 항괘 구사는 양으로서 음자리에 있으니 마땅한 자리가 아니다. 자리가 부당하고 가운데가 아니므로 혹 한결같음을 지키려는 뜻이 있더라도 끝내 고생만 하고 공은 없게 된다. 그것은 사람들에게 수항지도守恒之道는 뜻을 높고 먼 곳에 둘 것을 요구할 뿐만 아니라, 더 나아가 자기의 분수에 맞는 자리를 차지하여 마땅히 지켜야 할 바를 지키고 마땅히 할 바를 하는 것임을 경계한다. 이렇게 하여야만, 경작하는 만큼 수확을 얻을 수 있다.

항괘의 육오 효사는 한편으로 길하고 한편으로 흉한데, 길함은 부인에게 있으니 "부인길婦人吉"이라 하고, 흉함은 남편에게 있으니 "부자흉夫子凶"이라고 했다. 길함이 있는 것은, 육오의 효가 가운데를 얻었기 때문이고, 흉함이 있는 것은 육오의 효가 음으로서 양자리에 있기 때문이다. 효위설에 의하면, 이효와 오효가 서로 응하고 이효는 양으로서 장부이고, 오는 음으로서 부인이다. 〈상전〉은 말한다 : "부인이 굳게 바르게 함이 길하니, 하나를 따라서 마치기 때문이다. 장부는 의례를 만들어야 하는데, 부인을 따르므로 흉하다 婦人貞吉, 從一而終也. 夫子制義, 從婦凶也." 김경방은 이렇게 해석한다. "육오는 그 유순한 덕을 한결같이 하는데, 순종을 한결같이 하는 것이 마치 부인이 한 사람을 따르고 마치는 것과 흡사하다. …… 유순함을 덕으로 하는 것은 부인의 덕이지 장부의 덕이 아니다. 장부는 의례를 만드는 권한이 있고 부인은 의당 그를 따라야 하는데 만일 그가 부인을 따른다면 반드시 흉하다."[116] 부창부수夫唱婦隨는 고대의 예제禮制로서, 남녀간의 불평등을 반영하고 있다. 그러나 다른 방면에서 말한다면, 수항지도守恒之道는 사람에 따라 달라야 하는 것이므로 도리에 맞지 않다고는 할 수 없을 것이다.

"진振"은 빠르게 떠는 것이다. "진항振恒"은 조급하게 움직이며 불안해하고, 한결같음을 지킬 수 없는 것이다. 송인宋人 주희는 이렇게 해석했다 : "진振이라는 것은 움직임이 빠른 것이다. 상육은 항의 극極에 자리하고, 진의 마지막에 처해 있다; 항恒이 극에 달하면 항상恒常하지 않게 되고, 진의 마지막이니 과하게 움직인다. 또 음유는 굳게 지킬 수 없고 위에 있어서 그 자리에 편안하지 않으므로, '진항振恒'의 상이 있으며, 그 점은 흉한 것이다."(〈주역본의〉) 상육의 흉함은 한결같음을 지켜야 할 때에 움직이고 그치지 않으며, 조급하고 가만히 있지 못하므로 필연적으로 흉험함을 초래하는 데 있음을 알 수 있다.

이상의 여러 효를 총결하면, 항구지도恒久之道는 비록 아름답고 선하지만, 수항지도守恒之道는 오히려 쉽지 않다는 것을 알 수 있다. 여섯 효 중에서 전부 길한 효는 하나도 없으니, 그 경계하는 뜻은 말하지 않아도 자명하다. 그 뜻을 종합하여 보면, 우리들은 8개의 글자로 수항지도守恒之

116 김경방 등 : 〈주역전해〉, 제241쪽.

道의 뜻을 개괄할 수 있을 것 같다 : "계조[戒躁 : 성급함을 경계함](초효와 상효), 수중[守中 : 중도를 지킴](이효와 오효), 용인([用忍 : 인내함](삼효), 당분([當分 : 분수에 맞게 함](사효와 오효).

9-4

한결같음을 지키는 뜻은 성급함을 경계함에 있고, 중도를 지킴에 있으며, 인내함에 있고, 분수에 맞게 함에 있다. 성급함을 경계함은 차례를 준수하는 것이고, 중도를 지킴은 한쪽으로 기울지 않는 것이며, 인내함은 뜻을 지키는 것이고, 분수에 맞게 함은 도리에 어긋나지 않는 것이다. 그 가운데 순서를 지키는 것은 뜻을 세우는 데서 시작하여야 하며, 지향하는 바가 없으면 추구할 것이 없고, 추구할 것이 없으면 지킬 바가 없으며, 지킬 바가 없으면 무슨 지항수지持恒守志라고 말할 게 없다. 그러므로 옛사람은 "입지立志", "입상지[立常志 : 항상 같은 뜻을 세움]"를 아주 중시했다. 〈역전〉 중에 "합지[合志 : 뜻에 부합함]", "지행[志行 : 뜻을 폄]", "득지[得志 :뜻을 얻음]" 등의 문제를 언급한 곳이 많다. 예컨대, 소축괘 육사 〈상象〉이 말하는 "위로 뜻을 합한다 上合志也", 리괘 구사 〈상〉이 말하는 "뜻을 행한다 志行也", 무망괘 초육 〈상〉이 말하는 "뜻을 얻었음이라 得志也" 등등은 모두 "입지立志"와 "지향[志向 : 목표 또는 포부]"이 사람에게 있어서 중요하다는 것을 표명하고 있다. 명인明人 왕양명王陽明은 이렇게 말한다.

> 夫學莫先于立志, 志之不立, 猶不種其根, 而徒事培擁灌漑, 勞若無成矣. 世之所以因循苟且, 隨俗習非, 而卒歸于汚下者, 凡以志之弗立也.[117]

117 〈示弟立志說〉 -역자 주

대의는 이렇다.

> 학문을 하는 길은 먼저 지향志向을 명확하게 하는 데에 있다. 지향이 명확하지 않는 것은 심는 식물에 있어 뿌리가 없는 것으로 잘 비유할 수 있는데, 뿌리가 없으면 아무리 토양을 북돋우고 관개灌漑를 잘하더라도 마침내 고생만 하고 이루는 것은 없을 것이다. 세상에서 적지 않은 사람들이 낡은 틀에서 벗어나지 못하고, 눈앞의 안일만 탐하며 되는 대로 살아가며, 정치적 상황에 따라 자신의 처세를 달리하고, 배워야 할 바를 배우지 못하고, 장래 희망이 없는 주요 원인은 그들이 학문을 할 초기에 명확한 지향志向을 세우지 아니한 데에 있다.

왕양명의 이 말은 학문을 하는 길을 이야기함에 있지만, 뜻을 세우는 것과 한결같음을 지키는 것의 관계를 표명하기도 한다. 뜻을 세우는 것은 뿌리를 심는 것과 같아서, 뿌리가 없으면 비록 부지런하게 물을 대더라도 그 결과는 고생만 하고 수확이 없다. 뿌리를 심은 뒤에는 그 이치에 따라 기르고 영양을 공급하여야 한다; 조급하게 행동하여 망령되게 구하면 단지 모가 늦게 자란다고 하여 모를 뽑아서 자라게 하듯이 급하게 일을 서두르다 오히려 그르치게 될 뿐이며[“浚恒”], 결과가 바라는 바와 정반대가 된다. 당연히 뜻을 세우는 것이 쉬운 일은 아니며, 세밀하고 신중하게 주관적 객관적 조건을 검사하고 구별하여 가장 적당한 발전방향을 선택하여야 하는데, 이것이 바로 수중[守中; 중도를 지킴]과 당분[當分; 분수에 맞게 함]이다. 만일 뜻을 세우는 것이 부당하면 좋은 결과를 얻을 수 없다[“田無禽”].

특별히 강조할 필요가 있는 것은, 지항지도[持恒之道]는 견인불발[堅忍不拔; 굳게 참고 견디어 마음이 흔들리지 않음]의 기백, 뜻을 한 번 세우면 바꾸지 않는 정신을 전제로 하는 것이다. 이러한 기백과 정신이 구비되어야만 당인 왕발이 말한 바와 같이 할 수 있다 : "군자는 가난을 편안하게 여기고, 달인은 자신의 운명을 안다. 늙을수록 더욱 강해지니 어찌 노인의 마음을 알겠는가. 가난할수록 더욱 뜻이 견고해지니 청운의 뜻을 놓지 않는다."(왕발 : 〈등왕각서〉)

아래의 고사故事를 보자.

> 상유한은 자가 국교로서 하남사람이다. 생긴 모습이 추하고 기괴하며, 신장이 짧고 얼굴은 길어서 늘 거울 앞에 서서 스스로 기이하게 여기고 말했다. "7척의 몸이 1척의 얼굴보다도 못하구나." 감개하여 공보가 되려는 뜻을 세웠다. 처음으로 진사시험을 쳤으나, 주사가 그의 성을 싫어했다. 상桑과 상喪이 같은 발음이었기 때문이다. (그래서 과거에 떨어졌다) 사람들이 진사시험을 칠 필요 없이 다른 사람을 찾아 섬기라고 권했으나, 유한은 감개하여 〈일조부상부〉를 지어 자신의 뜻을 나타내었다. 그리고 철벼루를 주조하여 사람들에게 보이면서 말하였다. "벼루가 낡아 못 쓰게 되면 뜻을 바꾸어 그를 섬기겠다." 곧 진사시험을 쳐서 급제하였다.(〈신오대사·상유한전〉)
>
> 桑維翰, 字國僑, 河南人也. 爲人醜怪, 身短而面長. 常臨鑑以自奇曰 : "七尺之身, 不如一尺之面." 慨然有志于公輔. 初擧進士, 主司惡其姓, 以"桑","喪"同音. 人有勸其不必擧進士, 可以從佗求仕者. 維翰慨然, 乃著〈日粗扶桑賦〉以見志. 又鑄鐵硯以示人曰 : "硯弊則改而佗仕." 卒以進士及第.(〈新五代史·桑維翰傳〉)

상유한의 고사는 "지항수지持恒守志"의 가장 좋은 예증例證이 될 수 있을 것이다.

마지막으로 반드시 지적해야 할 것은, 바로 본장 제2절에서 이야기한 것처럼 〈주역〉이 말하는 항구지도恒久之道는 천지자연이 항구하고 끝이 없는 특징을 그 본체의 근거로 한다는 것이다. 그러므로 군자의 "뜻을 세워 그 방향을 바꾸지 아니함[立不易方]"과 군자의 계조戒躁·수중守中·용인用忍·당분當分도 반드시 천지자연의 항구하고 끝이 없이 낳고 낳는 역정 속에서 동력을 얻어, 자신의 절조節操를 지킴과 수양이 현실적인 공리의 좁은 경계를 초월하여, "천지만물의 정"을 밝게 드러내는 생명활동에 진정으로 녹아들어야 할 것이다.

10. 낙천지명 樂天知命

앞의 여러 장에서 다음과 같은 사실을 발견하였다. 〈주역〉의 각도로 말하자면, 사람의 덕성 고양高揚과 수양에는 모두 본체적 의미로서 하나의 전제가 있는데, 이는 사람들이 본받아야 하는 대상일 뿐만 아니라 사람들이 덕성을 고양하고 수양하는 데 필요한 동력원이라는 것이다. 바로 천지자연의 도이다. 그러므로 궁극적으로 말하자면, 사람이 덕성을 기르고 완벽하게 하기 위해서는 반드시 이 본체, 즉 천지자연의 도에 참여하여 이를 돕고 이와 융합하여야 한다. 이 점을 〈계사〉는 "낙천지명樂天知命"이라 부른다. "낙천樂天"은 천지의 화육化育에 참여하여 화합하는 것이고, "지명知命"은 주체 자아의 정하여진 분수를 안다는 것이다. "낙천지명"은 주객 사이의 유기관계를 찾아 살펴서, 만물이 나를 둘러싸고 있는 세계 속에서 일체의 근심, 걱정을 뛰어넘어 그 즐거움이 한이 없는 경지에 능히 이를 수 있는 것이다.

10-1

〈주역·계사전〉 중에는 다음과 같은 단락이 있다.

〈주역〉의 창작과 천지는 서로 아주 닮았기 때문에 능히 천지간의 도리를 보편적으로 포함한다. 이에 따라 일월성진 등의 천상天象을 우러러 관찰하고, 산천지맥의 이치를 굽어 살펴서 능히 깊고 은밀한 무형無形과 밝게 드러나는 유형有形의 사리事理를 안다; 사물의 시초를 거슬러 올라가 원인을 탐구하고 사물의 종결終結에서 돌이켜 살피고 반성하므로 능히 사생死生의 규율을 안다; 정기가 응취하면 물형物形을 이루고 기혼이 흩어져서 변화를 조성한다는 사실을 따지고 살펴서 능히 귀신의 정실상황情實狀況을 안다. 〈주역〉의 도리를 명백히 알면, 천지본연의 도리에 아주 가깝게 근접할 수 있고, 행동거지가 자연의 규율에 위배되지 않는다; 지식이 만물에 두루 미치고 도덕이 천하를 바르게 다스리게 족하면, 움직임과 그침에 있어 오류가 있을 수 없다; 권세를 광범위하게 추진하되 흘러넘치거나 함부로 방종放縱하지 않고 그 천연天然을 즐기고 그 명수命數를 아니 근심, 걱정이 없다; 그 환경에 편안하게 거처하고 돈후敦厚하게 인의를 베푸니 천하를 널리 사랑한다. 〈역〉도의 광대함은 족히 천지의 화육을 본떠서 두루 갖추되 잘못됨이 없고, 족히 만물을 곡진曲盡하고 세밀하게 도와서 이루되 빠뜨리는 것이 없으며, 족히 주야晝夜와 유명幽明을 정통하여 모르는 바가 없다. 그러므로 사물의 신기神奇, 오묘함은 한 방면에 구애되지 아니하고, 〈주역〉의 변화는 하나의 체體에 한

정되지 아니한다.[118]

〈易〉與天地准, 故能彌綸天地之道. 仰以觀于天文, 俯以察于地理, 是故知幽明之故; 原始反終, 故知死生之說; 精氣爲物, 游魂爲變, 是故知鬼神之情狀. 與天地相似, 故不違; 知周乎萬物而道濟天下, 故不過; 旁行而 不流, 樂天知命, 故不憂; 安土敦乎仁, 故能愛. 範圍天地之化而不過, 曲成萬物而不遺, 通乎晝夜之道而知, 故神無方而〈易〉無體.

이 글은 〈역〉도의 광대함과 운용의 광범함 및 운용자에게 가져다주는 좋은 점을 극력 칭송하고 있다. "낙천"도 바로 이곳에서 인용된 것이라 여긴다. 좀 더 자세히 설명하면, "낙천"의 "낙"이 가능한 것은 사람들이 "천지의 도를 보편적으로 포함"하는 대역大易을 통하여 우주만물의 오비奧祕를 통찰함으로써 길함을 좇고 흉함을 피할 수 있기 때문이라고 생각한다. 〈계사〉는 이렇게 말한다.

〈주역〉은 천하의 도를 포괄하여 사람의 마음을 열어 소통할 수 있고 해야 할 일을 확정할 수 있다. 성인은 바로 이것에 의지하여 천하가 뜻하는 바에 통달하고, 천하의 사업을 기획하고, 천하의 의혹을 추단推斷한다. 시초의 덕행은 둥글고 신묘하여 능히 미래를 미리 알 수 있고, 괘의 덕행은 모나고 지혜로워서 과거의 일들을 저장하거나 기억할 수 있다; 육효의 변화는 능히 사람들에게 길흉의 뜻을 알릴 수 있으니, 성인은 이로써 사람의 의혹을 열어 인도하고, 아무 일이 없으면 흉중에 감추어 두며, 길흉에 관한 일에 관심을 가져 백성과 근심, 걱정을 같이 한다. 성인은 '지래장왕(知來藏往 : 미래를 알고 과거를 저장, 기억함)'을 최고의 경지로 하기 때

118 번역문은 황수기등 〈주역역주〉 제535쪽 참조.

문에 고도의 지혜를 가졌다고 할 수 있고, 폭력을 사용하지 않고서도 백성들이 마음으로 따르게 할 수 있다. 성인의 임무는 천도의 변화를 알고 이를 이용하여 백성의 사정을 고찰하고 시초 신물로서 미래를 추단하여 백성이 사용하는 데 길잡이가 되게 한다. 성인은 〈주역〉으로서 자기를 경계하니, 그 덕행은 반드시 빛을 발하고 광대할 것이다.

夫〈易〉何爲者也? 夫〈易〉開物成務, 冒天下之道, 如斯而已者也. 是故聖人以通天下之志, 以定天下之業, 以斷天下之疑. 是故蓍之德 圓而神, 卦之德 方而知, 六爻之義 易而貢, 聖人以此洗心, 退藏于密, 吉凶與民同憂. 神以知來, 知以藏往, 其孰能與于此哉! 古之聰明叡智神武而不殺者夫! 是以明于天之道, 以察于民之故, 是興神物, 以前民用. 聖人以此齋戒, 以神明其德矣.

여기서 비록 서법筮法의 중요성을 강조하여 신비한 내용이 있다는 비난을 면하기 어렵지만 소위 "천도의 변화를 알고 이를 이용하여 백성의 사정을 고찰한다 明于天之道, 以察于民之故"는 것은 의심할 바 없이 사람이 "낙천"하는 기초이다. 바꿔 말하면, 〈주역〉에서 말하는 "낙천"이란 도가道家·노장老莊에서 말하는 "하늘에 가려서 사람들이 알지 못한다 蔽于天而不知人"(〈순자·해폐〉)는 것이 아니라, 오히려 그 반대로 그것은 주체로서 하늘에 대한 체득·천지지도에 대한 체득을 전제로 하는 것이다.

10-2

〈주역〉이 도를 논함에는 세 가지 차원의 함의가 있으니 천도, 지도, 그리고 인도이다. 〈계사〉에는 이런 말이 있다.

〈주역〉이란 이 책은 천도, 지도, 인도를 포괄하고 있는데, 64괘의 괘상에 따라 말하면, 오효, 육효는 하늘이고, 삼효, 사효는 사람이며, 초효와 이효는 땅으로서 "삼재를 겸하여 이를 둘로 한 것[兼三材而兩之]이다. 그러므로 삼재의 도는 하나의 괘 여섯 효 가운데에 다 들어가 있다.

〈易〉之爲書也, 廣大悉備, 有天道焉, 有人道焉, 有地道焉, 兼三材而兩之, 故六. 六者非他也, 三材之道也.

〈설괘전〉에는 한 걸음 더 나아가 있다.

옛날에 성인이 역을 지음은 정차 성품과 천명의 이치에 순응하려는 것이니, 이렇기 때문에 하늘의 도를 세우니 이르기를 음과 양이요, 땅의 도를 세우니 이르기를 유와 강이요, 사람의 도를 세우니 이르기를 인과 의이니, 삼재를 겸하여 두 번하였기 때문에 역이 여섯 획으로 괘를 이루고, 음으로 나누고 양으로 나누며, 유와 강을 차례로 썼기 때문에 역이 여섯 자리로 문채를 이루느니라.

昔者聖人之作〈易〉也, 將以順性命之理, 是以立天之道曰陰陽, 立地之道曰柔與剛, 立人之道曰仁與義. 兼三材而兩之, 故〈易〉六畫而成卦. 分陰分陽, 迭用柔剛, 故〈易〉六位而成章.

〈설괘〉는 삼재지도의 구체적인 내용에 대하여 그 범주를 확정하고 있다. 그러나 실제로 삼재지도는 하나의 도로서, 하늘에서는 음양으로 나타나고, 땅에서는 유강으로 나타나며, 사람에게는 인의로 나타날 뿐이다. 그러므로 〈계사〉는 특별히 지적한다 : "형상을 초월하여 있는 것을 도라고 한다 形而上者之謂道." "도"의 본질적인 의미를 형상을 초월한 "일음일양一陰一陽"으로 정의하고 있다. 바로 이 형상을 초월하는 일음일양의 변화와 길러냄, 그리고 널리 시행됨이 있어야 비로소 세상 만물의 강유가 서로 비비고 흔드는 일이 이루어져서, 변화가 오고 간다. 〈계사전〉은 말한다.

> 성인이 괘를 베풀어서 상을 보고 말을 붙여 길흉을 밝히며, 강유의 추이推移가 변화를 낳는다. 그 결과에는 전진도 있고 후퇴도 있다. 일진일퇴, 일소일장一消一長이 있어야 비로소 여섯 효의 길흉, 회린의 서로 다름이 있게 된다. 이러한 강유가 서로 밀고 당기는 것, 일진일퇴 역시 천지인 삼재의 지극한 도리며, 우주의 보편적인 법칙이다.[119]

> 聖人設卦觀象, 繫辭焉而明吉凶. 剛柔相推而生變化, 是故吉凶者, 失得之象也. 悔吝者, 憂虞之象也. 變化者, 進退之象也. 剛柔者, 晝夜之象也. 六爻之動, 三極之道也.

위의 글은 앞에서 이미 인용한 적이 있는데, 대의는 '그러므로 사람들은 〈주역〉에 근거하여 음양강유의 화육재배의 추이를 파악하기만 하면, 개과천선·취길피흉의 가장 아름다운 길을 찾을 수가 있다'는 것이다. 〈계사전〉은 이렇게 말한다.

> 그러므로 군자가 거처해서 편안히 하는 것은 역의 차례이고, 즐기며 완미하는 것은 효의 말이다. 이렇기 때문에 군자는 거처할 때는 괘효의 상을 보고 괘효의 말을 완미하며, 움직일 때는 괘효의 변화를 보고 그 점을 완미하나니, 이 때문에 하늘로부터 도와서 길하며 이롭지 않음이 없다.

119 주백곤의 〈주역철학사〉 제1권 제83쪽, 화하출판사 1995년 1월 판 참조.

是故君子所居而安者, 〈易〉之序也. 所樂而玩者, 爻之辭也. 是故君子居則觀其象而玩其辭, 動則觀其變而玩其占. 是以自天佑之, 吉無不利.

이 문장이 말하고 있는 것은 이렇다. 군자가 집에 있을 때에는 괘상을 관찰하고 효사를 완미玩味하며, 행동할 때에는 괘효의 변화를 관찰하여 그 길흉을 단정하는 말을 완미한다. 이렇게 하면 하늘이 도와서 길하며 불리함이 없다. 하늘이 도우는 데 어찌 즐겁지 아니하겠는가? 그러므로 군자는 "낙천樂天"한다. 이러한 "낙천"에 있어 그 실질은 바로 "하늘에 앞서더라도 하늘에 어긋나지 않고, 하늘에 뒤따르더라도 천시를 받든다 先天而天不違, 後天而奉天時."라는 것이다. 〈문언〉은 건괘 구오의 효사를 해석하여 말한다.

무릇 대인은 천지와 더불어 그 덕을 합하고, 일월과 더불어 그 밝음을 합하며, 사시와 더불어 그 차례를 합하고, 귀신과 더불어 그 길흉을 합한다. 하늘에 앞서도 하늘이 어기지 아니하며, 하늘을 뒤따라 해도 하늘의 때를 받드니, 하늘도 어기지 아니할진대 하물며 사람에게 있어서야! 하물며 귀신에 있어서야!

夫大人者, 與天地合其德, 與日月合其明, 與四時合其序, 與鬼神合其吉凶. 先天而天不違, 後天而奉天時. 天且不違, 而況于人乎? 況于神乎?

"선천先天"이란 천시의 변화에 앞서 일을 행한다는 것을 가리킨다. "후천後天"은 천시가 변화한 뒤에 일을 행한다는 것을 가리킨다. 이것은, 성인은 〈주역〉의 법칙을 장악하였기 때문에 그 덕행은 천지, 일월, 귀신의 변화와 서로 일치되며, 그렇기 때문에 능히 천시를 예측할 수 있고 나아가 천시에 순응하여 행동할 수 있다는 것을 말하고 있다. "하늘에 앞서더라도 하늘에 어긋나지 않고, 하늘에 뒤따르더라도 천시를 받든다 先天而天不違, 後天而奉天時"라는 것이 바로 "낙천"이다.

10-3

앞에서 말했듯이 "지명知命"은 주체인 자아의 정해진 분수를 아는 것이다. 그것과 "낙천"은 밀접하고 불가분하다. 천도를 알고 그 천연天然함을 즐길 수 있어야 비로소 자아를 인식하고 운명을 파악할 수 있다. 이 점에 있어서, "만년이 되어서 〈역〉을 좋아하게 되어, 가죽 끈이 세 번 끊어지도록 〈역〉을 읽었다 晩而喜〈易〉, 讀之韋編三絶"는 공자가 우리들에게 좋은 본보기가 되고 있다.

〈논어·자한〉에서 말한다 : "공자께서는 이익과 운명과 인에 대하여 말씀하시는 일이 드물었다 子罕言利, 與命, 與仁." 공자께서는 명과 천명에 대하여 매우 확실하게 말했다. "죽음과 삶은 명에 달려 있고, 부귀는 하늘에 달려 있다 死生有命, 富貴在天,"(논어·안연) "도가 이루어지는 것도 천명이고, 도가 폐하는 것도 천명이다 道之將行也與, 命也. 道之將廢也與, 命也"(논어·헌문) 등과 같다. 그러나 진정으로 공자의 사상특색을 나타낼 수 있는 것은 그가 제시한 "지명"과 "지천명" 사상인데, 그는 이러한 "앎[知]"을 인생수양과 인생자각의 중요한 단계로 삼아서 주체자각과 운명지배의 관계를 통일하였다. 예컨대, 다음과 같다.

> 공자가 말했다. "명을 알지 못하면 군자라고 할 수 없다." (〈논어·효왈〉)
> 공자가 말했다. "나는 15살에 학문에 뜻을 세웠고, 30살에 주관이 바로 섰으며, 40살에 미혹되지 않았고, 50살에 천명을 알았으며, 60살에 들

음에 있어 거슬리는 것이 없었고, 70살이 되어서는 마음이 하고 싶은 대로 따라 해도 법규를 어기는 바가 없었다." (〈논어·위정〉)

子曰 : "不知命, 無以爲君子." (〈論語·堯曰〉)

子曰 : "吾十有五而志于學, 三十而立, 四十而不惑, 五十而 知天命, 六十而耳順, 七十而從心所欲不逾矩." (〈論語·爲政〉)

공자로 말하자면, 소위 천명이라는 것은 주로 사람의 운명을 가리키는 것이었다. "지명知命"은 바로 자기의 운명을 아는 것이다. 비록 사람들이 운명을 좌지우지하지 못하지만, 그것을 인지하고 나아가 그 인지한 기초 위에서 소극을 적극으로 만들고 피동을 주동으로 변경시킬 수 있는 것이다. 공자의 생사에 대한 태도, 공자의 귀신에 대한 태도, 공자의 정치이상에 대한 태도는 모두 이러한 점을 충분히 구현하였다. 공자는 일찍이 "생사에는 명이 있다 生死有命"라고 말하였지만, 어떤 사람이 그와 죽음의 문제를 토론하였을 때, 그는 이렇게 말했다. "삶도 알지 못하는데 어찌 죽음을 알겠는가 不知生, 焉知死." 그가 보기에는, 사람은 살아 있을 때 자기의 본분을 다하여, 아버지로서는 자애롭고, 아들로서는 효도하며, 형제로서는 형제애가 있어야 하며, 이 살아 있는 시간을 완벽하게 충실히 하여야 하는 것이다. 공자가 말하는 지천명은 실제로는 자기를 알아야 한다는 것임을 알 수 있다. 〈자로〉편에 다음과 같은 기재가 있는데, 문제를 잘 설명하고 있다.

번지가 농사짓는 법 배우기를 청하자 공자가 말하였다. "나는 오랫동안 농사를 지은 늙은 농부만 못하다." 원예하는 법 배우기를 청하자 공자가 말하였다. "나는 오랫동안 원예한 늙은이보다 못하다." 번지가 밖으로 나가자 공자가 말하였다. "소인이구나, 번지는! 윗사람이 예를 좋아하면 민초들은 감히 불경한 짓을 저지르지 못한다; 윗사람이 의를 좋아하면 민초들은 감히 복종하지 않는 법이 없다. 윗사람이 신의를 좋아하면, 민초들은 감히 정성을 다하지 아니함이 없다. 무릇 이렇게 하기만 하면 사방에서 백성들이 강보에 그 자식을 업고 올 것이다. 어찌 농사짓는 법이겠는가!"

樊遲請學稼. 子曰 : "吾不如老農." 請學爲圃. 子曰 : "吾不如老圃." 樊遲出, 子曰 : "小人哉, 樊須也! 上好禮, 則民莫敢不敬; 上好義, 則民莫敢不服; 上好信, 則民莫敢不用情. 夫如是, 則四方民襁負其子而至矣, 焉用稼!"

이 대화에서 공자는 농사와 원예방면에서는 자신은 늙은 농부와 늙은 원예사보다 못하다는 것을 명확하게 표시하였다. 공자는 이로 인하여 자기가 무엇이 모자란다고는 추호도 생각하지 않았으며, 오히려 이 방면에서 지식을 얻으려는 번지를 소인이라고 나무랐다. 왜냐하면 공자가 보기에는 "하늘이 나에게 덕을 내렸음[天生德于予]"은 자기에게 농사짓는 것을 배우고 원예를 배우라고 한 것이 아니었다. 그의 임무는 사회에서 예교禮教를 제창하고 인학仁學을 선전하는 것이었다. 그러므로 어떤 사람이 공자에게 왜 정치에 종사하지 않느냐고 물었을 때, 공자는 당당하고 떳떳하게 말하였다 : "서書에 이르기를, '효도하라! 오로지 효도하라! 그리고 형제에게 우애로워라. 효제를 행동으로써 정치에 나타내는 것이 바로 정치에 참여하는 것이다'라고 했거늘 어찌 따로 정치를 할 것이 있겠소? 書云, 孝乎 惟孝, 友于兄弟, 施於有政. 是亦爲政, 奚其爲爲政?"(〈위정〉) 그가 제자들을 가르치고 수업을 한 것은 바로 이 목적을 이루고자 함이었다. 번지가 공자에게 농사·원예의 일을 물은 것은 확실히 공자의 이러한 차원의 천명자각을 몰랐던 것이다.

이로써 공자가 말한 지명知命은 자기를 인지하는 일종의 특수한 방식임을 알 수 있다. 나의 능력이 하늘이 부여한 것·삶과 죽음은 하늘이 결정하는 것이라는 측면에서 말하자면, 이를 "천명天命"이라고 부르는 것이다. 하늘이 부여한 나의 능력한계를 자각하는 측면에서 말하자면, 이를 "지知"라고 부르는 것이다. 만일 "15살에 학문에 뜻을 두었다"라는 것이 공자가 자각적으로 무엇을 하여야겠다는 말이라면, "오십 살에 천명을 알았다"는 것은 공자가 이미 자기가 무엇을 할 수 있는지, 무엇을 해야 하는지를 자각하였다는 것이다. 그러므로 지천명은 일종의 적극적으로 운명에 대처하는 태도요, 일종의 뚜렷한 이성자각이다. 개괄하면, 바로 "너 자신을 알라"이다. "너 자신을 알라"야말로 선철先哲이 〈역〉을 지은 목적이다. 〈계사〉 중에서 말한다.

> 역에 성인의 도가 넷 있으니, 역으로써 말하려는 사람은 괘효의 말을 숭상하고, 움직이려는 사람은 괘효의 변화를 숭상하며, 기구를 만들려는 사람은 괘효의 상을 숭상하고, 점을 치려는 사람은 괘효의 점을 숭상한다. 이렇기 때문에 군자가 장차 하려는 것이 있고 장차 행하려 함이 있어 물어서 말을 하면, 그 명을 받듦이 메아리와 같아서, 멀고 가까우며 그윽하고 깊은 것 할 것 없이 곧바로 올 일을 아나니, 천하의 지극한 정묘精妙로움이 아니면 누가 여기에 참여할 수 있겠는가?

> 〈易〉有聖人之道四焉：以言者尙其辭, 以動者尙其變, 以製器者尙其象, 以卜筮者尙其占. 是以君子將有爲也, 將有行也, 問焉而以言, 其受命也如嚮. 無有遠近幽深, 遂知來物. 非天下之至精, 其孰能與于此.

이것은 〈주역〉에는 성인의 도가 네 가지 있다는 것이다 : 첫째 괘효사는 언론言論이 의거依據하는 바이며, 둘째 괘효의 변화는 행동을 지도指導하는 바이며, 셋째 괘상은 기기를 만드는 청사진이며, 넷째 점법은 길흉을 판단하는 수단이다. 그러므로 군자는 해야 할 일이 있을 때 먼저 〈주역〉에게 가르침을 청하여야 하며, 주역은 물은 바에 대하여 반드시 답하는데, 장래 노력해야 할 방향을 알려주니, 천하에서 가장 정묘한 전적典籍이라 할 수 있다.

무엇을 해야 하고, 무엇을 해서는 안 되며, 무엇을 할 수 있고, 무엇을 할 수 없는지에 대하여 〈주역〉은 모두 답을 줄 수가 있다. 만일 그 신비의 면사를 벗겨버리면, 〈주역〉이 알려주는 물건이 바로 사람들이 자기능력과 정해진 분수를 인식하는 데 참고가 될 수 있다는 것을 알 수 있다. 바꿔 말하면, "하늘의 도리를 밝히고 백성의 의문을 살피는[明于天之道而察察民之故]" 아주 정묘한 전적으로서의 〈주역〉은 바로 사람이 "자신의 운명을 아는" 교과서인 것이다. 공자는 일찍이 "오십이 되어 천명을 알았다"고 말했고, 또 "오십에서 〈역〉을 공부하였다면 큰 과실이 없었을 것이다"라고 말했다(〈논어·술이〉). 여기에 중복해서 나타나는 "오십"과 여기서 강조하는 "지명", "큰 과실이 없음"은, 〈주역〉이 "지명"의 책이요, "지명"의 목적이 "큰 과실이 없음"에 있다는 것을 표명한 것이 아니겠는가? "큰 과실이 없음"에 무슨 걱정이 있겠는가? 그러므로 〈계사〉는 말한다 : "하늘을 즐거워하고 명을 알기 때문에 근심하지 않는다 樂天知命, 故不憂."

10-4

〈주역〉은 우환의 책이다. 선철先哲이 주역을 지은 목적은 사람들로 하여금 길함을 좇고 흉함을 피하게 하고, 우환을 없애려고 함에 있다. 그러나 우환을 진정으로 해소하는 길은 "낙천지명", 즉 천지의 화육化育에 즐거이 참여하고 주체자아의 정해진 분수를 앎에 있다. 이 점을 해내기 위해서는 근심이 없어야 할 뿐만 아니라 천지지용天地之勇을 내서 생사를 궁구窮究하여 초월하여야 한다. 이 방면에 대하여 공자는 여전히 우리들에게 모범이 되고 있다. 논어에 다음과 같은 기재가 있다.

> 공자가 말했다. "하늘이 나에게 덕을 베풀어 주셨는데 환퇴가 나를 어떻게 할 것이란 말인가? (《논어·술이》)
> 공자가 광에서 두려워하며 말했다. "문왕이 이미 돌아가셨지만, 그 문물은 나에게 있도다. 천지가 장차 이 문물을 없어지게 하려고 하였다면 문왕이 죽은 뒤의 사람인 내가 이 문물을 얻지 못하였을 것이다. 하늘이 이 문물을 없어지게 하지 않을 것인데, 광인들이 나를 어떻게 할 것이란 말인가? (《논어·자한》)

> 子曰 : "天生德于予, 桓魋其如予何!" (《論語·述而》)
> 子畏于匡, 曰 : "文王旣沒, 文不在玆乎! 天地將喪斯文也, 後死者不得與于斯文也; 天之未喪斯文也, 匡人其如予何!." (《論語·子罕》)

첫 문장은 공자가 송나라에서 사마환공에 의해 추살追殺당할 위기에서 내뱉은 한마디 탄식이다. 공자의 뜻은 이렇다 : 하늘이 나의 몸에 이와 같은 품덕을 낳아주었는데, 저 환퇴가 나를 어떻게 할 수 있으랴!

두 번째 문장에 기재된 것은 광지방에서 사람들의 오해를 받아 감금당하였을 때 했던 한마디이다. 뜻은 이렇다 : 주 문왕이 죽은 이후에 일체의 문화유산은 모두 내 몸에 있는 것이 아니냐? 하늘이 만일 이러한 문화를 소멸시키려고 했다면 나도 이 문화를 장악하지 못하였을 것이다. 하늘이 만일 이러한 문화를 소멸시키려고 하지 않았다면 광인匡人이 나를 어찌 할 수 있으랴! 공자가 채나라에서 곤경에 처하고 광지방에서 감금당하는 등 생명이 위협받던 시절에도 천명을 품고 주나라의 덕을 계승한 자로 자처하고, 신념이 확고하여 위험에 빠졌어도 분란하지 않고 근심이나 두려움이 없었으니, 그의 자신감을 족히 알 수 있을 것이다. 뒷날의 〈여씨춘추·신인愼人〉의 기재는 다음과 같다.

孔子窮于陳,蔡之間, 七日不嘗食, 藜羹不糁. 宰予備矣, 孔子弦歌于室, 顔回擇采于外. 子路與子貢相與而言曰 : "夫子逐于魯, 削迹于衛, 伐于宋, 窮于陳, 蔡, 殺夫子無罪, 籍夫子不禁, 夫子弦歌鼓舞, 未嘗絶音, 盖君子之無所醜也若此乎?" 顔回無以對, 入以告孔子. 孔子축연推琴, 喟然而嘆曰 : "由與賜, 小人也. 召, 吾語之." 子路與子貢入. 子貢曰 : "如此者可謂窮矣." 孔子曰 : "是何言也? 君子達于道之謂達, 窮于道之謂窮. 今丘也拘仁義之道, 以遭亂世之患, 其所也, 何窮之謂? 故內省而不疚于道, 臨難而不失其德. 大寒旣至, 霜雪旣降, 吾是以知松柏之茂也. 昔桓公得之여, 文公得之曹, 越王得之會稽. 陳蔡之厄, 于丘其幸乎?" 孔子熱然返琴而弦, 子路抗然執干而舞. 子貢曰 : "吾不知天之高也, 不知地之下也." (〈呂氏春秋·愼人〉)

대의는 이렇다.

공자가 진陳과 채蔡나라 사이에서 갇혀 7일 동안이나 밥 같은 밥을 먹지 못했다. 재여宰予는 매우 피로하였으나 공자는 방안에서 거문고 줄을 타고 노래를 부르고, 안회는 바깥에서 채소를 다듬고 있었다. 자로와 자공은 함께 불만을 표시하며 말했다. "우리 선생님은 노나라에서 쫓겨나고,

위나라에서 종적을 감추고 다녀야 했고, 송나라에서는 추살追殺령이 내렸으며, 현재 다시 진나라·채나라 사이에서 곤경에 처해 있다. 선생님을 죽이려는 자는 죄가 없고, 선생님을 모욕한 사람은 구금당하지 않는 지경인데도, 선생님은 오히려 거문고를 타고 노래를 부르는데 지금까지 끊임이 없으니, 군자가 이 지경에 이르렀는데도 수치를 느끼지 못한다 말인가?" 안회가 그들의 의론을 들은 뒤 아무런 대꾸도 하지 않고 방안에 들어가 공자에게 일러바쳤다. 공자는 이 말을 듣자말자 안색을 바꾸고 거문고 치기와 노래 부르기를 그만두고서는 탄식하여 이르기를, "유와 석은 참으로 소인이구나. 그들을 오라고 하라, 내가 그들에게 이를 말이 있다." 자로와 자공은 불려 들어왔다. 자공이 말하였다. "우리들이 이런 지경에 이른 것은 곤궁의 끝에 이르렀다고 할 수 있겠습니다." 공자는 반박하여 말하였다. "이것이 무슨 말이냐? 군자가 통달하는 것은 도에 통달하는 것이요, 군자가 곤궁한 것은 도에 곤궁한 것이다. 현재 나 공구는 비록 태어나서 난세를 만났으나 인의지도仁義之道를 가슴에 품고 나의 이상을 굳게 지키고 있는데, 어떻게 곤궁의 끝에 이르렀다고 말할 수 있겠느냐? 자기를 반성하고 도를 체득하는 방면에서 부족함이 없고, 간난艱難을 만나고도 덕의 수양방면에서 조금도 잃어버림이 없다. 겨울이 와서 서리와 눈이 내릴 때 나는 비로소 송백松柏의 무성함과 그 품격을 더욱 잘 안다. 과거 제 환공은 무지의 난을 만나 여를 떠났고, 진 문공은 여희의 모함을 받아 조나라를 떠났으며, 월왕 구천은 오나라와 전투에서 패하여 회계의 산에서 와신상담臥薪嘗膽하였다. 그들은 모두 눈앞의 불리함에 의하여 겁을 먹고 넘어지지 않고, 그 반대로 그들은 모두 스스로 격려하고 스스로 반성하여 마침내 나라를 되찾았다. 현재 진나라·채나라 사이에서 닥친 이러한 곤란은 나 공자로서 말하자면 일종의 행운이 아니겠는가?" 공자는 말하기를 그치자 지기志氣가 고양되어 다시 거문고를 가지고 노래를 타기 시작했다. 자로도 지기가 고양되어 방패를 들고 춤을 추기 시작했다. 자공이 탄식하며 말했다. "선생님의 성덕은 하늘과 같이 높고 넓으며, 땅과 같이 두터우니, 내가 어찌 이해할 수 있겠는가!"

이 기재가 완전한 진실인지는 알 수 없으나, 형상적으로 공자의 정신과 경지를 말하고 있다. 공자가 "방에서 노래를 타고," "안회가 밖에서 채소를 다듬는다"는 것부터 "자로도 지기가 고양되어 방패를 들고 춤을 추기 시작했다"는 데 이르기까지는 아마 일종의 "낙천지명"일 것이다. 그러므로 "낙천지명"은 일종의 경지요, 일종의 미美의 경지·선善의 경지·미와 선이 합일한 경지이다. 이러한 경지는 자기의 고상하고 완미한 인격에 의거하여, 천지의 도에 대한 체득과 주체자아에 대한 파악을 통하여 구현되는 것이다.

외편

11. 시지시행 時止時行

내편에서는 주로 사람의 수양방면에서 인생과 밀접한 관련이 있는 덕성수양의 문제를 논의하였다. 이제부터 행위방면에서 처세의 방법원칙을 논의하려 한다. 〈주역〉의 처세철학으로 말하자면, 전자는 변화 속의 불변[變中之常]이라 할 수 있는데, 언제 어디서든지 사람들이 모두 추구하고 지켜서 스스로 자아의 인격수양을 계속하고 완성케 하는 것이다. 후자는 불변 속의 변화[常中之變]라고 할 수 있는데, 때와 장소가 다름에 따라 변역變易이 있기 때문에 스스로 시세의 흐름에 따르고 순응케 하는 것이다.

"때"와 "장소"는 〈주역〉에서는 "시時"와 "위位"로 부른다. 방법원칙의 입장[120]에서 말하자면, 양자와 그 관계는 매우 중요한데, 심지어는 〈주역〉의 핵심사상 중 하나라고 말할 수 있다. 그러므로 외편에서는 "시"에 대한 논의부터 시작한다.

11-1

"시時"를 말하게 되면 사람들은 금방 "시간"이란 개념을 떠올리게 된다. 사람들이 현재 갖고 있는 인식능력으로 말하자면, "시간"은 시작이 없고 끝이 없으며, 그것의 시점을 찾을 수 없고, 그것의 종점도 미리 알 수가 없다. 그러나 만사만물은 모두 이 속에서 생멸·변화하며, 인류 자신도 그 속에서 성쇠·존망한다. 어떤 것도 시간 밖으로 도피할 수 없다고 할 수 있으며, 개체인 사람은 더욱 그러하다. 사람의 일생을 이야기하고,

120 〈주역〉에서 "시"와 "위"는 모두 본체적인 의의를 갖고 있다. 본편은 〈주역〉 처세의 방법원칙을 토론하는데 중점이 있기 때문에 본체방면의 문제에 대하여는 비교적 적게 언급한다.

사람의 생명을 이야기하는데, 이런 것들은 모두 하나의 시간개념이라 볼 수 있다. 사람에게는 생일이 있고, 죽는 날이 있는데, 이것도 역시 하나의 시간개념이다. 중국인이 늘 적어내는 "연말결산서", "이력서" 등도 이와 같은 시간이 흘러가는 과정을 순서대로 배열한 것이다. 사람과 시, 시와 사람은 잠시라도 떠날 수 없다는 것을 알 수 있다.

그러나 사람과 시, 시와 사람이 잠시라도 떠날 수 없다는 것이 반드시 사람은 시간의 안배를 받아 피동적으로 생활하여야 한다는 것을 의미하는 것은 아니다. 사람은 "때를 밝게 앎[明時]"을 통하여 주동적으로 시간의 변화에 참여할 수 있다. 〈주역〉은 "취길피흉趣吉避凶"을 강조하는데, 실제로는 사람들로 하여금 때를 명백히 아는 기초 위에서 시간의 변화를 맞이할 준비 작업을 잘함으로써 "하늘에 앞서도 하늘이 어기지 아니하고 하늘에 뒤서도 천시를 받들 수 있다." 구체적으로 말하면, 주역의 이론은 "때를 밝게 앎[明時]", "때에 맞게 행함[時行]", "때에 맞게 그침[時止]"과 "동과 정이 그때를 잃지 아니함[動靜不失其時]"이다. 핵심사상은 "때와 함께 행한다[與時偕行]"이다.

"때를 밝게 앎[明時]"은 바로 시간에 대하여 이해하는 바가 있고, 인식하는 바가 있다는 것이다. 주역의 "때를 밝게 앎"은 "때를 살핌"으로부터 시작한다. 예컨대 〈비괘賁卦·단전〉이 말한 바와 같다 : "천문을 관찰하여 때의 변화를 살핀다 觀乎天文, 以察時變." 일월성진 등의 천상天象을 우러러 관찰하여 사시와 계절이 변화하는 규율을 살펴 알 수 있다. 또, 〈관괘·단전〉이 말한 바와 같다 : "하늘의 신도를 관찰하니 사시가 어긋나지 않는다. 觀天之神道, 而四時不忒." 자연운행의 신묘한 변화를 우러러 관찰하여 사시가 교차하는, 터럭 하나 틀리지 않는 도리를 이해할 수 있다. 또, 〈예괘·단전〉이 말한 바와 같다 : "천지가 순응하여 움직이니 일월이 틀리지 아니하고, 사시가 어긋나지 않는다. 天地以順動, 故日

月不過, 而四時不忒.” 천지가 그 본연의 성질에 따라 움직이므로 일월의 운행이 틀리지 아니하고, 사시의 교차에 착오가 없다. 또, 〈풍괘·단전〉이 말한 바와 같다 : “해가 중천에 뜨면 기울고, 달이 차면 어그러지니, 천지의 차고 빔이 때와 더불어 자라고 사그라진다. 日中則昃, 月盈則食, 天地盈虛, 與時消息.” 해가 중천에 있게 되면 반드시 서쪽으로 기울고, 달이 만월이 되면 반드시 줄어들게 되며, 천지자연은 가득 차게 되면 반드시 줄어들고 줄어들게 되면 반드시 차게 되는 바, 그것들은 모두 일정한 시간에 근거하여 사그라들고 자라나며 존재하게 되고 없어지게 된다. 유사한 말이 〈단전〉 및 〈계사〉에 많이 있는데, 이러한 것들은 모두 옛사람이 천지자연에 대한 관찰을 통하여 획득한 “시時”에 대한 지식이다.

어떤 의미로서 말하면, 주역은 “때를 살핌[察時]”, “때를 밝게 앎[明時]”의 작품이다. 〈계사전〉은 말한다.

> 古者包羲氏之王天下也, 仰則觀象于天, 腑則觀法于地, 觀鳥獸之文與地之宜, 近取諸身, 遠取諸物, 于是始作八卦, 以通神明之德, 以類萬物之情.

대의는 이렇다.

> 상고上古 성철聖哲인 복희씨가 천하를 다스릴 때, 머리를 들어 천상의 별들의 모습을 관찰하고, 몸을 구부려 대지의 형세를 관찰하며, 날짐승과 길짐승의 신상의 무늬를 관찰하고, 화초 초목의 생존특성을 관찰하고, 가까이는 사람 자신의 특징을 취하고 멀리는 각 종류의 사물의 특징을 취하여 이것을 바탕으로 하여 팔괘를 창작하였고, 이로써 신기하고 광명한 덕성을 관통하고 천하 만물의 정상을 종류별로 귀속하게 되었다.

이 말은 비록 팔괘의 제작과정을 이야기한 것이지만, 그 앙관부찰仰觀俯察[우러러 관찰하고 굽어 살핌]과 관물취상觀物取象의 과정 자체는 시간에 대한 인식을 포함하고 있다는 것은 의심할 나위가 없다. 〈계사전〉 속에는 또 이런 말이 있다 : "성인이 천하의 그윽하고 깊은 모습을 보고 그 형용을 비겨보며, 그 물건의 마땅한 것을 본받기 때문에 상이라 말한다. 聖人有以見天下之賾, 以擬諸其形容, 象其物宜, 是故謂之象." 성인이 천하의 유심幽深하고 발견하기 어려운 도리를 발견하고 그것을 비겨서 구체적인 형상을 이루어 특정 사물의 상관된 뜻을 상징하였다. 그리고 "형상을 본받은 것이 하늘과 땅보다 큰 것이 없고, 변하고 통하는 것은 사시보다 큰 것이 없으며, 상을 걸어 놓고 밝음을 드러냄이 해와 달보다 큰 것이 없다. 法象莫大乎天地, 變通莫大乎四時, 懸象著明莫大乎日月." 그러므로 이러한 종류의 비유와 상징 속에 자연히 시간에 대한 관찰과 체득을 포함하게 되었다. 이 점은 〈계사전〉이 기재한 서법筮法 중에 특별하게 분명히 구현되어 있다.

대연의 수는 50이나 사용하는 시초의 수는 49개이다. 나누어 둘이 되어 양의를 상징하고, 하나를 걸어서 삼재를 상징하며, 이것을 네 개씩 셈하여 네 계절을 상징하고, 남은 수를 하나로 합하여 손가락에 끼어서 윤달을 상징하는데 5년 만에 다시 윤달이 되므로 다시 손가락 사이에 끼우고 난 후에 셈하여 걸어 놓는다. ……

大衍之數五十, 其用四十有九. 分而爲二以象兩, 挂一以象三, 揲之以四以象四時, 歸奇于扐以象閏. 五歲再閏, 故再扐而後挂. ……

〈주역〉은 본래 서점筮占의 책이나 서법을 소개하는 이 글은 곳곳에 하나의 "시時"자를 숨기고 있으니, "때를 살핌[察時]"과 "때를 밝게 앎[明時]"에 대하여 매우 고심하였다는 것을 한 번 보기만 해도 알 수 있을 것이다.[121]

11-2

〈주역〉에서 말하는 "때를 밝게 앎"은 일종의 인식 혹은 지식이기는 하지만 순수한 인식이나 지식이 아니다. 그것은 곳곳에서 인간의 윤리와 사물의 운용과 밀접하게 맞물려서 전개된다. "때를 밝게 앎"의 목적은 사람들로 하여금 때에 맞게 행동하도록, 즉 "때가 그쳐야 할 때면 그치고, 때가 행하여야 할 때는 행하여, 움직이고 고요히 있음이 그 때를 잃지 않게 함 時止則止, 時行則行, 動靜不失其時"에 있음을 알 수 있다.

"시행時行"은 바로 때에 맞게 행동하는 것이다. 일체가 모두 시간 속에 있어서 누구도 시간 밖으로 떠돌아다닐 수가 없는 것이라면, 시간의 흐름 속에서 진취하고자 하는 바를 바랄 때에는 반드시 시세에 순응하여 행동하여야 할 것이다. 어떤 학자는 지적한다 : 사람과 때의 관계는 "주체와 객체의 관계, 행위와 환경과의 관계, 주관능동성과 객관필연성과의 관계이다. 때에 순응하여 행동하면 반드시 이로움을 얻고, 때에 역행하여 행동하면 장차 재난을 초래하게 될 것이며, 주체행위가 정당한지 여부는 완전히 주체행위 그 자체에 의하여 결정되는 것이 아니라 주로 환경의 수요에 적응하는지 여부에 의하여 결정된다."[122] 그러므로 "시행時

121 〈주역〉의 "察時", "明時"에는 경험적 개괄이 있을 뿐만 아니라 이성적인 빛질도 있다. 어떤 학자는 〈주역〉의 시간개념의 특징을 네 개 방면으로 개괄한다 : (1) 變動不居 (2) 生生不息 (3) 終始反復 (4) 有則有序. (임여진의 〈주역연구〉 1993년 제4기에 실린 〈주역 "시" "위" 관념적특징급기발전방향〉 참조. 본서 하편의 특색에 한하여, 여기서는 단지 "察時", "明時"의 중요성에 대하여 지적, 진술하고 그 가운데의 철학적 내함은 비교적 적게 논술한다.

122 서돈강,〈중국철학논집〉, 제480쪽, 심양, 요녕대학출판사, 1998년.

行"의 "시時"는 하나의 연월일시의 문제일 뿐만 아니라 연월일시와 상관되고 주체와 상관되는 일체 인연의 총화인 것이다. 이것은 사람들이 통상적으로 말하는 "시기時機"라는 단어의 진정한 함의이다.

〈주역〉 속에는 "시행時行"을 논한 곳이 아주 많다. 예컨대, 다음과 같다.

> 그 덕이 강건하고 문명하며, 하늘에 응하고 때에 맞게 행하니, 그러므로 크게 형통하다. (〈대유·단전〉)
> 천하가 때를 따르니 수의 때의 뜻이 크도다. (〈수·단전〉)
> 왕공이 험난한 곳을 설치하여 그 나라를 수비하니, 험난한 곳을 때에 맞게 씀이 크도다. (〈감·단전〉)
> 강이 마땅한 자리에 있고 응하니, 때와 더불어 행하는 것이다. (〈둔·단전〉)
>
> 其德剛健而文明, 應乎天而時行, 是以元亨. (〈大有·彖傳〉)
> 天下隨時, 隨時之義大矣哉. (〈隨·彖傳〉)
> 王公設險, 以守其國, 險之時用, 大矣哉. (〈坎·彖傳〉)
> 剛當位而應, 與時行也. (〈屯·彖傳〉)

대유괘의 "하늘에 응하고 때에 맞게 행함 應乎天而時行"은 하늘의 규율에 순응하여 때에 맞게 행한다는 것이다. 수괘의 "천하가 때를 따름 天下隨時"은 천하의 뭇사람들이 때의 변화에 순응하여 서로 이를 따른다는 것이다. 감괘의 "험險을 때에 맞게 씀 險之時用"은 나라의 왕과 제후가 천시에 응하여 위험한 지형, 지물을 설치하여 나라를 지키는 것을 가리키는데 그 뜻이 매우 중대하다. 둔괘의 "때와 더불어 행함 與時行也"은 시세에 따라서 제때 물러나 피한다는 것이다. 종합하면, "시행"은 시기를 잃지 말고 때가 변화함에 따라 행동하라는 것이다. 속담에서 이르기를 '기회는 잃어버려서는 안 되니 때는 다시 오지 않는다'고 하는데, 그것이 가리키는 것이 바로 이 뜻이다. 또한 "시행"은 "때를 얻음[得時]"이라고 부를 수 있다. "때를 얻음[得時]"과 "때를 잃음[失時]"은 서로 대응된다. 〈열자·설부〉 중에는 "때를 얻음"과 "때를 잃음"의 두 가지 확연히 다른 결과를 논의한 고사가 있는데, 재미난 것이다.

노나라 시씨에게 두 아들이 있었는데, 하나는 학문을 좋아하고 하나는 싸움을 좋아하였다. 학문을 좋아하는 ㄴ자는 술수로서 제후를 찾아갔는데, 제후는 그를 받아들여서 아들들의 스승으로 삼았다. 싸움을 좋아하는 자는 초나라로 가서 법으로써 초왕의 일을 도왔는데 왕이 이를 기뻐하고 군정으로 삼았다. 부가 그 집안을 복되게 하였고, 벼슬이 그 친지들을 영화롭게 하였다. 시씨의 이웃사람 맹씨에게도 똑같이 두 아들이 있었는데 그 종사하는 일도 같았으나 가난하여 궁색하였다. 시씨의 부유함을 선망하여 출세하는 방법을 물었다. 두 아들은 맹씨에게 사실대로 알려주었다. 맹씨의 한 아들은 진나라로 가서 술수로서 진왕을 도왔다. 진왕이 말했다. "현재는 여러 제후가 전쟁을 일으키려고 하는데 힘써야 하는 것은 병사와 식량뿐이다. 만일 인의로서 나라를 다스리는 것은 멸망의 길이다." 마침내 궁형(宮刑 ;거세당하는 형벌)을 하고 놓아주었다. 나머지 아들은 위나라로 가서 법으로 위후를 도왔다. 위후가 말했다. "우리나라는 약하다. 그래서 큰 나라 사이에서 두려워하고 있다. 대국이면 우리는 섬기고, 소국이면 우리는 어루만져주는 것이 안전함을 구하는 길이다. 만일 병권에 의지하면 멸망을 기다리는 것이다. 만일 당신이 몸이 온전한 채로 귀가하여 다른 나라에 간다면 나의 걱정이 결코 가볍지 않을 것이다." 마침내 월형(刖刑: 발꿈치를 자르는 형벌)을 받고 노나라로 돌아왔다. 맹씨 부자는 가슴을 치며 시씨를 책망했다. 시씨가 말했다. "무릇 때를 얻은 자는 창성하고 때를 잃은 자는 망한다. 그대의 도리는 나와 같으나 그 성과는 나와 다르니, 때를 잃은 자이지 행동이 그릇된 것이 아니다. 무릇 천하의 이치에 항상 옳은 것은 없으며 일에 있어 항상 그릇된 것도 없다. 예전에 사용하던 것도 지금에는 버릴 수도 있고, 지금 버린 것을 나중에 사용할 수도 있다. 이 사용함과 사용하지 아니함에 있어 반드시 옳고 그름이 있는 것이 아니다. 그 사이에 끼어들어 때에 맞추는 것, 일을 처리함에 있어 방향을 정해두지 않는 것은 지혜에 속한다. 지혜가 부족하면 설사 공자처럼 박식하고 여상처럼 술수가 뛰어나도 어찌 나아가서 추하지 않겠는가?" 맹씨 부자는 의심이 풀리어 화난 기색 없이 말했다. "알았습니다. 아들 일은 두 번 다시 말하지 않으리다."
(〈열자·설부〉)

魯施氏有二子, 其一好學, 其一好兵. 好學者以術干齊候, 齊候納之, 以爲齊公子之傅. 好兵者之楚, 以法干楚王, 王悅之, 以爲軍正. 祿富其家, 爵榮其親. 施氏之隣人孟氏同有二子, 所業亦同, 而窘于貧. 羨施氏之有, 因從請進趨之方. 二子以實告孟氏. 孟氏之一子之秦, 以術干秦王. 秦王曰 : "當今諸侯方爭, 所務兵食而已. 若用仁義治吾國, 是滅亡之道." 遂宮而放之. 其一子之衛, 以法干衛候. 衛候曰 : "吾國弱也, 而慑乎大國之間. 大國吾事之, 小國吾撫之, 是求安之道. 若賴兵權, 滅亡可待矣. 若全而歸之, 適于他國, 爲吾之患不輕矣." 遂刖之, 而還諸魯. 旣返, 孟氏之父子叩胸而讓施氏. 施氏曰 : "凡得時者昌, 失時者亡. 子道與吾同, 而功與吾異, 失時者也, 非行之謬也. 且天下理無常是, 事無常非. 先日所用, 今或棄之; 今之所棄, 後或用之. 此用與不用, 無定是非也. 投隔抵時, 應事無方, 屬乎智. 智苟不足, 使若博與孔丘, 術與呂尙, 焉往而不琼哉?" 孟氏父子舍然無慍容, 曰 : "吾知之矣, 子勿重言."(〈列子·說符〉)

고사 중에서 말하는 시씨의 두 아들과 맹씨의 두 아들이 닦은 기능은 서로 차이가 없었으나 그 기능을 써서 관직을 구할 때는 확연히 다른 대우를 받았다. 시씨의 두 아들은 "부가 그 집안을 복되게 하였고, 벼슬이 그 친지들을 영화롭게 하였다." 그러나 맹씨의 두 아들은 궁형이나 월형을 받았다. 성공한 시씨는 이를 "때를 얻은 자는 창성하고, 때를 잃은 자는 망한다"고 일렀다. 이것이 바로 〈위요자·십이릉〉에서 말하는 "위엄은 변하지 아니함에 있고, 은혜는 때에 따라 행함에 있다 威在于不變, 惠在于因時."라는 것이다. "때를 얻은 자는 창성한다"는 것도 "때와 더불어 행하는 것"이라 말할 수 있다.

11-3

때에 따라 행하는 것도 중요하지만, 때에 맞게 그치는 것도 그 의의가 비상하다. 그래서 〈단전〉은 "때가 그쳐야 할 때면 그치고, 때가 행하여야 할 때면 행한다 時止則止, 時行則行."라고 말한다. "때와 더불어 행한다"는 말은 "때에 맞춰 그친다"는 뜻을 포함한다. 〈주역〉에는 "그침"의 문제를 전문적으로 논의한 간괘艮卦가 있는데, 그 괘사는 이렇다 : "그 등에서 그치니 그 몸을 얻지 못하고, 그 뜰을 걸어도 그 사람을 보지 못한다. 허물이 없다. 艮其背, 不獲其身; 行其庭, 不見其人. 無咎." 〈단전〉은 다음과 같이 해석한다.

> 간은 그친다는 것이다. 때가 그쳐야 할 때면 그치고, 때가 행하여야 할 때면 행한다; 움직이고 가만히 있는 것이 그 때를 잃지 않으니 그 도리가 빛나고 밝다. "艮其止"는 그 그쳐야 할 자리에 그치는 것이다. 위와 아래가 적으로 상대하니 서로 함께하지 않는 것이다. 그래서 "그 몸을 얻지 못하

고, 그 뜰을 걸어도 그 사람을 보지 못한다. 허물이 없다.”

艮, 止也. 時止則止, 時行則行; 動靜不失其時, 其道光明. “艮其止”, 止其所也. 上下敵應, 不相與也, 是以 “不獲其身, 行其庭, 不見其人. 無咎”也.

간

간괘는 주로 “그침”의 뜻을 분명히 설명한다. 〈서괘〉는 “간이라는 것은 그친다는 것이다”라고 말하고, 〈잡괘〉는 “간은 그친다는 것이다”라고 말한다. 이곳 〈단전〉도 역시 “간은 그친다는 것이다”라고 말하고 있다. 간은 그친다는 것이기 때문에 〈단전〉에는 “시지즉지[時止則止 : 때가 그쳐야 할 때는 그쳐야 한다]”의 설(說)이 있다. 다만 “그침”의 괘를 논함에 있어 어찌 또다시 “시행즉행[時行則行 : 때가 행하여야 할 때면 행한다]”는 것을 말하는가? 김경방은 이렇게 해석한다 : “지止의 의의는 결코 간단하지 않으니, 정지하여 움직이지 않는 것이라야 지止라고 여겨서는 안 된다. 기실 지止는 행行의 뜻도 그 안에 포함하고 있다. 이 점을 일반인들은 쉽게 깨닫지 못하는데, 그래서 공자는 특별히 설명을 덧붙였다. 그침에 그치는 것도 지止이고 행함에 그치는 것도 지止이다. 우리들은 나태하지 않고 계속해서 하나의 일을 하는 것이 바로 행함에 그치는 지止이다. 나중에 우리들이 상황이 변했음을 발견하고 이 일을 그만두고 다시 행하지 않는 것은 바로 그침에 그치는 지止이다. 계속하여 어떤 일을 하는 것이 행함에 그치는 것이고, 계속하여 어떤 일을 하지 않는 것은 그침에 그치는 것이다. 두 가지 그침을 실행할 때에는 경우를 살펴야 하는데, 바로 ‘그 등에 그치는 것[艮其背]’이다. 이 경우는 공간상의 경우뿐만 아니라 철저하게 시간상의 경우이기도 하다. '때가 그쳐야 할 때 그친다[時止則止]'는 것은, 때가 그침에 머물 것을 요구하는 것으로서 바로 그침에 그치는 것이다. '때가 행하여야 할 때 행한다[時行則行]'는 것은 때가 행하는 것에 머물 것을 요구하는 것으로서 바로 행함에 그치는 것이다. 혹은 그침에 그치기도 하고 혹은 행함에 그치기도 함에 있어 때는 결정적인 요소이다."[123]

김경방의 해석에는 변증법적 색체가 매우 농후하고, 그 뜻도 매우 심각하다. 그 뜻은 '간지艮止의 뜻은 시기 때문에 그쳐야 할 곳에 그침에 있을 뿐만 아니라 시기 때문에 지켜야 할 곳에 그침에도 있다'는 것을 나타낸다. 그래서 단전은 이어서 말한다 : "그 등에 그침은 그쳐야 할 곳에 그치는 것이다." 그런데 〈상전〉은 더욱 명확하게 강조하여, 군자는 간의 상을 보고서는 응당 "생각이 그 분수(자리)를 벗어나서는 아니 된다 思不出其位"라고 하고 있다. 송인宋人 정이는 이렇게 해석하였다 : "군자는 간지艮止의 상을 보고서는 그 그치는 것에 편안히 있을 것을 생각하고 그 자리를 벗어나지 않는다. 자리[位]라는 것은 그것이 위치하고 있는 곳의 분수이다. 만사는 각기 그 자리가 있는 바, 그 자리를 얻으면 그 곳에 편안하게 머문다. 만일 행하여야 함에도 그치거나 급히 서둘러야 함에도 천천히 한다면 혹은 과하고 혹은 모자라는 것이니 모두 '그 자리를 벗어난 것'이 된다."[124] "그 자리에 머무는 것 止其所", "그 자리를 벗어나지 않는 것 不出其位" 모두 그 마땅히 지켜야 할 자리에 그치는 것이다. 그런데 마땅히 그쳐야 할 곳에 그치는 것이 바로 마땅히 지켜야 할 곳에 그치는 것이다. 그러므로 "그침[止]"은 결코 정지하여 움직이지 않는 것이 아니라 그침으로써 행함을 돕고 행함으로써 그침을 이루는 것이다. 〈한씨외전〉 중에 공자가 주공을 평가한 글이 있는데, 이 도리를 잘 설명하였다.

123 김경방 등 : 〈주역전해〉 제 359항.
124 〈정씨역전〉 -역자 주

공자(公子)가 이렇게 말하였다.

"옛날 주공周公이 아버지인 문왕文王을 섬길 때는 행동에 멋대로 함이 없었고, 일에는 자기 위주로 함이 없었으며, 몸은 옷을 이겨내지 못할 듯이 하고, 말은 마치 입 밖에 내지 못할 듯이 하였으며, 그 앞에 무슨 물건을 들고 갈 때면 공손히 받들어 마치 놓칠 듯 두려워하는 태도를 취하였으니, 그는 가히 아들 된 도리를 다하였다고 할 수 있다.

그리고 그의 형 무왕武王이 죽고 조카 성왕成王이 어린나이에 왕위에 오르자 주공은 문왕, 무왕의 업적을 이어받아 천자의 지위를 실천하고, 천자의 정사政事로 의견을 듣고, 이적夷狄의 난을 정벌하고 관숙管叔·채숙蔡叔의 죄를 주벌하였다. 또 성왕을 안은 채 제후들의 조견을 받아 벌과 상을 내리고 결재하며 판단하되 어느 하나 고문顧問을 받지 않은 것이 없었다. 그리하여 그 위엄은 천하를 진동하였고 그 떨침은 사해四海를 놀라게 하였다. 그러니 이때는 가히 그 무武를 발휘하였다고 할 수 있다.

이어서 성왕이 성장하자 주공은 정치를 그에게 돌려주고, 스스로 북면北面하여 섬기되 먼저 요청이 있어야 행하였으며, 조금도 자랑하거나 뽐내는 기색이 없었다. 이때에는 가히 신하로서의 의무를 다하였다고 할 수 있다.

그러므로 한 사람의 몸이 능히 세 번이나 변할 수 있었던 것은 그때마다 잘 응하였기 때문이다.(〈한씨외전〉 권7)

대의는 이렇다 : 주공이 문왕을 섬길 때는 아들된 도리를 다하였다고 할 수 있다. 천자의 지위를 실천할 때는 무武를 발휘하였다고 할 수 있다. 북면하여 성왕을 섬길 때는 신하된 도리를 다 하였다고 할 수 있다. 아들된 도리를 다함은 아들됨의 도에 그쳐서 아들로서의 효를 행하였다고 할 수 있다. 무를 발휘하였다 함은 임금됨의 도에 그쳐서 왕으로서의 사업

을 행하였다고 할 수 있다. 신하된 도리를 다함은 신하됨의 도에 그쳐서 신하의 사무를 행하였다고 할 수 있다. 아들로서는 아들된 도리를 다하고 아들됨의 도에 편안히 머물고, 왕으로서는 왕된 도리를 다하고 왕의 도에 편안히 머물며, 신하로서는 신하된 도리를 다하고 신하의 도에 편안히 머무니, 주공은 참으로 "때가 그쳐야 할 때는 그치고, 때가 행하여야 할 때는 행함 時止則止, 時行則行"을 해냈다고 하여야 할 것이다.

"때에 맞게 행함[依時而行]"에 비교하여 말하자면, "때에 맞춰 그침[時止]"은 더욱 마음대로 제어하기가 어렵다. 〈논어〉에 기재된 공자의 몇몇 감개는 실제로 이것과 상관된다. 예컨대, 공자가 그 제자 남용을 칭찬할 때와 같다 : "나라에 도가 있을 때는 버림받지 않고, 나라에 도가 없을 때도 형벌이나 주륙을 면할 사람이다."(〈논어·공야장〉) 그리고 자신의 질녀를 그에게 시집보냈다. 또, 위나라 대부 영무자를 찬양하며 말했다. "영무자는 나라에 도가 있으면 아는 척 했고, 나라에 도가 없으면 어리석은 척 했다. 그의 아는 척하는 자세는 누구나 따를 수 있으나, 그의 어리석은 척하는 태도는 누구나 따를 수 없다." 남용의 "버림받지 아니함"과 "형과 주륙을 면함", 영무자의 "아는 척함"과 "어리석은 척함"은 모두 일종의 "때가 그쳐야 할 때는 그치고, 때가 행하여야 할 때는 행함 時止則止, 時行則行"이라는 인생지혜를 표현하고 있다. 그러므로 공자는 그들을 매우 칭찬하였다. 사실은 공자 본인 역시 때의 변화에 충분히 잘 대응할 수 있는 성자였으며, 그래서 맹자는 그를 칭하여 "빨리 떠나야 할 때에는 빨리 떠나셨고, 오래 있을 만하면 오래 계셨고, 은거해야 할 때는 은거하셨고, 벼슬할 만하면 벼슬하신" '때의 성자'라고 하였다. (〈맹자·만장하〉)

11-4

"때에 맞게 행함[時行]"도 좋고, "때에 맞게 그침[時止]"도 좋은데 이들은 한마디로 귀결할 수 있으니 바로 "움직이고 가만히 있음[動靜]이 그 때를 잃지 않는다"는 것이다. 왕필은 그가 지은 〈주역약례〉에서 다음과 같이 지적하였다.

> 무릇 괘라는 것은 시時이다. 효라는 것은 때를 따라서 변화하는 것이다. 무릇 때에는 막힘과 통함[否泰]이 있기 때문에 그 쓰임에는 행함과 숨음[行藏]이 있다. 괘에는 적고 큼이 있으므로 글에는 험하고 쉬움이 있다. 한때 제약이 있더라도 그와 반대로 하면 쓸 수가 있고, 한때 길하더라도 그와 반대로 하면 흉하게 된다. 그러므로 괘에도 이를 반대로 하면 효도 모두 변하게 된다. 그리하여 씀에는 상도常道가 없고, 일에는 규범이 되는 것이 없으며, 움직이고 가만히 있음과 움츠리고 폄[動靜屈伸]은 오로지 때에 따라 변한다.

"움직이고 가만히 있음과 움츠리고 폄[動靜屈伸]은 오로지 적당한 때에 따라 변한다"는 것이 바로 "때에 맞게 행함[時行]", "때에 맞게 그침[時止]"이요 "움직이고 가만히 있음이 그 때를 잃지 아니하는 것 動靜不失其時"이다. 건괘를 예로 들어보자. "못 속에 잠긴 용이니 쓰지 말라", "나타난 용이 밭에 있으니 대인을 만나는 것이 이롭다", "종일토록 부지런히 하다가 저녁이 되어서는 두려운 마음으로 반성한다", "혹 뛰어오르다가 못에 돌아온다", "나는 용이 하늘에 있으니 대인을 만나는 것이 이롭다" 등등은 모두 때에 의거하여 맞게 행한다는 것이다. 그러므로 〈단전〉은 이렇게 말한다. "처음과 끝을 크게 밝히고 여섯 자리가 때에 따라 이루어지니, 때가 여섯 용을 타고 하늘을 어거馭車한다."

그 밖에 주의해야 할 것은, "때에 맞게 행함[時行]", "때에 맞게 그침[時止]"과 "동정이 그 때를 잃지 아니함 動靜不失其時"은 그 관건이 "중中", 즉 "시時"에 있어서 "중도"를 얻는 것, 〈맹자〉와 〈중용〉에서 말하는 "시중時中"에 있다. "시중時中"은 "중도"이되 때가 그렇기 때문이고, "때"가 그렇기 때문에 "중도"를 얻은 것이다. 그 가운데를 얻었으므로 경經이라 하고, "시時"에 따라 대응하므로 권權이라 한다.[125] 경이 있고 권이 있으므로 능히 변통할 수 있다. "변통이라는 것은 때를 따라가는 것이다 變通者, 趣時者也."(〈계사전〉) 〈맹자·만장하〉에 백이·이윤·유자혜와 공자의 처세방법과 원칙을 비교한 뒤, 마지막으로 다음과 같이 말했다.

> 맹자가 말했다. "백이는 성인 중에도 가장 청고한 분이다. 이윤은 성인 중에도 가장 중책을 자임하는 분이다. 유하혜는 성인 중에도 가장 융화할 수 있는 분이다. 오직 그리고 공자님만이 성인 중에도 가장 시의(時宜)에 맞게 행하실 수 있는 분이시다. 그러므로 공자님은 이들 세 성현들의 장점을 집대성(集大成)한 분이라 하겠다. 집대성의 예를 들어 음악에서 들면 마치 종(鐘)의 소리와 경(磬)의 울림을 합쳤다는 뜻이 된다. 종소리는 음악의 맥락(脈絡)을 계발(啓發)시켜 주는 것이고, 경의 울림은 음악의 맥락을 종결지어 주는 것이다. 음악의 맥락을 계발시키는 것은 지혜(智慧)에 속하는 일이고, 음악의 맥락을 종결짓는 것은 성덕(聖德)에 속하는 것이다. 다시 활 쏘는 데에 비유하면, 지혜는 기교(技巧)이고 성덕은 기력(氣力)이다. 활을 백 보 밖에서 쏘아 〈화살이 표적까지〉 가는 것은 쏘

125 경經이라 함은 절대 변할 수 없는 근본으로서 유가의 도덕규범과 원칙을 뜻한다. 이러한 도덕원칙은 시간과 장소의 구분 없이, 어떠한 상황 아래에서도 반드시 적용되어야 하는 보편성이다. 유가철학에서는 이러한 도덕규범과 원칙이 반드시 실행되어야 하는 것으로 이해된다. 한편, 권權은 어떤 특수한 상황 아래에서는 경에 얽매이지 않는 임기응변을 발휘함을 뜻한다. 바로 시공, 상황에 따라 적절하게 적용되는 특수성이다. 상황은 수시로 변하므로 일정한 도덕규범과 원칙이 모든 사물과 현상에 언제나 적용될 수 없다는 전제가 깔려 있다. -역자 주

는 사람의 기력에 의하지만, 과녁에 명중하는 것은 기력이 아니고 기교에 의하는 것이다. 〈그렇듯이 공자님은 지(智)와 성(聖)을 겸하여 집대성하신 공자님은 지(智)와 성(聖)을 겸하여 집대성하신 분이다.〉"

대의는 이렇다 : 백이는 성인 가운데 청고한 사람이고, 이윤은 성인 가운데 책임을 잘 지는 사람이며, 유하혜는 성인 가운데 조화롭게 어울릴 수 있는 사람이고, 공자는 성인 가운데 시무時務를 아는 사람이다. 공자는 집대성자라고 부를 수 있다. "집대성"의 뜻은, 음악의 연주로 예를 들면, 발종을 치는 것으로 시작하고 옥경을 치는 것으로 마치는 것으로 잘 비유할 수 있으니, 시작과 마침이 일정하다. 먼저 발종을 치는 것은 음악을 연주하는 것의 시작이요, 옥경으로 끝내는 것은 음악을 연주하는 것의 마침이다. 음악을 시작하는 것은 지혜에 속하고, 음악을 종결하는 것은 성덕에 속한다. 지혜는 기교로, 성덕은 기력으로 비유할 수 있다. 예컨대, 백 보 밖에서 활을 쏠 때 활이 표적까지 가는 것은 당신의 기력이고 과녁에 명중하는 것은 당신의 기력이 아니다.

맹자는 네 사람 중에서 공자가 "때의 성자[聖之時者]"로서, 그것을 집대성하였으므로 가장 위대하다고 보았음을 알 수 있다. 그런데 맹자의 해석에 비춰보면, "때의 성자"는 바로 "지혜"와 "성덕"·"기교"와 "기력"을 가장 잘 결합한 사람이다. 그가 가장 잘 결합하였기 때문에 "시무를 인식"할 수 있고, "빨리 떠나야 할 때에는 빨리 떠나고, 오래 있을 만하면 오래 있고, 은거해야 할 때에는 은거하고, 벼슬할 만하면 벼슬을 하였다."

속담에 '시무를 아는 자가 준걸俊傑'이라는 멋진 말이 있는데, 그가 "준걸됨"의 이유는 "때가 그쳐야 할 때는 그치고, 때가 행하여야 할 때는 행하여, 동정이 그 때를 잃지 않는 것 時止則止, 時行則行, 動靜不失其時"에 있다는 뜻이 아닌가!

12. 당위처순 當位處順

〈주역〉은 "시時"·"위位"를 중시한다. "시時"·"위位"는 밀접하고 불가분하다. "시"는 있으나 "위"가 없어도 안 되며, "위"가 있으나 "시"가 없어도 마찬가지로 안 된다. 〈단전〉은 "여섯 자리가 때에 따라 이루어진다[六位時成]"고 지적한다. 그 뜻은 64괘 각 괘의 여섯 효는 모두 서로 다른 "시위時位"에 따라 조성되어 있다는 것이다. 그래서 〈계사전〉은 "성인의 큰 보물을 자리라고 한다 聖人之大寶曰位"고 강조하고 있다.

〈주역〉에서 말하는 "위"는 주로 "효위"를 가리키는데, 그것은 효상이 전체 괘중에 처한 자리로서 한 괘의 길흉을 설명한다. 효위에 관하여 〈주역〉에는 여러 가지 규정이 있다. 그 중의 하나가 "당위"설이다. "당위"라는 것은 처한 자리가 적당하다는 것이다. 오늘날의 말로 하자면 바로 자기의 자리를 제대로 찾았다는 것이다. 〈주역〉은 처한 자리가 적당하면, 즉 자기의 자리를 제대로 찾으면, 일을 순풍에 돛단 듯이 처리할 수 있다고 여긴다. 이것이 이른바 "당위처순當位處順"이라 한다. 〈상전〉의 말을 써서 말하면, "순리로 하면서 제 자리에 있다 順在位也."(〈가인〉 육사)

12-1

〈단전〉은 한 괘 여섯 효는 각기 그 자리가 있는데, 이·사·상은 짝수로서 음자리이고, 초·삼·오는 홀수로서 양자리라고 생각한다. 무릇 양효가 양자리에 있거나 음효가 음자리에 있는 것을 당위(혹은 득위)라고 부르고, 반대로 양효가 음자리에 있거나 음효가 양자리에 있는 것을 부당위(혹은 실위)라고 부른다. 일반적으로 말하면, 당위는 길하고 부당위는 흉하다. 이와 같은 해석에 비춰보면, 〈주역〉 가운데 오직 1괘만이 여섯 효가 모두 당위이고, 오직 1괘만이 여섯 효가 모두 부당위이다. 당위인 괘는 〈기제〉(아래 왼쪽)이고, 부당위인 괘는 〈미제〉(아래 오른쪽)이다. 두 괘의 괘화卦畫를 보자.

䷾ ䷿

기제 미제

위의 두 괘화로부터, 〈기제〉괘의 초·삼·오는 양효이고, 이·사·상은 음효인 것은 쉽게 알 수 있는데, 양효가 양자리에 있고 음효가 음자리에 있다고 할 수 있다. 그래서 〈단전〉은 "강(양)과 유(음)가 바르고 자리가 마땅하다 剛柔正而位當也"라고 말한다. 〈미제〉괘의 초·삼·오는 음효이고, 이·사·상은 양효이어서 양효가 음자리에 있고 음효가 양자리에 있다고 할 수 있다. 그래서 〈단전〉은 "비록 자리는 마땅치 않으나 강(양)과 유(음)가 응한다 雖不當位, 剛柔應也"라고 말한다.

〈주역〉 가운데 〈기제〉·〈미제〉 두 괘가 가장 전형적인 예이다. 그 밖의 괘는 그 효위에 따라서 혹은 마땅하거나 혹은 마땅치 않아서 길흉회린이 그 속에 감추어져 있다. 〈역전〉의 해석에 의하면, 당위는 길하고 부당위는 흉하다. 그러나 실제 상황은 이러한 규정보다 훨씬 복잡하며, 따라서 64괘 384효 가운데 어떤 효상은 비록 당위의 효에 속하지만 반드시 길하고 이롭기만 한 것이 아니다. 그러나 총체적으로 말하면 자리가 마땅하면 길하고 이로운 상이고, 자리가 마땅치 않으면 길하지 않고 이롭지 아니한 상이다. 고형은 이렇게 말한다.

> 〈단전〉·〈상전〉을 종합하여 계산해 보면, 강유의 자리가 마땅한 것을 말한 것이 23개, 자리가 마땅치 않다고 말한 것이 14개로서 모두 47개이다. 자리가 마땅함과 자리가 마땅치 않음이 〈주역〉의 중요한 의례義例

가운데의 하나라는 것을 충분히 볼 수 있다. 이 의례는, 작자가 사람이 처한 자리와 환경을 중시하고 사람이 그 자리에 있으면 그 직무를 맡아 의당 그 직책에 맞도록 일을 처리하여야 하며, 그 직무를 다하여야 한다는 것을 강조한다는 것이다. 무릇 사람의 재덕才德과 그 직위가 서로 합당하다는 것은 그 자리에 있으면서 그 직책에 맞다는 뜻이고, 사람이 일을 처리하는 바와 그 직위가 서로 합당한 것은 그 자리에 있으면서 그 직무를 다한다는 뜻이다.[126]

고형의 개괄은 〈주역〉의 기본 뜻에 부합한다. 사실 오늘날의 입장에서 보면 "당위처순"을 자기의 위치를 올바로 찾는 것으로 이해할 수도 있다. 구체적으로 말하면, 두 가지 방면의 함의를 포괄하는데, 하나는 환경과 서로 맞아야 한다는 것[與環境相宜]이고, 또 하나는 그 직위로 불리는 것이 마땅하다는 것[與職位相稱]이다. 그렇다면, 〈주역〉은 이러한 서로 맞음과 그렇게 불림이 마땅하다는 것을 어떻게 설명하는가?

12-2

〈주역〉이 "자리"를 논함에 있어서는 두 개의 기본전제가 있다. 하나는 효의 성질[爻性]인데 바로 음양이다. 또 하나는 효의 자리[爻位]인데, 즉 초·이·삼·사·오·상이다. 효의 성질은, 주체 자신이 내재하고 있는 규정성이라 이해할 수 있다. 능력의 크고 작음·덕행의 높고 낮음 같은 것이다. 효의 자리는 외재하는 환경의 규정성이라 이해할 수 있다. 시대의 추세·역경·순경과 같은 것이다. 이 두 종류의 규정성이 만일 하나가 될 수 있다면 바로 당위이고, 하나가 될 수 없으면 바로 부당위이다. 먼저 〈주

126 고형 : 〈주역대전금주〉 제32항

역〉의 "당위"에 대한 논의를 보자.

〈비〉 구오는 비색한 것을 그치게 함이라. 대인이 길하다.

〈상전〉에 이르기를 '대인이 길함'은 지위가 바르고 마땅하기 때문이다.

〈가인〉 육사는 집을 부유하게 하니 크게 길하니라.

〈상전〉에 이르기를 '집을 부유하게 하니 크게 길함'은 일을 순리로 하면서 자리에 있기 때문이다.

〈임〉 육사는 지극하게 임함이니 허물이 없다

〈상전〉에 이르기를, '지극하게 임해서 허물이 없음'은 자리가 마땅하기 때문이다.

〈건〉 육사는 나아가면 어렵고 돌아와도 어려움이 계속되리라

〈상전〉에 이르기를, '나아가도 어렵고 돌아와도 어려움이 계속된다'함은, 마땅한 자리가 실하기 때문이다.

〈否〉 九五 : 休否, 大人吉

〈象傳〉 曰 : "'大人'之 '吉', 位正當也."

〈家人〉 六四 : 富家, 大吉

〈象傳〉 曰 : "'家人大吉', 順在位也."

〈臨〉 六四 : 至臨, 無咎

〈象傳〉 曰 : "'至臨無咎', 位當也."

〈蹇〉 六四 : 往蹇, 來連.

〈象傳〉 曰 : "'往蹇來連', 當位實也."

"휴休"는 그치게 하다[休止]이다. 〈정씨역전〉은 "천하의 비색함을 능히 멈추게 한다"라고 해석하니, 실로 그 막힌 운세를 그치게 하고 비거태래[否去泰來 : 막히고 좋지 아니한 시절이 가고 통하고 좋은 시절이 온다는 뜻]한다는 뜻이다. 〈비〉괘는 하곤상건下坤上乾인데, 괘상은 전체적인 형세가 막히고 통하지 아니함을 반영한다. 그러나 〈상전〉은, 〈비〉의 구오는 그 자리가 바르고 마땅하여 비否를 태泰로 전환시킬 수 있는 능력이 있다고 여긴다. "바르다[正]"는 것은 구오가 상괘의 가운데 자리에 있다는 것을 가리키고, "마땅하다[當]"는 것은 구오가 양효로서 양자리에 있다는 것을 가리킨다. 고형은 말한다 : "구오는 상괘의 중간 자리에 위치하여 자리가 바른 것이 되는데, 사람이 중정의 도로써 그 직위를 지키는 것을 상징한다. 구오는 양효로서 양자리에 앉아 자리가 마땅한 것이 되는데, 사람의 재덕이 그 직위에 걸맞다는 것을 상징한다."[127] 구오가 길한 것은 그것이 처한 위치가 바르고 마땅함에 있다는 것을 알 수 있다.

"부가富家"는 그 집을 부유하게 한다는 것이다. 이것은 자연히 길조이다. 〈가인〉은 하리상손下離上巽으로, 괘의 주요한 내용은 집안을 다스리는 원칙을 이야기한 것이다. 〈상전〉은, 〈가인〉의 육사가 음효로서 유순한 덕으로 구오의 양을 순종하는 상이 있다고 본다. 또 육사는 음효로서 음자리에 앉았으니 그 처한 곳이 적당하다. 이 중에서, 유순한 덕으로 구오의 양을 순종하는 것은 그 덕이 정당하다는 것을 나타내고, 음으로서 음자리에 앉았다는 것은 그 자리가 정당하다는 것을 나타낸다. 도리에 따르고 또한 정당하므로 능히 "그 집을 부유하게" 할 수 있다.

"지림至臨"은 친하게 임하는 것[親臨]이다. 효사의 뜻은, '지극히 친근하게 뭇사람들을 맞이하면, 필히 허물이 없을 것'이라는 것이다. 〈임〉괘는 하태상곤下兌上坤으로, 괘상의 총체적인 모습은 높은 곳에서 아래를 내려

127 고형 : 〈주역대전금주〉, 제122항

다보는 것인데, 위에 앉은 사람이 민정을 살펴 백성의 정사를 다스리는 것으로 잘 비유할 수 있다. 육사는 음으로서 음자리에 있으니 자리가 적당하다 ; 온유하고 화순하며, 덕행이 고상하다. 그래서 〈상전〉은 "지극하게 임해서 허물이 없다"고 여긴다.

"연連"은 잇닿아 계속되다[接連]라는 뜻이다. 효사의 뜻은 '문을 나설 때 걸음걸이가 참 힘들었는데, 돌아올 때도 역시 계속하여 힘든다'는 것이다. 〈건〉괘는 하간상감下艮上坎으로, 괘상의 총체적인 모습은 몹시 어려움을 상징하는 상이다. 황수기는 말한다 : "육사는 건의 때에 비록 유순하고 바름을 얻었지만, 부드러움이 구삼의 강함을 올라타서 능욕하고, 아래로 초육과도 응함이 없고, 자신은 또한 감험[坎險 : 감괘의 상징인 위험이라는 뜻. 육사는 상괘인 감괘의 아래에 위치하고 있다]에 처해 있다. 그러므로 오고 감에 있어 모두 건난[蹇難 : 건괘의 상징인 간난 즉, 어려움이라는 뜻]의 상이 있다."[128] 그러나 육사는 "자기 자리를 얻었고 바름을 밟고 있는데, 이는 그 자체의 덕행·능력에 모자람이 없고 시세와 어긋나지 않는다는 것을 설명한다. "나아가도 어렵고 돌아와도 어려움이 계속됨"은, 때의 자리가 이러하기 때문이다. 이것은 간난을 피할 수 없을 때에는 스스로 조금도 두려워하지 않고 그것에 적응할 수 있어야 함을 설명하는데, 그 자체도 역시 마땅한 자리인 것이다.

이상의 효례爻例를 총결하면, 소위 당위라는 것은 바로 사람의 덕행·능력·환경 3자 사이의 조화로운 통일이라는 것을 알 수 있다. 능력이 있으니 그 직위의 일을 맡을 수 있고, 덕행이 있으니 그 직위의 일을 잘 처리할 수 있으며, 직위(환경)가 있으니 최대한 자신의 재능을 발휘할 수 있다. 이는 사람들에게 '자기의 인식수준을 높여 자신을 정확하게 인식할 뿐만 아니라 시기를 정확하게 파악할 수 있도록 노력해서 자신을 그 있어

128 황수기 등 : 〈주역역주〉 323-324항

야 할 자리에 있고, 그 해야 할 바를 하도록 해야 한다'는 사실을 깨우쳐 준다. 다른 각도로 말하면, 하나의 사회도 사회 구성원 한 사람 한 사람마다 그 있어야 할 자리에 있고, 그 해야 할 바를 할 수 있는 객관적인 조건을 창조하도록 노력하여야 한다.

12-3

"마땅한 자리[當位]"와 반대로 "마땅치 아니한 자리[不當位]"는 덕행·능력·환경 3자 사이에 있어 조화로운 통일을 이룰 수 없는 것이다. 덕행은 있으나 능력이 없으면 그 직책의 업무를 맡을 수가 없다; 능력은 있으나 덕행이 없으면 그 직책의 업무를 잘 수행할 수 없다; 능력도 있고 덕행도 있으나 직위가 없으면 자기의 재능을 발휘할 수가 없다. 〈주역〉 전체를 살펴보면, "자리가 마땅하지 아니함[位不當]"은 모두 17번 보인다. 그 중 〈단전〉에는 〈귀매歸妹〉에서 1번 보이고, 〈상전〉에는 16번 보이는데, 바로 〈리〉 육삼, 〈비〉 육삼, 〈예〉 육삼, 〈임〉 육삼, 〈대장〉 육오, 〈진〉 구사, 〈규〉 육삼, 〈쾌〉 구사, 〈췌〉 구사, 〈곤〉 구사, 〈진〉 육삼, 〈풍〉 구사, 〈태〉 육삼, 〈중부〉 육삼, 〈소과〉 구사, 〈미제〉 육삼 등이다. 이 16개의 예는 어떤 것은 강剛효가 음자리에 앉거나 유柔효가 양자리에 앉아서 마땅하지 아니한 자리가 된 것이다. 여기서 몇 가지 예를 들어보자.

〈비〉 육삼 : 감싼 것이 부끄럽도다.

〈상전〉에 이르기를, '감싼 것이 부끄러움'은 자리가 마땅치 않기 때문이다.

〈서합〉 육삼 : 말린 고기를 씹다가 독을 만남이니, 조금 인색하나 허물이 없을 것이다.

〈상전〉에 이르기를, '독을 만남'은 자리가 마땅치 못하기 때문이다.

〈항〉 구사 : 사냥하는데 새가 없음이라.

〈상전〉에 이르기를, 제자리가 아닌 곳에 오래 있으니 어찌 새를 얻으리오?

〈진〉 육삼 : 천둥 쳐서 까무러짐이니, 조심하여 나아가면 재앙이 없으리라.

〈상전〉에 이르기를, '천둥 쳐서 까무러짐'은 자리가 마땅치 않기 때문이다.

〈否〉 六三 : 包羞.

〈象傳〉 曰 : "'包羞', 位不當也."

〈噬嗑〉 六三 噬臘肉, 遇毒, 小吝, 無咎.

〈象傳〉 曰 : "'遇毒', 位不當也."

〈恒〉 九四 : 田無禽.

〈象傳〉 曰 : "久非其位, 安得 '禽'也."

〈震〉 六三 : 震蘇蘇, 震行無眚

〈象傳〉 曰 : "'震蘇蘇', 位不當也."

䷔ ䷟ ䷲

서합 항 진

"수羞"는 부끄럽고 욕됨이다. "포수包羞"는 나쁜 짓을 감싸고 비호하다가 마침내 수치를 당한다는 것이다. 〈비〉괘는 본래 막히어 통하지 않는 때인데, 육삼은 하괘의 끝에 처하고 음으로서 양자리에 있어서 가운데도 아니고 바른 것도 아니므로 그 처한 자리가 마땅치 않다고 할 수 있다. 그러나 육삼이 곤란하고 통하지 아니하는 때에 있으면서도 편안히 분수를 지키지도 못할 뿐만 아니라, 도리어 위로 응하는 효인 상구를 믿고 아첨하며 총애를 구하여 구차하게 삶을 도모한다. 공자는 말한다 :

"군자는 궁하더라도 견뎌낼 수 있지만, 소인은 궁하면 못 하는 바가 없다." 육삼이 처한 시세가 본래 이미 불리한 데다가 그의 덕행마저 가지런하지 못하므로 그 결과는 필연적으로 "함부로 함"으로 인하여 스스로 그 욕을 얻어먹게 된다.

"납육臘肉"은 말린 고기이다. "독毒"은 쓰고 악한 것이다. 효사의 뜻은 '말린 고기를 먹고 중독되어 성가신 일이 생길 것이나 끝내는 재앙이 없다'는 것이다. 〈서합〉은 하진상리下震上離로 이빨로 물건을 씹어 먹는 형상이다. 〈주역〉은 이러한 괘상을 이용하여 형옥刑獄의 일을 논의한다. 육삼은 아랫괘의 끝에 처하여 음으로서 양자리에 앉았는데, 왕필은 다음과 같이 주해한다 : "아래 몸의 끝에 처하여 자기 자리가 아닌 자리를 밟고 있으니, 이와 같이 하여 음식을 먹는다면 그 물건은 반드시 딱딱할 것이다; 어찌 딱딱하기만 하겠는가, 독을 만나게 될 것이다. 서[噬 : 이빨로 씹음]는 사람에게 형벌을 주는 것을 비유한다; 납臘은 복용하지 못한다는 것을 비유한다; 독은 원한이 생긴다는 것을 비유한다."(〈주역주〉) 김경방은 이렇게 해석한다 : "육삼은 형옥의 일을 맡은 사람인데 육(음)으로서 삼(양)의 자리에 앉아 중도도 아니고 바르지도 않아 사람에게 형을 내리나 받는 사람이 불복한다. 비단 불복할 뿐만 아니라 오히려 형을 받은 사람으로부터 원망과 상해를 입는다." 그것이 이렇게 될 수 있는 것은 바로 "자신이 중도도 아니고 바르지도 않기 때문에 순리적으로 죄인을 굴복시키지 못할 뿐만 아니라 어느 정도 죄인으로부터 독해毒害를 입는다."[129]

"전田"은 밭 사냥[田獵]을 뜻한다. "전무금田無禽"은 밭 사냥을 하였으나 수확이 없다는 것이다. 〈항〉괘는 하손상진下巽上震이고, 〈설괘〉에 의하면 진은 장남이고 손은 장녀이다. 〈주역〉은 이 괘상으로서 부부의 항구한 도리를 토론한다. 구사는 상괘의 시작인데, 〈주역〉의 체제에 의하

129 김경방 등 : 〈주역전해〉, 173항.

면, 하괘는 내괘이고 상괘는 외괘이다. 구사는 진괘의 바깥에 있어, 남자가 바깥을 주도한다는 것을 비유하고 있다. 남자가 바깥을 주도한다는 것은 또한 바깥에 나가서 생계를 영위한다는 것이라고 말할 수도 있다. 바깥에 나가서 생계를 영위하려면 응당 진취적이고 개척적이어야 한다. 그런데 구사는 양효로서 음유한 자리에 거처하니 비록 한결같음을 지키려는 덕이 있더라도 그 거처하지 않아야 할 곳에 거처하기 때문에 아무런 수확이 없는 것이다.

"진震"은 천둥소리가 진동하는 것이다. "소소蘇蘇"는 놀라고 당황하여 불안해하는 것이다. "진행震行"은 경계하고 두려워하면서 앞으로 나아가는 것이다. 효사의 뜻은 '천둥소리가 진동할 때 무섭고 당황스러우나, 만일 이로 인하여 앞으로 나아가는 것을 경계하고 두려워할 수 있으면 아무런 재앙이 없다'는 것이다. 〈진〉괘는 하진상진下震上震이다. 〈설괘〉에 의하면, 진은 천둥이요, 움직임이다. 육삼은 음으로서 양자리에 처하므로 "놀라고 당황하여 불안함"의 상이 있다. 왕필은 말한다 : "그 자리가 마땅하지 아니하고, 자리는 거처하여야 할 자리가 아니므로 두려워하고 불안해하는 것이다; 그러나 강剛을 올라타는 거스름[乘剛之逆]이 없으므로, 두려워하며 나아갈 수 있어 재앙이 없다."(〈주역주〉) "승강乘剛"은 음이 양의 위에 거처하는 것이다. 육삼은 비록 마땅치 아니한 자리이지만, 육이가 음이므로 강을 올라타는 거스름이 없다; 구사가 양이므로 위로 양을 받드는 순리에 따르는 바가 있다. 그러므로 "두려워하며 나아가 재앙이 없다."

이상의 여러 예는 모두 마땅치 아니한 자리의 효례爻例이다. 그것들이 마땅치 아니한 자리인 이유는, 혹은 덕행이 가지런하지 않기 때문이거나(〈비〉 육삼), 혹은 능력이 부족하지 않기 때문이거나(〈항〉 구사), 혹은 환경이 불리하기 때문이거나(〈진〉 육삼), 혹은 시기·덕행이 모두 문제가 있기 때문이다(〈비〉 육삼). 요컨대, 처한 자리가 마땅치 않은 것이다. 처한 자리가 마땅치 않다고 하여 절대적으로 흉한 것이 아님은 당연하니, 〈서합〉 육삼의 "허물이 없음", 〈진〉 육삼의 "재앙이 없음" 등과 같다. 이것은, 환경이 불리하다고 하더라도 주체적인 수양공부가 일가를 이루면, 어떤 재앙도 초래하지 않게 된다는 것을 나타내고 있다.

그 밖에 〈상전〉이 "부당위不當位"로 보고 있는 효에 대하여 논하자면, 그 "부당위"의 효는 삼효가 9번 나타나고, 사효가 6번 나타나고, 오효는 1번만 나타난다. 〈계사전〉의 "삼효는 흉이 많고 사효는 두려워할 바가 많다"는 설명에 정확히 부합한다. 그러므로 사람들은 응당 이를 경계함으로 삼아, 그 "흉이 많음"과 "두려워할 바가 많음"의 이유를 종합하여 그것을 피해가거나 초월하기를 추구하여야 할 것이다.

12-4

그렇다면, 어떻게 하여야 "흉이 많음"과 "두려워할 바가 많음"을 피해가거나 초월하여 그것이 자신에게 닥치지 않게 할 수 있는가? 〈주역〉 가운데 몇몇 효례는 매우 재미가 있는데, 이를 연구할 만한 가치가 있다.

〈임〉 육삼 : 달게 임함이라. 이로울 것이 없으나, 이미 걱정하고 있는지라 허물이 없다.
〈상전〉에 이르기를, '달게 임함'은 자리가 마땅치 않은 것이나, 이미 근심하니 허물이 오래가지 않으니라.
〈곤〉 구사 : 천천히 오는 것은 금수레에 곤하기 때문인데, 인색하나 마침이 있다.
〈상전〉에 이르기를, '천천히 온다'함은 뜻이 아래에 있음이니, 비록 자리가 마땅치 않으나 더불어 함이 있다.

〈귀매〉 구사 : 누이동생을 시집보내는데 기약을 어김이니, 더디게 시집감이 때가 있다.

〈상전〉에 이르기를, '기약을 어기는 뜻'은 기다려서 가는 것이다.

〈환〉 초육 : 구원하되 말이 씩씩하니 길하다.

〈상전〉에 이르기를, 초육의 '길함'은 따르기 때문이다.

〈臨〉 六三 : 甘臨, 無攸利. 旣憂之, 無咎.

〈象傳〉 曰 : "'甘臨', 位不當也. '旣憂之', 咎不長也."

〈困〉 九四 : 來徐徐, 困于金車, 吝, 有終.

〈象傳〉 曰 : "'來徐徐', 志在下也. 雖不當位, 有與也."

〈歸妹〉 九四 : 歸妹愆期, 遲歸有時.

〈象傳〉 曰 : "'愆期'之志, 有待而行也."

〈渙〉 初六 : 用拯馬壯, 吉.

〈象傳〉 曰 : "初六之 '吉', 順也."

䷮ ䷵ ䷺

곤 귀매 환

이러한 효례는 〈주역〉의 체제에 따르면 모두 부당위라고 말할 수 있는데, 그 결과는 결코 나쁘지 않다. 그 원인을 탐구해 보면, 주로 불리한 환경 중에서 발휘한 주체의 능동적인 작용에 있다. 아래와 같이 분석을 시도해 보자.

"감림甘臨"은 감미롭고 교묘한 아첨으로 아랫것들에서 기뻐함을 취한다는 것이다. 효사의 뜻은, '감미로운 말로써 아랫것에서 기뻐함을 취하는 것은 무슨 이로운 바가 없을 것이나, 만일 스스로 그 잘못을 알고 걱정하고 두려워하여 그것을 고친다면 허물이 없다'는 것이다. 〈임〉괘는 하태상곤下兌上坤인데, 〈설괘〉에 의하면 태兌는 기쁘함[悅]이다. 그런데 육삼은 태괘의 끝에 거처하면서 음으로서 양자리에 앉아 아래로는 구이를 올라타고 있고 위로는 정응正應이 없어 환경이 불리하므로, 감언이설로 아첨하는 기색이 있다. 그러나 육삼은 잘못을 알고 고칠 수 있으므로 결과는 "허물이 없다." 여기서 효사는 특별히 "이미 걱정함 旣憂之"이라는 세 글자로서 "허물이 없음"의 이유를 지적하여, 환경이 불리한 때에 스스로 자신에서부터 시작하여 걱정하고 두려워할 수 있으면 허물에서 벗어날 수 있다는 것을 설명하고 있다. 그러므로 〈상전〉은, "달게 임함"은 자리가 마땅치 않은 것이나, 이미 심하니 허물이 오래가지 않느니라고 말하고 있다.

"서서徐徐"는 늦고 더딘 모양이다. 왕필은 이렇게 주석하였다 : "금수레는 구이를 말한다; 두 강(양)은 싣는 것이라, 그러므로 금수레라고 한다. 서서라는 것은 의심하고 걱정하는 말이니, 뜻은 초初에 있으나 이二로 인하여 떨어져 있고, 마땅치 아니한 자리를 밟고 있어 위엄 있는 명령이 시행되지 않는다; (초를) 버리고자 하나 버릴 수 없고, (초를 향하여) 나아가려고 하나 이가 두려우니, 그래서 '천천히 오는 것은 금수레에 곤하기 때문 來徐徐, 困于金車'이라고 하는 것이다. (초육과) 응함이 있으나 이를 구제할 수 없으니, 그래서 '인색하다'고 한 것이다; 그러나 양으로서 음자리에 거처하여 겸손의 도리를 실천하고 능력을 가늠하여 거처하니 이와 다투지 아니하며, 비록 부당위이나 사물이 이와 더불어 마치니 '마침이 있다[有終]'라고 말한 것이다."(《주역주》) 왕필의 이 주석은 매우 상세하고 완전하다고 할 수 있다. 〈곤〉괘가 하감상태下坎上兌인 점에 비추어 보면, 구사는 양으로서 음자리에 앉아 거처하는 자리가 마땅치 않다. 비록 아래로 초육과 응하나, 중간에 구이와 떨어져 있어서 처한 환경이 궁색하다고 할 수 있다. 그러나 그것은 양으로서 음자리에 앉아서 겸허하고 근신하는 미덕이 있으며, 그러므로 마침내 초효와 회합하여 소원을 이룰 수가 있다. 여기서 불리한 환경을 벗어나는 주동권은 바로 자신의 수중에 맡겨져 있는 것이다.

〈귀매〉괘의 구사는 〈주역〉의 체제에 의하면 응당 부당위에 속한다. 그런데 효사에는 결코 흉한 모습이 없다. 효사는 "누이동생을 시집보내는데 기약을 어김이니, 더디게 시집감이 때가 있다."이다. 주희는 다음과 같이 주석한다 : "구사는 양으로서 상체上體에 거처하는데 바른 응함이 없는 바, 현명한 여자는 가볍게 남자를 따르지 않는 법이니 기약을 어기면서도 시집갈 곳을 기다리는 상이다."(《주역본의》) 〈귀매〉의 구사의 자리에 처한 것은 여자가 이상적인 짝을 찾지 못한 것과 같으니, 환경이 좋지 않다고 할 수 있다. 그러나 본인이 구차하게 굴지 않고 인내할 수 있으니, 그래서 효사가 "더디게 시집감이 때가 있다"이다. 〈상전〉은 이를 해석하여 "'기약을 어기는 뜻'은 기다려서 가는 것이다"라고 한다. 그 뜻은, 현명하고 정숙한 여자가 가볍게 다른 사람에게 몸을 맡기지 않는 이유는 그녀가 때를 기다려 움직이고자 하기 때문이다. "때를 기다려 행함 有待而行"도 역시 주체자각에 속한다.

〈환〉의 초육은 〈주역〉의 체제에 의하면 역시 부당위에 속한다. 그러나 효사는 오히려 "구원하되 말이 씩씩하니 길하다"이다. 〈환〉괘가 하감상손下坎上巽임에 비추어 보면, 흩어지는 상이 있다. 황수기는 말한다 : "초육은 음으로서 〈환〉의 시초에 거처하고, 위로 구이를 받들므로 힘센 말의 도움을 얻어서 그 음유하고 약한 자질을 구제할 수 있다; 이와 같이 '흩어짐'을 구하여 흩어지지 않게 함으로 '길'함을 얻을 수가 있다."[130] 초

130 황수기 등 :〈주역역주〉 483항

육은 음약하니 주체의 소질이 다소 부족하다고 할 수 있으나, 그것은 자신의 밖에서 유리한 인소因素를 찾아서 자기가 부족한 바를 보충할 수 있으므로 길하고 이로움을 획득할 수 있는 것이다. 〈상전〉은 이를 해석하여 "초육의 길함은 따르기 때문이다"라고 한다. "따른다"은 환경에 순응한다는 말이다.

이상의 여러 가지 예는, 사람과 환경의 관계에 있어서 사람의 요소가 더욱 근본적이라는 것을 설명하고 있다. 환경이 인간을 제한하는 것이 아니라, 인간이 환경에 순응하거나 혹은 환경을 바꾸는 것이다. 이 점에 관하여, 〈수〉괘 상육의 예를 들 수 있을 것이다. 〈수〉 상육은 이렇다 : "동굴에 들어감에 빠르지 아니한 손님 셋이 온다. 이들을 공경하니 마침내 길하다 入于穴, 有不速之客三人來. 敬之, 終吉." "혈"은 극히 위험한 곳이다. "불속지객不速之客"은 초대하지 않았는데도 그들 스스로 온 손님이다. 효사의 뜻은, 극히 위험한 환경에 처하였는데, 초대하지도 않았는데도 세 사람의 손님이 내방하였으나, 예로써 공경하고 다투지 아니하니 마침내 길상함을 얻게 된다는 것이다. 당위든 부당위든, 관건은 사람에게 있다는 것을 알 수 있다. 당신이 노력하여 자기의 능력을 배양하고, 자신의 덕성을 함양하기만 하면, 설사 역경에 처하더라도 때의 변화에 따라 임기응변하여 위험을 편안으로 전환할 수가 있다. 여기에서 순자의 한 단락을 인용하여 본장의 논의를 마쳐도 무방할 것이다. 순자는 말한다.

> 하지 않아도 이루고, 구하지 않아도 얻는 것을 천직이라고 부른다. 이와 같은 사람은 비록 심원한 일이라도 그 사람은 사려를 더하지 않는다. 비록 광대하다 하더라도 힘을 더 쓰지 않는다. 비록 정밀한 것이라 하더라도 더 살피지 않는다. 무릇 하늘과 그 직을 다투지 않기 때문이다. 하늘은 그 때가 있고, 땅은 그 재물이 있으며, 사람에게는 그 다스림이 있다.

무릇 이것을 일컬어 능히 참여한다고 한다. 참여하는 이유를 버리고 참여하기를 바란다면 미혹된 것이다.(〈순자·천론〉)

순자의 이 말은 당연히 자기 나름대로 의도가 있을 것이다. 그러나 본장의 주제에 대하여 말하자면, 만일 천지인의 "참여"를 이룰 수 있다면, 그것은 당위처순當位處順이라고 할 수 있을 것이다.

13. 지기찰변 知幾察變

〈주역〉이 "시"·"위"를 강론함에 있어서는, 거시적으로 자세히 살펴보는 바가 있을 뿐만 아니라, 미시적으로 파악하는 바가 있다. 예컨대, 〈주역〉이 "기미를 앎[知幾]"을 강조하는 것은 미시적인 각도로 "시"·"위" 가운데의 시기時機·기우機遇·계기·전기轉機 등의 문제를 탐구하려는 것이다. 〈계사전〉에서 말한다 : "기미라는 것은 움직임의 미미함이라, 길흉이 먼저 나타나는 바이다. 幾者, 動之微也, 吉凶之先見者也." "동動"이란 움직임으로, 여기서는 발전변화로 이해될 수 있다. "미微"란 바로 미세微細하다는 뜻인데, 여기서는 사물 발전변화의 조짐 혹은 맹아萌芽로 이해될 수 있다. 〈주역〉은, 이러한 조짐 혹은 맹아가 비록 "미세"하여 없는 것처럼 보이지만, 능히 사물 발전변화의 방향이 길한지 흉한지를 예시할 수 있다고 여긴다. 우환의 저작이자 사람에게 길함을 좇고 흉함을 피하도록 가르치는 책인 〈주역〉은 그 목적이 바로 사람들이 "(사물의 발전변화의) 움직임이 미세"한 때에 "기미를 알고 변화를 살펴서[知幾察變]" 주동적인 지위를 차지하여 미래에 발생할 수 있는 각종 사물의 변화에 대처할 수 있도록 도와주는 데 있는 것이다.

13-1

〈계사전〉의 견해에 비춰보면, 〈주역〉은 한 권의 "연기[研幾 : 기미를 연구함]"의 책이다. 아래와 같이 말한다.

> 무릇 역은 성인이 이로써 깊은 것을 끝까지 탐구하고 기미를 연구하는 것이다. 깊기 때문에 능히 천하의 뜻에 통하고 은미한 기미이므로 능히 천하의 업무를 이룰 수 있다. 오직 신령스럽기 때문에 빠르게 하지 않아도 빠르며 가지 않아도 이른다.

> 夫〈易〉, 聖人之所以極深而研幾也. 唯深也, 故能通天下之志. 唯幾也, 故能成天下之務. 唯神也, 故不疾而速, 不行而至.

〈주역〉은 성인이 그윽하고 깊은 사물의 이치를 궁구하고, 미세한 징후를 탐구하고 연구하는 책이다. 사물의 이치를 깊이 궁구하여야만 천하의 심지心志를 훤히 알 수 있고, 미세한 징후를 탐구하고 연구하여야만 천하의 사물을 성취할 수 있으며, 신기하게 〈역〉도를 관통하여야만 급하게 서두르지 않고서도 만사를 빠르게 이룰 수 있으며, 행동하지 않고서도 만리 먼 곳에 저절로 다다를 수 있다.[131]

이 단락에서 작자는 "심深"·"기幾"·"신神" 세 글자를 제시하고 있는데, 이 세 글자는 일체로 관통하고 있어 그 관계가 밀접하다. 바로 사물의 이치가 심오하기 때문에, 그것의 징후가 미세하다; 바로 사물의 이치가 심

131 역문은 황수기 등 :〈주역역주〉 554항 참고.

오하고 그것의 징후가 미세하기 때문에, 그것의 변화가 신기하다. "심深"·"기幾"·"신神"은 일체의 세 부분이라고 할 수 있고, 〈주역〉은 바로 이 일체 세 부분의 이치를 탐구하고 연구하여 이를 밝게 드러내는 저작인 것이다. 이리하여 〈주역〉은 심오한 이치·미세한 상·신기한 도를 포함하고 있는 보전寶典이 되는 것이다.

그렇다면 성인은 어떻게 〈주역〉을 이용하여 이러한 일체 세 부분의 이치를 탐구하고 연구하여 이를 밝게 드러내는 것인가? 〈계사전〉은 다음과 같이 말한다.

> 성인이 천하의 깊은 도리를 봐서 그 형용을 비겨 보며 물건의 마땅함을 형상했기 때문에 상이라고 말하고, 성인이 천하의 움직임을 보고 그 모이고 통하는 것을 관찰해서 그 법과 예를 행하며, 말을 붙여서 길하고 흉한 것을 판단하기 때문에 효라고 부른다. 천하의 지극한 도리를 말하되 싫어함이 없고, 천하의 지극한 움직임을 말하되 어지럽지 않으니, 비겨본 뒤에 말하고 심의한 뒤에 움직이며, 비겨보고 심의함으로써 변화를 이룬다. …… 천하의 깊은 도리를 끝까지 궁구한 것은 괘에 있고, 천하의 움직임을 고무시키는 것은 말(효사)에 있으며, 변화해서 마름질함은 변함에 있고, 미루어 행함은 통함에 있으며, 신령스럽게 밝히는 것은 그 사람에게 있고, 묵묵히 이루어내고 말을 하지 않아도 믿는 것은 덕행에 있다.
>
> 聖人有以見天下之賾, 而擬諸其形容, 象其物宜, 是故謂之象. 聖人有以見天下之動, 而觀其會通, 以行其典禮, 繫辭焉以斷其吉凶, 是故謂之爻. 言天下之至賾而不可惡也. 言天下之至動而不可亂也. 擬之而後言, 議之而後動, 擬議以成其變化. …… 極天下之賾者存乎卦, 鼓天下之動者存乎辭, 化而裁之存乎變, 推而行之存乎通, 神而明之存乎其人, 默而成之, 不言而信, 存乎德行.

대의는 이렇다.

성인이 그윽하고 깊어 찾기 어려운 천하의 이치를 발견하는 것은, 구체적인 괘상을 사용하여 그 형태를 이리저리 비겨보고 그 특성을 상징해서 하는 것이니, 그래서 이를 상이라고 부른다. 성인이 천하 만물의 변화가 쉼이 없음을 발견하는 것은, 그 회합하고 관통하는 곳을 관찰하여 사회의 전장典章제도를 실행하는데 이롭게 함에 있는데, 여기서 계사를 붙여 길흉을 논단하게 하므로 그래서 효라고 부른다. 그런데 성인은 천하의 그윽하고 깊어 찾기 어려운 이치를 논술함에 있어서 주관과 편견을 섞지 않는다; 천하만물의 운동의 본질을 논술함에 있어서 이치에 어긋나거나 근거 없이 하지 않는다. 그것들은 모두 먼저 물상을 비기고 난 뒤에 다시 그 도리를 이야기한다; 먼저 물정을 심의한 뒤에 그 운동을 제시하고, 비김과 심의를 거친 후에 사물변화의 규율을 파악한다.
제2단락의 인용문은 제1단락의 인용문과 그 뜻은 대체로 상통한데, 성인이 천하의 그윽하고 깊어 찾기 어려운 이치를 궁극窮極하는 것은 괘상이요, 천하를 고무시켜 분발하여 나아가도록 진작시키는 것은 괘효사요, 사물이 교감하여 마름질하도록 촉진하는 것은 때를 따라가는 변이요, 사물이 낳고 낳음에 끝이 없도록 밀고 나가는 것은 조리에 맞는 형통이요, 〈역〉도를 밝게 드러내는 것은 사람의 지혜요, 말없이 〈역〉의 도와 믿음에 들어맞고 이루는 것이 있는 것은 사람의 덕행이다.

위 인용문에서, 〈주역〉이 기미의 이치를 탐구하는 방법이 관물취상觀物取象이요 설괘계사設卦繫辭임을 알 수 있다. 그러나 기미의 이치는 "깊고" "신비"하여 충분한 지혜가 없으면 "신령하게 이를 밝힐 수[神而明之]" 없고, 충분한 덕행이 없으면 "말하지 않고서도 이를 이룰 수[默而成之]" 없다. 그래서 〈주역〉은 관물취상·설괘계사의 과정 중에서 특별히 "주관과 편견을 섞지 않을 것[不可惡 : 직역하면 '싫어하는 바가 없을 것'이나 의역하면 위와 같다]"·"이치에 어긋나거나 근거가 없이 하지 않음[不可亂 : 직역하면 '무질서해서는 안 된다'는 것이나 의역하면 위와 같다]"·"비겨봄과 심의함[擬議]"이라는 세 가지 연결고리를 주의할 것을 요청한다. 인지방면에서 말하자면, "관물"의 과정은 감성재료를 수집하는 과정이다; "취상"의 과정은 지성적인 추리귀납의 과정이다; "계사"의 과정은 이성적 종합의 과정이다. 그러나 "주관과 편견을 섞지 않을 것[不可惡]"·"이치에 어긋나거나 근거가 없이 하지 않음[不可亂]"·"비겨봄과 심의함[擬議]"은 세 가지 과정에서 반드시 지켜야 할 원칙이다.

13-2

그렇다면 어떻게 하여야 "주관과 편견을 섞지 않을 것[不可惡]"·"이치에 어긋나거나 근거가 없이 하지 않음[不可亂]"·"비기고 심의하여 그 변화를 이룸[擬議以成其變化]"을 성취할 수 있을까? 〈계사전〉은 상술한 여러 가지를 해낼 수 있는지 여부의 관건은 "기미를 앎[知幾]"에 있다고 여긴다. 〈계사전〉은 말한다.

> 공자께서 말씀하셨다 : "기미를 아는 것은 그 신령함인가! 군자는 윗사람과 사귐에 아첨하지 않으며, 아랫사람과 사귐에 모독하지 않으니, 그 기미를 아는 것이로다. 기미란 움직임의 미미한 것이요, 길흉이 먼저 나타나는 것이니 군자는 기미를 보고 일을 하기 때문에 날이 마칠 때까지 기다리지 않는 법이다. 역에 이르기를 '절개가 돌과 같은지라, 날이 마침을 기다리지 않으니 바르고 길하다'고 한다. 절개가 돌과 같으니 어찌

날이 마칠 때까지 하리오? 판단하여 알 수 있는 것이다. 군자는 미미한 것도 알고 밝게 드러난 것도 알며, 부드러운 것도 알고 강한 것도 알기 때문에, 모든 사람이 우러러보는 바가 된다."

子曰 : 知幾其神乎. 君子上交不諂, 下交不瀆, 其知幾乎. 幾者, 動之微, 吉凶之先見者也. 君子見幾而作. 不俟終日. 〈易〉曰 : '介于石, 不終日, 貞吉.' 介如石焉, 寧用終日? 斷可識矣. 君子知微知彰, 知柔知剛, 萬夫之望.

이 단락에는 세 가지 방면의 뜻이 있다 : "기미를 아는 것은 그 신령함인가! 군자는 윗사람과 사귐에 아첨하지 않으며, 아랫사람과 사귐에 모독하지 않으니, 그 기미를 아는 것이로다 知幾其神乎. 君子上交不諂, 下交不瀆, 其知幾乎"는 "기미를 앎"을 말한다. "기미란 움직임의 미미한 것이니, 길흉이 먼저 나타나는 것 幾者, 動之微, 吉凶之先見者也"은 "기미"가 무엇인가를 말한다. "역에 이르기를 '절개가 돌과 같은지라, 날이 마침을 기다리지 않으니 바르고 길하다'고 한다. 절개가 돌과 같으니 어찌 날이 마칠 때까지 하리오? 판단하여 알 수 있는 것이다. 군자는 미미한 것도 알고 밝게 드러난 것도 알며, 부드러운 것도 알고 강한 것도 아니, 모든 사람이 우러러보는 바가 된다 〈易〉曰 : '介于石, 不終日, 貞吉.' 介如石焉, 寧用終日? 斷可識矣. 君子知微知彰, 知柔知剛, 萬夫之望."는 효례를 들어 지기와 그 의의를 설명한다. "기幾"에 대하여 진인 한강백은 이렇게 해석한다 : "기幾라는 것은 무無를 버리고 유有에 들어가는 것이요, 이치는 있으나 아직 형태를 갖추지 아니한 것이요, 이름으로 찾을 수 없고, 형체로서 볼 수 있는 것이 아니다." 당인 공영달은 소疏에서 이렇게 말한다 : "기라는 것은 무를 떠나서 유로 들어가는 것으로서 유와 무의 사이에 있는 것이다." 또 이렇게 말한다 : "기는 미세한 것이라. 이미 움직인 것의 미세함이다. 움직임이란 마음이 사물을 움직이는 것을 말함이다. 처음 움직임이 있을 때 그 이치는 아직 드러나지 않으니 미세할 뿐이다."(《주역정의》) 송인 장재張載는 말한다 : "기라는 것은 모양은 나타났으나 아직 형체를 갖추지 아니한 것이요, 형체를 갖추면 밝게 드러나니 신령스러움을 기다리지 않더라도 나중에는 알게 되는 것이다."(《장자전서》 권2, 17항) 송인 정이도 이렇게 생각한다 : "소위 기라는 것은 움직임을 시작할 때의 미세함이요, 길흉의 단서가 먼저 보이나 아직 드러나지 아니한 것이다."(《정씨역전》) "기"는 즉 "미세"함으로써, 사물이 처음 움직이기 시작하는 것인데, 징조가 약간 보이나, 아직 그 흔적을 찾을 수 없는 단계이다. 김경방은 말한다 : "무릇 사물이 막 움직이려고 할 때는, 상은 있으나 형체는 없고, 움직이려고 하지만 아직 움직이지 않는 상태이나, 미래발전의 추세가 길한지 흉한지는 여기서 이미 그 단서를 볼 수가 있다. 일이 닥치기 전에 헛되이 도리를 논하는 것은 쉽게 볼 수 있고, 일이 이미 닥치고 나서 도리가 드러나는 것은 더욱 쉽게 볼 수 있으나, 일이 이제 막 처음으로 움직이려고 할 때 그것의 미래가 어떠한 결과가 될지를 알아내는 것은 가장 어렵다. 일이 움직일 듯 말 듯 그러한 상태에 있고, 길흉의 어느 쪽도 가능한 때에 능히 그 결말을 미리 알아서 미리 그에 맞는 조치를 취하는 것, 이것은 참으로 신령스럽지 않는가!"[132] 그래서 공자는, "기미를 아는 것, 그 신령스러움이여."라고 말했다. 더 나아가 공자는, 군자는 윗사람과 교제할 때는 공손하되 아첨하지 않고, 아랫사람과 교제할 때 온화하고 욕되지 않게 하여, 아주 딱 들어맞게 "공恭"과 "첨諂"·"화和"와 "독瀆" 사이의 한계를 분별하는 것이 "기미를 아는 것, 그 신령함"의 숨은 뜻을 가장 잘 구현할 수 있는 것이라고 보았다.

"절개가 돌과 같은지라, 날이 마침을 기다리지 않으니 바르고 길하다

132 김경방 등 : 《주역전해》

介于石, 不終日, 貞吉"는 〈예〉괘 육이의 효사이다. 왕필은 이렇게 주석한다 : "예豫의 때에 처하여, 제자리를 얻고 중도를 실천하여 마음이 편안하고 뜻이 굳고 반듯하여 구차하게 즐거움을 구하지 않는 자다. 순하되 굴종하지 아니하고 즐거워하되 중도를 어기지 않으니 이로써 윗사람과 사귐에 아첨하지 않으며, 아랫사람과 사귐에 모독하지 않는다. 화禍와 복福이 어디로부터 생겨나는지를 분명하게 알기 때문에 구차하게 말하지 않는다. 필연의 이치를 분별하기 때문에 그 지조를 바꾸지 않는다. 절개가 돌과 같으니 날이 마치지 아니하여도 (그 결과를) 분명하게 아는 법이다."(〈주역주〉) 〈예〉괘가 하곤상진下坤上震인 점에 비추어 보면, 그 뜻은 쾌락을 가리키는 것이다. 육이는 아래 괘의 가운데에 거처하고 있는데, 음의 무리에 의해 둘러싸여 있다. 김경방은 다음과 같이 말한다 : "예괘에는 하나의 특징이 있다. 무릇 괘의 주인인 구사와 응應·비比의 관계에 있는 것은 흉하지 않으면 후회가 있고, 후회함이 없으면 질병이 있어, 모두 좋지 않다. 예컨대 초육과 구사는 응함이 있는데 흉하고, 육삼과 구사는 비比함이 있는데 후회함이 있으며, 육오와 구사는 비함이 있는데 바르게 하여도 병이 있다. 오직 육이는 특별히 음의 무리의 가운데에 있고 구사에 걸리는 바가 없어서 예락의 가운데에 처하여 천천히 연애에 빠져드는 뜻이 없다. 고요히 있을 때는 확실하게 스스로 분수를 지켜 돌과 같이 견고한 뜻을 가지고, 우월하고 유리한 환경도 그의 의지를 흔들 수 없다. 움직임이 있을 때는 기미를 보고 일하는 데에 뛰어나고 일찍이 문제를 발견하여 문제를 맹아萌芽상태에서 해결한다. 알아차리고 판단한 뒤 과감히 결정하여 버릴 것은 신속하게 버리니, 아침에 해야 할 일을 저녁때까지 기다리는 법이 결코 없다."[133] 〈예〉의 육이가 깊은 "지기知幾"의 이치를 포함하고 있음을 알 수 있다. 공자는 이러한 이치에 근거하여 다음과

133 김경방 등 :〈주역전해〉, 140항

같이 지적한다 : 군자는 은미한 미래의 징조를 알면 그것이 밝게 드러난 결과를 알며, 음유의 공익功益을 알면 양강의 효용을 바로 아니, 만인이 우러러보며 흠모하는 걸출한 인물이 될 수 있는 것이다.[134]

예

앎知에 관하여, 〈계사전〉에 여러 가지 견해가 있다.

> 역이 천지와 더불어 같이 하기 때문에, 천지의 도를 겉으로 얽고 속으로 채우며, 우러러서 하늘의 무늬를 관찰하고 구부려 땅의 이치를 살피기 때문에 어둡고 밝음의 연고를 안다. 처음의 근원을 헤아려서 마지막을 돌이켜보기 때문에 죽고 사는 이론을 알고, 정기가 물건이 되고 혼이 떠돌아 변화를 일으키는 바를 알므로 귀신의 정상을 안다. 천지와 더불어 서로 같기 때문에 어긋나지 않고, 지혜가 만물에 두루 이르고 도는 천하를 다스리기 때문에 지나치지 않으며, 곁으로 가도 잘못되는 법이 없고 천연天然함을 즐거워하고 명을 아니 근심하는 바가 없으며, 주어진 장소에 편안히 해서 어질음을 돈독히 하기 때문에 사랑할 수 있다. 하늘과 땅의 조화를 본뜨고 테두리를 하되 지나침이 없고, 만물을 마름질하여 이루되 빠뜨리는 바가 없으며, 낮과 밤의 도를 관통하여 알기 때문에 신은 특별히 정해진 방소가 없고 역은 일정한 체가 없다.
>
> 〈易〉與天地准, 故能弥綸天地之道. 仰而觀于天文, 俯而察于地理, 是故知幽明之故. 原始反終, 故知死生之說. 精氣爲物, 游魂爲變, 是故知鬼神之情

134 황수기 등 : 〈주역역주〉 585항 참조.

狀. 與天地相似, 故勿違; 知周乎萬物而道濟天下, 故勿過; 傍行而不流, 樂天知命, 故勿憂; 安土敦乎仁, 故能愛. 範圍天地之化而不過, 曲成萬物而不遺, 通乎晝夜之道而知, 故神無方而〈易〉無體.

이 글 중에 "지知"자는 모두 6번 출현한다. 그 중에 "지혜가 만물에 두루 이르고 도는 천하를 다스린다 知周乎萬物而道濟天下"의 "지知"자가 지혜로 해석되고 나머지 다섯 자는 모두 인지의미認知意味의 "지知"를 가리킨다. 소위 "어둡고 밝음의 연고를 앎 知幽明之故"·"죽고 삶의 이론을 앎 知死生之說"·"귀신의 정상을 앎 知鬼神之情狀"·"낙천지명樂天知命"·"낮과 밤의 도를 관통하여 앎 通乎晝夜之道而知"에 있어서의 여러 가지 "지知"는 "기미"("유명"·"사생"·"귀신"·"천명" 등)와 관계가 없는 것이 없으므로, 이를 "지기知幾"라고 부를 수 있는 것이다. 이러한 앎은 어떻게 하여 얻는 것인가? 윗글에 의하면, "어둡고 밝음의 연고를 아는 것 知幽明之故"은 천지자연의 상을 관찰함에 의지함에 있고, "죽고 삶의 이론을 아는 것 知死生之說"은 사물의 생성과 파괴·훼손에 근거함에 있으며, "귀신의 정상을 아는 것 知鬼神之情狀"은 정기의 모이고 흩어지는 변화를 고찰하고 연구하고 의지함에 있다. 한마디로 종결하면, 주체의 정확한 인식과 자각에 의지하는 것이다. 이 밖에는 걸어갈 다른 지름길은 없다.

13-3

〈주역〉은 "지기[知幾 : 기미을 앎]"를 중시하고, 한편으로 "기미를 아는 것은 참으로 신령하다." 그러므로 "지기[知幾 : 기미를 앎]"는 지신[知神 : 신을 앎]과 같다. 바꿔 말하면, "지기[知幾 : 기미을 앎]"는 신과 통하는 것이라 할 수 있다. "신神"이란 말은 역전의 글 가운데 33번 나타나는데, 그 중에서 단독적인 개념인 것은 16번 나타난다.

> 음양을 헤아릴 수 없는 것을 신이라고 한다. (〈계사전〉)
> 신이라는 것은 만물을 묘하게 하는 것을 말한다. (〈설괘전〉)

> 陰陽不測之爲神. (〈繫辭傳〉)
> 神也者, 妙萬物而爲言者也. (〈說卦傳〉)

이 두 구절은, 〈주역〉의 "신神"이라는 개념의 함의를 가장 잘 표현하였다고 할 수 있다. 한강백은 이렇게 주석한다 : "신이라는 것이 변화의 궁극이요 만물을 묘하게 만드는 것을 일컫는다는 것은, 형체로 분명하게 말할 수 없는 것이다. 그러므로 음양을 헤아릴 수 없다고 말한다." 공영달은 〈주역정의〉에서 이렇게 말한다 : "묘란 미묘함을 말한다. 만물의 몸은 찾아볼 수 있는 변하는 상이 있다. 신이란 만물에 있어서 미묘함을 일컫는 것인데, 찾아서 구할 수 없다는 것을 말한다." 장재는 〈정몽〉에서 이렇게 말한다 : "둘이 있기 때문에 헤아리지 못 한다", "음양이란 물건이다", "그 추론하여 나아가는 것을 말하기에 도라고 말한다; 그 헤아릴 수 없음을 말하기에 신이라고 말한다; 그 낳고 낳음을 말하기에 역이라고 말한다. 기실은 하나의 사물이지만 그 가리키는 바에 따라 이름을 달리 한다."

여러 선철의 "신神"에 대한 이해로부터 "음양을 헤아릴 수 없음"과 "만물을 묘하게 하는 것을 말함"을 알 수 있는데, 하나는 "움직임의 미미함"을 가리키고, 또 하나는 "변화의 미묘함"을 가리킨다. "움직임의 미미함"은 특별히 사물변화의 징조에 대하여 말하는 것이고, "변화의 미묘함"은 특별히 사물변화의 핵심에 대하여 말하는 것이다. 이 둘은 한 번 숨었다가 한 번 나타나는데, 모두 사물의 변화를 가리킨다. 예컨대, 장재가 말한 바와 같다 : "나타남은 그것이 모인 것이요, 숨은 것은 그것이 흩어진 것이다. 나타나고 숨으니 어둡고 밝은 것[幽明]이 상象에 있는 이유이다. 모이고 흩어지니 밀고 흔드는 것이 신묘한 이유이다." 그러므로 〈계사전〉은 말한다 : "변화의 도리를 아는 사람은 그 신이 하는 바를 알 것이다." "변화의 도리"를 알면 "신"이 하는 바를 알게 된다고 여기고 있는 것이다. 이로써 "지기"의 묘용을 어렵지 않게 발견할 수 있으니 그 논리적인 순서는 이렇다 : 지기[知幾 : 기미를 앎]—통신[通神 : 신과 통함]—찰변[察變 : 변화를 살핌]

"변變"은 〈주역〉의 핵심적인 관념의 하나로서, 〈주역〉은 "준칙으로 삼을 수 없으니 오로지 적당한 바대로 변함 不可爲典要, 唯變所適."을 제창한다. 이것은, 사람은 마땅히 사물 발전변화의 규율에 순응해야지 현상에 안주하거나 자승자박自繩自縛해서는 안 된다는 것을 강조하는 것이다. 이 점에 관하여 아주 유명한 고사가 있는데, 사람들이 때때로 돌이켜 생각해볼 가치가 많다.

> 초楚나라 사람 중에 강을 건너던 자가 있었는데, 그의 칼이 배에서 떨어져 물속으로 빠지자 급히 배에다 표시를 해놓고 말하기를 "여기가 나의 칼이 통과하여 떨어진 곳이다"라고 했다. 배가 멈추자 그는 새겨놓은 곳을 따라 물에 들어가 칼을 찾았다. 배는 이미 진행되었고 칼은 진행되지 않았는데도, 칼 찾는 일이 이와 같으니 또한 미혹되지 않겠는가?
>
> (〈여씨춘추·찰금察今〉)

이 고사의 이름은 "각주구검刻舟求劍"이라고 불린다. 고사의 내용은 해석하지 않더라도 사람들이 잘 알고 있다. 이 초나라 사람이 끝내 자신의 칼을 찾지 못하였을 것이라는 것은 추호도 의문이 없다. 원인은 그가 "시대의 흐름에 따라 변화"하지 못한 데에 있다. 이와 상관되는 고사가 더 있다.

> 초荊나라 사람들이 송나라를 습격하고자 하여 사람을 시켜서 먼저 옹수澭水에다가 장대를 꽂아서 건널 곳을 표시해두게 했다. 옹수가 갑자기 불었는데도 초나라 사람들은 이를 모르고서 장대표시를 따라서 밤에 강을 건넜다가 물에 빠져 죽은 자가 천여 명이나 되니, 군사들이 놀란 것이 마치 도회지의 큰 집이 무너지는 것 같았다. 앞서 그들이 먼저 장대로 표시를 해둘 때는 건너게 해주는 길잡이가 될 수 있었으나, 지금은 물이 이미 바뀌어서 훨씬 불어났는데도 초나라 사람들은 여전히 장대 표시를 따라서 군대를 이끌어갔던 것이니, 이것이 그들이 패배한 이유다.
> (〈여씨춘추·찰금〉)

이 고사와 "각주구검"이 전달하고자 하는 뜻은 별 차이가 없는데, 모두 "변통變通"하지 못함의 위험과 해로움이다. 이 두 개의 고사는 우화적인 요소가 다분히 있지만 확실히 아주 깊은 도리를 제시하고 있다. 초楚나라 사람과 초荊나라 사람은 비단 기미를 알지 못하였을 뿐만 아니라 심지어 어떤 변화도 알려고 하지 않았다. 물론 고사의 풍자가 과하다는 느낌은 있지만 현실 속에서는 확실히 이와 같이 우습고 어리석은 사례가 적지 않다. 그러므로 사람들은 "지知"자 위에 공부를 기울이지 않을 수 없다. 여기서 "지기찰변[知幾察變 : 기미를 알고 변화를 살핌]"과 관계가 그다지 크지 않은 것처럼 보이는 예를 하나 더 이야기해도 무방할 것이다.

> 중산中山임금이 사대부들을 불러 잔치를 벌였다. 이때 대부 사마자기司馬子期도 초청을 받았다. 양고기 국을 나눠먹을 때 마침 사마자기에게 그 몫이 돌아가지 않았다. 그 일로 사마자기는 노하여 초楚나라로 달려가 초왕楚王을 달래 중산을 치게 하였다. 중산왕이 도망을 다니고 있을 때, 어떤 두 사람이 창을 들고 그 뒤를 따르며 지켜주고 있는 것이었다. 왕이 뒤를 돌아보며 두 사람에게 물었다. "그대들은 어떤 자들인가?" 그들의 대답은 이러하였다. "저희들 아버지께서, 일찍이 배가 고파 죽기 직전에 왕께서 식은 밥을 내려 살려 주셨습니다. 아버님이 임종하시면서 '만약 중산왕에게 무슨 일이 생기거든 죽음으로써 보답하라'고 유언하셨습니다. 그래서 임금을 위하여 목숨을 바치려고 따라나선 것입니다." 왕은 하늘을 우러러 탄식하였다. "남에게 무엇을 베풀 때는 양이 많고 적음에 있는 것이 아니라 어려울 때 베푸는 것이 중요하며, 남에게 원한을 살 때는 깊고 얕음에 있는 것이 아니라 그 마음을 상하게 하는 데 있구나. 내가 한 잔의 양고기 국물에 나라를 망쳤고, 한 그릇의 찬밥에 두 용사를 얻었구나."

이 고사는, '모든 사변事變은 그 싹이 모두 기미의 가운데에 있다'는 것을 표명하고 있다. 이미 발생한 어떠한 사정도 사후에 생각해 보면 모두 그 원인과 싹이 있다. 이 고사 중에서 중산군은 "양고기국이 모두에게 돌아가지 못하게 함"으로 인하여 망명하게 되었고, "식은 밥을 내려 먹게 함"으로 인하여 생명을 건졌다. 그 망명하게 됨과 생명을 건지게 됨은 모두 알지 못하는 사이에 씨를 뿌린 인과이다. 그 반대로 만일 그가 이 점을 의식하고, 생각하지도 않고 했던 행동을 자각적인 행동으로 바꾸어, "나누어 줌(사마자기에게 양고기국을 나누어 줌을 가르킨다)"이 "화를 입고(사마자기로 인해 초나라의 침략을 받은 사실을 가르킨다)", "원한을 살 일(식은 밥을 내려먹게 한 일을 가르킨다)"이 "마음을 상하지 않게 함(이로 인하여 그 사람의 마음을 상하게 하지 않고 오히려 생명을 지키게 되었음을 가르킨다)"을 자각하였다면, 혹은 망명의 고초를 입지 않을 수 있거나, 혹은 피동적으로부터 주동적으로 바뀌어 "사물이 처음 막 움직일 때의 미미함을 살펴서 선택하여야 할 바를 알아 조치를 취할 수 있었을 것이다."

13-4

"지기찰변[知幾察變 : 기미를 알고 변화를 살핌]"의 목적에는 두 가지가 있다. 하나는 우환을 미연에 방지하는 것이고, 또 하나는 변화에 따라 순응하여 자기의 위치를 올바르게 찾는 것이다. 이 둘을 결합하면 곧 '영원히 자기 자신을 딱 알맞게 유리한 위치에 서도록 하는 것'이 된다. 이러한 지혜에 관하여, 노자 〈도덕경〉 중의 견해를 들 수 있다. 물론 노자의 관점과 〈주역〉은 매우 차이가 있는데, 오히려 이러한 차이 때문에 서로 보완하는 형세를 이룰 수 있어, 사람들은 더 많은 깨달음을 얻을 수가 있게 되는 것이다. 이 방면에 대한 노자의 지혜는 "유약승강강[柔弱勝剛强 : 부드럽고 약한 것이 굳세고 강한 것을 이김]"과 "지웅수자[知雄守雌 : 자신의 장점을 알고서 이를 이용하여 자신의 약점을 지킴]"라고 부를 수 있다. "유약승강강柔弱勝剛强"이 강조하는 것은, 형세가 자신에게 불리한 상황에서 어떻게 자신의 지모를 이용하여 그것을 바꿀 것인가이다; "지웅수자知雄守雌"는, 형세가 자기에게 유리한 상황에서 어떻게 자신의 지모를 이용하여 그것을 지키고 그것이 불리하게 변하지 않도록 할 것인가를 강조한다. 이러한 지모는, 만일 지기찰변知幾察變의 공부가 없다면, 절대로 사용할 수가 없다.

노자는 말한다 : "천하에서 물보다 유약한 것이 없으나 견강한 것을 공격함에 있어서는 이를 능히 이길 자가 없으니, 그것을 무엇으로 바꿀 것

이 없기 때문이다. 약한 것이 강한 것을 이기고, 부드러운 것이 굳센 것을 이기는 사실은 천하에서 모르는 자가 없으나 능히 실행할 수 있는 자는 아무도 없다."(〈노자〉 78장) 이것은 물을 비유로 삼아 유약함이 강강強剛함을 능히 이길 수 있음을 강조한 것이다. 그렇다면, 유약함은 어떻게 강강함을 이기는가? 노자는 다시 말한다 : "장차 구부리고자 하면 반드시 잠깐 펴게 하고, 장차 그것을 약하게 하려면 반드시 먼저 그것을 강하게 하여야 한다; 장차 그것을 폐하려고 한다면 반드시 먼저 그것을 흥하게 하여야 한다; 장차 그것을 뺏으려고 한다면 반드시 먼저 그것을 주어야 한다. 이것을 미명微明이라고 하는데, 유약함이 강강함을 이기는 것이다."(〈노자〉 38장) 이것은 다음과 같은 뜻이다 : 장차 수렴하려면 반드시 먼저 확장시켜 주고, 장차 쇠약케 하려면 반드시 먼저 강성하게 하고, 장차 폐훼廢毁하고자 하면 반드시 먼저 흥왕興旺하게 하고, 장차 탈취하고자 하면 반드시 먼저 줌으로써, 강대한 사물이 될 수 있는 한 빨리 그 반대의 방향으로 나아가도록 촉진하고, 이로써 약한 것이 강한 것을 이기는 목적을 달성하여야 한다.[135]

지웅수자에 관하여, 노자는 이렇게 지적하였다 : "크게 이루어진 것은 모자란 것이 있는 듯하지만 그 쓰임에는 아무런 문제가 없다. 크게 찬 것은 빈 듯하지만 그 쓰임은 다함이 없다. 크게 바른 것은 굽은 듯하고, 크게 잘된 것은 서투른 듯하고, 크게 말을 잘하는 것은 더듬는 듯하다. 크게 얻은 것은 모자란 듯하다." 가장 완벽한 상태는 결함이 있는 듯하여야 그 작용에 있어서 오히려 폐단이 없다는 뜻이다. 가장 충실한 상태는 마치 빈 듯하여야 그 작용은 오히려 무궁무진하다. 가장 바르게 곧은 것은 약간 굽은 듯하여야 하고, 가장 영활한 기교는 약간 어리석고 졸렬한 듯하고, 가장 웅변적인은 것은 약간 눌변인 듯하며, 가장 가득 찬 것은 어느 정도 일

135 장대년주편 : 〈중화적 지혜〉, 27항, 상해, 상해인민출판사, 1989. 참고.

그러짐이 있는 듯하다는 것이다. 이것은, 정면正面의 상황 속에는 반면反面의 인소가 포함되어 있는데, 정면의 반면을 용납하여야만 비로소 완벽한 상태에 이를 수가 있고, 그것이 반면으로 나아가는 것을 막을 수 있다는 것을 강조한다. 노자의 이러한 지혜는 특색이 있고 또한 아주 심오하다고 해야 할 것이다. 그것은 〈주역〉의 지혜와 서로 빛을 발하여 처세와 사람됨에 대하여 계발하고 인도하는 작용을 일으킬 수 있을 것이다.

14. 신시신종 愼始愼終

앞 장에서 "기幾"는 두 가지 방면의 함의가 있다고 말했다 : 하나는 시동지미[始動之微 : 처음 움직일 때의 미미함]이고, 또 하나는 변화지묘[變化之妙 : 변화의 미묘함]이다. 본장은 "신시신종愼始愼終"을 논의하는데, 바로 한 걸음 더 나아가 "시始"와 "종終"이라는 두 가지 중요한 측면으로부터 시동지미始動之微와 변화지묘變化之妙의 문제를 탐구하는 것이다. "시始"는 시작으로서, 바로 〈주역〉에서 말하는 "초初"이다. "괘의 시초는 미세한 것으로부터 일어나는 것이므로" 분별하지 않으면 아니 된다. "종終"은 마침으로서, 바로 〈주역〉 중에서 말하는 "상上"이다. 박복비태剝復否泰[136], 물극즉반物極則反[137]이니 더욱 근신할 것이 요구된다. 한 번 시작하고 한 번 마치며, 한 번 분별하고 한 번 신중하는 것이 바로 "신시신종愼始愼終"이다. 옛사람이 말했다 : "시작할 때 신중하게 생각하고 끝낼

136 주역에서 박괘 다음에 복괘가, 비괘 다음에 태괘가 오는 것을 빗대어, 위로서 마지막 양이 사라지면 아래에서 다시 양이 생겨나고, 통하지 않고 좋지 아니한 일이 있으면 곧 통하고 좋은 일이 온다는 뜻의 성어 -역자 주

137 사물의 발전변화가 극에 이르면 그 반면으로 돌아 선다는 뜻의 4자성어 -역자 주

때 공경하는 마음을 가지면, 끝내 곤혹함이 없다"(〈좌전·양공25년〉) "군자는 처음을 공경하고 끝을 삼가서 처음과 끝이 한결같다"(〈순자·예론〉), "군자는 처음 시작할 때 신중히 하는데, 만일 터럭 하나의 차이가 있으면 천리의 차이가 생긴다."(〈예기·경해〉) 이들이 말한 것이 바로 그 뜻이다.

14-1

"신시愼始"는 고대 철인의 공통된 생각이다. 〈주역〉의 신시愼始라는 사상을 논의하기 전에, 우리들은 먼저 여러 단락의 상관된 글을 인용해도 무방할 것이다.

> 거대한 나무도 터럭 같은 말단에서 생겨났다; 구층의 누대도 흙을 쌓아서 올라간 것이다; 천리의 길로 한 발걸음에서 시작한다. (〈노자〉 64장)
> 화가 생겨난 연유를 보면, 티끌과 같은 사소한 것으로부터 생겨난다. (〈순자·대략〉)
> 천장의 제방도 개미구멍으로 무너진다; 백척의 집도 담뱃불티로 잿더미가 된다. (〈한비자·유로〉)
> 작은 잘못이 생기지 않으면, 큰 죄가 이르지 않는다. (〈한비자·내저설상〉)
> 작은 일을 가볍게 여기지 말라, 작은 틈이 배를 가라앉게 한다; 작은 물건을 가볍게 여기지 말라, 작은 곤충이 몸에 독을 입힌다; 소인을 가볍게 여기지 말라, 소인이 나라를 팔아먹는다. (〈관윤자·구약〉)

이 단락의 글들은 낯선 것이 아니다. 어떤 것은 일찍부터 모든 사람들이 경구명언警句名言으로 알고 있다. 그것들의 뜻은, 〈주역〉의 관념을 이용하여 말한다면, 바로 "시동지미始動之微" 및 그 의의의 중요성을 강조하려는 것이다. "시始"는 〈주역〉에서는 대부분 초효를 가리키는데, 예컨대 〈곤〉 초육의 상전이 "음이 처음으로 응결하는 것이다 陰始凝也"고 말하는 것과 같다. 〈항〉 초육 상전은 "처음에 (너무) 깊이 구한다 始求深也."라고 말한다. 모두 "시始"로서 "초初"를 해석하고 있다. 〈주역〉의 64괘에는 64개의 초효가 있는데, 그것이 처하고 있는 괘상의 다름으로 인하여 각 초효의 정황에도 크게 차이가 있으나, 그 요점을 총결하면 길 또는 흉이라는 두 가지 경향에 불과하다. 그런데 그것이 어떤 이유로 길하고 어떤 이유로 흉한지는 진지하게 분별하고 증명할 것이 요청되는 것이니, 이 또한 본장이 말하는 "신愼"이 존재하는 이유이다. 먼저 초효가 왜 길한지를 보자.

띠뿌리를 뽑는 것과 같다. 그 무리와 함께 가는 것이니 길하다.
(〈태〉 초구)
띠뿌리를 뽑는 것과 같다. 그 무리로써 바르게 하니 길하고 형통하다.
(〈비〉 초육)

拔茅茹, 以其彙, 征吉. (〈泰〉 初九)
拔茅茹, 以其彙, 貞吉, 亨. (〈否〉 初六)

이 두 개의 효사 중에 하나는 〈태〉의 초구이고, 또 하나는 〈비〉의 초육이다. 〈태〉와 〈비〉는, 하나는 하건상곤下乾上坤이고, 또 하나는 하곤상건下坤上乾이다. 하나는 "작은 것이 가고 큰 것이 오는 것 小往大來"으로 통하고 태평한 것이고, 또 하나는 "큰 것이 가고 작은 것이 오는 것 大往小來"으로서 곤궁하고 막히는 것이다. 괘상으로 보든지 괘의卦意로 보든지 서로 정반대라고 말할 수 있다. 대체적으로 말하면, 이 두 효는 같은 점도 있고 다른 점도 있다. 두 효의 같은 점은 다음과 같이 나타난다 : 두 효가 공히 초효이다; 효사가 모두 "띠뿌리를 뽑는 것과 같다. 그 무리로써 한다 拔茅茹, 以其彙"로 비유하고 있다; 두 효의 단사斷辭가 모두 길하다. 두 효의 다른 점은 다음과 같이 나타난다 : 〈태〉에서는 양효이고, 〈비〉에서는 음효이다; 〈태〉의 초가 길한 것은 "나아가서[征]" 길한 것이고, 〈비〉의 초가 길한 것은 "바르게 하여서[貞]" 길한 것이다.

두 효가 길한 것은 그들의 상이한 점에 있다고 하여야 할 것이다. 〈태〉와 〈비〉는 대립되는 괘로서, 만일 우리들이 효에 상대되는 괘를 커다란 배경으로 본다면, 그 두 괘가 반영하는 환경, 조건 모두가 크게 다르다. 그리고 서로 다른 환경과 조건에서 서로 같은 결과를 얻고자 한다면, 서로 다른 방법·수단 및 서로 다른 처세태도에 의지할 수밖에 없다. "拔茅茹, 以其彙"의 뜻은, 띠풀을 뽑는데 뿌리가 서로 붙어 있다는 것이다. 여기서 효사는 띠풀의 "뿌리가 서로 당기고 있는 현상"을 비유로 하여 〈태〉 하의 건과 〈비〉 하의 곤이 각각 동성상련[同性相連 : 같은 성끼리 서로 연결됨. 즉 태괘는 양끼리, 비괘는 음끼리 하괘를 이루고 있음을 뜻함]의 뜻이 됨을 설명하고 있다. 다만 똑같은 동성상련이지만, 〈태〉의 초는 그 양성으로 인하여 "나아감[征]"을 그 의지로 삼았고, 〈비〉의 초는 그 음성으로 인하여 "바르게 함[貞]"을 그 지킴으로 삼았다. 하나는 "나아가고", 또 하나는 "바르게 지켜서" 그들의 길하고 이로운 결과를 성취하였다. 〈태〉괘는 하건상곤으로서, 초구는 태의 때에 있어서 양강의 몸으로 아래에 처해 있는데, 왕필은 이렇게 주석한다 : "띠풀이라는 물건은 그 뿌리를 뽑으면 서로 끌어당기는 것이다. 여茹는 서로 끌어당기는 모양이다. 세 양이 뜻을 같이 하여 밖에 뜻을 두고 있다. 초효는 그 무리의 머리로서 행동을 취하면 따르게 되니 마치 띠풀이 서로 당기는 것과 같다. 위로는 따르고 응하여 어기거나 떠나지 않으니 나아가면 모두 뜻을 얻는다. 그러므로 그 무리로서 나아가니 길하다."(〈주역주〉) "세 양"은 건의 세 양효이다. "동지"는 뜻이 서로 같다는 것이다. 〈태〉괘는 초·이·삼효는 모두 밖으로 응함이 있어, 이 통하는 태의 때에 세 양은 공히 응함이 있는 밖에 뜻을 두고 위로 나아간다. 초효는 "나아감[征]"이라는 글자로서 경계하고 아울러 "나아감[征]"으로 인하여 길함을 얻을 수 있다는 사실을 지적한다. 그러므로 〈상전〉은 말한다 : "발모정길拔茅征吉은 뜻이 밖에 있는 것이다 拔茅征吉, 志在外也." 이와는 달리 〈비〉괘는 하곤상건으로서, 초육은 비의 때에 있어서 음유한 몸으로 아래에 거처하고 있는데, 왕필은 다음과 같이 주석한다 : "비의 때에 거처하고 있으면 움직이면 사악함에 들어가게 된다. 세 음은 같은 길을 걷는 사람으로 모두 앞으로 나가서는 안 된다. 그러므로 띠풀을 뽑듯이 무리로 하여 바르게 지키고 알랑거리지 않으면 길하고 형통하다."(〈주역주〉) 〈비〉의 초·이·삼에 의하면 역시 응효가 있으나, 〈비〉괘가 만들어놓은 커다란 배경은 "하늘과 땅이 사귀지 않아 만물이 통하지 않으며, 위와 아래가 사귀지 않아 천하에 나라가 없는 것이다. 안은 음이고 밖은 양이며, 안이 유하고 밖이 강하며, 안은 소인이고 밖은 군자이니 소인의 도가 자라나고 군자의 도는 사라진다. 天地不交而 萬物不通也. 上下不交而 天下無邦也. 內陰而外陽, 內柔而外剛, 內小人而外君子, 小人道長, 君子道消也."(〈비·단전〉) 군자는 이 통하지 않는 막힘의 때에 당하여는 마땅히 "덕을 검소하게 하고 어려운 것을 피하여 녹(벼슬)으로 영화롭게 하지 말 것 儉德避難, 不可榮以祿"이다.(〈비·상전〉) 그러므로 효사는 "바르게 지킴[貞]"이라는 글자로 경계하고 있다. "바르게 지키고 알랑거리지 않아야만" "길하고 형통함"을 얻을 수 있다.

비록 같이 초위初位에 있고 공히 응효應爻가 있지만 그 처한 경황이 서로 다름으로 인하여 그 대응해야 할 대책이 자연히 달라지게 되는데, 이것이 바로 〈주역〉이 말하는 "오로지 적당한 바에 따라 변함[唯變所適]"이요, 64괘 가운데 초효가 길한 효가 됨에 있어서 길하게 되는 이유이다.

14-2

초효가 왜 흉하게 되는지를 여기서 몇 가지 예를 들어 다시 말해 보자.

상의 다리를 깎아서 멸하니, 계속하여 고집을 부리면 흉하다. (〈박〉 초육)

즐거움에 겨워 우는 것이니 흉하다. (〈예〉 초육)

나는 새라서 흉하다. (〈소과〉 초육)

剝床以足蔑, 貞凶. (〈剝〉 初六)

鳴豫, 凶. (〈豫〉 初六)

飛鳥以凶. (〈小過〉 初六)

박　예　소과

위의 몇 개 효사에 있어 그 판단하는 말은 모두 흉하다. 그들은 왜 흉한 것일까? 무엇 때문에 흉함을 초래하였을까? 이것은 가장 신중하게 생각하여 바르게 분별할 가치가 있는 문제이다. "멸蔑"은 없애다, 없게 하다는 뜻이다. "정貞"은 고집하다이다. 〈박〉괘 초육의 뜻은, 상의 다리를 깎아서 닳아 없어지려고 하는데도 고집을 부리고 변통부릴 줄을 모르면 흉하다는 것이다. 〈박〉괘는 하곤상간下坤上艮인데, 하나의 양이 위에 있고 다섯 음이 아래에 있어서 유로써 강을 변하게 하여 강을 벗겨 떨어뜨리는 모양을 상징하고 있다. 초육은 음의 몸으로서 〈박〉괘의 아래에 있는데, 큰 상이 다리부분부터 먼저 헐어서 무너지는 것과 흡사하다. 그러므로 〈상전〉은 "'박상이족剝牀以足'은 아래를 멸하는 것이다"라고 말한다. 〈주역집해〉는 노씨의 설을 인용하여 이렇게 말한다 : "곤은 물건을 싣는 것이고, 상은 사람을 편안하게 하는 것인데, 아래에 있으므로 다리라고 부른다. 먼저 아래에서부터 깎여서 점차 위로 미치게 되는 것이니, 곧 임금의 다스림이 붕괴된다. 그래서 '아래를 멸하는 것이다'라고 말한다." "다리를 깎음[剝足]"·"아래를 멸함[滅下]"의 위험이 아주 크다는 것을 알 수 있으니, 만일 일이 그대로 발전해 가도록 내버려두면 그 결과가 어떨지는 말을 안 해도 알 수 있을 것이다. 다만 〈박〉괘의 초효에 대하여만 말하자면, 그것이 "흉"한 이유는 그 관건이 "정貞"(고집을 부리고 변통할 줄 모르는 것) 자에 있다. 왜냐하면 음이 양을 멸하는 것은 반드시 아래에서부터 시작하기 때문이다. 군자가 이를 살피지 않으면 "점차적으로 위에까지 미치어" 흉함을 초래하게 된다. 그와 반대로 군자가 능히 "일찍이 분별"하여, 우환을 미연에 방지할 수 있으면, 그 "다리를 깎음[剝足]"·"아래를 멸함[滅下]"의 초기에 그것을 억제할 수 있게 될 것이다. 이렇게 한다면 어찌 흉함이 있겠는가?

"예豫"는 환락이다. "명鳴"은 스스로 울면서 만족해하는 것이다. 효사의 뜻은, 환락이 너무 심해서 스스로 울면서 만족해하면 흉험하다는 것이다. 〈예〉괘는 하곤상진下坤上震으로, 〈주역집해〉는 정현을 빌려 말한다 : "곤은 순함이다. 진은 움직임이다. 그 성에 순응하여 움직이는 자는 그 자리를 얻지 못하는 바가 없으니 예豫라고 한다. 예는 희예[喜豫 : 즐거워하고 기뻐함]·열락[說樂 : 기뻐하고 즐거워 함]의 모습이다." 〈예〉가 환락의 상임을 알 수 있다. 그렇다면, 이러한 환락의 때에 처하여 초효는 왜 "예豫"로 말미암아 흉함을 초래하는가? 이것은 초효는 자기의 처지를 냉정하게 살펴서 깨닫지 못하고, "즐거워할[豫]" 뿐만 아니라, "즐거움에 겨워 울기[鳴豫]" 때문이다. 김경방은 이렇게 말한다 : "초육은 음유한 몸으로 처음 자리에 거처하며 예괘의 주主인 구사와 서로 응하고 있는데, 이는 중도에 있지 아니하고 바르지 아니한 소인이 안일하고 즐거운 때에 있는 것을 상징한다." "안일하고 즐거운 것은 좋은 일이지만, 잘 처리하지 아니하면 나쁜 일이 된다. 안일하고 즐거운 일에 빠지는 것(탐닉하는 것)은 나쁜 일인데, 시작하자 말자 안일하고 즐거운 일에 빠져서 경계하고 두려워할 줄 모르는 것은 더욱더 나쁜 일이다. 초육의 즐거움에 겨워 욺[鳴豫]은, 예의 초기에 바로 우는 것으로 봐서 기량이 다하고, 기백이 궁박해졌음을 알 수 있으니, 어찌 흉하지 않겠는가."[138] 이는, 〈예〉괘의 초육이 흉한 것은 그의 자리가 부당한데도 그 분수를 알아 처신할 줄 모르고, 예의 초기에 환락이 너무 심하다는 것을 설명하고 있다. 그래서 〈상전〉은 말한다 : "'초육이 즐거움에 겨워 운다'는 것은 뜻이 궁하여 흉한 것이다. 初六鳴豫, 志窮凶也."

"나는 새라서 흉하다. 飛鳥以凶"는 〈소과小過〉 초효의 효사이다. 〈소과〉는 하간상진下艮上震으로, 전체 괘상은 네 음이 두 양을 감싸고 있는 모양이다. 주희의 〈주역본의〉는 말한다 : "작다는 것[小]은 음을 말한다. 괘가 됨에 있어, 네 음이 밖에 있고 두 양이 안에 있으며, 음이 양보다 많으니 작은 것이 과한 것이다." "작은 것이 과하다"는 것은 작게 과함이 있다는 것이니, 〈정씨역전〉이 다음과 같이 말한 바와 같다 : "작은 것이 그 평상平常보다 과한 것으로서, 무릇 작은 것이 과하다는 것은 또한 사소한 일이 과한 것이 되기도 하고 또 과함이 작다는 것이 되기도 한다." 이 괘

138 김경방 등 : 〈주역전해〉 140항.

는 작게 과한 바가 있다는 것을 상징하기 때문에, 괘사는 이렇게 말한다 : "작은 일은 할 수 있고 큰일은 할 수 없으니, 나는 새가 소리를 남김에 위로 가는 것은 마땅치 않고, 아래로 가게 하면 크게 길하리라. 可小事, 不可大事, 飛鳥遺之音, 不宜上, 宜下, 大吉." "나는 새가 소리를 남김 飛鳥遺之音"에 대하여 왕필은 이렇게 주석한다 : "나는 새가 그 소리를 남기는 것은 소리를 애달프게 하여 자리를 찾는 것인데, 너무 올라가면 갈 곳이 없고, 내려오면 편안한 곳을 찾는 법, 올라가면 올라갈수록 더욱 궁해져서 나는 새라고 할 수도 없다."(《주역주》) 괘사의 뜻은, 평상의 작은 일은 도모할 수 있지만, 매우 큰일은 도모해서는 안 된다는 것이다. 예컨대, 나는 새가 남기는 애통한 소리는 위를 향하여 억지로 날아서는 안 되며 마땅히 아래를 향하여 안전하게 둥지에 내려야 크게 길한 것과 같다. 그런데 초육은 〈소과〉의 시초에 "위로 올라가서는 안 되고 마땅히 아래로 내려가야 하는" 환경조건을 고려하지 아니하고, 한마음으로 위로 구사와 응하려는 생각에 집착하므로 결과는 반드시 흉한 것이다. 그러므로 왕필은 이렇게 말한다 : "소과에 있어서 올라가는 것은 도리를 거스르는 것이고 내려오는 것이 도리에 따르는 것인데, 윗괘에 응함이 있다고 위로 나아가 도리를 거슬러서 발을 디딜 곳이 없으니 나는 새가 흉한 것이다."

초효가 흉한 사례가 아직 많으나, 이상의 세 가지 예에서 다음과 같은 사실을 발견할 수 있다 : 그것이 흉한 이유는 주로 시세를 살피고 헤아리지 못하여, "처음 움직임의 미미함[始動之微]"의 때에 자기에 맞는 자리를 찾지 못하고 미세한 싹을 살펴 알지 못하며 발생 가능한 변화에 적응하지 못하기 때문이다. 그리하여 그쳐야 할 때 그치지 못하고(〈박〉 초육), 수렴收斂하여야 할 때 수렴하지 못하며(〈예〉 초육), 작은 것을 도모하여야 할 때 작은 것을 도모하지 못하고, 아래로 따라야 할 때 오히려 역진逆進한다(〈소과〉 초육). 이와 같이 사리에 밝지 못하니, 흉하지 않기를 어떻게 기대하겠는가! 전국 말기의 순자는 "작은 일을 쌓아감"과 "작은 일을 소홀히 하지 아니함"을 아주 강조하였는데, 이는 "사리에 밝지 아니함"에 대한 경계가 된다고 할 수 있다. 그는 말한다 : "작은 일을 쌓아가는 데는 달마다 하는 것이 날마다 하는 것을 이기지 못하고, 시절마다 하는 것이 달마다 하는 것을 이기지 못하며, 해마다 하는 것이 시절마다 하는 것을 이기지 못한다. 대체로 사람이란 작은 일이면 소홀히 하다가도 큰 일이 닥치면 그때서야 뛰어들어 애를 쓰는데, 이와 같이 한다면 항상 작은 일에 충실히 힘쓰는 자를 당해내지 못한다. 이것은 어째서인가? 작은 일이란 자주 닥치는 것이므로 일을 겪는 날도 많을뿐더러 이것이 쌓이면 크게 되는데, 큰일이란 가끔씩 닥치므로 이를 겪는 날도 적고 이것을 쌓아도 작기 때문이다. 그러므로 나날의 일에 성실한 자는 왕이요, 시절에 따라 하는 일에 성실한 자는 패자이며, 일이 잘못된 뒤에 보충하는 자는 위태롭고, 매우 태만하여 다스리지 못할 지경이면 멸망하는 것이다. 그래서 왕자는 하루하루를 소중히 여기고 패자는 계절을 소중히 여기며, 겨우 유지해 가는 나라는 위태로워진 뒤에야 근심한다. 망하는 나라는 망한 뒤에야 망한 줄 알고 죽게 된 뒤에야 죽음을 아니, 망국의 화는 아무리 후회해도 다함이 없는 것이다. 패자의 일은 아무리 뚜렷하더라도 계절을 소중하게 여기므로 기껏해야 계절마다 기록할 정도인데, 왕자와 공과 명성은 날마다 기록해도 다하지 못한다. 재물이나 보화는 큰 것을 귀중하게 여기지만, 정치와 교화와 공과 명성은 이와는 반대여서 날마다 작은 것을 쌓고 또 쌓음으로써 빨리 성취되는 것이다. 〈시경〉에 말하기를, '덕은 가볍기가 터럭 같건만 들어 올리려 애쓰는 이가 없네.' 하였으니 이것을 가리킨 것이다."(〈순자·강국〉) 순자의 의론은 퍽이나 〈주역〉의 시초를 신중히 생각하는 사상의 각주가 될 만하다.

14-3

"종終"은 〈주역〉 속에서 의의가 매우 많으나, 괘상에 대하여 말하자면, 대다수가 상효를 가리킨다. 예컨대, 〈수〉 상육의 "이를 공경하니 마침내 길하다 敬之終吉", 〈복〉 상육의 "끝내 크게 패한다 終有大敗", 〈가인〉 상구의 "마침내 길하다 終吉", 〈쾌〉 상육의 "끝내 흉함이 있다 終有凶", 〈비〉 상육 〈상전〉의 "마침이 없다 無所終也", 〈비〉 상구 〈상전〉의 "비가 마침내 기운다 否終則傾", 〈박〉 상구 〈상전〉의 "끝내 쓸 수가 없다 終不可用也", 〈쾌〉 상육 〈상전〉의 "끝내는 오래갈 수가 없다 終不可長也" 등은 모두 "종終"이 괘의 상효를 가리킨다는 것을 설명하고 있다.

"그 처음은 알기 어렵다 其初難知"는 것과는 달리, 상효는 사물발전의 종결단계에 처해 있기 때문에 그 형세는 비교적 뚜렷하다. 그러나 하나의 일의 끝마침은 다른 일이 시작하는 단서가 되기 때문에, 하나하나의 괘의 상효도 때때로 박복비태剝復否泰[139]·물극즉반物極則反[140]의 관절고리가 되기도 하며, 그래서 그 기미를 알고 그 변화를 관찰하며 그러한 까닭을 신중하게 생각하여야 할 필요가 크다. 〈태〉·〈비〉로 예를 들어보자.

> 성벽이 무너져 터에 돌아옴이라. 군사를 쓰지 말아야 하고, 읍으로부터 명령을 고함이니 바르게 굳게 하여도 인색하다. (〈태〉 상육)
> 비색한 것이 기울어지니 먼저는 비색하고 뒤에는 기뻐한다. (〈비〉 상구)

> 城復于隍, 勿用師, 自邑告命, 貞吝. (〈泰〉 上六)

139 박괘는 아래의 다섯 음이 위의 남은 하나의 양을 벗겨내는 형상이고, 복괘는 다섯음의 아래에서 하나의 양이 생겨나는 형상인데, 음이 양을 없앤다고 하더라도 다시 생겨난다는 의미임. 비괘는 막히고 곤궁한 때를 상징하고 태괘는 통하고 태평한 때를 상징하는데, 어려운 때가 지나면 좋은 때가 온다는 의미임 -역자 주

140 사물이 끝에 이르면 그 추세가 반대방향으로 흐른다는 뜻. 앞의 박복비태가 그 전형적인 사례임 -역자 주

傾否, 先否後喜.(〈否〉 上九)

"복復"은 복[覆 : 무너짐]과 통한다. "황隍"은, "성 아래에 있는 도랑으로 물이 없는 것을 황이라 부른다."(〈주역집해〉 우번의 말을 인용) 효사의 뜻은, '성벽이 기울어져 말라버린 성을 보호하는 강에 무너져 내렸으니, 군대를 내보내 전쟁을 치르는 것이 이미 헛수고가 되었다, 죄가 나 자신에게 있다는 명령을 공포하고, 자기를 바르게 하며 덕을 닦아야만 난관을 건널 수 있는 가능성이 있다'는 것이다. 〈태〉괘는 본래 통태[通泰 : 통하고 태평함]의 괘이나 상육의 때에 처하여 태극비래[泰極否來 : 통하고 태평한 때가 궁극에 이르면 막히고 곤궁한 때가 온다는 4자성어]의 걱정을 면하기 어렵다. 왕필은 말한다 : "〈태〉의 상극上極에 거처하여 각자가 그 응하는 바에 반기를 들어 태괘의 도가 장차 멸하려고 하고, 위와 아래가 서로 사귀지 아니하여 비천한 것은 위로 받들지 아니하고 존귀한 것은 아래로 베풀지 않는다. 그러므로 '성벽이 무너져 그 터에 돌아오는 것'이니, 겸비의 도가 무너지는 것이다."(〈주역주〉)

사물의 발전에는 늘 시작과 끝이 있으며, 그것의 종점에 도달하게 되면 실제로 새로운 십자 교차로에 이른 것과 같아서 종국에는 어떤 방향으로 발전해 가고, 어떤 방향으로 변화할 것인가는 여전히 하나의 "움직이되 아직 미미한 것"의 문제이다. 옛사람이 말했다 : "처음 시작은 잘하지만 끝까지 잘하는 예는 드물다. 靡不有初 鮮克有終." 이것은, 좋은 시작이 반드시 좋은 결과를 가져오는 것은 아니라는 것을 설명한다. 그러므로 앞에서 강조한 신시[愼始 : 처음 시작을 신중히 함]와 마찬가지로 중요한 것이 "신종[愼終 : 마침을 신중히 함]"이다. "그 시작함을 신중히 하고, 그 마침도 그와 같이 생각하라. 愼厥始, 惟厥終."(〈상서·채중지명〉) "군자가 미미한 것을 보고 분명하게 드러나게 되는 것을 알며, 시작을 보고 그 마침

을 알면 화가 그에게 생겨나지 않는다."(제갈량 : 〈제무후집·편의16책·사려〉)
그렇지 않으면, 통태通泰의 때의 경황에 도취되어 시간에 따라 모든 것이 변한다는 것을 알지 못하고 "성벽이 무너져 그 터에 돌아오는 城復于隍" 결말을 초래하게 된다.

"경傾"은 뒤집힌다는 뜻이다. "경비傾否"는 바로 궁하고 막힌 국면을 기울여 무너뜨린다는 것이다. 〈비〉괘는 본래 궁하고 막혀 통하지 아니하는 모양이나, 궁하고 막힘이 발전하여 궁극에 이르면 그와 상반되는 방향으로, 즉 통태通泰의 방향으로 바뀌게 된다. 그래서 효사가 "먼저는 비색하고 뒤에는 기뻐한다 先否後喜", 즉 먼저 비색하나 나중에는 통함을 얻어 기뻐한다는 것이다. 〈상전〉은 말한다 : "비색한 것이 끝에 이르면 기울어지나니, 어찌 오래갈 수 있겠는가. 否終則傾, 何可長也." "어찌 오래갈 수 있겠는가 何可長也"라는 것은 바로 비색의 세가 오래가지 못할 것이라는 것이다. 정이는 이렇게 주석한다 : "비색함이 끝에 이르면 반드시 기울어지니, 어찌 비색이 오래 지속하는 법이 있겠는가. 극에 달하면 반드시 되돌아서는 것이 불변의 이치인 것이다. 그러나 위태로움을 되돌려서 편안함이 되고, 혼란함이 바뀌어 다스려짐이 되는 것은 반드시 양강剛陽의 재질이 먼저 있고 나서야 가능한 일이다. 그러므로 〈비〉의 상구가 능히 비색함을 기울게 하고, 〈둔〉의 상육은 둔을 변하게 하지 못하는 것이다."(〈정씨역전〉)

정이의 해석에서 두 가지 점을 깨달을 수 있다 : 하나는 극에 달하면 반드시 되돌아선다는 것으로서, 어떤 곤경에 처하더라도 절망하거나 상심할 필요가 없으며 그 반대로 신념과 투지를 견지하여야 한다는 것이다; 또 하나는 극에 달하면 반드시 되돌아선다는 것이 통상의 이치라고 하더라도 반드시 사람의 순응과 배합이 필요하다는 것이다. 〈비〉의 상이 "비색함을 기울일 수 있는 것"은 그것의 양강하고 건장한 본성에 있다. 이와 반대로 〈둔〉의 상과 같다면 어떻게 국면을 전환할 수 있겠는가?

위의 두 괘에 있어서 그들의 상효가 펴보이는 변화는 아주 전형적이다. 그것은 사람들에게, '몸이 순경順境에 처해 있든 역경逆境에 처해 있든 경솔한 마음으로 들떠서는 아니 된다'는 것을 경고한다. 경솔한 마음으로 들뜨게 되면, 순경도 당신의 소홀함과 무지 속에서 역경으로 변할 수도 있고, 역경이 순경으로 변할 기회도 당신의 의기소침함 속에서 잃어버릴 수도 있다.

극에 달하면 반드시 되돌아선다는 것이 사물 발전변화의 상리常理이기 때문에, 〈주역〉은 특별히 "과도"한 행위를 방지하는 것에 특별히 주의한다. 예컨대, 〈건〉 상구가 "지나치게 높이 오른 용에게는 후회가 있다 亢龍有悔"라고 말한 바와 같다. 〈문언전〉은 이렇게 해석했다 : "'지나치게 높이 오른 용에게 후회가 있음'은 궁해서 재앙이 되는 것이다. …… '항亢'이라는 말은 나아갈 줄은 알고 물러날 줄은 모르며, 존재할 줄은 알지만 망할 줄은 모르며, 얻을 줄은 알지만 잃을 줄은 모른다는 것이다. '亢龍有悔', 窮之災也. 亢之爲言也, 知進而不知退, 知存而不知亡, 知得而不知喪." 그래서 주희는 이렇게 여겼다 : "극성의 시기에 당하여는 반드시 그 지나침을 걱정하여야 하며, 이렇게 처신하는 것이 가장 바른 것이다. 〈역〉의 대의는 대체로 가득 찼을 때 경계하는 것이다."(〈주자어류〉). 주자의 이 말이 그 요령을 얻은 것이라 할 수 있다.

14-4

〈주역〉은 우환의 저작물로서 그 목적이 사람으로 하여금 길함을 좇고 흉함을 피하도록 하는 데 있으므로, 신시신종[愼始愼終 : 처음을 신중히 하고 그 마침을 신중히 함]도 역시 마찬가지로 이러한 이치를 명백하게 밝히는 데 있다. 어떤 초·상효사에 있어서는, 사辭 가운데 이미 어떻게 길함을 좇고 흉함을 피하는가 하는 도리를 포함하고 있다. 예를 들면 아래와 같다.

> 사귐으로 인한 해가 없으니, 허물이 아니나, 어렵게 처신하면 허물이 없을 것이다. (〈대유〉 초구)
> 집안에서 법도로 방비하면 후회가 없어지리라. (〈가인〉 초구)
> 발걸음이 두려운 듯 조심스럽게 하니, 공경하면 허물이 없으리라. (〈리〉 초구)
> 구멍에 들어갔는데 빠르지 아니한 손님 셋이 오니 이를 공경하면 길하리라. (〈수〉 상육)

> 無交害, 匪咎, 艱則無咎. (〈大有〉 初九)
> 閑有家, 悔亡. (〈家人〉 初九)
> 履錯然, 敬之, 無咎. (〈離〉 初九)
> 入于穴, 有不速之客三人來, 敬之, 終吉. (〈需〉 上六)

대유 가인 리 수

"무교해無交害"는 교왕하지 않으면 화를 불러일으키지 않는다는 것이다. 김경방은 이렇게 말한다 : "대유의 초구는 양으로서 대유의 첫 자리에 앉았다. 비천하고 낮은 자리에 처하였는데, 위로서는 선이 닿아 상응하는 바가 없어서, 반드시 교만하여 뻐기는 잘못이 없을 것이니, 그래서 교왕함으로 인한 해가 없다. 교왕함으로 인한 해가 없다는 것은 교왕하지 않으면 해가 없다는 것이다. '비구匪咎'는, 대유괘는 본래 허물이 없으나 만일 허물이 없다고 여기고 마음을 놓고 경솔하게 처신하면 반대로 허물이 있다는 것이다. 반드시 어렵다고 생각하고 전전긍긍하며 교만하고 사치스런 마음을 내지 않아서 허물이 없다."[141] 〈대유〉의 초효가 허물이 없음은 〈대유〉의 시세時勢가 당연히 그러한 까닭이겠지만, 이러한 허물없음을 견지해 가기 위해서는 "어렵다고 생각하고 전전긍긍하며 교만하고 사치스런 마음을 내지 않는 것"이 필요한 것이니, 그렇지 아니하면 허물이 없는 바에서 허물이 있는 일이 생길 수가 있는 것이다. 〈시경〉에서, " 벌벌 떨며 조심하기를 낭떠러지에 선 듯이 하고, 전전긍긍하기를 얇은 얼음 밟듯이 하네 惴惴小心, 如臨于谷. 戰戰兢兢, 如履薄氷." (〈시·소아〉)라고 말한 것도 바로 이러한 뜻이다.

"한閑"은 방비한다는 것이다. 왕필은 이렇게 주석했다 : "무릇 가르침은 처음에 있고, 법도는 시작에 있다. 집안이 더럽혀진 뒤에 엄하게 하고, 뜻이 변한 뒤에 이를 다스리고자 한다면 후회하게 된다. 〈가인〉의 초初에 거처함은 가인의 시작이 되는 것인데, 그러므로 마땅히 '집안을 법도로 방비한 뒤'라야 '후회가 없어지는 것'이다."(〈주역주〉) 따라서 효사의 대의는, 집안을 다스리는 데에 대하여 말하자면, 시작할 때 바로 법도를 세우고 교육과 구속을 더하게 되면 후회를 면한다는 것이다. 여기서 "회망[悔亡 : 후회가 없어짐]"의 전제조건은 "한유가[閑有家 : 집안을 법도로 방비함]"이다. 참으로 어찌 집안을 다스리는 데 그치겠는가? 어떤 일을 하든지 "그 시작을 신중히 할 것"이 필요하다. 예컨대 〈사師〉의 초육이 말한 바와 같다 : "군사를 출병함에 있어서는 규율로 행하여야 한다. 그렇지 않으면 이기더라도 흉하다. 師出以律, 否臧凶" 즉 출병하여 전쟁을 할 때, 시작하자 말자 기율을 강조하여야 하며, 이 점을 해내지 못하거나 이 점을 잘해내지 못하면, 그 결과는 반드시 흉하다.

"착연錯然"에 대하여, 〈주역집해〉는 왕필의 말을 인용하여 "경건하고

141 김경방 등 : 〈주역전해〉, 126항

신중한 모습"이라고 말한다. 효사의 뜻은, 사물이 시작할 때는 조심하고 근신하며, 공경하고 구차하지 않아야 허물이나 해로움이 없다는 것이다. 〈상전〉은 말한다 : "발걸음이 두려운 듯 조심스럽게 하여 공경함은 허물이 생기는 것을 피하려는 것이다. 履錯之敬, 以避咎也." 〈리離〉괘가 하리상리下離上離인 점에서 보면, 붙어서 빛나는 상이 있다. 초효는 양으로서 양자리에 거처하고 있어 비록 강하게 움직이고 튼튼하게 나아가는 덕이 있지만, 붙어서 빛나는 시기의 처음에는 응당 근신하고 스스로 삼가며 지켜서 그 붙어서 빛나는 자리를 추구하여야 한다. 그러므로 효사는 "리착지경[履錯之敬 : 발걸음을 두려운 듯 조심스럽게 하여 공경함]"으로서 경계하였는데, 왕필은 다음과 같이 말했다 : "〈리〉의 처음에 처하여 그 성대함으로 나아가려고 함에 있으므로, 마땅히 그 발걸음을 신중히 하고, 공경함을 그 직무로 삼아서 허물을 피하여야 하는 것이다."(《주역주》) "피구[辟咎 : 허물을 피함]"의 "피辟"는, 허물의 있고 없음이 완전히 객관에 있지 아니하거나 혹은 그 주된 것이 객관에 있지 아니하다고 할 수 있음을 설명하고 있다. 객관 환경과 서로 비교하면, 아마도 주체 자신의 덕행·태도·방법이 더욱 중요할 것이다. 이로써 거의 결론을 낼 수 있을 것 같다 : 신시신종愼始愼終의 관건은 바로 "자신을 신중히 하는 것[愼自己]", 즉 자신의 덕행을 신중히 하는 것, 자신의 태도를 신중히 하는 것, 자신의 능력을 신중히 하는 것이다.

"구멍에 들어갔는데 빠르지 아니한 손님 셋이 오는 것 入于穴, 有不速之客三人來"은 흉조라고 할 수 있다. 그러나 〈주역〉은, "이를 공경하면" 마침내 길함을 얻을 수 있다고 여긴다. 〈수需〉괘는 하건상감下乾上坎으로서, 상육은 음으로서 〈수〉의 마침에 거처하고 있다. 주희는 말한다 : "부드러움은 (상대방을) 제어하지는 못하나 이를 따를 수는 있으니, 이를 공경하는 모습이 있다," "이를 공경하고 접대하니, 마침내 길함을 얻는 것이다."(《주역본의》) 이것은, 음유의 효로서 극험極險의 지경에 처하더라도 "이를 공경"하기만 하면 위험에서 벗어날 수 있다는 것을 설명한다. 약세에 처하는 것이 반드시 무서워할 것만 아니고, 험경險境에 처해도 무서워해서는 안 되며, 관건은 약함에서 이탈하고 위험에서 벗어나는 방법에 있다는 것을 알 수 있다.

총결하건대, 신시신종愼始愼終은 바로 지기찰변[知幾察變 : 기미를 알고 변화를 살핌]이요, 바로 처음 움직임의 미미함으로부터 그 마지막의 길흉을 발견하는 것이다; 변화의 싹으로부터 그 후의 추세를 발견하는 것이다. 한마디로 말하면, 바로 세밀하고 작은 곳에 힘쓰고, 작은 것으로부터 큰 것을 알며, 쉬움에서 어려움을 꾀하는 것이다. 노자가 다음과 같이 말한 바와 같다.

> 그 쉬움에서 어려움을 꾀하고, 그 세밀함에서 큰 것이 된다. 천하의 난사는 반드시 쉬움에서 이루어진다. 천하의 대사는 반드시 세밀함에서 이루어진다. 그러므로 성인은 끝내 큼이 되지 않나니 그러므로 능히 그 큼을 이룬다.
>
> 圖難于其易, 爲大于其細. 天下難事, 必作于易; 天下大事, 必作于細. 是以聖人終不爲大, 故能成其大.

15. 교감비응 交感比應

비록 시동始動의 미미함과 변화의 묘가 지극히 영묘하다고 해도, 찾을 수 있는 규율이 없는 것도 아니며 또한 사람이 인식할 수 없는 것도 아니다. 〈주역〉 중에 있는 많은 체제는 실제로 이러한 규율의 인식과 파악이다. 예컨대, 그것은 효와 효 사이의 교감을 강론하고, 효와 효 사이의 비응 관계 및 그것과 상응한 길흉현상 등을 강론하고 있는데, 어느 정도는 사물의 발전변화 중에 갖는 필연성의 몇 가지 특징을 드러내 보이고 있다. 이러한 특징을 요해了解하는 것은 사람들이 일상의 사회, 인사 관계를 처리하는 데에 좋은 도움이 된다.

15-1

〈주역〉의 머리인 건, 곤의 〈단전〉에는 "크도다, 건원이여! 만물이 여기에서 비롯되고, 하늘을 다스리도다. 至哉乾元, 萬物資始", "지극하도다, 곤원이여! 만물이 여기에서 생겨나고, 하늘을 따르고 받들도다. 至哉坤元, 萬物資生, 乃順承天"라는 글이 있다. "자시資始"란, 건을 도와서 시작한다는 것으로서 건조차도 시작이 아니라는 것을 표명한다; "자생資生"이란, 곤의 도움을 받아 생겨난다는 것으로서 곤이 낳은 것이 아니라는 것을 표명한다. 〈역위·건착도〉는 "〈건〉, 〈곤〉은 음양의 근본이요, 만물의 조종祖宗이라," "음만으로는 이루지 못하고, 양 홀로는 낳지 못한다." 고 한다. 음양이 서로 합하면 생성의 도는 그 가운데에 있다. 따라서 건·곤이 반드시 서로 교합한 뒤에야 만물을 처음으로 낳을 수 있다. 예컨대, 〈단전〉은 태괘를 주석하여 다음과 같이 말했다.

> '태가 작은 것이 가고 큰 것이 오니 길하고 형통하다' 함은, 하늘과 땅이 사귀어 만물이 통하며, 위와 아래가 사귀어 그 뜻을 같이 함이다. 안은 양이고 밖은 음이며, 안은 굳세고 바깥은 순하며, 군자는 안에 있고 소인

은 밖에 있으니, 군자의 도가 자라고 소인의 도는 사라진다.

'泰, 小往大來, 吉, 亨.' 則是天地交而萬物通也; 上下交而其志同也. 內陽而外陰, 內健而外順, 內君子而外小人, 君子道長, 小人道小也.

태

이것은 〈단전〉의 태괘에 대한 해석이다. 태괘는 하건상곤下乾上坤인데, 촉재蜀才는 "소는 음을 일컫는다. 천기가 아래에 있고 지기가 위에 있어 음양이 교제하니 만물이 통한다, 고로 길하고 형통하다."고 했다. 태괘는 천기와 지기, 즉 음양의 기가 교합하여 만물이 형통하도록 하는 것을 반영하는 괘이다. 대의는, 천지가 교합하니 만물은 각각 그 생을 번창한다; 군신이 교합하니, 상하의 뜻이 서로 같다. 안으로는 양기가 충실하여 군자가 강건한 덕을 갖고 용맹하게 나아간다; 밖으로는 음기가 소산하니 소인은 유순한 자세로 순종한다. 각자가 그 자리를 얻으니 자연 인사가 순조롭고 막힘없이 잘 통하지 아니함이 없다. 교交란 바로 음양상교陰陽相交이고, 교란 통태通泰임을 알 수 있다.

〈주역〉은 그 반대로 "불교[不交 : 서로 사귀지 아니함]"의 문제를 논의하고 있다. 〈단전〉은 비괘否卦를 주석하여 다음과 같이 말했다.

'비는 사람의 도가 아니므로 군자의 바름이 이롭지 않으니, 큰 것이 가고 작은 것이 온다'라고 함은, 하늘과 땅이 사귀지 않아 만물이 통하지 않으며, 위와 아래가 사귀지 않아 천하에 나라가 없는 것이다. 안은 음이고 밖은 양이며, 안은 유하고 바깥은 강하며, 안에는 소인이 있고 바깥에는 군자가 있으니, 소인의 도가 자라고 군자의 도가 사라진다.

'否之匪人, 不利君子貞, 大往小來', 則是天地不交而萬物不通也, 上下不交而天下無邦也; 內陰而外陽, 內柔而外剛, 內小人而外君子, 小人道長, 君子道小也.

비

이 괘는 태괘와 정반대로, 아래는 곤, 위는 건이다. 송충宋衷은 "천기가 상승하여 하강하지 아니하고 지기가 침강하여 다시 상승하지 아니하여 두 기가 특별히 떨어져 있으니 그러므로 비라 한다"고 주석했다. 이것은, 비괘가 대응하는 시기가 바로 천지가 서로 교감하지 아니하여 만물의 기운이 얼어붙어 생기가 막혀 숨을 쉴 수 없는 때임을 말한다; 군신이 서로 사귀어 도모하지 아니하니 국가는 거의 쇠미함에 가까워졌다; 안으로 음기가 충만하여 소인이 득세하여 자리에 올라 권세를 농단한다; 밖으로 양기가 약해져서 군자는 세력을 잃고 쫓겨나 재야에 있다. 불교不交란 음양이 서로 합하지 아니하는 것이고, 불교란 기운이 얼어붙어 생기가 막히는 것임을 알 수 있다.

사귐이 있으면 느낌이 있으나, 사귀지 아니하면 두 여자가 같은 침대에 누워 있을지언정 무슨 느낌이 있겠는가. 〈주역〉의 하경의 머리인 함괘를 〈단전〉은 다음과 같이 해석한다.

함은 느끼는 것이다. 유(부드러움)가 올라가고 강(굳셈)이 내려와서 두 기운이 감응하고 서로 더불어 그쳐서 기뻐하며, 남자가 여자의 아래에 있으니 이 때문에 형통하고 바르게 함이 이롭고, 여자를 취함이 길한 것이다. 하늘과 땅이 감응해서 만물이 화생하고, 성인이 사람의 마음을 감동시켜 천하가 화평하니, 그 감응하는 바를 관찰하면 천지와 만물의 뜻을 볼 수 있을 것이다.

咸, 感也. 柔上而剛下, 二氣感應而相與, 止而說, 男下女, 是以亨, 利貞, 取女吉也. 天地感而萬物化生, 聖人感人心而 天下和平, 觀其所感, 而天地萬物之情可見矣.

함

함괘는 아래가 간艮이고 위가 태兌인데, 〈설괘전〉에 의하면 태는 소녀이고 간은 소남이므로 "남하녀[男下女 ; 남자가 여자의 아래에 처함]"라고 말했다. 함괘의 "남하녀男下女"는 태괘의 천지상교의 도리와 마찬가지로 "교"의 기초 위에서 "두 기운이 감응하고 서로 더불어 함 二氣感應而相與"에 있다. "상여相與"에 있어, 정현은 "여與란 친하다는 것이다"라고 주석했다. "상여"는 서로 친근하다는 것, 음양 이기가 서로 친하게 감응하여 서로 작용하는 것이다. 이렇기만 한다면, "천지만물의 정을 볼 수 있게" 할 수 있다. 〈신감·잡언〉 하편은 "정이란 감응하여 움직이는 것"이라고 하였다. 〈주역〉은 소남과 소녀의 상을 취하여 만물간의 교감관계를 매우 의미 있게 구현하였다. 이것은 〈시경·관조〉편에서 젊은 남녀가 연애하는 것을 감동적으로 묘사한 상황과 더불어 서로 분명하게 표현하고 있다. 〈시〉는 군자와 숙녀가 연애하는 과정을 다음과 같이 묘사하고 있다.

…… 君子好逑 군자의 좋은 배필

…… 寤寐求之 자나깨나 그리네

…… 輾轉反側 이리 뒤척 저리 뒤척

…… 琴瑟友之 거문고를 타며 벗하며

…… 鐘鼓樂之 종치고 북치며 즐기네

최후에 요조숙녀를 처로 맞이하게 된다. "호구好逑"에서부터 "낙지樂之"에 이르는 과정은 "교交"에서부터 "감感"에 이르는 과정을 흡사 그대로 표현하고 있다. "교交"에서부터 "감感"에 이르는 과정은 바로 음양화합의 과정이요, 음양이 화합하여 변화를 낳으니 이것이 바로 "천지가 감응하여 만물이 화생한다 天地感而萬物化生"이다.

15-2

〈주역〉의 교감원리를 효와 효 사이의 관계에 적용한 것이 바로 청유淸儒 오여륜吳汝倫이 말한 "무릇 양의 나아감에 있어 음을 만나면 통하고, 양을 만나면 막힌다"는 것이다.[142] 근인近人 상병화尙秉和는 그것을 〈역〉을 주석하는 기본체계 중의 하나로 보았다. 아울러 음양이 합하는 것을 유類로, 음양이 합하는 것을 리정利貞으로, 음이 양을 얻는 것을 붕朋으로, 경慶으로 여겼다. 양이 음을 만나는 것은 합지合志, 지행志行, 득원得願, 통通이다. 그 반대로 양이 양을 만나고 음이 음을 만나는 것은 질窒, 적敵, 적강敵强, 실류失類, 비지비인比之匪人, 불리섭대천不利涉大川, 정흉征凶, 왕불승往不勝, 왕려往厲 등등이다. 예를 들어 보자.

142 상병화, 〈주역상씨역〉, "설례"참조

너의 엄지발가락을 풀면, 벗들이 와서 믿을 것이다. (〈해〉 구사)

믿음을 베푸니 두려움이 사라진다. 위로 뜻이 같기 때문이다. (〈소축〉 육사)

수레의 바퀴살이 빠진다. (〈대축〉 구이)

解而拇, 朋至斯孚. (〈解〉 九四)

有孚惕出, 上合志也. (〈小畜〉 六四 〈象傳〉)

輿說輹. (〈大畜〉 九二)

䷧ ䷈ ䷙

해 소축 대축

"해解"는 '풀리다'이다. "이而"는 '너'로서, 구사효를 가리킨다. "무拇"는 발의 엄지발가락이다. 상병화는 "사효가 앞에서 음陰을 거듭 만나고 있는데, 양이 음을 만나면 통하므로 '너의 엄지발가락이 풀린다 解而拇'라고 한 것이니, 나아감이 이롭다는 것을 말한다. …… 구사효는 앞에서 음을 거듭 만나고 아래로는 음을 타고 있으며, 음은 제사를 지내는데 믿음이 있으므로 '벗들이 믿음으로 이른다 朋至斯孚'라고 한 것으로서, 상하의 음이 모두 사효에 믿음이 있다고 말한 것이다. 〈단전〉이 '나아가면 무리를 얻는다 往得衆'라고 한 것은 이 효를 말한 것이다"라고 주석했다.[143] 해괘는 아래가 감坎이고 위가 진震이며, 육삼, 육오, 상육 모두 음효로서 구사효는 마침 뭇 음효가 포위하고 있는 가운데에 있다. 상병화는, 구사효가 타고 있는 것과 받들고 있는 것이 모두 음이고, "양이 음을 만나면 통한다"는 것이므로 발가락이 편안하게 풀리고 벗들이 참된 믿음으로 상응한다고 보았다. 〈단전〉의 소위 '나아가면 무리를 얻는다 往得

143 앞의 책, 권11.

衆'는 것은 구사효가 나아가 육오, 상육 효의 두 음을 만난다는 것을 가리켜 말한 것이다.

소축괘의 육사효는 "믿음을 베푸니 근심이 사라지고 두려움이 없어진다. 허물이 없다 有孚, 血去惕出, 無咎"이다. "혈血"은 근심이다. 효사의 뜻은, '어떤 사람이 육사효에 믿음을 베푸니, 근심걱정에서 벗어나고 두려움에서 떠나니, 허물이나 해로움이 없다'는 것이다. 〈상전〉은 육사효가 "근심이 사라지고 두려움이 없어질" 수 있는 까닭은 "위로 뜻을 같이함 上合志也"에 있다고 여긴다. 상병화는 "위로 오, 육효를 만난다. 오, 육효는 모두 양으로서, 사효가 이를 받든다. 음이 양을 만나면 무리를 얻으므로 뜻을 같이한다고 한다"고 말했다.[144] 소축은 아래가 건乾이고 위가 손巽이며, 구오, 상구효 모두 양효로서 육사의 음효가 마침 이들을 받들고 있고 "음양이 합하면 무리가 되는 것 陰陽合爲類"이므로 〈상전〉은 "위로 뜻을 같이한다 上合志也"고 말하고 있다.

"수레에 바퀴살이 빠진다 輿說輹"는 대축괘 구이효의 효사이다. 대축괘는 아래가 건乾이고 위가 간艮인데, 상병화는 "엎드린 곤[伏坤]은 수레이고, 진은 수레의 바퀴살이다. 이효는 오효에서 응함이 있고, 오효는 진의 몸이고 수레가 안에 있고, 바퀴살이 밖에 있어 '수레에서 바퀴살이 빠진다 輿設輹'라고 한다. 수레의 운행은 전부 바퀴살에 의지하고 있는데 바퀴살이 빠지면 수레는 갈 수가 없다. 이효가 받들고 타는 것이 모두 양이고, 양이 양을 만나면 막히니 이와 같은 상이 있다"고 했다. 이 말은 상수학의 방법으로 "수레에서 바퀴살이 빠진다 輿說輹"에 대하여 한 해석이다. "여輿"는 수레이다. "복輹"은 수레 아래의 횡목橫木이다. "설說"은 탈脫이다. "엎드린 곤"은 아래의 건을 가리킨다. 건의 엎드린 상(숨어 엎드리고 있는 상, 즉 반대되는 상)은 곤이다. "진"은 구삼, 육사, 육오 세효의 호괘

144 상병화, 〈주역상씨역〉, 권3 참조.

互卦인 진을 가리킨다. 상학가象學家의 관점에서 보면, 진震은 복輹이다. 그런데, 대축괘는 이, 오효가 서로 응하고, 이효인 수레는 안(하괘는 또한 내괘라고 부른다)에 있고, 오효인 바퀴살은 밖(상괘는 외괘라고도 부른다)에 있으므로 "수레에서 바퀴살이 빠져 나감 輿說輹"의 상象이 있다. "수레에서 바퀴살이 빠져 나가면" 수레가 나갈 수 없다. 상병화는 수레와 바퀴살이 서로 이탈하는 것은 초구효와 구삼효가 모두 양인데, 구이효도 양이기 때문이라고 보았다. "양이 양을 만나면 질식하게" 되는 것이므로 "수레에서 바퀴살이 빠져나가는" 것이다.

유사한 예가 많지만, 이 세 가지 예만으로도 알 수 있듯이, "무릇 양이 나아감에 음을 만나면 통하고 양을 만나면 막힌다"라는 원리는 물리학에서 말하는 "같은 성끼리는 서로 밀어내고, 다른 성끼리는 서로 끌어당긴다."는 원리와 유사하다. 그것은, 양과 양, 음과 음은 화합의 도를 성취할 수 없는데 "동同"이기 때문이라는 것을 나타낸다. 음과 양, 양과 음이라야 화합의 도를 성취할 수 있는데, 그것은 "화和"이기 때문이다. 공자가 말한 "군자는 화합하지만 같지는 않다 君子和而不同"는 것은 대체로 이와 같은 서로의 성취를 가리킨 것이다. 처세의 방법방면에서 말하자면, 만일 사람들 사이의 관계가 조화롭지가 않을 경우, 음양의 "화", "동"이라는 서로 다른 각도에서 문제를 생각해 본다면 혹시 어떤 도움을 얻을 수 있을 것이다.

15-3

앞에서 논의하는 가운데 이미 효와 효 사이의 비응문제를 언급하였다.

비比란, 서로 나란히 병열竝列하고 있는 효의 관계를 가리키는 것으로, 예컨대 초효와 이효의 비, 이효와 삼효의 비, 삼효와 사효의 비, 사효와 오효의 비, 오효와 상효의 비 등이다. 양효가 상비相比하는 사이에 승승乘承의 현상이 나타나는데, 예를 들면 이효의 양과 삼효의 음이 상비하면, 삼효는 유柔로서 강剛을 승乘(올라 타다는 뜻)한 것이다; 초효의 음이 이효의 양과 상비하면 초효는 음으로서 양을 승承(받든다는 뜻)한 것이다. 황수기는 "효위의 호비互比관계는 사물이 서로 인접한 환경에 있을 때의 작용과 반작용을 상징하는 것으로 왕왕 그 인소의 상호 배합 속에서 효의爻義의 길흉에 영향을 미친다"고 여긴다.[145]

응應이란, 초효와 사효, 이효와 오효, 삼효와 상효끼리 그 자리가 상응하는 것을 가리킨다. 응위應位는 유응有應과 무응無應으로 나뉜다. 무릇 양효와 음효가 서로 응하는 것이 유응이다. 예컨대, 초효가 양이고 사효가 음이면 유응이 된다. 무릇 양효가 양효를 만나고 음효가 음효를 만나는 것이 무응이다. 예컨대, 이효가 음이고 오효가 음이면 무응이 된다. 일반적인 정황에서 유응이면 길하고 무응이면 흉하다. 황수기는 "대응하는 효가 일음일양이면 교감할 수 있으니 유응이라 한다. 만약 둘 모두 음효이거나 둘 모두 양효이면 반드시 교감할 수 없으니 무응이라 한다. 효위의 대응관계는 사물의 모순, 대립 면에는 조화, 통일의 운동법칙이 존재한다는 것을 상징한다"고 설명한다.[146]

비와 응은 음양 사이에 교감하고, 막힘없이 통할 수 있느냐 없느냐라는 문제를 반영한다는 것을 알 수 있다. 무릇 음과 양, 양과 음이 상비하거나 상응하면 교감할 수 있어 크게 통한다; 무릇 음과 음, 양과 양이 상비하거나 상응하면 교감할 수 없어 막히게 된다. 시험적으로 몇 가지 예를 들자.

145 황수기등, 주역역주, 44쪽
146 앞과 같음.

거친 것을 포용하며, 걸어서 강을 건너는 용기를 내며, 먼 것을 버리지 않는다; 붕당을 없애니 중도로 행함에 합치됨을 얻으리라.

包荒, 用馮河, 不可遺; 朋亡, 得尙於中行.

이는 태괘 구이효의 효사이다. 김경방은 말한다. "구이효는 양강으로 가운데 자리를 얻어 음의 자리에 있고, 위로는 육오효와 정응이다. 육오는 유순한 몸으로 가운데에 있고 바름을 얻어 아래의 구이효와 응하고 있다; 육오효와 구이효는 군신이 서로 상대방을 얻은 상이다. 구이효는 비록 신하의 자리에 있으나 육오효의 신임을 깊이 얻으니 전체 괘의 주인이며, 내외 음양이 모두 그에게 의지하여 조화롭고 화기롭다. 태의 시기에 어떻게 천하국가를 다스리는가는 주로 이 구이효 하나에 나타나 있다." 구이효가 말하는 "거친 것을 포용하며, 걸어서 강을 건너는 용기를 내며, 먼 것을 버리지 않는다, 붕당을 없앤다 包荒, 用馮河, 不可遺, 朋亡"는 이 네 구절은 치태治泰의 도의 주요 내용을 포괄하고 있다.

포황包荒은 포용의 넓음, 함량의 큼을 최고조로 말한 것이다. 천지교태天地交泰의 성시盛時에서 통치자에게 제일 중요한 것은 포황包荒, 즉 크게 포용하는 것, 자기에게 반대되는 모든 것도 받아들일 수 있어야 한다. 그러나 이렇게 하기만 한다면 도모하는 바가 없으니 전진할 수 없다. 크게 포용하는 전제하에서 용빙하用馮河, 즉 과감한 결단이 필요하니, 개혁에 용맹하여야 한다. 거친 것을 포용함[包荒]과 맨몸으로 강을 건넘[用馮河]은 서로 반대되면서 서로 이루는, 불가결한 두 방면이다. 먼 곳을 버리지 않음과 붕당을 없앰[不可遺, 朋亡]도 서로 반대되면서 서로 이루는 두 방면이다. 불가유不可遺는 아득히 먼 것도 포기하지 아니한다는 것이요, 붕망朋亡은 붕당을 결성하지 않는다는 것이다. 멀리 있는 사람도 가슴에 품고, 가까이 있는 사람과 친애하지 않으며 중용을 지켜 기울지 않고 불편부당하다. "중도로 행함에 합치됨을 얻음 得尙於中行"에 있어 득得은 경사스럽고 행복하다는 말이고, 상尙은 배합配合의 뜻이 있다. 구이효는 강한 재질로서 부드러운 자리에 있고, 하괘의 중간에 있으며, 위로는 상오효의 응함이 있으므로 태괘의 주인으로서 중행中行의 도를 구비하고 있다. 태를 다스림에 있어 거친 것을 포용함[包荒] 등 네 가지 항목을 해낼 수가 있다면, 구이효의 덕에 들어맞아 중행의 뜻에 배합된다"고 해석했다.[147] 이 해석에 의하면, 구이효는 길하고 이로운 효라고 할 수 있는데 그 길하고 이로운 원인의 하나는 그것이 육오효와 응한다는 것이다. 상응相應은 상득相得이고, 상득相得이면 조화롭다. 따라서 비응의 도는 조화의 도인 것이다.

그 믿음으로 사귀니 위엄이 있다. 길하다.

厥孚交如, 威如, 吉.

이것은 대유大有괘 육오의 효사로서, 진실한 믿음으로 아래위와 사귀니 위엄이 절로 나타나 길상하다는 뜻이다. 〈단전〉은 "대유는 부드러움이 존위에 있고 크게 가운데에 있으며, 아래와 위가 응하니 대유라고 한다 大有, 柔得尊位大中, 而上下應之, 曰大有"고 해석한다. "부드러움이 존위에 있다 柔得尊位"란 육오를 가리키고, "크게 가운데에 있다 大中" 역시 육오를 가리킨다. "위아래가 응한다 上下應之"란 육오와 구이가 서로 상응함을 가리킨다. 대유는 아래가 건乾이고 위가 리離이고, 이는 양효이고 오는 음효로서 이와 오가 정응이다. 따라서 〈단전〉은 대유가 대유인 까닭은 육오가 부드러움으로서 상괘의 가운데에 거하고, 또한 구이

147 김경방 등, 〈주역전해〉, 109쪽.

와 응하기 때문이라고 여기는 것이다. 그러나 만일 〈역전〉의 당위설當爲說에 의하면, 이는 양이고 오는 음으로서 모두 당위가 아니다. 이로써 비록 당위가 아니라도 응하기만 하면 교감할 수 있어 형통함을 알 수 있다. 이 뜻은 미제괘에서 더욱 분명하게 나타난다. 미제는 아래가 감坎이고 위가 리離인데, 초, 삼, 오가 음이고, 이, 사, 상이 양으로서, 〈역전〉의 당위설의 체제와는 맞지 않는다. 그런데 〈단전〉은 "비록 당위가 아니나, 강유가 응한다 雖不當位, 剛柔應也"고 하고 있다. "강유가 응한다" 함은 초육과 구사, 구이와 육오, 육삼과 상구의 음양이 상응한다는 것이다. 〈주역정의〉는 "무릇 '미未'라는 글자에는 오늘 비록 미제未濟이지만 또한 (앞으로 언젠가는) 가지런해질 수 있다는 이치가 있다. 그것이 그 자리에 맞지 않기 때문에 당시로는 미제未濟이다 ; 강유가 모두 응하니 서로 구원할 수 있고 가지런할 수 있다는 이치가 있다. 따라서 미제未濟라 칭하고 불제不濟라고 하지 않는다." 미제괘 중 비록 여섯 효가 처한 자리가 그 본분에 맞지 않지만, 음양이 서로 화합하고 강유가 모두 응하는 까닭에 반드시 "감화시키고", 부정에서 정으로 가는 것임을 알 수 있다. 처세의 입장에서 말하자면, 그것은 사람들에게 '처하지 아니하여야 할 곳에 처하여 있고, 자리가 마땅하지 아니할 때 밝게 환경과 형세를 분석하여 힘껏 자신의 부드러움으로 상대방의 강함을 가지런히 하거나 자신의 강함으로 상대방의 부드러움을 가지런히 하여야 한다'는 것을 깨우쳐준다. 이와 같이 할 때만이 비로소 감응하여 자기에게 유리하고 형세와 환경에 맞는 방향을 향하여 발전할 수 있다.

15-4

교감비응交感比應은 그 관건이 "교交"에 있다. 왜냐하면 "교"는 "감感"의 시작이고, 사귐이 신중하지 아니하면 그 느낌은 반드시 크게 회의할 수 있기 때문이다. 이 또한 바로 시작을 신중히 함이다. 안지추顔之推는 "사람이 어릴 때 정신과 감정이 바로 서지 않아 그 사귀는 바의 성실하거나 버릇없음에 따라 물들게 되고 말이나 웃음, 거동이 무심결에 배우게 되며, 자기도 모르는 사이에 옮겨와 동화되어 자연히 비슷하게 된다. 하물며 품행예능이 더 밝고 쉽게 배우는 자는 어떠하겠는가? 따라서 착한 사람과 함께 있는 것은 마치 그윽한 냄새가 나는 난초를 키우는 방에 들어가는 것과 같은 것으로 오래 있으면 자신에게도 향기가 나게 된다 ; 악인과 함께 있는 것은 고약한 냄새가 나는 건어물 파는 가게에 들어가는 것과 같은 것으로 오래 있으면 자신에게도 고약한 냄새가 나게 되는 법이다. 묵자가 실을 물들이는 것을 보고 슬퍼한 것은 이를 두고 하는 말이다. 군자는 반드시 교유交遊를 신중히 하여야 한다."고 말했다. "군자는 반드시 교유를 신중히 하여야 한다"는 것이 바로 우리가 이야기한 "관건이 사귐에 있다"는 것이다.

"묵자가 실을 물들이는 것을 보고 슬퍼했다"는 이야기는 〈묵자·소염〉에 보인다.

> 묵자가 실을 물들이는 사람을 보고 탄식하며 말했다. "파란 물감에 물들이면 파랗게 되고, 노란 물감에 물들이면 노랗게 되니, 넣는 물감이 변하면 그 색깔도 변한다. 다섯 번 물통에 넣었다 뒤에 보니 오색이 되었구나! 그러니 물들이는 데에 신중하지 않을 수가 없구나!"
> 실을 물들이는 일만이 그런 것이 아니라, 나라에도 물들임이 있다. 순임금은 허유와 백양에게 물들었고, 우임금은 고요와 백익에게 물들었고,

탕왕은 이윤과 중훼에게 물들었고, 무왕은 태공과 주공에게 물들었다. 이 네 분의 왕들은 물든 것이 올바른 것이었으므로, 천하를 다스리게 되었고 천자로 즉위하여 하늘과 땅을 뒤엎을 만한 공로와 명성을 이루었으니, 천하의 어질고 의로우며 명예로운 사람을 손에 꼽으라면 반드시 이 네 분의 왕을 들게 된다.

하나라의 걸왕은 간신과 추치에게 물들었고, 은나라 주왕은 숭후와 악래에게 물들었고, 여왕은 여공장보와 영이종에게 물들었고, 유왕은 부공이와 채공곡에게 물들었다. 이 네 왕은 물든 것이 올바르지 못하였으므로 나라를 망치고 자신마저 죽게 하였으며 천하의 죄인이 되었다. 그러니 천하의 의롭지 못하거나 치욕스런 사람을 거론하게 되면 반드시 이 네 사람의 왕을 말하게 된다.

제나라 환공은 관중과 포숙에게 물들었고, 진나라 문공은 구범과 고언에게 물들었고, 초나라 장왕은 손숙과 심윤에게 물들었고, 오나라의 합려는 오원과 문의에게 물들었고, 월나라 구천은 범려와 대부종에게 물들었다. 이 다섯 왕들은 물든 것이 올바른 것이었기 때문에 여러 제후들 가운데에 패자霸者가 되어 공명功名을 후세에까지 전하게 되었다.

진晉나라의 범길사는 장유삭과 왕성에게 물들었고, 진나라의 중항인은 적진과 고강에게 물들었고, 오나라의 부차는 왕손락과 태재비에게 물들었고, 진나라의 지백요는 지국과 장무에게 물들었고, 위魏나라 중산상은 위의와 언장에게 물들었고, 송宋나라 강왕은 당양과 전불례에게 물들었다. 이 여섯 왕들은 물든 바가 올바르지 못하였으므로, 나라는 멸망하고 자신도 처형당하였으며, 종묘는 부서지고 후손은 끊어지게 되었으며, 왕과 신하는 뿔뿔이 흩어지고 백성들은 살던 고향을 떠나 떠돌아다녔다. 천하의 탐욕스럽고 포악하며, 가혹한 정치를 마구 일삼은 사람들을 거론할 때에는 반드시 이 여섯 왕을 얘기하게 된다.

일반적으로 왕이 편안할 수 있는 까닭은 무엇일까? 올바른 도리를 실행하기 때문이다. 올바른 도리를 실행하는 일은 올바르게 물드는 데에서 시작한다. 따라서 왕 노릇을 잘하는 사람은 인재를 가려 쓰는 데 힘을 많이 쏟지만, 관리를 다스리는 일에는 힘을 쏟지 않는다. 왕 노릇을 잘하지 못하는 사람은 몸과 정신을 피로하게 하고 생각으로 근심하게 하여도 나라는 더욱 위태롭게만 되고 자신은 더욱 치욕스러워진다. 이 여섯 왕들은 자기나라를 소중히 하지 않아서도 아니고, 자기 몸을 사랑하지 않아서도 아니었다. 그들은 자신들이 하여야 할 중요한 임무가 무엇인지를 알지 못하였기 때문이었다. 중요한 임무를 알지 못하는 사람은 물드는 것이 올바르지 않게 된다.

왕들에게만 물들임이 있는 것이 아니라 선비들에게도 역시 물들임이 있다. 그의 벗들이 모두 인의仁義를 좋아하고, 순박하고 매사 삼가고 법령을 두려워하면, 집안은 날로 흥성하고 자신은 날로 편안해지며, 명성은 날로 영화로워지고 벼슬자리에 있어도 그 도리에 맞게 일할 수 있게 된다. 곧 단간목, 금자, 부열 같은 사람들이 그런 이들이다.

그의 벗들이 모두 오만하게 우쭐거리며 자기 멋대로 패거리를 지어 사리사욕을 꾀하면 집안은 나날이 쇠퇴하고 자신은 나날이 위태로워지며 명성은 날로 치욕스럽게 되고 벼슬자리에 있어도 도리에 맞게 일할 수 없게 된다. 자서, 역아와 수조 같은 무리들이 그런 사람들이다. 옛 시에 이르기를 '반드시 물들 곳을 가려야 하고, 반드시 물들 곳을 신중히 한다'고 한 것은 이를 두고 한 말이다.

묵자가 말한 "물든다"는 것은, 사람됨과 일처리의 방면에서 말하면, "사람과의 사귐"이라고 할 수 있다. 순과 허유, 백양과의 사귐, 우와 고요과 백익과의 사귐, 탕과 이윤, 중훼와의 사귐, 무왕과 태공, 주공과의 사귑. 이 네 사람의 사귐은 정당하였기 때문에 천하를 다스리고 천자가 되었으며, 그 공명이 하늘을 뒤덮고 오랜 세대를 거쳐 아름다운 이름이 전한다. 하의 걸왕과 간신, 추치와의 사귐, 은의 주왕과 숭후, 악래와의 사귐, 여왕과 여공장보, 영이종과의 사귐, 유왕과 부공이, 채공곡과의 사귐. 이 네 사람의 사귐은 부당하였기 때문에 나라를 망하게 하고 자신은 사망에 이르게 하였을 뿐 아니라 만대에 추한 이름을 남겼다. 제환공과 관중, 포숙과의 사귐, 진문공과 구범, 고언과의 사귐, 초장왕과 손숙, 심윤과의 사귐, 오합려와 오원, 문의와의 사귐, 월구천의 범려, 대부종과의 사귐. 이 다섯 사람의 사귐은 정당하였기 때문에 제후의 패자가 되고 공업을 세워 청사에 이름을 남겼다. 범길사와 장유삭, 왕승과의 사귐, 중항인과 적진, 고청과의 사귐, 오나라 부차와 왕손락, 태재와의 사귐, 지백요와 지국, 장무와의 사귐, 중산상과 위의, 언장과의 사귐, 송나라 강왕과 당앙, 전불례와의 사귐. 이 여섯 사람의 사귐은 부당하였기 때문에 나라를 망하게 하고 자신은 죽음에 이르러 산 사람들을 도탄에 빠뜨렸다.

위에서 예를 든 옛사람들은, 그들의 사귐이 정당하면 나라가 흥성하고 자신은 영예를 입었고, 그 사귐이 부당하면 나라를 망하게 하고 자신을 해치게 되었다. 나라의 군주뿐만 아니라, 묵자는 일반인도 이와 같지 않음이 없다고 보았다. 그가 사귀는 벗이 모두 인의를 좋아하고, 순후淳厚하고 신중하며, 법령을 두려워하면, 그의 가족은 나날이 부유하고 그 자신은 나날이 안온하며 그 명성은 나날이 영예롭게 된다. 그와 반대로, 만일 그가 사귀는 벗이 모두 과시하기를 좋아하고, 풍파를 일으키며, 작당하여 사리사욕을 꾀하면, 그의 가족은 나날이 재물이 줄고, 그 자신은 나날이 위험해지며, 그 이름은 나날이 치욕을 입게 된다. 사귐이 정당하냐 부당하냐에 따라 물드는 것이 같지 않으니, 그 결과도 자연히 차이가 있게 된다. 묵자의 "소염所染"설은 본장에서 전술한 내용의 보충이 된다고 할 수 있겠다.

16. 굴신유도 屈伸有度

속담에 이르기를 '대장부는 움츠릴 줄 알고, 펼칠 줄 알아야 한다'고 한다. 움츠릴 줄 알아야 한다는 것은 객관적인 형세가 자기에게 불리할 때 조용히 때를 기다릴 수 있어야 한다는 것이다 ; 펼칠 줄 알아야 한다는 것은 환경이 자기에게 유리할 때 나아가 적극적으로 행동할 수 있어야 한다는 것이다. 움츠릴 줄 알고 펼칠 줄 안다는 것은 사람의 미덕이며, 더욱이 사람들이 살아가는 방법원칙이다. 현실생활 중에서 환경이 좋을 때 나아가는 것은 쉬우나, 환경이 나쁠 때 움츠릴 수 있기란 어렵다 ; 환경이 나쁠 때 움츠리는 것은 쉬우나, 때에 따라 움츠리고 펼치는 것은 어렵다. 〈주역〉은 특별히 나아감을 알고 물러서는 것을 아는 것[知進知退], 존재하는 것을 알고 사라짐을 아는 것[知存知亡], 얻는 것을 알고 잃는 것을 아는 것[知得知喪]을 강조하는데, 이것이 바로 그러한 정황에 대하여 말한 것이다.

16-1

"움츠리고 펼치는 것[屈伸]"에 관하여 〈주역·계사전〉 중에 일단의 해석이 있는데 다음과 같다.

공자가 말했다 : 태양이 서쪽으로 가면 달은 동쪽에서 떠오른다 ; 달이

서쪽으로 가면 태양은 또 동쪽에서 떠오른다. 태양과 달이 번갈아 이동하여 광명을 이루어낸다. 추운 계절이 끝나면 더운 계절이 도래한다 ; 더운 계절이 끝나면 추운 계절이 다시 온다, 춥고 더운 계절이 번갈아 이동하여 해를 이룬다. 가는 것은 회귀요, 오는 것은 펴는 것이다. 회귀와 신전이 서로 감응하면, 이익이 그 가운데에서 생긴다. 자벌레와 같은 모충毛蟲이 신체를 움츠리는 것은 펼쳐서 앞으로 나아가기 위한 것이다. 큰 뱀과 같은 장충長蟲이 동면잠복冬眠潛伏하는 것은 자신을 보존하기 위한 것이다. 문화를 가진 인간이 의리를 정밀히 연구하고, 오묘함을 깊이 탐구하는 것은 사회에 유용함을 가져오기 위한 것이다 ; 그의 베풀어 씀과 몸을 편안히 하는 것은 도덕품질을 숭고하게 하고, 사업을 넓고 크게 하기 위한 것이다. ……

子曰 : 日往則月來, 月往則日來, 日月相推而明生焉. 寒往則暑來, 暑往則寒來, 寒暑相推而歲成焉. 往者屈也, 來者伸也, 屈伸相感而利生焉. 尺蠖之屈, 以求伸也. 龍蛇之蟄, 以存身也. 精義入神, 以致用也. 利用安身, 以崇德也. ……

이 단락 중에서 〈역〉을 지은 이는 "움츠림"과 "펼침"에 대하여 천도자연天道自然과 인도유위人道有爲 방면에서 퍽 재미있는 설명을 하고 있다. 〈주역〉에서 말하는 굴신은 왕래往來요, 동정動靜이요, 왕래와 동정 사이의 추이推移와 감응感應임을 알 수 있다. 자연계가 이러할진대, 인류사회도 예외가 아니다. 김경방은 다음과 같이 해석한다 : "'정의입신精義入神'은 인류의 굴屈과 정靜의 공부인데, 이는 물론 더욱 고차적인 굴屈과 정靜이다. '정의입신'은 사람의 수양이 최고 경지에 이른 것을 말하는 것이다. 사람이 이러한 수양을 하고 있을 때, 굴屈의 지극한 것이라 말할 수 있으나, 그것은 바로 나아가서 쓰기 위한 것이다. 이와 같이 한 뒤에야만 그 씀을 이롭게 하고[利其用], 그 몸을 편안히 할[安其身] 수 있고, 무슨 일을 하든지 간에 순리로 성공하지 아니함이 없다. 바깥의 일이 모두 해결되고 나면 흉중에 얻는 바가 더욱 깊어져서 자연히 그 덕을 높일 수 있다. '정의입신이치용精義入神以致用'은 정靜에서 동動으로, 굴屈에서 신伸으로 나아가는 것이다. '이용안신이숭덕利用安身以崇德'은 동에서 정으로, 신에서 굴로 나아가는 것이다. 사람들은 모두 신伸의 이로움을 알지만 굴屈이 이로운 까닭을 알지 못한다. 그래서 공자가 여기서 굴신과 동정을 같이 말하면서 굴과 정의 중요함을 더욱 강조한 것이다."[148]

굴屈과 신伸은, 구체적으로 사람에 관한 일로 보면 진덕進德과 치용致用의 통일이라는 사실을 알 수 있다. 이러한 이해에 비추어 보면, 이 작은 책의 '내편'에서 강론하는 "처세의 덕성기초"는 굴屈을 강론하는 것이라 할 수 있고, '외편'에서 강론하는 "처세의 방법원칙"은 신伸을 강론하는 것이라 할 수 있다. 그러나 굴은 신의 기초이고, 신은 굴의 완성이다. 굴신屈伸이 없으면 왕래와 변화도 없고, 사람의 성정과 완선完善도 없다. 이 둘이 조화롭게 통일되어야만 비로소 두텁게 쌓아 널리 발전할 수 있고[厚積薄發], 이용안신利用安身할 수 있다. 이러한 뜻으로 굴은 곤덕坤德(厚德載物)의 구체적 표현이요, 신은 건덕乾德(自强不息)이 자연스럽게 흘러나오는 것이라 할 수 있다. 일굴일신一屈一伸, 일유일강一柔一剛하여 굳셈과 부드러움이 서로 비비어, 서로 반대되고 서로 생성한다.

굴신이 서로 감응하는 방면에서 말하자면, 일굴일신은 "왕래가 끝이 없음을 통이라고 함 往來不窮之謂通"이다. "왕래가 끝이 없음"은 변화를 조성하고, 변화하여 크게 통하는 것이요, 합리적, 합목적적인 인생을 성취하는 것이다. 그러므로 굴과 신은 바로 "오로지 적당한 바에 따라 변

148 김경방 등, 〈주역전해〉, 508쪽.

하는 것[唯變所適]", "하늘을 따르고 사람에 감응함 順乎天而應乎人"이다. 이 "변變"과 "적適", "순順"과 "응應"의 과정 중에서 사람들은 덕을 닦고 몸을 보존하며, 사업을 광대하게 할 수 있는 것이다.

여기서 한 가지 문제를 분명히 할 필요가 있다. 현실생활 중에서 굴신을 이야기하면 "약삭빠르다"라는 느낌을 주는 듯하다. 특히 굴屈 이야기를 하면, 마치 원칙문제에 있어서 타협을 해야 하는 것으로 여긴다. 그러나 이것은 곡해曲解이거나 적어도 오해라고 하여야 한다. 속담은 "대장부는 움츠릴 줄 알아야 하고 펼칠 줄 알아야 한다"고 잘 말하고 있다. 무엇이 대장부인가? 맹자의 말에 따르면, "천하의 넓은 보금자리인 인仁에 살고, 천하의 올바른 자리인 예를 지키며, 천하의 대도인 의를 행한다. 뜻을 얻어(뜻을 행할 수 있는 자리에 오르면) 백성들과 함께 선도를 따르게 하며, 뜻을 얻지 못하여(초야에 있더라도) 홀로 선도를 행한다. 부귀에 의해 마음이 타락하는 일이 없고, 빈천에 의해 절조를 변조하는 일이 없으며, 어떠한 위세나 무력 앞에서도 굴하지 않는다. 이런 사람이라야 비로소 대장부라 하겠다." 이러한 대장부, 그의 "굴屈"이 원칙 없는 타협이라 할 수 있는가? 오히려 〈주역〉의 논법에 따라, 군자의 굴신屈伸을 "정의입신精義入身은 치용致用하기 위함이요, 이용안신利用安身은 숭덕崇德하기 위함이라"고 이해하면, 대장부정신이 바로 체현될 수 있다.

따라서 처세의 방면으로 볼 때, 굴과 신은 자강불식自强不息과 후덕재물厚德載物정신의 가장 좋은 결합이요, 덕성수양과 경세치용의 유기적 통일이다.

16-2

앞에서 진덕·치용 통일의 각도에서 굴신을 이야기하였지만, 시위時位

통일의 각도에서 굴신을 이야기할 수도 있다. 앞의 김경방의 말 중에 "사람들은 모두 신伸의 이로움을 알지만 굴屈이 이로운 까닭을 알지 못한다"라는 말이 있었다. 이 말에는 매우 깊은 뜻이 있다. 신의 이로움만 알고 굴의 이로움을 알지 못하면, 하나만 알고 그 나머지는 모른다고 할 수 있다. 한인漢人 유향劉向은 〈설원·잡언〉에서 다음과 같이 말했다.

> 현인군자라고 하는 이는 성쇠盛衰의 시기에 통달하고, 성패成敗의 단서에 명확하며, 치란治亂의 기강紀綱에 대한 명찰明察이 있고, 인지상정에 깊은 살핌이 있어, 그 거처할 바에 대하여 알고 있어야 한다.
>
> 그래서 비록 궁하더라도 나라가 망해 가는 형세에는 처하지 않으며, 아무리 가난해도 더러운 임금의 녹을 받지 않는 것이다. 이는 바로 태공太公이 나이 일흔이 되도록 스스로 겉으로 드러나지 않았고, 손숙오孫叔敖가 세 차례나 재상 자리에서 쫓겨나고도 후회하지 않은 까닭이기도 하다.
>
> 어찌 그럴 수 있는가. 자기가 바라던 사람이 아니라고 하였을 때는 억지로 합하려 들지 않았기 때문일 뿐이다.
>
> 태공이 한 번 주周나라에 합해지자 700년의 후侯를 그 후손이 이었고, 손숙오가 한 번 초나라에 등용되자 십세十世 동안 그 봉토를 후손이 이었다. 그러나 대부 문중文仲은 망해가는 월越나라를 일으켜 패자를 만들어 주었건만 월나라 임금 구천勾踐 앞에서 죽음을 당해야 하였고, 이사李斯는 진秦나라에 큰 공을 쌓았건만 마침내 오형五刑을 당하고 말았다.
>
> 태공과 손숙오, 문종과 이사의 경우는 다 같이 진충우군盡忠憂君하고 위신안국危身安國한 공로는 하나로되, 혹자는 봉후封侯가 그 후손에게까지 끊이지 않고, 또 혹자는 당대에 죽음을 당하고 사형을 당하니, 이는 바로 그들이 사모하였던 것이 달랐기 때문이다.
>
> 그래서 기자箕子는 나라를 버리고 거짓 미친 체하였으며, 범여范蠡는 월

나라를 버리고 이름조차 바꾸었고, 지과智過는 임금의 아우 자리를 버리고 자신의 성까지 고쳐 버렸다. 이들은 모두가 먼 앞날과 미세한 기미機微를 볼 줄 알았고, 능히 부귀나 권세를 버림으로써 화禍의 싹을 미리 피할 수 있었던 사람들이다. 어진 사람은 이처럼 부와 권세를 버릴 수 있으므로 화가 생겨나는 싹을 피할 수 있는 것이다.

무릇 난폭한 임금을 만나면, 누가 능히 그 묶인 몸으로 함께 환난을 치러야 할 운명에서 벗어날 수 있으리요? 그러므로 어진 이는 죽음을 두려워하는 것이 아니라 그 해를 피할 뿐이다. 목숨을 바쳤는데도 나라에 이익이 없다면, 이는 임금의 포악함을 밝히는 행동일 뿐이다.

왕자 비간比干은 주왕紂王에게 죽음을 당하였으나 그 임금의 행동을 바로잡지 못하였고, 오자서五子胥는 오나라 임금에게 죽음을 당하였으나 그 오나라의 망함을 막아주지 못하였으니, 이 두 사람은 강직하게 간언하다가 죽음만 당해 결국 임금의 포악함을 세상에 널리 알리기에만 족하였을 뿐으로, 처음 시작에 그 임금의 과실이 털끝만큼 작았을 때 그것을 막아주는 데는 아무런 이익이 되지 못하였다.

어진 이라면 자기 지혜를 감추고 자기 능력을 숨겨, 자신에게 맞는 상대를 기다린 연후에야 그와 합하는 것이다. 그러므로 말을 해도 들어주지 않는 것이 없고 행동에는 의심받을 일이 없으며, 임금과 신하가 함께 참여하도록 하여야 종신토록 환난을 만나지 않게 된다. 그러나 지금은 그 때가 아닌데도 나서고, 그 사람이 아닌데도 합하여 곧바로 자기 뜻으로 해도 어쩌지 못하면서, 게다가 세상의 어지러움을 고민하고 임금의 위험을 근심하며, 값으로 따질 수 없는 귀한 몸을 가지고 꽉 막힌 길을 가려하고, 참훼하는 사람들 앞을 경과하여 도량도 없는 임금을 만나 헤아릴 수도 없는 죄를 범하면서 천성天性을 손상시키고 있다면, 이 어찌 미혹迷惑한 일이 아니겠는가?

문신후文信侯 여불위呂不韋와 이사李斯를 천하 사람들은 모두 어질다고 한다. 나라를 위해 계책을 세우고 미세한 것과 감추어진 것을 드러내어 밝혔으니 정책에 과실이 없었다고 말할 수 있고, 전쟁에 이겨 공을 얻었으니 그에게 대적할 상대가 없다고 할 수도 있다.

그러나 공이 지극히 크고 권세와 이익이 지극하면서도, 어진 이를 등용하지 않고 참훼하는 자를 들여 쓰는 오류를 범하였다. 스스로도 불초한 이를 써서는 안 된다는 걸 알면서도 어진 척 이를 배제하지 않았던 것이요, 또한 적을 제압하여 공을 세우고 터럭만큼의 위험도 놓치지 않고 잡아내어 환난과 피해를 제거할 줄 알면서도 큰 언덕을 볼 줄 몰랐으니, 이는 바로 자기의 욕망을 쌓는 데 급급한 나머지 자기가 가장 싫어하는 곳으로 빠져드는 것을 몰랐던 까닭이다. 이것이 어찌 권세와 이익을 위한 미혹 때문이 아니리요.! 《시경》에 "사람은 하나만 알고 둘은 모른다"라고 하였으니, 바로 이를 두고 한 말이다.

유향은, 지덕을 겸비한 사람들은 세도성쇠世道盛衰의 시운時運을 꿰뚫어 알고, 사정성패事情成敗의 징조를 분별해 알며, 사회치란社會治亂의 규율을 살펴서 안다고 여겼다. 그들은 인정사리人情事理를 변별하며, 어디를 떠나야하고 어디로 가야할지를 안다. 그러므로 그들은 곤궁한 시기에 있을지라도 멸망할 나라에 가서 널리 쓰임을 바라지 않고, 빈한한 때에 있더라도 부패하고 우매한 군주의 봉록을 받아들이지 않는다. 유향은 예를 들기를, 강태공은 70세가 되도록 한 번도 관직에 나가지 않았고, 손숙오는 세 번이나 상승의 자리를 떠났어도 후회하지 않았다. 왜 그랬을까? 왜냐하면 그들은 억지로 자기의 이상추구와 일치하지 아니한 사람들과 합작하지 않았기 때문이다. 그러나 일단 그들은 자기의 이상추구와 일치하는 동업자를 찾은 이상, 곧 공이 큰 위업을 성취하였고, 자기와 그 자손은 이로 인하여 영원히 영화를 누렸다. 대부 문중文仲은 멸망할 지경에 이른 초국楚國을 기사회생케 했으나 구천勾踐에게 사약을 받고 죽었다 ; 이사李斯는 진국의 통일을 위하여 큰 공로를 세웠지만 참혹한 형벌을 받았다. 이 네 사람은 충성을 다하고 군주를 걱정하고, 자신의 몸을 위태롭게 하면서도 나라를 편안케 함과 모략은 별 차이가 없었다. 그러나 어떤 이는 이로 인하여 대를 이어 제후로 봉해지고, 어떤 이는 이로 인하여 형벌을 받았는바, 이는 후자의 이상과 군주의 추구가 일치하지 않았기 때문이다. 기자箕子가 미친 것을 가장하여 도망칠 수 있었고, 범여가 초국을 떠나 이름을 바꾸고, 지과智過가 군제君第를 떠나 성씨를 바꾼 것과 같이, 그들은 모두 이로써 자기를 보전하였다. 멀리 보고 미미한 것을 알며, 어떻게 길함을 좇고 흉함을 피하는지를 알았다고 할 수 있다.

유향이 예를 든 몇몇 인물은 세 가지 유형으로 분류할 수 있다. 강태공, 손숙오는 제1 유형이다. 그들의 특징은 능굴능신能屈能伸할 수 있다는 것이니, 강태공은 70세가 되기 전에 빈궁함에 안분安分했고, 손숙오가 3번 고관현직을 그만둔 것은 바로 "굴屈"이다. 그러나 강태공의 "안安"과 손숙오의 "기棄"는 모두 자기의 밝은 지혜의 선택에서 나온 것이니 이들의 "굴"은 또한 "능굴能屈"인 것이다. 바로 능굴이기 때문에 시기가 성숙되면 그들은 재빨리 자기의 위치를 찾아 자신을 펼쳤다. 대부문중과 이사도 한 유형이다. 이들의 특징은 능신能伸이지만 불능굴不能屈이니, 진충우군盡忠憂君만 알았지 화환禍患이 그 가운데에서 싹트고 있음을 알지 못 했다. 이들과 반대로, 기자, 범여, 지과도 한 유형을 이룬다. 이들의 특징은 능신과 능굴이다. 조건이 허락할 때면 대업을 성취할 수 있으나 공이 이루어진 뒤에는 두려워하고 물러나서 자기의 생명을 보전할 줄 알았다.

여기서 가장 재미있는 것은 문중과 범여이다. 둘은 월왕 구천의 신하로 있었고, 함께 구천이 국치를 씻는 것을 도와 적을 멸하고 나라를 부흥시

켰다. 그러나 한 사람은 능굴하고, 한 사람은 능굴하지 못하여 그 결과가 완전히 반대가 되었으니 참으로 주의할 가치가 있다. 사서史書에는 다음과 같은 기재가 있다. 구천이 오랜 적국인 오국을 멸망시킨 뒤, 연회를 열어 공로를 경하하였다. 신하들은 환호를 지르고 펄쩍펄쩍 뛰며 좋아하며 얼굴에 기쁜 빛이 가득하였지만 오직 구천의 얼굴에는 기뻐하는 기색이 없었다. 범여는 월왕의 심사를 깊이 헤아려 구천이 오를 멸망시킨 공을 신하에게 돌아가게 하고 싶어 하지 않는다는 것을 알고 마음속으로 빨리 용퇴하여야겠다는 계산을 하였다. 범여는 월왕에게 물러날 것을 청하였다. 월왕은 심사숙고한 뒤, 범장군과 월국을 함께 나눌 뜻을 제시하면서, 만일 범장군이 명을 받들지 아니하면 죽이겠다고 강조하였다. 범여는 월국을 함께 나눈다는 것은 허언이며 오히려 살육을 당할 가능성이 있다는 것을 알았다. 그래서 곧바로 행장을 꾸려서 가인들을 데리고 돛단배를 타고 떠나서 마침내 제국에서 대부호가 되었다. 범여는 초국을 떠난 뒤 문중에게 편지를 써서 구천은 환난患難을 같이할 수 있지만 환락歡樂은 같이할 수 없는 인물이라는 것을 알리며 그에게 빨리 시비의 땅을 떠날 것을 권했다. 애석한 것은 문중이 주저하며 결정을 못하다가 막 깨우칠 즈음에 구천이 죽음을 내리는 보검을 이미 보내왔다는 것이다. 구천이 죽음을 내리는 이유는, 문중이 그에게 오국을 토벌하는 7가지 계책을 가르쳤는데, 세 가지 계책만으로 오국을 멸망시켰으니 아직 네 가지가 문중의 손에 있다는 것이었다. 구천은 "그 네 가지 계책을 나의 돌아가신 선왕에게 갖고 가서 능력을 내보이시게"라고 말했다. 월왕이 하사한 검은 바로 오왕 부차가 공신 오자서에게 자살을 명한 그 "속루屬鏤"검이었다 한다. 유향은 감탄하여 이르기를 "지금은 때가 아닌데도 나서고, 그 사람이 아닌데도 합하여 곧바로 자기 뜻으로 해도 어쩌지 못하면서, 게다가 세상의 어지러움을 고민하고 임금의 위험을 근심하며, 값으로 따질 수 없는 귀한 몸을 가지고 꽉 막힌 길을 가려 하고, 참훼하는 사람들 앞을 경과하여 도량도 없는 임금을 만나 헤아릴 수도 없는 죄를 범하면서 천성을 손상시키고 있다면, 이 어찌 미혹한 일이 아니겠는가?" 고 외쳤다.

〈주역〉의 시위관時位觀에 따라 말하자면, 문중, 이사의 비극은 시위를 잘 처리하지 못한 관계라고 말할 수 있다. 월왕 구천이 회계산에서 싸워 패하였을 때, 문중은 모신謀臣으로서 시時와 위位를 얻었다고 할 수 있다. 왜냐하면, 구천은 복수가 필요했고, 문중은 군사적인 책략을 갖고 있었기 때문이다. 그러나 월왕 구천이 오를 멸하고 패자를 자칭한 후, 문중은 여전히 높은 자리에 있었지만, 자리만 있었지 때가 아니었다. 왜냐하면, 문중의 충군우국忠君憂國하는 마음은 변함이 없었지만 구천의 음험독랄陰險毒辣한 성품이 이미 드러났기 때문이다. 필연적 결과는 때와 자리가 괴리되어 자리 때문에 화를 초래하였다. 그와 비교하면, 범여는 구천이 사람을 쓸 때 시時 때문에 자리를 얻을 수 있었고, 경방치세經邦治世의 재능을 펼칠 수 있었다. 구천이 소원대로 복수를 한 이후에는 때에 맞춰 변하여 상업을 통하여 치부할 수 있는 도리를 꾀할 수 있었으므로 마침내 불패의 자리에 설 수 있었다. 이로써 보건대, 현명한 선비의 일굴일신一屈一伸은 실제로는 오로지 적합한 바에 따라 변하는 것[唯變所適]이요, 때와 자리의 관계를 조정하는 좋은 방법이라 할 것이다.

16-3

그러나 본장의 서두에 말한 바와 같이, "현실생활 중에서 환경이 좋을 때 나아가는 것은 쉬우나, 환경이 나쁠 때 움츠릴 수 있기란 어렵다 ; 환경이 나쁠 때 움츠리는 것은 쉬우나, 때에 따라 움츠리고 펼치는 것은 어렵다." 그렇기 때문에 〈계사전〉은 특별히 공자의 말을 인용하여 재차 굴신屈伸 도리의 주요 의의를 강조하고 있다.

〈역〉에 이르기를, "돌로 인하여 곤란을 겪고, 가시덤불에 거처하고 있다. 궁宮에 들어가도 그 처妻를 보지 못하니 흉하다. 공자가 이르기를, "곤란을 겪지 않아야 할 바로 인하여 곤란을 겪으니 이름이 반드시 욕되다 ; 거처하지 않아야 할 곳에 거처하니 몸이 반드시 위태롭다. 욕되고 위태로우니 장차 죽을 때가 이를 것인 바, 처를 어찌 볼 수 있을 것인가!"

〈易〉曰, "困于石, 据于蒺藜, 入于其宮, 不見其妻, 凶." 子曰, "非所困而困焉, 名必辱. 非所据而据焉, 身必危. 旣辱且危, 死期將至, 妻其可得見邪!"

"돌로 인하여 곤란을 겪고, 가시덤불에 거처하고 있다. 궁(宮)에 들어가도 그 처를 보지 못하니 흉하다 困于石, 据于蒺藜, 入于其宮, 不見其妻, 凶."는 곤괘困卦 육삼의 효사인데, 딱딱한 돌 아래서 곤란을 당하고 가시덤불에 앉아 있으니 비록 집에서 한가히 있더라도 자기의 처자를 찾을 수 없다는 뜻이다. 왕필은 〈주역주〉에서 "돌이란 물건은 견고하여 받아들이지 않으니 사효를 가리킨다. 삼효는 음으로서 양의 자리에 있으니 무력에 뜻이 있는 자이다. 사효는 스스로 초효를 받아들여 자기(육삼효)를 받아들이지 않는다. 이효는 그 위에 앉을 수 있는 바가 아니니 강이란 그 위에 올라탈 수 없는 것이기 때문이다. 위로는 곤란한 돌과 비하고, 아래로는 가시덤불에 앉아 들어오는 것에 응하는 것이 없으니 어찌 배우자를 얻으리오? 곤할 때 이와 같이 처하면 흉한 것이 마땅하다"고 했다. 곤괘는 아래가 감괘이고 위가 태괘이다. 왕필의 뜻에 의하면, 돌은 구사를 가리키고, 가시덤불은 구이를 가리킨다. 육삼은 음으로서 양의 자리에 있고, 구이를 올라타고 있으므로 "가시덤불에 앉은" 상이 있다. 위로는 구사를 받들고 있으므로 본래는 길조에 속한다고 하여야 할 것이나, 구사는 이미 초육과 서로 응하고 있으므로 육삼이 따르려고 하여도 할 수 없으므로 견고한 거석 아래 곤란을 겪고 있는 것에 비교할 수 있으니 진퇴양난이라 할 수 있다. 게다가 육삼은 마땅한 자리가 아니니 비록 마음에는 몸을 뺄 생각을 하고 있지만 이미 아주 잘못해 버렸다. 그러므로 공자는 "곤란을 겪어야할 자리가 아닌 곳에서 곤란하면 명성은 반드시 더럽혀지고, 빌붙지 않아야 할 곳에 빌붙으면 생명이 반드시 위협받는다. 명성이 욕됨을 당하고 몸이 위험한 지경에 빠져 멸망의 날짜가 도래하고 있는데, 어디 집안이 온전할 가능성이 있겠는가!"고 하였다.

곤

육삼의 흉함은 "굴"해야 할 때 "굴"하지 아니하고 "굴"을 생각하여야 할 때 "굴"할 수 없는 데 있음을 알 수 있다. 결과는 반드시 자업자득하니 앞에서 말한 문중과 마찬가지다. 역사의 기재에 의하면, 문중이 범여의 편지를 받은 후 병을 핑계로 조정에 나가지 아니하고 은거할 생각을 하였지만, 시기가 이미 늦어 "굴"하고 싶어도 "굴"할 수 없고 목을 늘여 자결할 수밖에 없었으니 월왕 구천의 뜻을 이루게 하였다.

〈주역〉은 "굴"을 중시함과 동시에 "손을 써야 할 때 손을 써는 것"을 강조하니, 바로 "신伸"이다. 〈계사전〉에 다음과 같은 글이 있다.

> 〈역〉에 이르기를, "공이 높은 담벼락 위에 앉아 있는 매를 쏴서 이를 잡으니, 이롭지 아니함이 없다." 공자가 이르기를, "매는 날짐승이고, 활과 화살은 이를 잡는 기구이다. 이를 쏘는 것은 사람이다. 군자가 몸에

기구를 감추고 때를 기다려 움직이니 어찌 불리함이 있으리오. 움직이면 의심하지 않고 나아가면 획득하는 바가 있으니, 기물을 갖춘 뒤에 움직이는 사람을 말하는 것이다.

〈易〉曰 : "公用射隼於高墉之上, 穫之, 無不利." 子曰 : "隼者禽也, 弓矢者器也. 射之者人也. 君子臧器於身, 待時而動, 何不利之有. 動而不括, 是以出而有穫, 語成器而動者也."

"공이 높은 담벽에 앉아 있는 매를 쏴서 이를 잡으니, 이롭지 아니함이 없다 公用射隼於高墉之上, 穫之, 無不利."는 해괘 상육의 효사이다. '왕공王公이 활시위를 당겨 높은 성벽 위에 앉아 있는 나쁜 매를 쏘았다. 단번에 적중하니 불리함이 없다'는 뜻이다. 왕필은, "초효는 사효와 응하고, 이효는 오효와 응하나 삼효는 상효와 응하지 않고 있어, 자리를 잃고 올라타고 있으며, 하체의 꼭대기에 있으므로 '높은 담벼락[高墉]'이라고 하였다. 성벽은 매가 거처할 곳이 아니고, '고高'는 삼효가 밟을 곳이 아니다. 상육은 동動의 위에 있고 해解의 극極이라, 패륜적인 것을 해결하고 음란한 것을 제거할 자이다. 따라서 활을 사용하여 쏜다. 극에 달한 뒤 움직이고, 성공한 뒤 거두니, 반드시 이를 잡아 불리함이 없다"고 주석했다(〈주역주〉). 해괘는 위는 진震이고 아래는 감坎인데, 왕필의 해석에 의하면 매는 육삼효를 가리킨다. 왜냐하면, 육삼효는 음으로서 양의 자리에 있어 실위失位이고, 상육효가 음이므로 무응無應이기 때문이다. 그런데 상육효는 진동의 극에 자리하고 있으므로 위난을 해결하는 왕공의 상이다. 김경방은 이 효의 뜻은 어떻게 고위高位에 있는 소인을 제거하는가를 말하고 있는 것이라 한다. "높은 담벼락에 앉아 있는 매[隼於高墉之上]"는 음흉, 악랄한 소인이 높은 자리에 앉아 있는 것을 가리키는데, 가야 하는 때에 처하였으면서도 가지 아니하므로, 이때 군자가 가슴에 책략을 품고서 움직여 제거하니 한 번에 성공한다. 그는, 공자가 위 효사를 인용한 것은 바로 굴신왕래의 이치를 설명하려 한 것이라고 말한다. “몸에 기물을 감추고 때를 기다려 움직인다 臧器於身, 待時而動”, 즉 군자가 몸에 이미 기물을 갖추어 있다가 때를 기다려 행동하니, 바로 굴屈이다. “움직이면 의심하지 않으니 그러므로 나아가면 수확이 있다 動而不括, 是以出而有獲”, 즉 행동을 하되 조금도 의심하지 않으니, 바로 신伸이다. 굴신이 서로 감응하니 “기물이 이루어진 뒤에 움직인다 成器而動,” 즉 먼저 만들어진 기물을 준비한 뒤에 행동한다.

해

해괘 상육효의 “불리함이 없다 無不利”는, 그것이 시기가 도달하지 아니한 때에 몸에 기물을 숨기고 움츠려 기다리고, 시기가 도래한 때에는 주저함이 없이 움직여 펼쳐서 성공하기 때문이다. 소동파蘇東坡는 “무릇 군자가 취하는 것이 멀 때에는 반드시 기다리는 바가 있어야 하고, 성취하고자 하는 것이 클 때에는 반드시 인내하는 바가 있어야 한다”고 했다.(소동파 : 〈고의론賈誼論〉) 멀리 있는 것을 취하고자 할 때는 먼저 기다리고, 큰 것을 성취하고자 할 때는 먼저 인내할 줄 아는 것, 이것이 바로 굴신의 도이다. 이에 의하면, 굴신의 도는, 한마디로 말하자면, “움직이고 움직이지 않는 것이 그 때를 잃지 않는 것 動靜不失其時”이다.

16-4

"굴신"이란 말은 비록 〈계사전〉에 나오지만, 〈주역〉의 괘효사는 이미 굴신의 이치를 포함하고 있다. 아래와 같이 예를 들어 보자.

제을이 여동생을 시집보내니 복되고 크게 길하다.

帝乙歸妹, 以祉元吉.

이는 태괘 육오효의 효사이다. "제을帝乙"은 상대商代의 제왕이다. "귀歸"는 여자의 출가를 칭하는 말이다. 효사의 뜻은, 제을이 아름다운 여자를 시집보내니 이로써 복택을 얻고 크게 길하다는 뜻이다. 태괘는 위가 건乾이고 아래가 곤坤이며, 육오효가 음으로서 양자리에 있고 유柔로서 임금의 자리에 있으니 제녀[帝女 ; 황실의 여자]의 상이 있다. 제왕의 여식이 아래로 현자에게 시집을 가니, 그 존귀한 몸을 낮추어 아래를 따르는 것이라 할 수 있다. 〈주역〉은 이렇게 하면 복택과 길상을 얻을 수 있다고 보았다. 제녀가 아래로 시집가니 굴屈이라고 해야 할 것이나, 이로써 "복되고 크게 길하다 祉元吉"하니 굴屈하여 신伸을 얻는다고 하여야 할 것이다.

태

그 성벽에 올라갔으나 공격하지 않으니 길하다.

乘其墉, 弗克攻, 吉.

이는 동인괘 구사효의 효사이다. "용墉"은 성벽이다. "극克"은 할 수 있다는 뜻이다. 효사의 뜻은, 높이 성벽 위에 올라갔지만, 스스로 물러나 진공進攻하지 아니할 수 있으니 길하고 이롭다는 것이다. 〈상전〉은 구사효의 길하고 이로운 소이는 그것이 "곤경에 처하여 몸을 돌이킬[困而反則]" 수 있음에, 즉 곤경에 빠져 통하지 아니하는 시기에 능히 제때에 몸을 돌릴 수 있음에 있다고 보았다. 제때 몸을 돌리는 것은 굴屈이다. 이러한 종류의 굴은 신伸 가운데의 굴, 펴야 할 때 의연히 움츠림으로 돌아서는 것이다. 본래 높이 성벽에 올라갔을 때는 이미 크게 손을 쓴 형세이다. 그러나 시기가 맞지 아니함을 발견하여 과감히 군사를 거두어 철수한다. 바로 이와 같이 제때 굴屈하였기 때문에 길상을 얻은 것이다. 소동파는 "옛사람이 말하는 호걸지사는 반드시 과인過人의 절개가 있었고, 인정에 있어 차마 하지 못하는 바가 있었다. 필부는 욕을 당하면 칼을 뽑고 달려들어 싸우지만, 이는 용勇이라 하기에는 부족하다. 천하에 대용大勇한 자는 갑자기 닥치더라도 놀라지 아니하고 이유 없이 시비를 걸어도 노하지 않으니, 이는 그 협박하는 바가 아주 커도 그 뜻이 아주 원대하기 때문이다"고 말했다. 신중지굴伸中之屈에는 소동파가 말하는 "대용大勇"이 필요하다.

동인

기울어지는 비색함이라, 먼저는 비색하나 나중에는 기뻐한다.

傾否, 先否後喜.

이는 비괘 상구효의 효사다. “경傾”은 넘어뜨린다는 뜻이다. 효사의 뜻은, ‘막히는 국세를 넘어뜨린다; 처음에는 막힘이 있지만, 나중에는 통하여 기쁘다’. 비괘는 위는 곤坤이고, 위가 건乾으로 막혀서 통하지 아니하는 상이다. 그러나 막힘이 극에 달하면 통하게 되는 것이니, 상구효에는 기울어지는 비색[傾否]의 상이 있다. 김경방은, 효사가 경비傾否를 강조한 것은, 비[否 ; 막힘]가 극에 달하면 자동으로 태[泰 ; 통함]가 오는 것이 아니라 아직도 사람의 역량이 있어야 한다는 것을 설명하고 있다고 여긴다. 비괘 상구효는 양강의 재질이므로 비색함을 넘어뜨릴 능력이 있어 비를 태로 변화시킨다. 사람의 힘으로 “경비傾否”하는 것이 바로 신伸이다. 효위설에 의하면, 상효는 응당 음의 자리인데, 비의 상구효는 양으로서 음의 자리에 있으니, 이는 본래 그것이 포부를 펼칠 의지가 있다는 것을 나타내고 있으며, 이러한 지향이 있고, 더 나아가 시세의 순응에 힘입어 그의 펼침은 크게 수확을 얻을 수 있는 것이다.

비

〈계사전〉에 “한 번 음이고 한 번 양인 것을 도라고 한다 一陰一陽之謂道”라는 말이 있다. 굴신의 이치의 근거는 바로 이러한 일음일양지위도 一陰一陽之謂道이다. 따라서 〈주역〉이 말하는 굴신은 천도에서부터 인도에까지 미친다. 그것은 ‘굴과 신은 자연계에 보편적으로 존재하는 현상으로서, 인류 자신도 빠뜨릴 수 없는 생활지혜이다’라는 것을 표명한다. 일월이 교체하여 광명을 낳고, 한서寒暑의 변화가 해를 형성하는 것은 천도의 굴신이다. 자벌레의 굴신은 이동을 이루고 큰 뱀의 동면은 자신을 보존하는데, 이는 동물의 굴신이다. 정의입신하면 효용이 스스로 밝게 드러나고 이용안신하면 숭덕광업하게 되니, 이는 인도의 굴신이다. 그러나 천도자연은 "만물을 고취하지만 성인과 같이 근심하지 아니하므로," 사람의 굴신에는 덕성함양이 필요하고 지성능력이 필요하니, 이는 진덕進德과 치용致用의 합일이다.

17. 구동존이 求同存異

우리들이 생활하고 있는 이 세계는 경관·사물이 다양하고, 이색적인 것이 연이어 나타나서, 곳곳에 서로 다른 것들이 존재한다. 그런데 다른 것들 중에는 또한 서로 같은 점이 존재하니, 같은 것과 다른 것·다른 것과 같은 것이 서로 섞어져 짜여 있다고 할 수 있다. 옛사람은 다른 것과 같은 것 사이의 문제를 특별히 주의하고 탐구하였으니, 춘추시기의 철학자들이 "화和"와 "동同"의 문제를 토론하고, 전국시기의 변사辯士들이 같음과 다름의 관계에 대하여 특별히 변론을 진행하였던 바와 같다. 예컨대, 당시의 송나라 사람 혜시惠施는 "대동과 소동은 다른데 이를 소동이라고 한다; 만물은 같음을 갖추고 다름을 갖추고 있는데 이를 대동이라고 한다. 大同而與小同異, 此之謂小同異; 萬物備同備異, 此之謂大同異"라는 예스럽고 괴기한 명제를 제시하였다. 사실은 그들의 이전인 서주초기에 사람들이 이미 그 문제를 중시하였는데, 그것이 바로 〈역경〉 중의 〈동인同人〉괘이다. 〈동인〉괘가 이야기하는 것이 사람과 사람의 교제交際·사람과 사회의 교제이며, 이야기하는 바가 이러한 교제 중에서 어떻게 같은 것은 구하고 다른 것은 내버려두는가 하는 것이다. 이것은 풍부한 처세지혜를 포함하고 있다.

17-1

〈주역〉에서 〈동인〉괘는 〈비否〉괘 다음에 안배되어 있다. 〈서괘전〉의 해석에 의하면, "사물은 끝까지 비색할 수만은 없기 때문에 동인괘로서 받는다. 物不可以終否, 故受之以同人"고 한다. 한강백은 이렇게 주석한다 : "비색하게 되면 마침내 생각이 통하여 사람마다 뜻을 같이 하게 된다. 그리하여 문을 나서면 다른 사람과 같이 하게 되니 뜻한 바 없이 합하게 된다." 〈동인〉이 비색한 뒤에 통하여 같이 하는 것이고, 사람과 사람 사이에 서로 소통하여 뜻을 합하는 것이라는 것을 알 수 있다(〈비〉는 서로 소통하지 않는 것이다). 〈동인〉은 다음과 같이 말한다.

> 넓은 들판에서 사람과 함께하면 형통하니, 큰 내를 건너는 것이 이롭고 군자가 바르게 한결같이 함이 이롭다.
>
> 同人于野 亨, 利涉大川, 利君子貞.

동인

"야野"는 교외를 가리킨다. 괘사의 뜻은, 광활한 교외에서 사람들과 화동和同하면 형통하고, 거대한 하천을 건너는 것이 이롭고, 군자가 정도를 지키는 것이 이롭다는 것이다. 이 괘사 중에는 퍽 주의할 가치가 있는 두 가지가 있다. 하나는 "야野"이고, 또 하나는 "군자정君子貞"이다. 김경방의 해석에 의하면, 고대국가에서 중심 지역을 국國이라 부르고, 국國의 바깥을 교郊라고 부르며, 교郊의 바깥을 "야野"라고 부른다.[149] 괘사가 "야

149 김경방등 〈주역전해〉, 119항 참조.

野"자를 쓴 뜻은, 사람과 화동하는 것은 너무 협애狹隘해서는 안되며, 흉금이 광활하고 화동하는 국면이 넓고 멀리까지 미쳐야 한다는 데 있다. "정貞"은 바르다는 것이니, "리군자정利君子貞"은 동인의 도는 바름을 지키는 군자에게 유리하다는 것을 표명하고 있다. 그런데 〈논어〉에 의하면, 군자가 다른 사람과 교제하는 특징은 "화이부동和而不同"에 있다. 그러므로 〈동인〉괘가 말하는 "여인화동與人和同"은 "화이부동和而不同"의 동同이 아니고, "동류합오[同流合汚 : 나쁜 사람과 어울려 함께 못된 짓을 함]"의 동同도 아니며, 바로 이중지동[異中之同 : 서로 다른 것 가운데의 같은 것]이요, 포용, 관용의 기초 위에서 이루는 같음이다. 〈단전〉의 해석을 보자.

> 동인은 유가 자리를 얻고 가운데를 얻어서 건에 응하였으므로 동인이라 한다. '同人于野, 亨. 利涉大川'은 건의 도를 행함이고, 문명하고 굳세고, 중정으로 응하는 것이 군자의 바름이니, 오직 군자라야 능히 천하의 뜻을 통할 수 있는 것이다.

> 同人, 柔得位得中而應乎乾, 曰 同人. 同人曰 '同人于野, 亨. 利涉大川' 乾行也. 文明以健, 中正而應, 君子貞也. 唯君子爲能通天下之志.

〈동인〉괘는 하리상건下離上乾으로서, 전체 괘 중에 육이효 하나만이 음이다. "유가 자리를 얻고 가운데를 얻어서 건에 응함 柔得位得中而應乎乾"이 가리키는 바는 바로 육이효이다. "건에 응함"이란, 육이가 위로 구오에 응하는 것을 가리키는데, 구오는 건체(상괘는 건괘이다)에 속하므로 "건에 응한다"고 하였다. 〈단전〉은, 〈동인〉괘가 "동인"이라고 불리는 이유가 이 괘에는 유순한 자가 있어 바름을 얻었고 중도를 지키며 능히 위로 강건한 자에 응하는 상이 있기 때문이라는 것이다. 이것은, 동인의 관건이 "유柔"에 있으며(괘 가운데 유일한 음효이다), 이 유柔가 반드시 바름을 얻고 중도를 얻어야 하는데 단지 유하기만 하여서는 동인할 수 없으니 중정의 유는 반드시 강건한 건과 더불어 서로 응하여야 한다는 것을 말하고 있다. 동인의 도는 곤순坤順의 성性(柔)과 건건乾健의 덕德(剛)이 유기적으로 결합하는 것임을 알 수 있다. 단지 유순함만 있어서는 같은 것끼리 뭉치는 동류합오의 걱정을 면하기 어렵다; 강건함만 있어서는 강하게 움직여 조급하게 나아가서 화동하기 어렵다는 염려를 면하기 어렵다. 오로지 강유剛柔가 상제相濟하여야만 덕을 두텁게 하고 만물을 실어서 사람과 화동和同할 수 있다. 그래서 〈단전〉은 말한다 : "'넓은 들판에서 사람과 함께하면 형통하니, 큰 내를 건너는 것이 이롭다 同人于野, 亨. 利涉大川' 함은 건의 도를 행함이라."

"건행乾行"은 바로 부드럽되 능히 굳셈을 강조하는 말이다. 부드럽되 능히 굳세다는 것은 유순하고 관용할 뿐만 아니라 능히 강건하고 행동할 수 있다는 것으로서, 주동적으로 사람과 화동한다는 것이다. 왕필은 이렇게 해석한다 : "'넓은 들판에서 사람과 함께하면 형통하니, 큰 내를 건너는 것이 이로움 同人于野, 亨. 利涉大川'을 할 수 있음은 육이가 할 수 있는 바가 아니라 건이 행하는 바이다."(《주역주》) 이는, "넓은 들에서 사람과 함께함 同人于野"을 능히 행할 수 있는 이유는 육이의 유柔의 덕성기초가 있을 뿐만 아니라 또한 구오의 강剛이 주동적으로 앞으로 나가려 함이 있기 때문이요, 둘 중 어느 하나를 빠뜨려서는 안 된다는 것을 설명하고 있다.

"문명하고 굳세고, 중정으로 응하는 것이 군자의 바름 文明以健, 中正而應, 君子貞也"은 괘사 "군자는 바르게 함이 이롭다 君子利貞"의 함의를 해석한 것이다. 김경방은 말한다 : "문명은 내괘의 덕을 가리키고, 강건은 구오의 덕을 가리키며, 중정은 육이와 구오 양효가 가운데에 자리잡고 그 바름을 얻었으며 서로 응하고 있음을 가리킨다. 강건하므로 사사로움이 없고, 문명하므로 도리에 밝으며, 중정하므로 어느 한쪽에 기울어짐이 없다. 이 세 가지를 모두 갖추니 '군자가 바른 것'이다. 군자의 몸으로 정도를 행하니, 심지가 자연히 천하인과 서로 통하여, 천하인이 자연히 이와 더불어 서로 화동한다."[150]

이로부터 보건대, "동인"은 곤순의 덕과 건건의 성이 유기적으로 통일하는 것이요, 다름을 품고 있는 같음이며, 같음과 다름이 조화를 이루는 것임을 알 수 있다.

17-2

"동인"의 도는 구동존이求同存異요, 동이지화[同異之和 : 같은 것과 다른 것의 조화]이니, 〈상전〉은 이에 근거하여 군자에게 "유족변물類族辨物"을 요구하고 있다. 그것은 이러하다.

> 하늘과 불이 동인이니 군자는 이로써 종류를 나누고 사물을 분별한다.

> 天與火, 同人. 君子以類族辨物.

황수기는 "여與"를 '무엇과 같이 친하다 猶親'라고 해석한다. "이 두 구문은 하늘이 위에 있고 불의 성질 또한 위로 타올라 둘이 서로 친화하다는 것으로써 〈동인〉의 상건上乾이 하늘이고 하리下離가 불인 괘상을 해석하고 있다. 〈정의〉는, '하늘이 위에 있고 불도 위로 타오르므로 그 성질의 같음을 취하였기에 하늘과 불이 동인이라고 한다.'"[151] 〈동인〉이 하리

150 김경방등 : 〈주역전해〉, 120항
151 황수기등 : 〈주역역주〉, 125항.

상건下離上乾으로서 비록 괘체가 다르지만, 하나는 위에 있고(건은 하늘이다), 하나는 위로 향하여(리는 불이다), 그 방향이 일치하므로 "동인"이라고 부른다는 것을 알 수 있다. 이것은, 동인의 같음은 건乾과 건乾의 같음과 리離와 리離의 같음 같은 절대적인 같음이 아니라는 것을 설명한다. 체성이 비록 다르나 지향이 서로 같음, 즉 화동하는 사람이 모두 그 개성을 잃지 않는 같음이다. 한마디로 말하면 바로 화동和同이다.

〈상전〉은, 〈동인〉의 하리상건下離上乾의 상象이 다름 속의 같음을 구현하고 있으므로 군자는 응당 이 상을 본받아 "유족변물類族辨物"하여야 한다고 여긴다. "류類"는 〈계사전〉의 "이로써 만물의 정을 분류한다 以類萬物之情"의 "류類"로서, 뜻은 '나눈다'이다. "족族"은 종류로서, 상전은 여기에서 특별히 인류 군체를 가리킨다. "유족변물類族辨物"의 뜻은 인류 군체 및 각종사물을 구분·분별하여 다름을 살펴서 같음을 추구한다는 것이다.[152] "유족변물類族辨物"이 강조하는 것이 다름 가운데 같음을 추구하는 것임을 알 수 있다. 청나라 사람 이광지李光地는 이렇게 지적하였다. "비록 대동 가운데 각기 그 부류를 따르나 자연히 구별이 있기 마련이다. 그러므로 상하의 등급이 있고 친소의 차등이 있으며 사람의 지혜롭고 어리석음, 선하고 악함의 구분이 있으며, 사물의 귀하고 천함, 정밀하고 조잡한 품질이 있다. 분류하고 이를 분별하여, 각기 그 분수를 찾으니 그리하여 대동인 것이다."[153] 이것은, 동인에 있어서 동同이라 함은 그 분수와 지위를 분별하고 그 품질과 등급을 나누어 밝히며, 여러 다름 속에서 같음을 구하고자 하는 대동임을 설명한다.

〈주역〉 가운데 〈대동〉괘의 〈상전〉이 명확하게 구동존이求同存異의 도리를 강조하고 있는 것 이외에, 〈규〉괘의 〈상전〉도 유사한 견해를 제시

152 황수기 등 : 〈주역역주〉, 125항 참조.

153 황수기등 :〈주역역주〉, 125항에서 인용한 것을 옮겼다.

하고 있다. 그것은 이러하다.

> 위에 불이 있고 아래에 못이 있는 것이 규이니, 군자는 이를 본받아 같이 하되 다르게 한다.
>
> 上火下澤, 睽, 君子以同而異.

규

〈규〉괘는 하태상리下兌上離인데, 〈단전〉은, 이러한 괘상은 "불이 움직여 위로 올라가고 못은 움직여 아래로 내려오며, 두 여자가 같이 기거하나 그 뜻이 한 가지로 같지 않다"는 것이 되어, 서로 어긋나며 등을 돌리는 것을 상징한다고 여긴다. 이러한 괘상과 〈동인〉과는 서로 정반대된다고 할 수 있다. 그러나 〈상전〉은, 군자는 이러한 괘상 속에서도 마찬가지로 구동존이할 수 있어야 한다는 가르침이 있다고 여긴다. 그러나 이러한 구동존이는 "류족변물類族辨物", 즉 다름 가운데 같음을 구하는 것이 아니라, "이동이이以同而異", 즉 "대동 가운데에 있어서 응당 달라야 함을 아는 것"이다.(〈정씨역전〉) 비록 두 괘가 같음과 다름을 화합하려는 목적은 일치하지만, 괘상이 반영하고 있는 객관적인 정세가 다르기 때문에 화합하려는 방향에 있어서 차이가 있다. 〈동인〉괘는 그 뜻이 "화동和同"에 있어서 다름으로부터 같음을 추구하는 것을 강조한다; 〈규〉괘는 그 뜻이 "합규合睽"에 있어서, 같은 것 속에서 다름을 존치시킴을 강조한다. 다름 가운데 같음을 추구함에는 반드시 "류족변물類族辨物"의 방법을 써야 하고, 같음 가운데 다름을 존치함에는 반드시 교감하여 뜻을 합하는 방법을 써야 한다. 예컨대, 〈규〉괘에 대하여 〈단전〉이 말한 바와 같다 : "천지가 어긋나도 그 일은 같고, 남녀가 어긋나도 그 뜻이 통하며, 만물이 어긋나도 그 일은 같으니, 규의 때에 맞게 씀이 크도다. 天地睽而其事同也, 男女睽而其志通也, 萬物睽而其事類也, 睽之時用大矣哉." '천지가 상하로 어긋나지만 만물을 화육하는 이치는 서로 같고, 남녀가 음양으로 서로 어긋나지만 교감하여 합하려는 마음은 서로 통하며, 천하 만물이 아무리 어긋나서 등을 돌리더라도 천지의 음양기질을 받아들임은 서로 유사類似하니, 어긋남의 시기를 기다려 사용하는 범위는 너무나 광대하구나.'라는 뜻이다.[154]

총괄하면, 이중구동異中求同이든 동중존이同中存異든 막론하고, 같음[동]은 "군자는 화합하되 같지 않다 君子和而不同"의 같음[同]이 아니라, 군자화이부동君子和而不同의 "화和"이며, 바로 같음과 다름의 "화"이다. 처세방면에서 말하자면, 그것은 사람들에게 사람과의 교제함에 있어서나 혹은 사회에서 생활을 꾀함에 있어서나 구동존이求同存異가 요구되는데, 다만 "같음을 구함"은 사람으로 하여금 동류합오同流合汚·결당영사[結黨營私 : 작당하여 사리사욕을 꾀함]하라는 것이 아니라, 사람으로 하여금 존재하는 차별 가운데서 같음을 구하라는 것이다. 철학적 용어로 말하면, 이와 같은 같음은 "다양성의 통일"이라고 부를 수 있을 것이다. 당연히 이러한 통일을 꾀하는 것에는 상투적인 모식이 없고, 객관적인 형세에 따라 정해져야 할 것인데, 때로는 차별을 분별하는 것으로부터 출발하여 다름을 살펴 같음을 구하고, 때로는 정리를 파악하는 것으로부터 출발하여 같음 가운데 다름을 존치하여야 한다. 이것 역시 오로지 적당한 바에 따라 변하는 것이다.

154 황수기 : 〈주역역주〉, 310항 참조.

17-3

〈동인〉의 여섯 효는 다름을 살펴서 같음을 추구하는 과정 중에 만나는 구체적인 문제를 집중 토론하고 있다. 어떤 학자의 말에 따르면, 이 괘는, 내괘는 같음에서 다름을, 외괘는 다름에서 같음을 나타내고 있다.[155] 그것은 정반의 양방향으로 다름에 처하여 같음을 추구하는 방법원칙을 제시하였다고 할 수 있다. 먼저, 같음으로부터 다름을 살펴보자.

사람과 같이함을 문 밖에서 하니 허물이 없다. (〈동인〉 초구)
사람과 같이함을 일가끼리 하니 인색하다. (〈동인〉 육이)
군사를 덤불 속에 매복하고, 그 높은 언덕에 올라가서 3년 동안을 일어서지 못 한다. (〈동인〉 구삼)

同人于門, 無咎. (〈同人〉 初九)
同人于宗, 吝. (〈同人〉 六二)
伏戎于莽, 升其高陵. 三歲不興. (〈同人〉 九三)

〈동인〉 초구의 "문門"은 문 밖을 가리킨다. "동인우문同人于門"은 문 밖을 나와서 사람과 더불어 화동하는 것이니, 그 결과는 당연히 허물이 없다. 〈상전〉은 말한다 : "문 밖에 나와서 사람과 같이 하니, 누가 허물이 될 것인가! 出門同人, 又誰咎也!" 왕필은 이렇게 주석한다 : "〈동인〉의 시초에 거하여 동인의 머리가 되는 자이다. 위에 응하는 바가 없으므로 마음에 걸려 인색한 바가 없고 무릇 대동으로 통하니 문 밖으로 나가면 모두 같이 하니, 그래서'동인우문同人于門'이라 하였다. 문 밖에 나와서 사람과 같이 하니 누가 허물이 될 것인가?" "위에 응하는 바가 없다"

155 김경방등 : 주역전해, 123항 참조.

는 것은 초구가 위에 응하는 효가 없다(구사는 양이다)는 것을 가리킨다. "마음에 걸려 인색한 바가 없다"는 것은 초구에는 응하는 바가 없으므로 내심에도 친소를 구별하는 관념이 없다는 것이다. 친소의 구별이 없으니 자연히 문 밖으로 나가면 광범위하게 사람과 화동할 수 있다. 이것은, '사람과 더불어 화동하는 초기에는 관건이 되는 것이 심지가 바르고(초구는 양으로서 양자리에 거한다), 편견과 사심을 가지지 않는 것이다'는 것을 설명한다. 만일 편견을 가지면 호오好惡가 있게 된다; 만일 사심을 가지면 반드시 친소親疎가 있게 된다. 호오와 친소가 있게 되면 반드시 색안경을 끼고 보게 되니, 타인을 3, 6, 9 등급으로 나누게 된다. 이렇게 해서는 어찌 사람과 더불어 화동할 수 있겠는가? 그 밖에 〈상전〉은 특별히 "출出" 자를 들고서 "출문동인出門同人"을 강조하고 있는데, 퍽 깊은 뜻이 있다. 이것은 '동인의 도는 광범위한 화동에 있지, 작은 단체·작은 종파 내부의 화동이 아니다'라는 것을 설명한다. 왜냐하면, 작은 단체·작은 종파 내부의 화동은 "동인우종同人于宗"이기 때문이다.

"종宗"은 종족을 가리키는데, 괘상으로 말하자면 "종宗"은 구오를 가리킨다. 〈동인〉의 육이와 구오는 서로 응하고 있는데, 친근한 사람끼리만 화동하는 것과 같다. 효사는, 사람이 살아가는 방법에 있어서 이와 같이 종족 내부의 화동은 그 결과 반드시 모종의 유감을 초래한다고 여긴다. 김경방은 말한다 : "전체 괘의 각도로 보면, 그것(육이)은 유柔로서 자기 자리를 얻었고 중도를 얻었으며 또한 구오와 바르게 응하고 있어, 상통相通한다는 뜻이 있으므로 좋은 것이다. 그러나 육이라는 이 하나의 효의로서 보면, 정황은 즉시 달라진다. 육이와 구오가 정응正應하고 있는데, 정응은 본래 좋은 것이나, 동인괘에서는 좋지 않다. 육이는 자기가 응하는 구오와 같이 하여, 그가 같이 하는 범위에는 한계가 있어, 초구가 응하는 바가 없어 같이 하는 범위가 넓은 것보다는 못하므로, 초구는 허물이 없지만 육이는 인색하다."[156] 비록 응함이 있는 것은 좋은 일이지만, 언제 어떤 정황에 있는지를 살펴보아야 한다. 〈동인〉의 때에 처하였을 때는, 자기 자신을 국한시킨다는 혐의를 벗어나기 어렵다. 오늘날의 입장에서 보면, "종宗"은 작은 단체·작은 종파 내지는 협애한 지방보호주의라 할 수 있다. 그러므로 육이의 "린吝"은 정말 깊이 생각할 가치가 있다.

"복伏"은 잠복한다는 것이다. "융戎"은 무기이다. "망莽"은 우거진 풀이다. "릉陵"은 산등성이다. 효사의 뜻은, 군대를 덤불 속에 매복시켜 두고, 높은 산등성이에 올라 사방을 살펴보며 3년이 흘러갔으나 아직도 감히 교전하지 못하고 있다는 것이다. 괘상으로 말하자면, 구삼은 하괘의 끝에 처하여 아래로 육이를 올라타고 위로는 응하여 더불어 함이 없다. "구삼은 양효로서 양자리에 앉아 너무 강강剛强하며, 또한 가운데 자리를 얻지 못하여 중도를 지킬 줄 모른다. 구삼은 구오가 정응하고 있는 육이를 탈취하여 자신과 서로 친비親比하고 서로 화동하려는 욕심을 갖고 있다. 그러나 구삼은 도리가 바르지 못하고 기세가 장성하지 못하여 공연하게 행동하지 못하고, 다만 병사와 무기를 수풀 속에 매복하여 두고 시기를 살펴 움직이려고 하니, '복융우망伏戎于莽'이라 하였다. 또한 틈틈이 높은 산등성이에 올라가 사방을 둘러보기도 하는데, 이렇게 3년이 지나도 여전히 행동을 취하지 못하니 효사가 흉이라고 하지 않는 것이다."[157] 육삼이 비록 흉이라고 하지 않았지만, 그 하는 바를 보면 화동의 도리와는 거리가 매우 멀다. 이것은, '화동의 도리는 강함을 써서는 안 되니, 강함을 사용하면 서로 다투게 되어 화동할 수 없을 뿐만 아니라 도리어 전쟁이 일어날 수도 있다'는 것을 설명한다. 비록 군사를 일으키고 군중을 동원하지만 그 결과는 여전히 도로아미타불이고 이익이 없다.

156 김경방 등 : 〈주역전해〉, 121-122항.
157 주고정 : 〈주역백화예제〉, 80항, 심양, 심양출판사, 1998년.

〈동인〉의 내괘에서, 초효는 문 밖으로 나가서 사람과 화동하여 "허물이 없음"을 얻었고, 육이는 문 밖으로 나가서 사람과 화동하지 아니하여 "인색함"을 얻었으며, 구삼은 다른 사람과 벗하기를 다투니 비록 길흉을 말하지 않았지만 결과는 반드시 헛수고이며 무익하다. 초구를 떼어놓고 말하면, 육이의 "인색함"은 자기 자신을 국한시켜서 스스로 자신의 시야를 속박함에 있고, 구삼의 다툼은 능히 "류족변물類族辨物"하지 못함에 있다. 이것도 사람들에게 '사람과 화동하는 일은 결코 쉬운 일은 아니며 어떤 때에는 다툼과 고집이 발생하는 것을 면하기 어렵다'는 사실을 경고하고 있다. 이러한 의의로부터 '같이함은 분쟁 속에서 세워지고 "마합[磨合 : 모난 부분을 갈아서 합한다는 뜻]" 속에서 구하여 얻는 것'이라고 생각할 수 있다. 〈동인〉의 외괘인 "다름으로부터 같음"은 더욱 명백하게 이러한 특징을 표현하고 있다.

17-4

다름으로부터 같음을 다시 보자. 〈동인〉의 외괘 세 효의 효사는 이렇다.

> 그 성벽에 오르되 공격하지 않으니 길하다. (구사)
> 사람과 함께 함에 있어 먼저는 울부짖고 나중에는 웃으니, 큰 군사로 이겨야 서로 만난다. (구오)
> 사람과 함께 함을 들에서 함께하니 후회가 없다. (상구)

> 乘其墉, 弗克攻, 吉. (九四)
> 同人先號咷而後笑, 大師克相遇. (九五)

同人于郊, 無悔.(上九)

구사의 효사는 앞 장에서 이미 해석한 바가 있는데, 문자 그대로의 뜻은 성벽 위로 높이 올라갔으나, 진공할 수 없음을 스스로 살펴 안다는 것이다. 효사는, '곤경에 빠져 통하지 않는 때에는 제때 머리를 반대로 돌리면 길상함을 얻을 수 있다'는 사실을 설명하고 있다. 〈주역정의〉는 말한다 : "강하고 중정中正하지 않고, 또한 응하여 더불어 함이 없으며, 육이와 같이 하려 하나 구삼이 가로 막고 있어서 성벽에 올라 이를 공격하려는 상이 된다. 그러나 강剛으로서 유柔에 거쳐하므로 스스로 돌이켜보아서 공격하지 않으려는 상이 있다. 점은 이와 같으니, 능히 잘못을 고치면 길함을 얻을 수 있는 것이다." 이것은, 구사와 초구가 적으로 대응하고 있어 화동할 방법이 없으므로 구삼과 같이 육이와 화동하고자 하나, 육이는 이미 구오와 같이 하고 있고 구삼은 덤불 속에 병사를 매복하여 두고 무력을 행사할 기세가 크다. 그러므로 구사도 "성벽에 올라 공격"하려는 상을 드러내고 있다. 이 점에 대하여 말하자면, 구사와 구삼은 퍽이나 서로 같은 점을 가지고 있다. 같지 않은 점은, 구사에 있어서는 양으로서 음자리에 앉아서 강유상제의 능력을 갖추고 있으므로, 강함으로써 같음을 추구하는 방법이 통하지 않는다는 사실을 발견한 후에는 곧바로 "곤이반칙[困而反則 : 곤경에 빠져 몸을 돌린다, 곤란하게 되면 평소 해오던 바를 돌이켜보거나 반대로 한다는 뜻]"하여 사람과 화동하는 일을 위하여 조건을 창조한다는 것이다.

"호도號咷"는 큰 소리로 통곡하는 것이다. 효사의 뜻은, 사람과 화동함에 있어 처음에는 통곡하고 소리를 지르다가 나중에 기쁘게 웃게 되면, 전쟁은 종말을 고하고 뜻이 같은 사람들이 만나서 회합한다는 것이다. 왕필은 이렇게 주석한다 : "가깝게 두 강剛을 사이에 두고 떨어져 있기 때문에 아직 그 뜻을 얻지 못하였으므로 '먼저 큰 소리로 통곡한다.' 가운데 있고 존귀한 자리에 있으므로 전쟁은 반드시 이기므로 '나중에 웃는다.' 사물을 스스로 돌아오게 할 수 없어서 강직함을 써야 하기 때문에 반드시 큰 군사로 이긴 후에야 서로 만나는 것이다." 〈동인〉괘의 구오와 육이는 정응이어서 사람과 화동하는 가장 좋은 조건을 갖추었으나, 중간에 구삼, 구사의 두 양효가 있어서 그것들이 혹은 "덤불 속에 군사를 매복시키고 있거나", 혹은 "그 성벽을 올라서"군사를 동원하여서라도 육이와 서로 화합하여야겠다고 생각하고 있다. 그래서 구오효사에는 '먼저 큰 소리로 통곡한다'는 상이 있다. 그러나 자신은 중도로 하고 바르며, 또한 존위尊位에 있으므로 그 강직함(혹은 〈단전〉에서 말하는 "건행乾行")을 사용하여 적과 싸워 이겨서 육이와의 화동을 완성한다. 다름으로부터 같음(외괘는 다름으로부터 같음이다)은 어렵고 고통스런 길이고, 결코 가볍고 용이하게 얻을 수 있는 것이 아니며, 전쟁의 대가를 치르는 것을 포함하여 거대한 노력을 기울여야 한다. 이렇게 하여야만 장애를 제거하고 화동을 실현할 수 있다.

"동인우교同人于郊"는 도회지 밖에서 사람과 화동하는 것이다. 효사는, 이와 같은 화동은 "후회가 없다"고 여긴다. 김경방은 말한다 : "교郊는 야野보다 가깝다. 상구의 효사가 '도회지 밖에서 사람과 같이 한다 同人于郊'라고 말한 것은 사사로움이 없다는 뜻이 있으나, 아직 지공至公한 대동의 정도에 이르지 못한 것이므로 길함을 얻지 못하고 후회가 없음에 그칠 따름이다."[158] 그는, "지미득[志未得 : 뜻을 얻지 못함]"은 천하의 지공한 대동(즉 "동인우야同人于野")을 구하고자 하는 뜻을 실현하지 못함을 가리키고 있다고 여긴다. 이것은 진정으로 세상에 두루 하는 화동은 실현하기 어려우며, 괘사 "동인우야同人于野"는 화동의 도리에 있어서 일종의

158 김경방 등: 〈주역전해〉, 123쪽.

이상적인 경계에 불과하다는 사실을 설명한다. 그러나 〈동인〉 여섯 효에 대하여 말하자면, 비록 "동인우야同人于野"를 실현하기 어렵지만, 물러나서 "동인우교同人于郊"를 구하는 것도 어렵고 귀하게 여길 만하다.

내괘와 서로 비교하면 〈동인〉의 외괘는, 구사는 어려움에 부딪쳐 돌아봄을 알고, 구오는 먼저 싸우고 후에 화합하며, 상구는 도회지 밖에서 사람과 같이 하니, 다름으로부터 같음이라 할 수 있다. 그러나 총체적으로 말하자면, 이 괘가 우리들에게 밝게 드러내 보이는 것은, 사람과 화동하는 과정은 차별을 인식하고 인정하는 과정이고, 차별을 인식하고 인정하여야만 비로소 개성을 존중할 수 있고, 통일을 구할 수 있다는 것이다. 예컨대 괘중의 구삼("성벽을 오르다"는 때의 구사를 포함)이 감히 병사를 동원하는 위험을 무릅쓰는 것은 초기에는 개성이 귀하다는 사실을 알지 못하고 끝까지 자기의 심사心思와 뜻에 따라 사람과 화동하려는 데 있다. 이렇게 한다면 그 결과는 자연히 화동할 수 없을 뿐만 아니라, 새로운 모순을 초래할 수 있다. 구사가 어려움에 부딪쳐 돌아봄을 아는 것은, 지혜가 밝다고 할 수 있다. 그것들과 서로 비교하면, 구오는 화동의 도리를 꿰뚫고 있다고 할 수 있다. 비록 그것도 불가피하게 무력을 사용하지만, 그것의 화동이 개인의 치우친 생각에서 나온 것이 아니라 중정무사中正無私("건행乾行")에서 나온 것이기 때문에 마침내 화동의 도리를 성취할 수 있는 것이다.

이 괘 가운데 가장 깊이 생각해볼 가치가 있고 가장 경계하는 뜻이 있는 것은 초구와 육이의 두 효이다. 초구의 "동인우문同人于門"은 후회함이 없을 뿐이지만, 그 중에는 틀림없이 오의奧義가 있다. 그것은, '초구의 동同은 차이가 아직 미처 드러나지 아니한 동同이고, 비록 "출出"자가 광범한 화동의 경향을 다소 표출하고 있지만, 차이가 아직 미처 드러나지 아니한 화동이 검증을 거치지 않았기 때문에 동류합오同流合汚로 흘러가지 않을 것이라는 것을 보장하기 어렵다'는 것을 설명한다. 따라서 효사가 "허물이 없다"고만 말하고 있지만, 뜻은 사람들에게 '제발 이러한 방면의 화동에만 머물러서 앞으로 나아갈 줄을 몰라서는 안 된다'는 것을 제시하는 데 있다. 육이는 〈동인〉 가운데 유일한 음효로서, 위로 구오와 정응하고 있고 삼·사가 추파를 던지고 있어, 응당 길하고 이롭지 아니함이 없을 것이지만, 오히려 그 반대로 결과는 "인색하다." 이것은 '자기가 유리한 환경에 처해 있는 때일수록 더욱 흉금을 넓게 열고 광범하게 화동하여야 한다'는 것을 설명한다. 만일 우세를 자만하고 단편적으로 화동한다면 반드시 여한이 있다.

그 밖의 〈동인〉괘 가운데 가장 음미할 가치가 있는 것은 구사효인데, 이 효는 양으로서 음자리에 앉아 당위도 아니고, 초효가 양효라서 응하여 더불어 하는 바가 없다. 그럼에도 본괘 중에 유일하게 "길吉"자가 나타나는 효이다. 이것은, 초구의 "출문동인出門同人"이 당연히 귀한 것이기는 하지만 한판의 모순투쟁을 겪은 뒤에 돌이켜 자성하고, 다름을 살펴 같음을 추구하는 것이 더욱 얻기 어렵다는 것을 설명한다. 더구나 이러한 동同이라야만 검증을 거친 동同인 것이다. 그러나 〈동인〉의 총체로서 말하자면, 어떤 효이든지 곤순坤順과 건행乾行의 유기적인 합일이, 구동존이求同存異가 반드시 걸어가야 할 길이라는 것을 곳곳에서 표명하고 있다.

18. 부다익과 裒多益寡

부다익과[裒多益寡 : 많은 것을 덜어내어 부족한 것을 보충하다]란 말은 겸괘의 〈상전〉에 나오는데, 대의大義는 '남는 것을 덜어내어 부족한 것을 보충한다'는 것이다. 전국 말기의 저명한 사상가인 한비자韓非子는 "옛사람은 눈으로 자신을 보기에는 짧으므로 거울로써 얼굴을 보았다. 지식으로 스스로를 알기에는 부족하므로 도道로써 자신을 바로잡았다. 그러므로 거울에는 잘못을 보지 못한 죄가 없고, 도에는 과실을 명백히 하지 못한 원망이 없다. 눈이 거울을 잃으면 수미鬚眉를 바르게 할 수 없고, 몸이 도를 잃으면 미혹을 알지 못한다. 서문표는 성질이 급하였으므로 무두질한 가죽을 차서 자신을 누그려뜨렸고, 동안우는 마음이 해이하므로 활시위를 차서 스스로를 긴장케 하였다. 그러므로 남는 것으로 부족한 것을 보충하고, 긴 것으로 짧은 것을 잇는 자를 명주明主라 한다"고 했다.(〈한비자·관행〉) "남는 것으로 부족한 것을 보충하는 것"이 옛사람이 매우 중시한 수양공부임을 알 수 있다. 이러한 수양은, 행위(즉, 처세)의 방면에서 실현된 것이 칭물평시[秤物平施 : 물건을 달아서 공평하게 나누는 것], 즉 각종 사물을 가늠해 보아서 공평하게 나누어주는 것이다. 〈주역〉 가운데 이 문제를 전문으로 논의한 두 괘가 있는데, 그 이름이 손損, 익益이다.

18-1

손괘는 감손減損을 상징한다. 감손減損에도 일정한 원칙이 있으니 "유부[有孚 : 신실함 또는 신실함이 있음]"이다. 괘사는 다음과 같다.

> 손損은 신실함이 있으면 크게 길하고 허물이 없으며, 바르게 할 수 있으면 일을 도모함이 이롭다. 어떻게 쓸 것인가? 두 대그릇으로서 제사를 지낼 수 있다.
>
> 損, 有孚, 元吉, 無咎, 可貞, 利有攸往. 曷之用? 二簋 可用享.

"유부有孚"는 마음에 참된 믿음을 갖는 것이다. 괘사는 감손의 시기에 마음이 성신하면 길한 이로움이 있고, 허물이 없게 될 것이며, 바르게 할 수 있다. 괘사는 나아가 향사享祀의 예를 들어 유부有孚, 즉 마음에 참된 정성이 있기만 하면, 두 대그릇의 지극히 보잘 것 없는 제품祭品을 준비한다 하더라도 제사를 지낼 수 있다고 하고 있다. 이는 향사귀성[享祀貴誠 : 제사를 지냄에 있어서는 성심을 귀하게 여긴다]을 통하여 감손의 도를 예증한 것이다. 김경방은 "향사의 의식은 번거롭고 불필요한 예절이 가장 심하여, 밖에 나타난 꾸밈이 쉽게 내심의 성경誠敬을 초과한다. 꾸밈이 일단 성경을 초과하면, 성경은 곧 허위가 된다."고 말한다.[159] 향사는 제품祭品의 과다에 있는 것이 아니라 관건은 참됨에 있음을 알 수 있다. 이와 마찬가지로 감손의 도의 관건도 참됨(즉, 유부有孚)에 있다. 참되면 바르며[可貞], 참되고 바르면 행할 수 있다[利有攸往]. 명나라 사람 래지덕來知德은 "무릇 손損이라는 것은 인정에 반하는 일이라서, 과하거나 모자라거나 그 때에 합당하지 아니하는 것은 모두 정리正理에 부합하여 믿음이 있는 것이 아니다. 믿음이 있는 것이 아니면 불길하고 허물이 있고, 바른 도가 아니며, 행할 바가 아니다. 오직 믿음이 있어야 크게 길하고, 허물이 없으며, 바를 수 있고, 행할 수 있으니, 이 네 가지 선善이 있다"고 했다. 이 설은 괘사의 뜻을 얻은 것이다. 손괘가 밝게 드러내고 있는 감손지도減損之道에 관하여 〈단전〉이 밝히고 있는 것은 큰 특징이 있다.

> 손은 아래를 덜어서 위를 더하여 그 도가 위로 행함이니 더는 데 믿음이 있으면 '크게 길하고 허물이 없어서 바르고 굳게 할 수 있고 나아가는 것이 이롭다.' '무엇을 쓰리오? 두 대그릇으로 제사에 쓸 수 있다'는 것은 두 대그릇으로 간략하게 함이 마땅한 때가 있으며, 강을 덜어 유한 것에

159 김경방 등: 〈주역전해〉, 285쪽

더하는 것도 때가 있다. 덜고 보태며 채우고 비우는 것은 때와 더불어 행한다.

損, 損下益上, 其道上行. 損而有孚, 元吉, 無咎, 可貞, 利有攸往. 曷之用? 二簋 可用享. 二簋應有時, 損剛益柔有時. 損益盈虛, 與時偕行.

"손하익상損下益上"은 손괘의 괘상을 말한 것이다. 손괘는 아래가 태兌이고 위가 간艮인데, 왕필의 〈주역주〉에는 "간艮은 양이고 태兌는 음이다. 무릇 음은 양을 따르는 것이라. 양이 위에서 그치고 음이 기쁘게 따르고 아래를 덜어서 위를 보태니 상행上行의 뜻이다"라고 했다. 이것은 손괘의 상괘가 간으로 양에 속하고, 하괘가 태로서 음에 속하며, 간에는 그친다는 뜻이 있고 태에는 기쁘다는 뜻이 있다는 것이다. 간이 위에서 그쳐 있고 태가 아래에서 따르고 있으니 손하익상의 상象이 있다. 감손의 도리가 전적으로 손상익하를 가리키지 않는다는 〈단전〉의 이 설은 순전히 괘상을 해석한 것에 속한다고 하여야 할 것이다. 익괘의 〈단전〉에 역시 "손상익하"의 설이 있는 것도 괘상으로 말한 것과 같다. 단지 이것 역시 손과 익은 서로 보조하여 쓰이고, 서로 얻어 더욱 밝게 드러난다는 것을 표명한 것이며, 손 가운데 익이 있고, 익 가운데 역시 손이 있다. 진정한 감손減損은 바로 진정한 증익增益이다.

손

〈단전〉은 당연히 괘사의 유부지설[有孚之說 : 믿음, 신의가 있어야 한다는 설]을 인정하고 있다. 다만 〈단전〉은 동시에, 손괘의 참됨은 마음에 있어서의 참됨뿐만 아니라 시時에 있어서의 참됨, 소위 "강을 덜어 유한 것에 더하는 것도 때가 있다 損剛益柔有時"고 생각하고 있다. 마음에 있어서의 참됨은 "참되고자 생각하고 노력하는 것 思誠"이고, "참되고자 생각하고 노력하는 것은 사람의 도이다 思誠者人之道也." 때에 있어서 참됨은 "참됨 자체 誠者"이고 "참됨 자체는 하늘의 도이다. 誠者天之道也." 〈손〉괘의 참됨은 바로 마음의 참됨[心誠]과 때의 참됨[時誠]의 합일이다. 단지 마음의 참됨만 있고 때의 참됨이 없다면 덜어내는 것이 때가 아니다. 단지 때의 참됨만 있고 마음의 참됨이 없으면 덜어내더라도 바름을 얻을 수 없다. 두 가지 정황은 정상적인 현상이 아니다. 그러므로 이 두 가지 참됨이 상응하여 더불어 행해져야만 비로소 감손減損의 도리를 성취할 수 있다. 왕필은 이렇게 해석한다 : "자연의 꾸미지 아니한 본연 그대로의 성질은, 각각에게 그 분수를 정하여 주었기에, 짧은 것이 모자라는 것이 아니요 긴 것이 남는 것이 아닌 바, 장차 어떻게 덜어내고 보탤 것인가? 천하의 도가 채울 것이 아니므로 반드시 때와 더불어 행하는 것이다."(《왕필주》) 이와 같은 때와 더불어 행하는 것이 바로 〈겸〉괘 〈단전〉이 말하는 바의 "하늘의 도는 가득 찬 것을 이지러지게 하고 겸손한 데는 더해주고, 땅의 도는 가득 찬 것을 변하게 하여 겸손한 데로 흐르게 하고, 귀신은 가득 찬 것을 해롭게 하고 겸손함에는 복되게 하고, 사람의 도는 가득 찬 것을 미워하고 겸손한 것을 좋아하도다. 天道虧盈而益謙, 地道變盈而流謙, 鬼神害盈而福謙, 人道惡盈而好謙."이다.

18-2

비록 〈손〉괘가 전문적으로 감손의 도리를 말한 것이지만, 여섯 효 가운데 아래에서 스스로 덜어내는 아래 세 효가 위에서 보탬을 받은 위 세

효와 둘씩 서로 대응하는데,[160]그 표현하고자 하는 것은 "손익영허[損益盈虛 : 덜어내고 보태며, 차고 비움]의 도리이다. 아래 세 효의 효사는 이렇다.

일을 마치거든 빨리 가야 허물이 없으니 참작하여 덜어낸다. (초구)
바르고 굳게 함이 이롭고 나아가면 흉하니 덜지 않으면 보태어주는 것과 같다. (구이)
세 사람이 가면 한 사람을 덜게 되고, 한 사람이 가면 그 벗을 얻는다. (육삼)

已事遄往, 無咎. 酌損之. (初九)
利貞, 征凶. 弗損益之. (九二)
三人行則損一人, 一人行則得其友. (六三)

"천遄"은 '신속하게'라는 말이다. "왕往"은 가서 육사에 응대하라는 뜻이다. "이사천왕已事遄往"은 자기의 일을 마쳤거든 바로 달려가서 자신의 강剛을 덜어내서 육사의 유柔를 구하라는 것이다. 〈상전〉은, 초구가 이렇게 하는 것은 그것과 육사의 심지心志가 합일하다("위와 뜻을 합한다 尙合志也")라는 것을 설명하고 있다고 말한다. 효사는, "이사천왕已事遄往"은 허물이 없다고 여긴다. 다만 자기의 강한 본질에 대하여 반드시 참작하여 덜어내야지, 과하거나 모자라는 것은 모두 감손의 도리에 부합하지 않는다.

"정흉征凶", 즉 급히 앞으로 나아가는 것은 흉험凶險함을 초래할 수 있다. 효사의 뜻은, 굳게 바르게 지키는 것이 이롭고, 맹목적으로 앞으로 나아가는 것은 흉험하다는 것이다. 자기가 감손하지 않기만 하면, 이는 바로 육오에 대하여 보조輔助하는 것과 같다. 〈상전〉은, 구이의 리정[利貞

160 황수기 등: 〈주역역주〉, 342쪽

: 굳게 바르게 지킴이 이로움]은 그것이 굳게 중도를 지키는 것을 자기의 목표로 삼은 데 있다고 여긴다. 황수기는 말한다 : "구이는 양으로서 음자리에 거하고, 강유가 중도를 따르고 있어 남은 것이 있는 자가 아니다. 육오는 음으로서 양자리에 있어 역시 강유가 중도를 따르고 있어 역시 부족한 자가 아니다. 이 둘은 비록 정응이기는 하나, 구이가 급하게 나아가서는 안 되니, 스스로 덜어내지 않고 오래 그 바름을 지키는 것이 위를 보탤 수가 있다. 그래서 '바르고 굳게 함이 이롭고 나아가면 흉하다 利貞, 征凶'라고 말한 것이다."[161] 손익 쌍방이 강유가 중도를 따르고 있는 때에는 그 본색本色을 보존·유지하고 나누어진 자리 자체를 견고히 지키는 것이 손익의 도리에 부합한다는 것을 알 수 있다. 예컨대, 동한의 엄자릉이 부춘강에 낚싯대를 드리우며 광무제를 위해 관리가 되지 않았기에 황제를 위해 아무런 공헌을 하지 아니한 것처럼 보이지만 실제로는 공헌이 지대하였으니, 바로 동강의 낚싯줄 하나로 한漢의 아홉 개의 솥[162]을 붙들었다는 것[桐江一絲, 系漢九鼎]으로서, 유수(광무제)에게 큰 도움을 주었던 것이다.[163]

육삼 효사의 뜻은, 세 사람이 동행하면 반드시 한 사람을 떼어내야 하고, 한 사람이 홀로 가면 그의 벗을 얻을 수 있다는 것이다. 왕필은 이렇게 주석한다 : "덜어냄이 도가 됨은, 아래를 덜어내어 위롤 보태는 것으로 그 도가 위로 행한다. 세 사람이란, 육삼으로부터 위로 세 음을 일컫는다. 세 음이 함께 가서 상구를 받들면, 상구는 그 벗을 잃고 안에 그 주인이 없게 되는데, 이를 이름하여 보탠다고 하나, 기실은 덜어내는 것이다. 그러므로 천지가 서로 응하여 만물이 익어가고, 남녀가 배필이 되어야 낳음이 있는 법인데, 음양이 서로 짝이 되지 않으면 낳음이 어찌 가능하

161 황수기 등 : 〈주역역주〉, 338항.

162 구정九鼎이란, 주나라에 있던 아홉 개의 솥을 말하는데, 왕권을 상징하는 말이다. -역자 주

163 김경방 등 : 〈주역전해〉 288항에서 인용.

겠는가? 그러므로 육삼이 홀로 가면 그 벗을 얻고, 두 음이 함께 가면 반드시 의심케 되는 법이다."(〈주역주〉) 세 사람이란 육삼·육사·육오를 가리킨다. 이 세 효가 만일 동시에 위로 올라가서 상구를 받들게 되면, 상구는 그 정응하는 육삼을 잃어버리게 될 가능성이 있다. 그러므로 육삼이 혼자서 앞으로 나아가야만 비로소 상구와 손익을 서로 얻을 수 있으며, 이렇게 하는 것이 음양이 오로지 하나로 화합하는 도리에 부합한다. 그 반대로 만일 육삼·육사·육오가 함께 상구를 보태려고 하면, 그것에 보탤 수 없을 뿐만 아니라 오히려 그것을 덜어내게 될 것이다. 이것은, 손익의 도리에 있어서 관건은 때에 있으며, 때에 따라 그에 맞는 중도를 따라가야 한다는 것을 설명한다.

위의 세 효의 효사는 아래와 같다.

> 그 병을 덜어내되 빨리 하게 하면 기쁨이 있어 허물이 없으리라. (육사)
> 혹 더하면 십 붕의 가치가 있는 귀한 거북도 거절하지 못할 것이니 크게 길할 것이다. (육오)
> 덜지 말고 더하면 허물이 없고, 바르고 길하며, 나아가는 것이 이로우니 신하를 얻음이 일정한 집이 없으리라. (상구)

> 損其疾, 使遄, 有喜, 無咎. (六四)
> 或益之 十朋之龜, 弗克違, 元吉. (六五)
> 弗損益之, 無咎貞吉, 利有攸往, 得臣, 無咎. (上九)

"질疾"은 육사가 초구에 대하여 사모하는 마음을 가짐으로 인하여 생기는 상사병相思病을 가리킨다.[164] 〈주역정의〉는 말한다 : "질疾이란 상사

164 황수기 등 : 〈주역역주〉 340항 참조.

병이다. 초구는 스스로를 덜어 일을 마치자말자 빨리 나아가는데, 자기는 정도로서 신속하게 바치고, 음양이 서로 모이며, 같은 뜻으로 오는 것이므로 다시 아들을 바라는 질병이 없다. 그러므로 '그 병을 덜어낸다'고 말한 것이다. 병이 어찌 오래갈 것인가? 신속하게 하면 기쁨이 있고, 허물이 없으니, '빨리 하게 하면 기쁨이 있어 허물이 없으리라.'고 말한 것이다." 효사의 뜻이, 상사병을 스스로 치료하고 신속하게 초구가 보태어 주는 양강을 받아들이면, 반드시 기쁨이 있고 허물이 없다는 것임을 알 수 있다. 이것은, 손익의 도리는 손익 쌍방이 서로 얻어야 보탬이 밝게 빛난다는 것을 설명한다. 덜어냄이 와서 보탬에 있어, 동시에 보탬이 되는 자도 적극적으로 이에 영합하여 스스로를 덜어내고 이를 헌납할 것이 필요하다.

"붕朋"은 고대 화폐의 단위이다. 효사의 뜻은, 어떤 사람이 십 붕의 가치가 있는 큰 보배 거북이를 헌상하는데, 거절할 방법이 없다는 것은 지극히 길상하다는 것이다. 주고정朱高正은 말한다 : "육오가 유柔로서 상괘의 가운데 자리에 앉았고, 한 괘의 존위尊位를 얻었으며 아래로 구이의 양강과 응하여, 지존의 왕이 중정 유순의 미덕을 구비하고 능히 가운데를 비우며 스스로 덜어내어 아래로 구이의 어질고 능력 있는 선비를 구하는 것을 나타내고 있다. 육오가 현인을 예로 대하고 선비의 아래로 갈 수 있는 것은, 비록 높은 몸을 굽혀 낮은 곳에 처신하는 것이지만, 실로 천하의 보탬을 받고, 천하의 이로움을 얻는 것이다."[165]

상구의 "불손익지弗損益之"는 구이와 용어는 같지만 그 가리키는 바가 다르다. 상구의 뜻은, 다른 사람을 덜어내지 않게 하는 것이 바로 보탬을 얻는다는 것이다. 김경방은 이렇게 여긴다 : "상구는 양강으로서 손의 마지막에 거쳐서, 손이 다하는 곳에 이르렀으므로, 응당 덜어내지 않는 것

165 주고정 : 〈역경백화예해〉, 254항.

으로 바뀌어야 한다. 이때 상구로서 말하자면, 두 가지 선택에 직면하고 있다. 하나는 양강으로 상에 거하며 아래를 덜고 깎는 것이고, 둘은 능히 덜어낼 수 있지만 그 덜어냄을 행하지 아니하고, 바뀌어 양강의 도로서 아래를 보태어주는 것이다. 전자는 허물이 있게 되는 길이고, 후자는 허물이 없게 되는 길이다. 〈손〉의 상구는 후자를 선택하였으므로 허물이 없고, 바르고 길하며, 천하 사람들이 돌아와 따르게 된다."[166]

총괄하면, 〈손〉괘의 여섯 효는 거듭하여 손하익상[損下益上 : 아래를 덜어 위에 보탬]의 도리를 말하고 있다. 그러나 각 효의 시위時位가 달라 그 손익의 방법도 각각 서로 다르다. 그러나 이러한 "각각 서로 다름"도 모두 괘사의 "유부[有孚 : 참되고 믿음이 있음]"와 〈단전〉의 "여시해행[與時偕行 : 때와 더불어 행한다]이라는 기본 원칙을 벗어날 수 없다. 똑같은 것이 손상익하[損上益下 : 위를 덜어 아래를 보탬]의 〈익〉괘에도 적용된다.

18-3

〈익〉괘는 더하고 보탬을 상징한다. 그 괘사는 이렇다 : "나아가는 것이 이로우며, 큰 내를 건넘이 이롭다 利有攸往, 利涉大川." 앞으로 나아감이 있는 것이 이로우며, 거대한 하천을 건너는 것이 이롭다는 뜻이다. 〈단전〉은 이렇게 해석한다.

> 익괘는 위를 덜어서 아래에 더하니 백성의 기뻐함이 끝이 없고, 위로부터 아래로 내려오니 그 도가 크게 빛난다. '나아감이 이로운 것'은 중정해서 경사가 있는 것이고, '큰 내를 건넘이 이로움'은 나무의 도가 행해짐이라. 익은 움직이되 겸손해서 날로 나아감이 끝이 없으며, 하늘은 베

166 김경방 등 : 〈주역전해〉, 200항 참조.

풀고 땅은 낳아서 그 유익함이 방소가 없으니, 무릇 익의 도는 때와 더불어 행하느니라.

益, 損上益下, 民悅無疆. 自上下下, 其道大光. 利有攸往, 中正有慶. 利涉大川, 木道乃行. 益, 動而巽, 日進無疆. 天施地生, 其益無方. 凡益之道, 與時偕行.

〈익〉괘는 하진상손下震上巽인데, 왕필은 "손상익하損上益下"를 이렇게 주석한다 : "진震은 양이다; 손巽은 음이다. 손은 진을 어기지 않는다. 위에 있으면서 공손하고, 아래를 어기지 않으니 '손상익하'라 일컫는다." 〈정의〉 소疏는 말한다 : "이것은 두 체體로서 괘명의 뜻을 해석한 것인데, 유손柔巽은 위에 있고 강동剛動은 아래에 있는데, 위에 있는 손巽이 아래와 어긋나지 않으므로 위를 덜어서 아래를 더하는 뜻이 있다. 즉, 위에 있는 자가 스스로를 덜어서 아래를 보태어주니, 아래에 있는 백성이 기뻐하고 즐거워함이 끝이 없는 것이다. 〈익〉괘의 이름이 〈익〉인 이유는, 바로 위를 덜어서 아래를 보태어주니 백성이 기뻐함이 끝이 없기 때문이다. 위로부터 아래로 내려오니 그 도가 크게 빛나서 천하의 경사가 되고 의지하는 바가 된다." 〈단전〉의 "손상익하損上益下"의 설은 이 괘의 하진상손下震上巽의 상象과 진강손순震剛巽順의 덕으로부터 그 뜻을 취한 것임을 알 수 있다. 진강은 아래에서 크게 떨치고 손순은 위에서 응한다. 위로서 아래에 응하니 위로부터 아래로 내려간다고 할 수 있다. 왕필은 "중정유경中正有慶"을 이렇게 주석한다 : "오는 중정에 처해 있으면서 위로부터 아래로 내려오니 그래서 경사가 있다; 중정과 경사가 있는 덕으로서 나아가니, 어디로 가든 이롭지 아니함이 있으리오!". 이것은, 〈단전〉이 말하는 "중정中正"은 구오를 가리킨다는 것을 설명한다. "목도木道"를 중정은 이렇게 주석한다 : "나무라는 것은 큰 내를 건너는 것을 예사로이 하지만 물에 빠지지 않는 것이다. 보태는 것으로 어려움을 건너는 것이 나무와 같다." 〈정의〉 소는 말한다 : "나무의 도가 행하여진다는 것은 큰 내를 건넘에 이롭다는 것을 비유하여 해석한 것이다. 나무라는 것은 가볍고 물에 떠서 큰 내를 건너는 것을 예사로이 하지만 물에 빠지지 않는 것이다. 보탬으로써 어려움을 건너는 것은 나무의 도가 내를 건너는 것과 같아서 내를 건너더라도 해를 입지 않으니, 보탬이 이로움이 되는 것을 알 수 있다. 그러므로 '큰 내를 건넘이 이로우니 목도木道가 행하여짐이라'고 하였다." 이것은, 나무가 능히 하천을 건널 수 있음을 비유하고 익도益道의 쓰임을 설명한 것이다. 〈설괘전〉에 의하면, 손은 나무이고, 나무는 내를 건널 수 있으므로, 손상익하損上益下인 〈익〉괘는 나무가 내를 건너는 것처럼 어려움을 건너갈 수 있다. "천시지생天施地生"에 대하여 김경방은 이렇게 말한다 : "'천시天施'는 '크도다 건원이여, 만물이 이로 바탕하여 비롯하는구나 大哉乾元, 萬物資始'를 말함이고, '지생地生'은 '지극하구나 곤원이여 만물은 이를 바탕으로 낳는구나 至哉坤元, 萬物資生'를 말함이다."[167] "천시지생天施地生"은 천지가 처음으로 만물을 낳는 것을 빌려 "익益"의 때를 당하여 상하가 서로 교감하는 이치를 설명하고 있음을 알 수 있다.

익

이상의 주해를 총괄하면, 〈단전〉의 대의는 다음과 같음을 알 수 있다: 〈익〉괘는 위에서 덜어내서 아래에 보태어주는 도리를 말한 것이다. 위에

167 김경방 등 : 〈주역전해〉, 294정.

서 덜어내어 아래에 보태어주면, 백성들이 기뻐하고 즐거워함이 끝이 없을 것이다. 위쪽에서 덜어내서 아래쪽으로 보태어주는 것, 이러한 행위는 크게 빛을 발한다. 〈익〉괘가 이와 같은 행위를 하여 천하인天下人으로 하여금 그 행복과 경사를 누릴 수 있게 하는 까닭은 상하(육이와 구오)가 중정하고 치우침과 사리사욕이 없기 때문이다. 이렇게 한다면 마치 배를 타고 강을 건너는 것과 같이 일체의 곤란·험난함과 싸워서 이길 수 있으니, 나아가는 길이 막힘이 없이 순창하다. 보태어주는 때에는 아래에 있는 것은 떨쳐 움직이고, 위에 있는 것은 겸손하고 유순하다. 상하가 합일하니, 하루하루 정진함이 끝이 없다. 하늘이 능히 이를 바탕으로 하여 비롯하고 땅이 이를 바탕으로 하여 낳으니, 비롯하고 생겨나는 익益이 만방에 널리 이른다. 요컨대 때가 보탤 때는 보태고, 때가 덜어낼 때는 덜어내는 것이 때에 맞춰 행하여 그 항상恒常을 얻는다.

〈손〉괘와 마찬가지로 〈익〉괘의 지향점도 "때와 더불어 행한다 與時偕行"이다. 그러나 이를 세밀하게 분석하면, 둘 사이에도 약간의 다른 점이 있다. 전자는 그 뜻이 아래를 덜어서 위를 보태어주는 것이니, 사회로 말하자면 백성의 것을 덜어서 정부를 보탠다는 것이다. 이러한 덜어냄[損]은, 중점이 물질적 이익의 방면에 있는 것이 아니라 성실과 신의를 지킴에 있어서, 피차가 서로 상응하여야 한다는 데에 있다. 그러므로 괘사에는 "두 대그릇[二簋]"의 비유가 있다. 후자는 그 뜻이 위를 덜어서 아래를 보태는 데 있는데, 사회로 말하자면 정부의 것을 덜어서 백성에게 보탠다는 것이다. 이러한 덜어냄[損]은 그 중점이 사물을 이롭게 하고 백성을 교화하는 데 있어서 같은 배를 타고 함께 건너야 한다는 데에 있다. 그러므로 〈단전〉에 "목도지설木道之"이 있다. 이러한 구별은 바로 "덜어냄"이 "덜어냄이 됨"과 "보태어줌"이 "보태어줌이 됨"의 원인이 있는것을 보여준다. 당연히 진정한 "덜어냄[損]"과 진정한 "보태어줌[益]"은 분리

될 수 없는 것이며, 그러므로 둘은 모두 손익이 때에 따름을 강조한다.

18-4

〈손〉괘와 마찬가지로, 〈익〉괘 여섯 효도 손익의 도리를 둘러싸고 전개되는데, 다만 진로는 〈손〉괘와 서로 반대된다. 아래 세 효의 효사는 다음과 같다.

> 크게 일하는 것이 이롭고, 크게 길하며, 허물이 없다. (초구)
> 혹 보태면 십 붕의 보배 거북이도 거절할 수 없으며, 영원히 바르게 하면 길하고 왕이 상제에게 제사를 지냄이 길하다. (육이)
> 보태주는 것을 흉한 일에 쓰니 허물이 없고, 믿음을 갖고 중도로 행하며, 공에게 알림에 홀을 쓴다. (육삼)

> 利用爲大作, 元吉, 無咎. (初九)
> 或益之十朋之龜, 弗克違, 永貞吉, 王用享于帝, 吉. (六二)
> 益之用凶事, 無咎. 有孚中行, 告公用圭. (六三)

"대작大作"은 크게 일함이 있다는 것이다. "이용위대작利用爲大作"은, 〈익〉괘의 시초에 처하여 크게 일을 함에 보태어준다는 것이다. 다만 효사의 뜻에 따르면, 초구가 크게 일을 함은 반드시 일을 진선진미하게 처리하여야 비로소 허물이 없다는 것이다. 왜 그런가? 〈상전〉의 해석은 이렇다 : "'원길, 무구'는, 아랫사람은 두터운 일을 하지 못하기 때문이다. '元吉, 無咎', 下不厚事也." 한 괘의 아래에 처하고 있어서, 본래는 큰일을 함에 보태어줄 수 없다는 뜻이다. 그러나 하려면 반드시 성공만 허용하지 실패는 허용하지 않는다. 왕필은 이렇게 주석한다 : "때는 크게 일함이 있을 때인데, 아래로서 일을 두텁게 할 수 없다. 때를 얻었으나 자리를 얻지 못하였으니, 크게 길하고 허물이 없는 것이다."(《주역주》) "득기시得其時"는 육사의 보탬을 얻었다는 것이다. "무기위無其位"는 앉은 자리가 비천하고 아래라는 것이다. 이로써 보건대, 초구는 때는 있고 자리는 없다고 할 수 있는데, "그러므로 그것은 완전히 잘해야만 크게 길함을 얻을 수 있고, 자기를 지지한 육사가 사람을 알아본다고 할 수 있으며, 자기 자신도 임무를 수행할 수 있다고 할 수 있다. 그렇지 않을 경우, 육사는 허물이 생기고 초구 자신도 역시 허물을 얻게 된다."[168] 이것은, 보탬을 얻는 것은 좋은 일이기는 하지만, 동시에 도움을 받는 사람에 대한 책임감과 능력도 검증되어야 한다는 것을 설명한다. 오늘날 중국의 가난한 사람들을 돕고 가난을 벗어나게 하려는 행동도 이 효로부터 적지 않는 계시를 얻은 듯하다.

〈익〉괘 육이와 〈손〉괘 육오는 그 상이 서로 같다. 후자는 아래를 덜어서 위를 보태주는데 구이가 양이고, 전자는 위를 덜어서 아래를 보태주는데 구오가 양이다. 그래서 효사는 모두 "십붕지구十朋之龜"로 비유하고 있다. 다만 〈손〉의 육오는 유柔로서 강剛 자리에 앉아 있는 바, 유는 능히 겸허하게 받을 수 있고 강은 굳게 지킬 수 있어서 군주가 백성의 옹호를 받는 바와 같아 크게 길함을 얻을 수 있는 것이다. 〈익〉의 육이는 음으로서 음자리에 앉아 겸허하게 받아들이는 능력은 있으나 견고하게 지키는 힘이 없음이 신하가 군주의 은총을 무겁게 받고 있는 것과 같아서 효사는 "영정길永貞吉", 즉 영원히 바르게 지켜야 비로소 길함을 얻을 수 있다는 것으로 경계하고 있다.

"용흉사用凶事"는 흉함을 구하고 험난함을 바로잡는 데 사용한다는 것

168 김경방 등 : 〈주역전해〉, 295항.

이다. 왕필은 이렇게 주석한다 : "음으로서 양자리에 있으며, 아래 괘의 위에 있으니 심히 씩씩하다; 쇠약하고 위태로운 것을 구하는 것은 사물이 의지하는 바다. 그러므로 흉한 일에 써서 허물이 없는 것이다."(《주역주》) "규圭"는 옥기玉器이다. 고대 천자·제후·경대부는 제사·조례 때에 이것을 잡고 신임을 고한다. 왕필은 말한다 : "만일 사사로움을 위하지 아니하고 보태어주는 것은 뜻이 구난救難에 있고, 씩씩함이 너무 심한 지경에 이르지 않으니 중행中行을 잃지 않았다. 이렇게 공에게 고하는 것이 나라주인의 소임이다. 홀을 사용하는 도리는 이 도리에 모두 갖추어져 있다."(위 같음) 양안楊按 : 〈익〉괘는 위를 덜어서 아래를 보태는 것인데, 육삼은 아래 괘의 끝에 처하여 손익의 교접점이 되어서 수익이 가장 많으니, 응당 성심성의껏 해야 그 받은 수익으로 인하여 다른 사람들에게 널리 보태게 된다.

〈익〉괘의 세 효의 효사는 다음과 같다.

중도로 행하면 공에게 고함에 공이 따를 것이니 그에게 의지하며 나라를 옮김이 이로우니라. (육사)
은혜를 베푸는 마음을 지성으로 하는 것이다. 묻지 않아도 크게 길하니 믿음이 있어서 나의 덕을 은혜롭게 생각하리다. (구오)
더하는 바가 없다. 혹 칠 것이니, 마음을 세움이 항상 하지 않으니 흉하다. (상구)

中行告公從, 利用爲依遷國. (六四)
有孚惠心, 勿問元吉, 有孚惠我德. (九五)
莫益之, 或擊之, 立心勿恒, 凶. (上九)

"천국遷國"은 나라의 수도를 옮기는 것이다. 효사의 뜻은 '중도로서 신중하게 행동하며 왕공王公에게 뜻을 다하면, 반드시 말을 듣고 계획을 따르도록 할 수 있으니, 왕공에 의지하여 수도를 옮겨서 백성에게 보태어주는 것이 이롭다'는 것이다. 황수기는 다음과 같이 생각한다 : 이 두 구절은 육사가 "위를 덜어서 아래를 보태는" 때에, 부드럽고 바른 덕을 품고 위괘의 처음에 자리하고 가까이 구오의 양강을 받드니, 군주에게 의지하여 아래의 백성들에게 이익을 베푸는 상象이 있다. 그러므로 효사는 "중행"의 덕으로 "공에게 고하여" 아래를 보태어주라고 하면 "공"은 반드시 듣고 따를 것이라고 지적하고 있다. 또한 군주에게 의지하여 그 수도를 옮겨 백성들에게 혜택을 주는 것이 이롭다고 말한다. 효의 뜻은 음유한 자가 자리를 얻고 위를 받들어 아래에 보태는 것을 중점으로 하고 있다.[169]

"혜심惠心"은 천하에 은혜를 베푸는 마음을 가리킨다. "물문勿問"은 추호의 의문이 없다는 것을 말한다. 효사의 뜻은 '진실하게 천하에 은혜를 베풀 마음이 있다면 말할 필요도 없이 자연히 길할 것이고, 천하 사람들도 이로 인하여 진실로 나의 은덕에 보답할 수 있을 것이다'라는 것이다. 육사와 구오는 〈익〉괘 가운데 사람에게 보태주는(혹은 덜어냄을 당하는) 한쪽 당사자이며, 그 관건은 마음에 진실함을 간직함에 있다는 것을 알 수 있다. 이것과 〈손〉괘가 "진실한 마음을 갖는 것[有孚]"을 강조하는 것과 완전히 일치한다.

상구는 〈익〉괘의 마침이 되는데, 〈손〉괘의 상구와는 아주 다르다. 〈손〉괘의 상구는 "손"의 마침에 처하여, "덜지 말고 더하여" "아래를 들어 위를 보탬"을 끝내는 뜻이 있으므로, "정길貞吉"이다. 〈익〉의 상구는 이 아래를 보태주는 때에 있어서, 비단 아래를 보태줄 항심恒心이 없을 뿐만 아니라 아래를 덜어낼 잡념雜念을 갖고 있어, 그 결과로 타인의 도움을 얻지

169 황수기 등 : 〈주역역주〉349항 참조.

못하고 오히려 밖으로부터 공격을 받을 가능성이 있어서, 흉험하다.

총괄하면, 〈익〉괘는 "위를 덜어서 아래를 보태는 것"으로, 아래에서 보탬을 받는 자가 보탬을 받는 데 안일安逸해서는 안 되고, 위에서 주는 자는 반드시 성심에서 나와야 할 것을 요구한다. 아래는 보탬으로 인하여 떨쳐 일어나고, 위는 은혜를 베풀되 스스로 겸허하여야만 "익"도를 크게 밝힐 수 있다. 당연히, 앞에서 말한 바와 같이, 보태는 것과 더는 것, 더는 것과 보태는 것은 잠시라도 떨어질 수 없다. 덜어냄에는 반드시 보탬이 있고, 보탬에는 덜어냄이 있다. 만일 덜어내야 할 때 보태거나 보태야 할 때 덜어내는 것은 손익의 도리에 위배된다. 현대사회를 예로 들면, 금상첨화[錦上添花 : 좋은 일에 또 좋은 일을 더하다. 여기서는, 도울 필요가 없는 힘 있는 사람에게 더 갖다 주는 세태를 빗대는 말]하는 자는 많고 설중송탄[雪中送炭 : 눈 오는 날 숯을 보태 따뜻하게 지낼 수 있도록 해주다. 여기서는, 다른 사람이 어려울 때 도와줌을 비유하는 말]하는 자는 적으니 손익의 도리에 위배되는 것이 아니고 무엇이겠는가?

19. 둔세무민 遁世無悶

앞의 여러 장에서 굴신·동이·손익 등을 말했다. 다만 현실생활 중에서 적지 않은 사람이 펼 줄만 알고 굽힐 줄은 모르고, 같을 줄만 알지 다를 줄을 모르며, 보탤 줄만 알지 덜어낼 줄을 모른다. 결과는 왕왕 처음은 잘할지 모르지만 끝까지 잘하는 경우는 드물다. 생각해보면, 그 원인은 많겠지만 둔세무민[遁世無悶 : 세상을 등지고 살아도 근심할 것이 없다는 뜻]의 정신과 흉금 또한 그 중의 하나일 것이다. "둔세遁世"는 잠기어 숨는 것과 물러나 자취를 감추는 것이다; "무민無悶"은 근심할 것이 없고 노할 것도 없이 즐겁게 자족하는 것이다. 처세방면으로 말하자면, 그것도 일종의 인생 통변지술通變之術이라 할 수 있다.

19-1

〈주역〉에는 〈둔〉이라고 불리는 괘가 하나 있는데, 퇴은지도[退隱之道 : 사회에서 물러나 은거하는 도리]를 전문적으로 논의한 것이다. 그 괘사는 이렇다.

둔은 형통하니 바르게 함이 조금 이롭다.

遁, 亨, 小利貞.

둔

〈둔〉괘는 하간상건下艮上乾으로, 괘상의 대세는 음이 자라고 양이 사라지는 모양인데, 〈주역〉은 이것으로 소인배가 점점 득세하고 군자는 응당 때에 맞춰 물러나 은거하는 것을 상징하고 있다. 그러나 물러나는 것은 몸[身]이고 지켜야 하는 것은 도道로서, 몸이 물러나는 것은 바로 도를 지키기 위해서이다. 그러므로 비록 물러나 은거하지만 여전히 그 형통함을 얻는다. 그러나 결국은 소인배가 점점 득세하는 때이므로 군자는 응당 작은 일을 근신하고 정도를 잃지 않아야 한다. 〈단전〉은 이렇게 해석한다.

"둔이 형통한 것"은 피해서 형통한 것이요, 강한 것이 마땅한 자리에 앉아 응했기 때문이니 때와 더불어 행하는 것이다. "바르게 함이 조금 이롭다"함은 음이 침범하여 자라기 때문이니, 둔의 때의 의의가 크도다.

"遯亨", 遯而亨也. 剛當位而應, 與時行也. "小利貞", 浸而長也. 遯之時義大矣哉.

"둔이형遯而亨"은 물러나 피한 뒤에야 형통할 수 있다는 것을 가리킨다. "강당위剛當位"는, 구오가 양효로서 오 자리에 있다는 것을 가리킨다. "응應"은, 육이와 구오가 상응相應한다는 것을 가리킨다. "여시행與時行"은 때에 따라 맞게 행한다는 것이다. "침浸"은 천천히[漸]라는 뜻이다. "침이장浸而長"은, 초육·육이 등 음효로 대표하는 음의 세력이 점점 성대해지는 것을 가리킨다. 〈단전〉은, 〈둔〉의 시기에는 군자는 응당 소인의 세력이 점점 성대해진다는 것을 제때 살펴 알아서, 때에 맞춰 나아가고 물러나야 한다고 여긴다. 여기서 "여시행야與時行也"라는 한마디 말이 바로 관건인데, 이는 둔의 시기에는 바로 물러나 은거하는 것이 전체적인 대세이지만 물러나 은거한다는 것이 결코 말 그대로 물러나고 도망친다는 것을 의미하는 것이 아니라, 시기가 멈추어야 할 때 멈춘다는 것이다. "물러나고 멈춤[退止]"의 과정 중에는 어쩌다 행해야할 시기가 있으면 절대로 놓쳐서는 안 된다. "소리정小利貞"은 이러한 뜻을 가리킨다. "소리정, 침이장야 小利貞, 浸而長也"는 실제로는 소인이 점점 성대해질 때, 군자는 기회를 살펴 적게라도 행동함이 있어야 하지, 전혀 없어서는 아니 된다는 것을 말한다. 다만 마땅히 근신하며 스스로를 지켜 소인에게 칼자루를 쥐어주지 않을 따름인 것이다. 그래서 〈상전〉은 말한다 : "하늘 아래 산이 있으니, 둔이다. 군자는 이를 본받아 소인을 멀리하고 미워하지 않되 엄하게 한다. 天下有山, 遯. 君子以遠小人, 不惡而嚴" "원소인遠小人"은 바로 소인을 멀리 피하는 것이요, 소인에게 죄를 짓지 않는 것이다. "불오不惡"는 바로 소인에 대한 증오를 표현하지 않는 것이다. 그렇다고 해서 표현하지 않는 것이 "향원鄕原"과 같은 무골호인이 된다는 것이 아니라 스스로 자기 영역, 경계를 지켜서 침범할 수 없도록 하고, 이러한 위엄 있고 엄숙한 모습으로 소인배의 기고만장하는 기세를 억눌러야 한다. 그래서 "미워하지 않되 엄하게 한다"고 하는 것이다.

"미워하지 않되 엄하게 한다"는 것은, 맹자의 말을 빌리면 "궁해도 의를 잃지 않는 것 窮不失義"이라고 말할 수 있다. 맹자는 다음과 같이 말했다.

> 그런고로 선비는 궁해도 의를 잃지 않고 잘 되어도 도에서 벗어나지 않는다. 궁해도 의를 잃지 않으니 선비로서 자신의 절개를 지킬 수 있고, 잘 되어도 도에서 벗어나지 않으므로 백성들을 실망시키지 않는다. 옛 사람은 뜻을 얻어 나서서 다스리게 되면 백성에게 은택을 더욱 베풀어 주었고, 뜻을 얻지 못하여 은퇴하였을 때는 자신의 몸을 수양함으로써 후세에까지 이름을 남겼던 것이다. 궁하면 오직 자신 하나라도 착하게 간직하고, 잘되면 온 천하를 좋게 해주었던 것이다.(《맹자·진심상》)

군자가 물러나 은거할 때가 맹자가 말하는 바의 곤궁할 때에 속하나, 군자는 곤궁하다고 해서 절개를 잃어서는 안 된다; 비단 잃어서는 안 될 뿐만 아니라, 오히려 열심히 품덕을 수양하여 세상 사람들에게 밝게 내보여야 한다. 이것이 바로 군자의 본성이다. "군자의 본성은 비록 그가 크게 달통하여 천하를 통치한다고 해서 더 불어나지도 않고 반대로 그가 궁핍하게 은거한다고 해도 더 줄어들지도 않는 것이다. 그 까닭은 그 분

수가 정해져 있기 때문이다."(위 같음)

군자가 때에 맞게 물러나는 것으로서 몸을 지킬 뿐만 아니라 도를 간직할 수 있음을 알 수 있다. 그러나 그 중점은 몸을 지키는 데 있는 것이 아니라 도를 간직하는 데 있다. "굴신유도屈伸有道"의 장절에서 한 말을 빌리면, 군자가 때에 맞춰 물러나는 것은 굴屈이라 부를 수 있을 것이다. 굴屈의 목적은 신伸을 위한 것이다. 그러므로 물러나 은거하는 목적은 다시 나오기 위한 것이라 할 수 있다. 정이의 말을 빌리면, "군자는 물러나 숨어 있으면서 그 도를 편다 君子退藏以伸其道"이다. 그러므로 비록 물러나 피하지만 형통한 것이다.

19-2

〈둔〉괘 여섯 효는 모두 "둔"의 문제를 둘러싸고 전개된다. 서로 비교하여 말하면, 아래 세 효는 각종 환경조건의 제한 때문에 어떤 것은 제때 물러나지 못하고, 어떤 것은 물러나려고 하지 않으며, 어떤 것은 물러나지 못하니, 바르게 머물러 스스로를 지키고 대사를 도모하지 아니하는 것을 마땅함으로 여긴다. 위 세 효는 양강으로 밖에 있어서 모두 때를 파악하여 은퇴할 수 있으니, 사사로움에 연연하지 않고 의연하게 멀리 떠남을 아름다움으로 여긴다.[170] 먼저, 아래 세 효를 보자!

> 물러나는데 꼬리라. 위태하니 나아가지 말 것이다. (초육)
>
> 누런 소의 가죽으로 묶음이라. 그 묶음은 무엇으로도 벗겨낼 수 없다. (육이)
>
> 매이는 물러남(돈)이라. 병이 있어 위태하나, 신하와 첩을 기르는 데는

170 황수기 등: 〈주역역주〉, 278쪽 참조

길하다. (구삼)

遯尾, 厲, 勿用有攸往. (初六)

執之用黃牛之革, 莫之勝說. (六二)

係遯, 有疾, 厲. 畜臣妾吉. (九三)

"미尾"는 가장 뒤쪽에 떨어진다는 것이다. "둔미遯尾"는 물러나 피하여야 할 때 다른 사람의 뒤편에 떨어진다는 것이다. 〈둔〉괘는 하건상간下乾上艮으로서, "음기가 이미 이二에까지 이르렀는데 초初는 그 뒤쪽에 있으므로" "둔미"라고 일컫는다. "난을 피할 때에는 마땅히 앞서야 하나, 뒤쪽에 있으므로" 효사는 이렇게 하면 매우 위험하다고 여긴다. "앞으로 나아가면 재난과 만난다." 그러므로 가장 좋은 것은 멈춰서서 나아가는 바가 없어야 한다.(〈주역집해〉, 육적의 설을 인용) 〈단전〉은 이렇게 말한다 : "도망하는데 꼬리라서 위태함이나, 가지 아니하면 무슨 재앙이 있으리오? 遯尾之厲, 不往, 何災也?" 만일 앞으로 나아가지 않는다면 무슨 재해가 있을 수 있겠는가라는 뜻이다.

"집執"은 묶는 것이다, "설說"은 벗어난다[脫]는 것이다. 효사의 뜻은, 황소의 가죽으로 만든 혁대에 묶여서 벗어날 수 있는 사람은 없다는 것이다. 〈둔〉괘 중에 오직 육이 한 효만이 "둔"을 말하지 않고 있다. 육이는 음으로서 음자리에 거하여, 제자리를 얻었고 가운데에 있으며, 그 응효인 구오는 양으로서 양자리에 앉아서 제자리를 얻었고, 가운데에 있다. 육이와 구오는 중도를 취하고 바르게 친화하여 그 울타리를 부술 수 없다. 이는 사람과 신하가 도의를 중시하는 것에 잘 비유할 수 있는데, 은둔하여 피하여야 할 시기에 자신 한 몸의 사사로움을 위하여 군왕을 배반하지 않는 것이다. 그래서 〈단전〉은 말한다 : "누른 소의 가죽을 써서 묶음은 뜻을 견고하게 하는 것이다 執用黃牛, 固志也." "고지固志"는 바로 보좌하는 뜻을 고수하고 물러나지 않는 것이다. 예컨대, 당나라 때 안사의 난이 막 일어났을 때, 안록산의 군대가 지나가는 곳마다 추풍낙엽이 되고, 당 현종마저 부득불 황급히 서쪽으로 피난 가자, 수많은 관원들은 사방으로 흩어졌다. 그러나 장순은 저양睢陽을 굳게 지키고 죽음으로써 당 황실에 충성할 것을 맹서하여 사람과 신하의 도리를 다하였다. 비록 적군의 공세가 너무 맹렬하여 저양성은 마침내 무너졌지만 장순의 완강한 저항 때문에 당조의 동남 반쪽 강산은 적군에게 유린되지 않았고, 남북 대운하도 막힘없이 순조롭게 운행되었다. 이 덕분에 남방물자가 끊임없이 북방에 있는 군대에 지원되었고, 마침내 반란은 평정되었다.[171] 장순과 당 현종의 관계는 〈둔〉의 육이와 구오의 관계로 잘 비유할 수 있을 것이다.

"계系"는 '마음에 걸리다, 걱정하다'이다. 효사의 뜻은, '구삼은 마음에 연연하는 바가 있어 제때 물러나 피하지 못하니 위험이 있다'는 것이다. 이러한 정황에서는 신하와 첩을 거느리고 기르면 길함을 얻을 수 있다. 〈상전〉은, 구삼의 위험은 얽매임과 질병·고달픔이 초래한 것("질환과 고달픔이 있다 有疾憊也")이라고 여긴다. "신하와 첩을 기르는 것이 길하다 畜臣妾吉"는 것은 이러한 경우에 처하게 되면 스스로를 지킬 수 있을 뿐, 커다란 시도를 해서는 안 된다는 것을 설명한다. 그런데, 구삼은 하괘의 끝에 처하여 양으로서 양자리에 있고 위로 응하는 바가 없는데 무엇에 매이는 것일까? 그 답은, 매이는 것은 육이이다. 육이는 음으로서 구삼의 양을 받들고 있고, 구삼과 육이는 서로 친비親比하여 구삼으로 하여금 육이에게 매이고 이끌려서 도망쳐 물러나지 못하게 한다. 효사는, 구삼은 육이의 음의 무리에 속박되었으니, 이 은둔하고 물러나야 할 시기에는 신하와 첩을 기르는 것과 같은 작은 일만 처리할 수 있을 뿐, 큰일은 처리할

171 주고정 : 〈역경백화예해〉 202항 참조.

수 없다고 여긴다. 예컨대, 민국民國의 영웅인 채악蔡鍔[172]이 일심으로 황제가 되고 싶어 했던 원세개에 의하여 북경에 갇혀 있을 때, 매일 옷을 꾸며 입고 기원妓院에 출입하여 기녀 소봉선과 뒹굴면서 자기의 의지가 사라진 듯이 표현하여 원세개가 눈치 채지 못하게 하였는데, 이것이 바로 〈둔〉괘 구삼의 형세와 아주 비슷하다.

요컨대, 〈둔〉괘의 아래 세 효에 있어서, 초효는 제때 피하여 물러나지 못하여 위험을 초래하고, 육이는 구오와 정응인 관계로 피하여 물러나기를 원하지 아니하며, 구삼은 마음에 걸려 피하여 물러나지 못하는 것이다. 셋은 경우는 같지 아니하나, 모두 도피하여 물러나지 않는 것이다. 비록 도피하여 물러나지 아니하지만, 효사는 모두 "물러나지 않지만 실질은 물러남"이라는 둔의 시기에 처신하는 도리를 제공하고 있다. 예를 들면, 초효는 "나아가지 말 것 勿用有攸往"을 강조하는데, 바로 "피하여 물러나는데 꼬리[遯尾]"를 보충하여 구하는 방법이다. 구삼은 "신하와 첩을 기름 畜臣妾"을 강조하는데, 실제로는 물러나 피하고 싶지만 그렇게 하지 못할 때는 큰일을 하지 않고 신하와 첩을 거느리고 기르는 방법으로 피하여 물러나는 목적을 달성한다는 것을 지적한 것이다. 비록 〈둔〉괘가 도피하여 물러남을 주장하지만 시간이 못 미치거나 마음이 원하지 않거나 혹은 사정상 어쩔 수 없이 그렇게 할 수 없을 때에는 대책을 세워 적응하기만 하면 피하여 물러나는 목적을 달성할 수 있다는 것을 알 수 있다.

19-3

다시 외괘의 세 효를 보자.

172 위안스카이[袁世凱]를 토벌한 호국군 총사령관이다. 본명은 건인[艮寅]. 자는 쑹포[松坡]. 후난 성[湖南省] 사오양[邵陽] 사람이다 -역자 주

좋아도 도피하니, 군자는 길하고 소인은 비색하다. (구사)
아름답게 도피하니 바르고 굳게 하여 길하다. (구오)
살찌게 도피하니 이롭지 않음이 없다. (상구)

好遯, 君子吉, 小人否. (九四)
嘉遯, 貞, 吉. (九五)
肥遯, 無不利. (上九)

"호好"는 좋아하는 것이다. 왕필은 이렇게 주석한다 : "괘의 바깥에 있으면서 안에 응함이 있으나, 군자는 좋아도 도피하니 능히 이를 버릴 수 있다. 소인은 연정에 매이니 이를 거부하지 못 한다." 이는 다음과 같은 뜻이다. '구사와 초육이 정응이어서 초육과의 관계는 틈이 없을 정도로 밀접하다. 그러나 구사는 강건한 군자로서 도피하여야 할 때에는 비록 좋아하는 바가 있더라도 이에 얽매이지 않고 조금도 주저함이 없이 의연히 물러날 수 있다. 그뿐만 아니라 태연하고 원망함이 없이 마음이 편안하여 화를 내거나 억울해하지 않는다. 소인은 어떻게 하더라도 이렇게 하지 못한다.'[173] 그러므로 효사는 말하기를, 구사는 비록 연모하는 마음이 있더라도 의연히 물러날 수가 있으며, 군자는 이러하기 때문에 길하고, 소인은 해낼 수가 없다.

"가嘉"는 아름답다는 것이다. "가둔嘉遁"은 피하여 물러나되 아름답다는 것이다. 구오는 양효로서 양자리에 앉아서 상괘의 가운데에 처하여 양강중정陽剛中正의 아름다움이 있다. 그와 상응하는 육이도 유순중정柔順中正의 미덕을 갖추고 있다. 그러므로 구오가 비록 육이와 친밀하게 응하더라도 육이는 결코 구오를 묶어두는 몸이 되지 못하니, 구오는 가고

173 김경방 등 : 〈주역전해〉 245항 참조.

머무르는 것을 모두 사리에 딱 맞게 자유자재로 할 수 있다. 특히 귀한 것은 구오가 비록 존귀한 자리에 있고 모든 일을 자유자재로 운용할 수 있는 경지에 있더라도 여전히 뜻을 피하여 물러남에 두고 있으니, 크게 공을 이룬 뒤에는 자리에서 물러나고 감히 천하의 선두가 되지 않겠다는 포부가 있다. 노자가 다음과 같이 말한 바와 같다 : "차고 넘치게 지니는 것은 적당할 때 멈춤만 못하다. 너무 날카롭게 벼리고 갈면 오래 보존할 수 없다. 금과 옥이 온 집에 쌓여 있으면 능히 지킬 수가 없도다. 부귀영화를 누리면 교만해지고 그 허물을 남기게 된다. 공을 이루면 물러나야 하는 것이 하늘의 이치다."(〈노자〉 제9장) 그러므로 효사는 "가둔嘉遁"으로 받아들였다.

"비肥"는 충만하고 넉넉하며 여유작작하다는 것이다. 김경방은 다음과 같이 여긴다. 상구는 양강의 자질로 외괘의 끝에 거하고 있는데, 도피하여야 할 때 이 위치에 있는 것은 더할 나위 없이 좋은데, 왜냐하면 그것은 표연히 멀리 갈 수 있고 지체함이 없기 때문이다. 그 밖에 상구는 하나 더 우월한 점이 있는데, 그것은 안쪽에 응하는 바가 없고, 걸리거나 얽매이는 바가 없으며 무슨 의심하거나 걱정할 바가 없다. 밖에서 멀리 있다는 것과 안으로 응하여 걸리는 바가 없다는 두 가지 때문에 상구는 곤경에 처하여 떠나야 할 때 마음에 걸리는 바가 없이 홀가분하게 떠날 수 있는 것이다.[174] 예컨대, 동한 말년에 관녕管寧은 전란을 피하여 요동으로 이주하여 살았고, 나중에 요동지구에 내란이 일어나자 관녕은 미리 알고 북해로 옮겨갔다. 관녕은 일생 동안 안빈낙도를 하였으니 황제의 부름에도 한마디로 사양하고 받아들이지 않았다. 그가 난리를 예견하고 피난할 수 있었고, 모든 것과 단절하고 숨어 살 수 있었던 것이야말로 바로 "비둔肥遯"인 것이다. 그리하여 그는 세상의 도리가 쇠미해가는 국면에서

174 김경방 등: 〈주역전해〉, 246쪽 참조.

위난을 면하고, 맑고 높은 이름과 절개를 지킬 수 있었던 것이다.[175]

아래 세 효와는 달리, 위 세 효는 그 강건한 성품으로서 모두 피하여 물러나야 할 때 조금도 주저함이 없이 의연히 물러나 피할 수 있다는 것을 알 수 있다. 당연히 이러한 차이는 그 자신의 효성爻性과 그 처한 환경과 관계가 없는 것은 아니다. 송인宋人 항안세項安世가 다음과 같이 말한 바와 같다 : 〈둔〉괘는 "아래 세 효는 간艮인데, 간의 뜻은 주로 멈춤에 있다. 그래서 나아가지 않음[不往]이 되고, 뜻을 고집함[固志]이 되며 떠나는 것을 묶으려고 함[系遯]이 된다. 위 세 효는 건인데, 건은 시행하는 것을 주로 한다. 그러므로 좋아하지만 떠남[好遯]이 되고, 아름다운 떠남[嘉遯]이 되며, 살찐 떠남[肥遯]이 된다."(〈주역완사〉).

그러나 사람이 사람인 까닭은, 그가 "근심[憂]"을 갖고 있다는 데 있고, 그가 주관·능동성을 가지고 있다는 데 있다. 그러므로 피하여 떠나는 때에 비록 사람마다 처한 상황이 다르다고 하더라도 그가 주체인 자신의 수양과 인지능력을 드높이는 방면에 노력을 다한다면 능히 똑같은 좋은 효과를 거둘 수 있을 것이다. 예컨대, 초육에 있는 "도망함에 있어 꼬리[遯尾]"의 "위태로움[厲]"과 같은 것이다. 음으로서 하괘의 처음에 처하였는바, 이러한 때를 만나는 것도 면할 수 없다. 그러나 이러한 때를 만나는 것을 면할 수 없다 하더라도, 사람은 기미를 알고 변화를 살필 수 있으므로 이를 면할 수 있는 것이다. 그리하여 효사에 "나아가서는 아니 된다勿用有攸往"는 경계함이 있는 것이다. 자연히, 외괘의 "좋아하지만 떠남[好遯]", "아름다운 떠남[嘉遯]", 살찐 떠남[肥遯]도 주체 자신의 수양 및 능력과 관계가 없는 것이 아니다. "좋아하지만 떠남[好遯]"이 길한 것은 바로 구사가 의연히 좋아함을 잘라버리는 굳센 의지에 있다. 구오의 "아름다운 떠남[嘉遯]"도 그것이 중도에 처하여 바름을 지킨 결과이다. 요컨대,

175 주고정: 〈역경백화예해〉, 205쪽 참조.

둔遯의 때에 처하여 사람이 때에 순응하여 떠날 수 있느냐 없느냐 하는 관건은 자신이 능히 세 글자—방득하[方得下 : '놓아버리다'라는 뜻으로, 불교 용어로 많이 쓰임]를 할 수 있느냐 없느냐에 있다. 놓아버리면 떠나되 아무런 근심걱정이 없다. 놓아버리지 못하면 피하여 물러나더라도 편안하게 지내지 못할 것이다.

19-4

〈주역〉 가운데는 〈둔〉괘가 피하여 물러나는 문제를 집중 논의하고 있다. 그러나 나머지 여러 괘 중에도 일부 내용이 둔세무민遁世無悶을 말하고 있는 것이 있다. 〈건〉괘 초구는 "잠용물용潛龍勿用"을, 〈수〉괘는 때에 따라 휴식함을, 〈비否〉괘는 "독립불구[獨立不懼 : 홀로 있어도 무섭지 아니 하다]" 등을 말하고 있는데, 모두 "둔세무민"과 관계가 있다. 〈문언전〉은 〈건〉괘 초구의 "잠용물용潛龍勿用"을 다음과 같이 해석하고 있다.

초구는 '잠긴 용이니 쓰지 말라'고 하였는데 무슨 말인가? 공자께서 말씀하시길 '용의 덕을 갖추었으되 숨어 있는 사람이니, 지조를 세상과 바꾸지 아니하며, 이름을 이루지 아니하고 세상을 등지고 살아도 번민하지 아니하고, 올바름을 알아주지 않아도 번민함이 없다. 즐거우면 행하고 근심스러우면 행하지 않아서 그 뜻이 확고하여 뽑을 수 없으니 이것이 '잠긴 용'이다.

初九曰, 潛龍勿用 何謂也? 子曰, 龍德而 隱者也. 不易乎世, 不成乎名, 遁世無悶, 不見是而無悶. 樂則行之, 憂則違之, 確乎其 不可拔, 潛龍也.

〈건〉괘 초구는 한 괘의 가장 아래 자리에 있으니, 삼재三才로 논하면 지하에 있는 것이다(삼재란, 오상五上은 하늘이고, 삼사三四는 사람이며, 초이初二는 땅이다). 최경은 말한다 : "잠겼다는 것은 숨은 것이다. 용이 아래로 내려와 땅에 숨었으니, 숨겨진 덕이 밝게 드러나지 않는다."(〈주역집해〉에서 인용) 〈회남자·인간훈〉에서 말한다 : "'잠용물용'이라는 것은 때가 행할 때가 아니라는 것을 말한 것이다." 〈역전〉은 '이와 같은 처지에 처하고 이와 같은 때를 만나면 덕이 있는 군자는 응당 인내하고 스스로 강하게 기르며, 지조와 행동을 굳게 가지고, 헛된 이름을 꾀하지 아니하며, 숨어 살고 세상을 등져서 안빈낙도하니 아무런 고민이 없다'고 여긴다. 정이가 말한 바와 같다 : "도를 지키고 세류에 따라 변하지 않으며, 행적을 숨기고 시대에 구걸하지 않으며, 믿음을 갖고 스스로 즐거워하며, 할 수 있음을 보고 움직이며, 어려움을 알고 피한다."(〈정씨역전〉) 이러한 사상이야말로 〈둔〉괘가 말하고자 하는 사상이라고 해야 할 것이다.

다음으로, 〈상전〉이 〈소축〉에 대하여 한 해석을 보자.

> 바람이 하늘 위에서 부니 소축이다; 군자는 이를 본받아서 학문과 덕행을 아름답게 하느니라.
>
> 風行天上, 小畜; 君子以懿文德.

〈소축〉괘는 하건상손下乾上巽으로, 〈설괘전〉에 의하면, 손은 바람이고 건은 하늘이므로 바람이 하늘 위에서 부는 상象이 있다. 〈구가역九家易〉은 말한다 : "바람이라는 것은 하늘의 명령이다. 명령이 하늘 위에 행한다는 것은 명령이 아직 아래로 내려오지 못한 것이니, 쌓았으나 아직 아래로 내려오지 못하였다."(〈주역집해〉에서 인용) 그러므로 부지런한 군자는 이러한 "산에 비가 오려고 누각에 바람이 가득한 山雨欲來風滿樓" 시세時勢를 정확하게 파악하고, "이의문덕以懿文德", 즉 부드러움으로써 강함을 쌓고, 겸손독실謙遜篤實하며, 중정의 덕을 수양하고 세상을 위하여 쓸 재질을 축적하여, 포부를 실현하고 큰 뜻을 펼 수 있도록 하여야 한다.

다시 〈상전〉이 〈대과〉괘를 주석한 말을 보자.

> 못에 물이 많아 오히려 나무를 멸함이 대과이니, 군자는 이를 본받아서 홀로 서도 두려워하지 않으며, 세상을 등져도 번민하지 않는다.
>
> 澤滅木, 大過. 君子以獨立不懼, 遁世無悶.

〈단전〉은 〈대과〉의 괘사 "동요[棟橈 : 대들보가 구불어짐]"를 이렇게 해석한다 : "대들보가 구부러지는 것은 본말이 약하기 때문이다 棟橈, 本末弱也." 이 괘는 집이 기울어지려는 형상으로 군주가 어둡고 무능하며 국가 기강이 무너져서 허망하게 망하는 모습을 설명하고 있다. 〈상전〉은 "대들보가 휘는 것의 흉함은 도울 수가 없기 때문이다"라고 여긴다.(〈대과〉 구삼의 상전) 그러므로 이때에는 덕행이 있는 군자는 시대를 도우는 것을 능사로 여기지 말고 과감하게 때에 따라 물러나야 한다. 공영달이 다음과 같이 말한 바와 같다 : "군자는 이와 같이 도덕이 무너지고 어려운 때에는 우뚝 홀로 서서, 겁내거나 두려워함이 없이 세상에서 은둔하지만 아무런 근심이나 번뇌가 없다."

다시 〈수需〉괘의 〈상전〉을 보자.

> 구름이 하늘 위에 있으니 수이다; 군자는 이를 본받아서 마시고 먹으며 잔치를 벌여 즐긴다.

雲上於天, 需; 君子以飮食宴樂.

〈수〉괘는 하건상감下乾上坎인데, 〈서괘전〉은 다음과 같이 말한다 : "만물은 어리면 기르지 않을 수 없기 때문에 수괘로 받는다. 수는 음식의 도리이다 物穉不可不養也, 故受之以需. 需者, 飮食之道也." 하타何妥는 이렇게 주석했다 : "수는 때를 기다린 후에 움직이는 것이다."(〈주역집주〉에서 인용) 주희 역시 말한다 : "일에 있어서 마땅히 기다려야 하는 것은 행위를 함을 더욱 용납하지 않고 마시고 먹으며 연회를 열어 즐기면서 그것이 스스로 이르기를 기다려야 하니, 한 번 행위함이 있으면 기다림이 아닌 것이다."(〈주역본의〉) 〈수〉괘의 음식연락飮食宴樂에는 무위無爲의 상이 있으며, 이것이야말로 물러나 덕을 기르는 뜻이라는 것을 알 수 있다.

마땅히 지적해야할 것은, 〈수〉괘가 말하는 물러나 덕을 기르는 것과 장자와 같은 선진도가의 사상은 일치하지 않는다는 점이다. 장자는 무위를 강조하고 물아物我를 가지런하게 함[176]을 강조하며, 소요유逍遙遊를 강조한다. 예컨대, 그는 제나라 곡원의 큰 나무를 마음에 들어 하였다. "배로 만들면 바로 가라앉고, 관으로 만들면 빨리 썩고, 그릇으로 만들면 빨리 훼손되고, 문으로 만들면 송진이 흘러나오고, 기둥으로 만들면 벌레가 달려들어서(그 쓸 바가 없어서 능히) 천 년 동안이나 크게 덮을 수 있다……." 장자는 '사람이 이 세상에서 살아감에 있어서도 이 큰 나무와 같이 쓸모없음[無用]과 쓸모있음[有用] 사이에 처신하여 장인의 도끼를 피하고 자아를 보존하여 그 천 년을 얻을 수 있어야 한다'고 여긴다. 이와는 달리 〈주역〉이 강조하는 "세상을 등짐[遁世]"은 "때가 머물러야 할 때 머물고, 때가 행해야 할 때 행함 時止則止, 時行則行"을 준칙準則으로 하

176 소위 제물론齊物論이다. 세상 모든 종류의 진위시비(眞僞是非)를 가리는 논쟁을 모두 상대적인 것으로 보고, 잡론(雜論)을 한결같이 하나로 귀속시킴을 말하며, 이를 통해 장자 사상의 전모를 엿볼 수 있다. -역자 주

는 것이다. 그것에는 〈장자〉 책 중의 세상을 유유작작하는 분위기가 없고, 〈중용〉이 말하는 "군자는 중용에 의지하느니, 세상을 등지고 지혜로움이 알려지지 않아도 후회하지 않는다 君子依乎中庸, 遁世, 不見知而不悔"는 바와 극히 유사하다. 그러므로 "둔세무민"이 내재하고 있는 정신은 바로 때에 의지하여 움직이며, 홀로 서더라도 두려워하지 않는다는 것이다.

다시 〈비〉괘의 〈상전〉을 보자.

> 하늘과 땅이 사귀지 않는 것이 비괘이니, 군자는 이를 본받아서 덕을 검소하게 하고 어려움을 피하여 벼슬로써 영화롭게 하지 말 것이다.
>
> 天地不交, 否. 君子以儉德避難, 不可榮以祿.

"검덕儉德"이란 자신의 덕행을 안으로 수렴하고 밖으로 드러내지 않는 것이다. "피난避難"이란 소인배의 중상모해를 멀리 피하여 재앙에 발을 담그지 않는 것이다. 김경방의 말을 빌리면, 천지가 서로 통하지 않고 상하가 사귀지 않을 때에는 군자는 재능이 있더라도 드러내지 않고 덕이 있더라도 나타내지 않으며 선함이 있어도 형체로 나타나게 하지 않고 자신을 감추고 숨기며, 영욕의 밖으로 초연하여 벼슬하는 것을 영화로 여기지 아니하고 오히려 벼슬하는 것을 해로움으로 여기어 다른 사람으로 하여금 자신을 발견하지 못하게 한다. 이것은 바로 〈논어〉에서 공자가 주장한 바의 "세상에 도가 있으면 나타나고, 도가 없으면 숨는다"[177]는 것이다.

총괄하면, 〈둔〉괘는 물러나 피하는 바를, 물러남으로써 지킴으로 삼는

177 김경방 등 : 〈주역전해〉, 114-115항.

바를 강론하고 있다. 이것은 군자가 도에 어긋나는 때에 응당 취해야 하는 변통지술變通之術이기도 하다. 다만 〈둔〉괘의 피하여 물러남은 순전히 보신을 위한 것이 아니며, 또는 중요한 것이 보신을 위한 것이 아니다. 오히려 몸을 깨끗이 하여 스스로를 아끼고, 역량을 축적하여 때를 기다려 움직이는 것이다. 바꿔 말하면, 물러나는 것은 바로 나아가기 위한 것이다. 그리하여 〈단전〉은 "강이 자리를 마땅하게 하여 응함 剛當位而應"과 "때와 더불어 행함 與時行"을 강조하는 것이다. 그것은, 물러나 피하는 것이 비록 "유柔"를 쓰는 것에 속하지만, 만일 마땅한 자리에 있고 응함이 있는 "강剛"이 없다면, 그 "유柔"를 쓸 수가 없다는 것을 표명한다. 이 뜻으로 말하자면, "둔세무민" 역시 건강乾剛과 곤유坤柔가 군자의 몸에서 유기적으로 결합한 것이다.

20. 극수지래 極數知來

〈계사전〉 중에 "〈역〉에는 성인의 도가 네 가지 있다," "말하려는 자는 그 괘효사를 숭상하고, 움직이려는 자는 그 괘효의 변함을 숭상하며, 기구를 만드려는 자는 괘효의 상을 숭상하고, 점을 치려는 자는 괘효의 점을 숭상한다"라는 말이 있다. "점占"이란 바로 "서점筮占"이다. 서점은 수를 늘려서 전개하는 것을 중시하기 때문에 〈계사전〉은 "수를 끝까지 셈하여 미래를 아는 것을 점이라 한다 極數知來之謂占"라고 하였다. "극수지래極數知來"는 바로 수의 추연[推衍 : 늘려서 전개함]에 근거하여 사물의 발전 변화를 예측하는 것이다. 오늘날의 입장에서 보면, 이러한 서점筮占에는 미신적인 성분이 많다. 그러나 "점서占筮라는 이러한 미신에도 우선

자기 나름대로의 특장이 있으니, 사람들은 운명의 안배를 달갑게 받아들이려고 하지 않고, 자기 미래의 전도前途를 미리 알아서 흉함을 피하고 길함을 좇는 방안을 찾고자 한다는 것을 의미하는 것이요, 또한 그것은 현실생활에 대한 열망을 표현하고 있다는 것이다. 복서卜筮[178]라는 두 가지 방법은 똑같이 상고시대의 미신이지만, 복법卜法은 신령의 계시에 도움을 청하는 것이고, 서법筮法은 인류의 이성적인 추단에 도움을 구하는 것이다. 바로 이러한 이유로 인하여 〈주역〉과 서법은 마침내 철리화哲理化의 길을 걷게 되었다."[179] 이러한 철리를 이해하는 것은 우리들의 처세에 크게 도움이 된다. 제갈량은 용병의 도리를 논하면서 이렇게 말했다.

> 무릇 용병의 도리는 먼저 그 도모하고자 하는 바를 정하고, 그 후에 구체적인 일을 시행하는 것이다. 천지의 도를 훤히 알고, 민심의 동향을 살피며, 병사들로 하여금 병기를 다루는 훈련을 시키고, 상벌을 명확하게 시행하며, 적군의 전략전술을 파악하고, 도로의 험난 여부를 조사하여 보며, 전술상의 안전과 위험을 분별하고, 피아의 전력을 헤아리며, 진퇴의 시기를 알고, 기회가 왔을 때 이를 이용하며, 수비를 철저히 준비하고 공격의 위세를 강화하며, 병사들의 전투능력을 고양하고, 성패의 계략을 세우며, 생사에 관한 일을 생각한다. 그런 연후에 군대를 출동시키고 장수에게 일을 맡기어서 적의 세력을 제압하고 사로잡으니 이것이 군의 기본 책략이다.[180](제갈량 : 〈치군〉)

178 복卜은 귀갑龜甲 즉 거북의 껍질을 태워 그 균열로 점을 치는 것이고, 서筮는 시초蓍草라는 점대로서 점을 치는 것. -역자 주

179 주백곤 : 〈논역경중형식로즙사유대중국전통철학적영향〉, 〈주백곤논저〉, 심양, 심양출판사, 1998년, 715항을 보라. 본장 내용은 기본적으로 주선생의 해당 논문의 관점인데, 뒤편에서 일일이 주석을 달지 않는다

180 단희중, 문욱초 편교 : 〈제갈량집〉 67항, 북경, 붕화서국, 1960년.

사람들은 제갈량이 점을 잘 친다는 사실을 알고 있고, 역대의 예술작품·민간전설도 그렇게 묘사하고 있다. 제갈량의 이 글을 보면, 그가 실제로는 몇 개의 팔괘부호와 시초에 의지한 것이 아니라, 천지의 도·민심의 동향·병사의 훈련·상벌의 분명함·적의 전술전략·도로사정·안전과 위험의 분별·피아의 전력·진퇴의 시기·기회의 시기·수비의 철저준비·정벌의 기세·병사의 전투능력 등등 각 관계방면에 대한 상세한 현지 조사에 의지한 것이다. 제갈량이 남보다 뛰어난 점은 그가 역리에 정통하고 이를 활용하는 바에 있다.

20-1

〈주역〉의 "극수지래極數知來"는, "수"에 대한 인식을 전제로 하고, 이러한 인식의 기초 위에서 유추를 진행하여 역점의 논리적인 근거가 되는 것이다. 아래의 예를 보자.

> 같은 소리는 서로 응하고, 같은 기운끼리는 서로 구한다. 물은 젖은 곳으로 흐르고 불은 마른 곳으로 나아가며, 구름은 용을 좇고 바람은 호랑이를 따르며, 성인이 일어남에 만물이 바라본다. 하늘에 바탕을 둔 것은 위로 친하고 땅에 바탕을 둔 것은 아래로 친하느니, 각기 그 류를 따른다. (〈건·문언전〉)
>
> 하늘과 땅이 어긋나도 그 일은 같으며, 남자와 여자가 어긋나도 그 뜻은 통하며, 만물이 어긋나도 그 일은 같으니, 규의 때와 쓰임이 크도다. (〈규〉의 〈단전〉)
>
> 방소로서 종류를 모으고, 물건으로서 무리를 나누니 길하고 흉함이 생긴다. (〈계사전〉)

그 이름을 일컬음이 잡다하되 넘치지 아니하나, 그 유형을 살펴보면 쇠퇴하는 세상의 뜻인저. (위와 같음)
그 이름을 일컬음은 작으나 그 종류를 취한 것은 크다. 그 뜻은 멀고, 그 말에는 문리文理가 있으며, 그 말은 곡진하면서도 들어맞으며, 그 일은 베풀었으되 (이치는) 숨겨놓았으니, 둘로 인하여 백성의 삶을 구제하여 잃음과 얻음의 응보관계를 밝힌다. (위와 같음)

同聲相應, 同氣相求. 水流濕, 火就燥, 雲從龍, 風從虎, 聖人作而萬物睹. 本乎天者親上, 本乎地者親下, 則各從其類也. (〈乾·文言傳〉)
天地睽而其事同也, 男女睽而其志通也, 萬物睽而其事類也. (〈睽〉之〈象傳〉)
方以類聚, 物以群分, 吉凶生矣. (〈繫辭傳〉)
其稱名也雜而不越, 于稽其類, 其衰世之意邪. (同上)
其稱名也小, 其取類也大. 其旨遠, 其辭文, 其言曲而中, 其事肆而隱, 因貳以濟民行, 以明實得之報. (同上)

위에서 인용한 글은 모두 "수數"자 하나를 돌출시키고 있다. 그 중에 〈문언전〉 속의 이 글은 〈건〉괘 구오의 "나는 용이 하늘에 있으니 대인을 만나는 것이 이롭다 飛龍在天, 利見大人"를 해석한 것이다. 그 뜻은 이렇다 : 같은 종류의 소리는 서로 감응하고 같은 기운은 서로 합하려고 한다; 물은 젖은 곳을 향하여 흐르고, 불은 마른 곳을 향하여 타들어간다; 상서로운 구름은 용음龍吟을 따라서 나타나고, 골짜기 바람은 호소虎嘯에 따라 생겨난다; 성인이 떨쳐 일어나 세상을 다스림에 만물이 밝게 드러난다; 하늘에 의존하는 것은 위로 친근하고, 땅에 의존하는 것은 아래로 친근하니, 각기 그 류類로서 서로 따르고 작용을 발휘한다.[181]

181 황수기 등 : 〈주역역주〉, 15항 참조.

이 글의 목적은 동류상감同類相感의 도리를 설명하려는 데 있다. 천지간의 만물이 비록 천차만별하고 서로 어긋나고 배치된다고 하더라도 모두 서로 다른 종류에 귀속하고 각자는 그 종류에 따라 그들의 특성과 작용을 다르게 나타낸다. 이것이 곧 "방소로 종류를 모으고, 물건으로 무리를 나눈다 方以類聚, 物以群分"는 것이다. 군자는 이에 근거하여 "유족변물[類族辨物 :무리를 분류하고 사물을 변별함]"하고, "극수지래"할 수 있다. 〈역전〉은, 〈주역〉 속의 괘효사 글귀와 그것이 이야기하는 일은 바로 어떤 한 부류의 사물을 비유한 것이라고 여긴다. 그 일컫는 이름은 비록 작더라도 그 대표하는 부류의 사물의 외연은 오히려 매우 넓다. 그 글귀는 비록 문식文飾에서 나왔지만, 그 의의는 오히려 심원하다. 그 언사言辭는 비록 곡절이 있지만 오히려 사리에 꼭 들어맞는다. 말하는 사항은 비록 매우 광범하지만 도리는 오히려 심각하고 감추어져 드러나지 않는 은밀한 곳이 있다. 그러므로 능히 사람들이 득실과 길흉의 이치를 이해함에 도움을 줄 수 있다.

이와 같은 분류를 기초로 하여, 〈주역〉은 괘효사가 말하는 일을 근거로 하여 올 일의 길흉을 추측하라고 강조한다. 〈역전〉은 이와 같은 방법을 다음과 같이 일컫는다 : "대개 역은 과거를 밝히고 미래를 살핀다 夫易 彰往而察來," "시초의 덕은 원만하고 신령스럽고, 괘의 덕은 반듯하고 지혜롭다 蓍之德圓而神, 卦之德方而知," "신령으로 미래를 알고 지식으로 과거를 저장한다 神以知來, 知以藏往." 주희는 다음과 같이 해석한다 : "하나의 괘 중에는, 무릇 효와 괘에 등재되어 있는 것은 성인이 이미 말한 것으로서 모두 이미 드러난 근본도리를 갖추고 있는데 이것이 바로 과거를 저장한다[藏往]는 것이다; 점을 쳐서 이 괘를 얻으면, 이 도리를 기초로 하여 미래의 일을 미루어보는 것이니 이것이 바로 미래를 안다[知來]는 것이다."(〈어류〉 권 75) 이것은, 점괘라는 것은 과거의 증험證驗으로 미래의 일을 안다는 것을 말한다. 그러나 과거의 증험으로 미래의 일을 알 수 있는 것은, 그것과 점을 치는 일이 같은 종류의 사물이기 때문에 그것이 간직하고 있는 도리로부터 다른 하나의 사항의 동향을 추출할 수 있기 때문이다. 근대인近代人 엄복嚴復의 말을 빌리면, 이것은 "공리公理에 근거하여 여러 가지 일을 판단하고, 정수定數를 설정하여 아직 일어나지 아니한 일로 거슬러 가는 것이다. 据公理以斷衆事, 設定數以逆未然."

20-2

"유類"에 대한 인식 이외에, 〈주역〉의 "극수지래"는 "변變"에 대한 이해에 기초하고 있다. 〈주역〉은 "변화"를 강조하고, "유변소적[唯變所適 : 오직 적당한 바에 따라 변함]을 강조하는데, 이는 변화의 관점으로부터 일체의 사물을 고찰하는 것을 가리킨다. 구체적으로 말하자면, 〈주역〉 중에 말하는 "변變"은 다방면의 내용을 포함한다. 예컨대, 괘효상의 변역과 같은 것이다. 하나의 괘가 다른 하나의 괘로 변할 수 있듯이, 팔괘와 64괘 모두 서로 바뀔 수 있는데, 길흉은 바로 그러한 변화 속에 숨어 있다. 〈건〉괘는 초初부터 상上까지 모두 이루어져 있고, 〈둔〉괘는 초·이효는 음, 삼부터 상까지는 양이다(그림을 보라). 〈건〉으로부터 〈둔〉으로 바뀌면, 음류陰類의 사물이 부단히 양류陽類의 사물을 침범하고 있다고 볼 수 있는데, 음류는 소인을 상징하고 양류는 군자를 상징한다. 이것에 근거하여 사람들은 그 발전방향이 길한지 흉한지를 판단할 수 있는 것이다.

또한, 인사의 길흉화복도 서로 변할 수 있다. 우환의 저작으로서 〈주역〉은, 그 목적이 사람으로 하여금 개과천선하고 취길피흉趣吉避凶하도록 함에 있다. 그 서사筮辭 중에는 회·린·구·리·길·흉 등 점단占斷의 글을 많이 베풀어놓고 있는데, 바로 사람들로 하여금 근신하고 스스로 지키도록 깨우쳐서 재빨리 "잘못"을 발견하고 될 수 있는 한 빨리 "잘못"을 고치도록 하는 데 있다(내편의 "개과천선"을 참조). 그러므로 〈계사전〉은 말한다 : "변화의 도리를 아는 자는 신이 하는 바를 아는 자이어라 知變化之道者, 其知神之所爲乎." 능히 "신이 하는 바를 아는 것"은 바로 능히 "수를 끝까지 셈하여 미래를 아는 것"이다.

"변화의 도리를 아는 것," "신이 하는 바를 아는 것"은 결코 간단한 일이 아니다. 그러나 〈주역〉은 이 방면에서 사람들을 위하여 몇 가지 규율성이 있는 것을 제시하고 있으니, 그것은 〈역전〉 중에 내놓은 "변화일신[變化日新 : 나날이 새롭게 변화함]"설·"음양유전[陰陽流轉 : 음과 양은 시간이 지나면 서로 바뀜]"설·"강유상추[剛柔相推 : 강과 유는 서로 밀고 당김]"설 ·"음양불측[陰陽不測 : 음과 양은 예측할 수 없음]"설 등이다. 이러한 관념에 근거하여 사람들은 사물의 변화 속에서부터 길흉의 이치를 파악할 수 있다.

예컨대, "변화일신"설은 사물의 변역은 영원히 멈추거나 종결됨이 없다는 것을 강조한다. 소위 "나날이 새로워지는 것을 성덕이라 하고, 낳고 또 낳는 것을 역이라 한다 日新之謂盛德, 生生之謂易," "궁하면 변하고, 변하면 통하고, 통하면 오래간다 窮則變, 變則通, 通則久"라는 것이다. 만일 사람들이 이러한 변화와 일신의 관점으로 일체의 사물을 다룰 수 있다면 조류에 순응할 수 있고, 낡은 방법을 답습하는 것을 피할 수 있을 것이다. 그 반대로, 만일 이러한 점을 인식하지 못하면, 변화하여야 할 때 변화하지 못하고 사물 발전·변역의 커다란 조류에 의하여 궤도 밖으로 내팽개쳐져서 흉함을 초래할 수 있다.

또한 "음양유전"설은 사물변화의 기본형식은 음양이 서로 변화시키고 바뀌는 것이라는 사실을 강조한다. 그것은 사람들에게 대립 면이 서로 바뀌는 관점으로부터 사물의 변화를 관찰하여 유리한 시기를 움켜쥐고, 사물의 발전추세에 따라 유리한 방향으로 이끌어서 길함을 좇고 흉함을 피하도록 일깨워준다. 다음의 예와 같다.

> 초나라의 장왕莊王이 진나라를 치려고, 먼저 돈윤豚尹으로 진나라의 사정을 살피도록 하였다. 돈윤이 들어와 이렇게 보고하였다. "칠 수가 없습니다. 윗자리에 있는 사람은 백성을 걱정하고, 아랫사람들은 그를 덕스럽게 여기며 즐겁게 살고 있습니다. 더구나 어진 신하로 심구沈駒라는 사람이 있습니다."
> 이듬해 다시 돈윤이 다녀와서 이렇게 보고하였다. "이제는 쳐도 됩니다. 처음에 말했던 그 어진 신하는 죽었고, 아첨하는 무리들이 임금의 궁중에 가득합니다. 임금은 놀이에 빠져 예를 모르고, 그 아랫사람들은 위험에 처해 있으면서 윗사람들을 원망하고 있습니다. 상하가 서로 이반되어 있으니, 군대를 일으켜 치게 되면 그 백성들이 먼저 반기를 들 것입니다."
> 장왕이 이 말을 따르자 과연 그와 같았다. (유향 : 〈설원·봉사奉使〉)

초나라 장왕이 진을 쳐서 성공한 이유는, 바로 피차지간彼此之間의 조건의 변화에 따랐기 때문이다. 만일 그가 "윗자리에 있는 사람은 백성을 걱정하고, 아랫사람들은 그를 덕스럽게 여기며 즐겁게 살고 있으며, 어진 신하가 있는" 때에 진을 쳤다면, 반드시 실패했을 것이다. 그러나 그가 "아첨하는 무리들이 임금의 궁중에 가득"하고 "임금은 놀이에 빠져 예를 모르고, 그 아랫사람들은 위험에 처해 있으면서 윗사람들을 원망하고 있으며, 상하가 서로 이반되어 있으니, 군대를 일으켜 치게 되면 그 백성들이 먼저 반기를 들" 때를 기다렸다가 군대를 일으켰다는 점이야말로 그가 대립 면이 서로 바뀐다는 사실을 파악하는 총명과 재지才智를 갖추고 있었다는 것을 딱 맞게 설명하고 있다.

또한 "강유상추"는 사물변화의 원천이 그 내부의 대립 면의 상호작용에 있다는 것을 강조한다. 그것은 사람들에게, 사물의 내부 특히 양단兩端의 교합交合으로부터 변화의 원인을 찾아야지, 외부 혹은 양단의 배척과 투쟁 속에서 변화의 원인을 고찰하지 말 것을 요구한다. "음양불측"설은 사물의 변화에는 객관적인 규율이 있기도 하지만, 또한 고정불변의 패턴은 없다는 점을 강조한다. 사람들이 이에 대한 인식이 있으면, 옛것에 얽매여 변통할 줄 모르는 사유방식을 모면하고 "오로지 적당한 바를 따라서 변화"할 수 있을 것이다.

20-3

〈주역〉은 또한 음양호보[陰陽互補 : 음과 양이 서로 도와 줌]의 관점으로부터 사물의 존재와 발전을 관찰할 것을 강조한다. 예컨대 〈주역〉의 괘상은 음효와 양효가 조화를 이루어 만들어진 것으로, 팔괘는 네 개의 대립 면으로 나누어지고 64괘는 또한 32개의 대립 면이 되는데, 이것은 음양호보의 특징을 표현하고 있다. 〈역전〉은 이것에 의거하여 "한 번 음이 되고 한 번 양이 되는 것을 도라고 한다 一陰一陽之謂道"라는 명제를 내놓고 있는데, 음양호보의 관점으로부터 사물의 보편 존재의 규율을 논증하고 있다. 예컨대, 다음과 같이 말한다.

> 건곤은 역의 문인가? 건은 양물이고 곤은 음물이다. 음과 양이 덕을 합하니 강유가 체가 있다. 이로써 하늘과 땅의 일을 본받아 신령스럽고 밝

은 덕에 통한다.

乾坤其易之門邪? 乾, 陽物也; 坤, 陰物也. 陰陽合德而剛柔有體, 以體天地之선, 以通神明之德.

"음양합덕陰陽合德"은 우주의 만사만물은 모두 음양 양방면의 덕성을 머금고 있다는 것을 설명한다. "강유유체剛柔有體"는 음양 양방면의 조합으로서 그 체제가 있게 된다는 것을 설명한다. 〈주역〉은 바로 괘효 사이의 음양관계를 통하여 천지간의 규율을 구현하고, 일월 음양의 품덕을 닮아가는 것이다. 사람들은 〈주역〉을 통하여 음양호보陰陽互補의 규율을 파악하고 문제를 전면적으로 관찰·분석하여 착오가 발생하는 것을 피할 수 있다. 이 책에서는 이미 이 방면의 문제를 언급하였다. 앞에서 굴신屈伸·동이同異·손익損益 등의 문제를 논의할 때 우리들이 언급한 곤순坤順과 양강陽剛 사이의 대립통일이 바로 다른 측면에서 반영한 음양 사이의 호보관계이다.

당대唐代 역학대가 주백곤은 〈주역〉 속의 음양호보관을 세 방면으로 나누었는데, 음양상의陰陽相依, 음양상제陰陽相濟, 음양화해陰陽和諧가 그것이다. 음양상의는 음양이 서로 의존하고 삼투滲透한다는 것인데, 구체적으로 말하면, 우주 속에는 홀로 음이거나 홀로 양인 사물은 없으며, 모두 음양 두 방면의 화합으로 이루어진다는 것이다. 사물존재의 이 특성은, 사람들이 문제를 고찰하고 분석할 때 음양 양단을 움켜쥐어 편면성片面性의 착오를 범하지 않도록 주의해서 피할 것을 요구한다. 현실생활 중에 늘 자신을 피동국면에 빠뜨리는 것은 왕왕 전면적으로 문제를 보지 못하는 것과 관계가 있다. "굴신유도屈伸有度"의 장에서 말했던 "하나만 알고 그 밖의 것은 모른다"는 것이 바로 이 방면의 문제에 속한다.

음양상제는 음양의 성능은 상통상자[相通相資 : 서로 통하고 서로 도움]·상호보충相互補充한다는 것, 즉 서로 반대되면서도 서로를 이룬다[相反而相成]는 것이다. 상통相通이란, 음양의 성능이 비록 상반되지만 서로 교감하여 대업을 함께 이룰 수 있다는 것이다. 〈태〉괘 〈단전〉이 말한 "천지가 서로 사귀어 만물이 통한다 天地交而萬物通," 〈함〉괘 〈단전〉이 말한 "하늘과 땅이 감응하니 만물이 화생하고, 성인이 사람의 마음을 감화하니 천하가 화평하다 天地感而萬物化生, 聖人感人心而天下和平"가 그러하다. 상자相資란 서로 도와주는 것이며, 서로 적대시하고 일방이 타방을 먹어치우는 것이 아니다. 〈건〉·〈곤〉 양괘의 〈단전〉에서 말하는 "건원자시[乾元資始 : 건원이 만물이 비롯할 수 있도록 해 주는 것]"·"곤원자생[坤元資生 : 곤원이 건원의 도움을 받아 만물이 생겨날 수 있도록 해 주는 것]", 〈계사전〉이 말하는 "건은 크게 시작함을 알고 곤은 만물을 이룬다 乾知大始, 坤作成物", 〈설괘전〉이 말하는 "건으로 임금 짓(주장)하고 곤으로 감춘다 乾以君之, 坤以藏之" 등과 같다. 음양상제의 원칙은, 사람들이 음양호보, 즉 상반상성의 원칙에 의거하여 자연과 사회 및 정신생활 중의 대립 면을 처리할 것을 요구한다. 본서 내편에서 말한 "이이합의利以合義", 외편에서 말한 "굴신유도屈伸有度"·"구동존이求同存異"·"부다익과裒多益寡" 등도 이 "상제相濟" 원리의 반영이라고 말할 수 있다.

음양화해陰陽和諧는, 사물발전의 가장 아름다운 상태는 대립 면이 조화롭게 같이 지내거나 하나를 위해 협조하는 것이지, 분열하거나 동귀어진同歸於盡하는 것이 아니다. 〈건〉괘의 단전이 말하는 바와 같다 : "건의 도가 변하고 화함에 각기 자기의 성명을 바르게 하고, 보전시키고 합하여 크게 화합시킴으로써 이롭고 정고하게 된다. 乾道變化, 各正性命, 保合太和乃利貞." 건괘 여섯 효는 모두 양으로서 하나하나의 효는 모두 자기의 규정성이 있다. 그러나 각 효 사이에는 고도의 조화로운 상태가 있지 그 굳세고 힘셈을 자랑하고 서로 침범하는 것이 아니다. 음양화해의 원칙은 사람들에게 대립면의 관계를 처리할 때 협조를 중요시할 것을 요구한다. 본서 내편에서 말한 "중정화합中正和合", 외편에서 말한 "교감비응交感比應"도 하나의 방면으로부터 음양화해의 원리를 반영한 것이다.

요컨대, 음양호보관은 대립 면의 대항과 투쟁을 인정하지만, 그것을 더 높은 단계의 조화에 도달하거나 실현하는 절차나 수단으로 여겨야 한다는 것이다. 이것은 사람들이 현실 속에 존재하는 각종의 문제를 처리함에 있어 영감을 주는데, 그 가운데에 고도의 생활지혜가 드러나고 있다. 이러한 지혜를 장악하고 나면, 음양 사이의 상의相依·상제相濟·화해和諧로부터 자아를 실현하고 길함을 좇고 흉함을 피하는 길을 찾을 수 있을 것이다.

20-4

〈주역〉은 변화를 이야기하고 음양 사이의 호보를 이야기하면서, 보편적 관계의 관점으로부터 개개사물의 지위와 작용을 관찰할 것을 더욱 강조하고 있다. 전체를 중시하고 사물 간의 보편관계를 중시하는 것이, 〈주역〉이 제공하는 또 하나의 생활지혜라고 할 수 있다.

〈주역〉의 전체 관념은 여러 방면에서 나타나 있는데, 〈역경〉으로 말하면, 편자는 서사를 괘효상 아래에 붙여서 하나의 괘, 여섯 효가 하나의 전체임을 표시하고 있다. 하나하나의 괘의 여섯 효사를 보면, 대다수가 모종의 중심관념을 구현하고 있으며, 각 효사 사이에는 모종의 연계가 존재한다. 예컨대, 〈건〉괘의 초구 잠용물용潛龍勿用에서부터 상구 항용유회亢龍有悔에 이르기까지, 〈함〉괘 초육 감기무感其拇에서 상육 감기구설感其口舌에 이르기까지 모두 일종의 전체 사상을 반영하고 있다. 〈함〉괘를 예로 들어보자.

엄지발가락에 느낀다. (초육)

장딴지에 느끼니 흉하다, 머물러 있으면 길하다. (육이)

넓적다리에 느낀다. 따름에만 집착하니, 가면 인색하다. (구삼)

바르게 하면 길하고, 후회가 없어 질 것이다. 자주 오고 가면 벗이 네 뜻을 따를 것이다. (구사)

등심에 느끼니 후회가 없을 것이다. (구오)

볼과 뺨과 혀로 느낀다. (상육)

咸其拇. (初六)

咸其腓, 凶, 居吉. (六二)

咸其股, 執其隨, 往吝. (九三)

貞吉, 悔亡. 憧憧往來, 朋從爾思. (九四)

咸其脢, 無悔. (九五)

咸其輔頰舌. (上六)

"함咸"은 "감感"과 통한다. 괘 가운데에는 초부터 상까지 차례로 무[拇 : 엄지발가락]·비[腓 : 장딴지]·고[股 : 넓적다리]·매[脢 : 등심]·보협설[輔頰舌 : 볼과 뺨과 혀]이 있는데, 이것은 사람 몸의 전체로 상을 취한 것으로서 전체 관념을 나타내고 있다.

〈역전〉으로 말하자면, 〈단전〉과 〈상전〉은 괘사에 대한 해석에 있어서 각각의 괘를 하나의 전체로 보고 있다. 〈서괘전〉은 64괘의 상호관계를 탐구하면서 또한 64괘를 하나의 전체로 보고 있다. 〈단전〉이 제시한 효위설, 예컨대 중위中位·당위當位·응위應位·승승承乘·왕래往來 등도 모두 여섯 효가 하나의 괘 가운데서 어떠한 지위에 있는지와 그 상호관계를 설명하는 데 있다. 하나의 괘가 하나의 전체이고, 여섯 효는 그 부분이므로, 여섯 효 사이의 상호관계를 탐구하는 것은 바로 개체간의 보편관계를 탐구하는 것이다. 본서 외편의 "시지시행時止時行"·"당위처순當位處順"은 바로 이 방면의 문제를 논의한 것이다.

그 밖에 〈역전〉 중에 특별히 강조한 삼재설三才說·팔괘설八卦說도 사물간의 전체성과 그 보편관계의 특징을 집중적으로 구현한 것이다.

삼재설은 사람이 하늘과 땅의 중간에 있다는 뜻을 취한 것으로, 초·이는 땅이고, 삼·사는 사람이고, 오·상은 하늘이 되어 하나의 괘와 여섯 효로써 우주 전체를 상징한다. 천지인은 그 부분이 되어 각자 그 따르는 법칙이 있다. 이와 같이 천지인을 일체로 연결하려는 관점은 사람들에게 변증법적으로 사람과 자연과의 관계, 즉 사람과 자연의 상호의존·상호영향을 다룰 것을 요청하는데, 사람은 자연을 파괴해서도 안 되지만 자연을 그대로 답습해서도 안 되며, 사람과 자연은 응당 병존하고 공영共榮하여야 한다. 이는 오늘날 제창하는 환경보호에 있어서 매우 유리한 것이다.

팔괘설은 팔괘는 각기 그 쓰임이 있지만 상호 관계하여 하나의 전체를 이루며, 각기 자연현상의 보편관계를 나타내고 있다. 예컨대, 〈설괘전〉 중에 제시한 팔괘취상설, 방위설과 같다.

> 제가 진에서 나와서, 손에서 가지런히 하고, 리에서 서로 보며, 곤에서 역사를 이루고, 태에서 기뻐하며, 건에서 싸우고, 감에서 위로하며, 간에서 이룬다. 만물이 진에서 나오는 진은 동방이다. 손에서 가지런히 하니, 손은 동남방이니, '가지런하다'는 것은 만물이 깨끗하게 가지런히 됐다는 것을 말한다.

리는 밝은 것이니, 만물이 다 서로 보기 때문이니, 남방의 괘니, 성인이 남쪽을 향해 천하의 말을 들어서 밝은 것을 향해서 다스리니, 대게 이것에서 취했다. 곤은 땅이니, 만물이 다 땅에서 기름을 이루기 때문에, '곤에서 역사를 이룬다'고 했다. 태는 바로 가을이니, 만물이 기뻐하는 바이기 때문에 '태에서 기뻐한다'고 말했다. '건에서 싸움'은 건은 서북방의 괘니, 음과 양이 서로 부딪힌다는 말이다. 감은 물이니, 정북방의 괘니, 위로하는 괘니, 만물이 돌아가는 바이기 때문에 '감에서 위로한다'고 했다. 간은 동북방의 괘니, 만물이 마침을 이루는 바고 시작을 이루는 바기 때문에, '간에서 이룬다'고 한 것이다.

帝出乎震, 齊乎巽, 相見乎離, 致役乎坤, 說言乎兌, 戰乎乾, 勞乎坎, 成言乎艮. 萬物出乎震, 震東方也. 齊乎巽, 巽東南也. 齊也者, 言萬物之潔齊也. 離也者, 明也, 萬物蓋相見, 南方之卦也. 聖人南面而聽天下, 向明而治, 蓋取諸此也. 坤也者, 地也, 萬物蓋致養焉, 故曰致役乎坤. 兌, 正秋也, 萬物之所說也, 故曰 說言乎兌. 戰乎乾, 乾西北之卦也, 言陰陽相薄也, 坎者, 水也, 正北方之卦也, 勞卦也, 萬物之所歸也, 故曰勞乎坎. 艮, 東北之卦也, 萬物之所終而成始也, 故曰成言乎艮.

팔괘는 각기 한 방향에 위치하여 사계절을 통솔하고 각자 그 작용을 발휘하여 만물을 낳고 성취한다. 이것은 팔괘의 방향으로 대륙의 기후변화 법칙과 그것의 식물에 대한 영향을 해석하고, 시간과 공간을 하나의 전체로 연결하려고 하는 것이다. 이러한 관념은 사람들이 기후변화와 지리방위로부터 생물과 인류가 그것에 의존하여 생존하는 자연조건 및 그 변화과정을 고찰하고, 그와 같이 사람과 자연의 전체적인 특징을 반영할 것을 요청한다.

요컨대, 〈주역〉은 전체를 강조하고, 세계의 보편적 연계를 추구하며, 개체사물이 변화하는 과정 및 그 기능, 전체 가운데의 지위를 중시한다. 이것은 환경 속에서 자아를 파악하는 것이나, 사람과 사람이 처한 환경과의 관계에 대하여 시사해주는 의미가 크다. 사람들은 늘 하나의 괘는 커다란 배경이고, 그 중 하나하나의 효가 나타내는 길흉회린吉凶悔吝은 모두 이 커다란 배경과 관계가 있다고 말한다. 64괘 역시 하나의 커다란 배경이고, 그 가운데 하나하나의 괘가 나타내는 비태휴구[否泰休咎 : 막히고 형통함과 길하고 흉함] 역시 이 커다란 배경과 밀접·불가분하다. 한 사람 한 사람의 일생 생활과 활동도 역시 여러 가지 착종복잡錯綜複雜한 관계를 벗어나지 못하며, 그래서 여러 가지 크고 작은 배경을 떠날 수가 없다. 〈주역〉은 음양을 말하고, 음양지간의 유전과 변화를 말하며, 대립 면의 통일과 조화를 말하는데, 이는 바로 사람들이 이러한 복잡한 관계를 처리하는 데 도움을 주기 위한 것이다. 〈주역〉의 "극수지래極數知來"는 그 비밀이 바로 여기에 있다.

부록 1·2

부록 1. 〈주역〉 개설

1) 〈주역〉의 구조

〈주역〉은 상하의 양편으로 구성되어 있는데, 상편은 30괘이고, 하편은 34괘로서, 모두 64괘이고, 각 괘는 여섯 효로서 모두 384효이다. 그 기본 구조는 대략 네 가지 원소를 포함하는데, 괘명·괘상·괘사·효사가 그것이다.

괘명은 각 괘의 명칭이다. 〈주역〉의 64괘는 어떻게 이름 지었는지, 어떤 체계를 따랐는지는 오늘날까지도 충분히 명확한 것은 아니다. 그러나 어느 정도 긍정할 수 있는 것은 괘명과 그 괘의 내용이 대체로 일치한다는 것이다. 이러한 각도로 말하면, 괘명은 하나의 괘의 대의를 개괄한 것이라고 말할 수 있다.

괘상은 바로 괘효획인데, 괘부卦符라고도 부른다. 〈주역〉 64괘는 64개의 괘부로 구성되어 있다. 그 중 각 괘는 모두 여섯 개 효획으로 구성되어 있다. 여섯 개 효획은 또한 각기 두 가지의 가장 기본적인 부호단위인 "—"·"--"로 구성되어 있다. 그 중에 "—"는 양효라고 불리고, "--"는 음효라고 불린다. 〈건〉과 〈곤〉 두 괘로 예를 들면 다음과 같다.

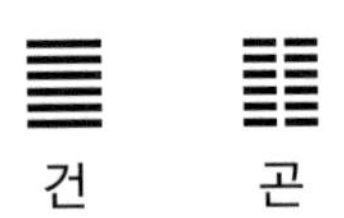

〈건〉괘는 여섯 개의 양효로 구성되어 있는데, 이 양효의 명칭은 아래에서부터 위로 각기 초구·구이·구삼·구사·구오·상구이다. 〈곤〉괘는 여섯 개의 음효로서 구성되는데, 이 음효의 명칭은 아래에서부터 위로 각기 초육·육이·육삼·육사·육오·상육이다. 여기서 주의하여야 할 것이 두 가지가 있다 : 하나는 첫 번째 효부호와 여섯 번째 효부호는 일·육으로 부르지 않고, 초初·상上으로 사물발전의 처음과 끝을 표시한다. 또 하나는 무릇 양효는 모두 구九라 칭하고 음효는 모두 육六이라고 칭하는데, 구와 육은 여기서 기본적으로 바로 음양의 대명사이다. 당연히 왜 구·육이라고 칭하는가 하는 것은 서법과 관계가 있는 바, 독자는 〈계사전〉의 관련된 해독解讀을 참고하기 바란다.

앞에서 말한 바와 같이, 64괘에서 하나하나의 괘는 모두 "—"·"--", 즉 양효·음효라는 두 개의 부호로 구성되어 있다. 수학상의 배열조합에 의하면, 3획괘에는 8개의 배열방식이 있는데, 이것이 바로 팔괘이다. 6획괘도 두 개의 3획괘가 같이 결합한 것인데, 64종류의 배열방식이 있고, 이것이 64괘이다. 64괘 중 각 괘의 괘부호를 중괘라고도 부르는데, 팔괘가 둘씩 서로 중첩된 것이다. 팔괘는 어떻게 만들어졌는가? 팔괘와 64괘의 관계는 어떠한가? 이것은 매우 복잡한 학술문제로서, 학자들 사이에 지금까지 일치된 견해가 없다.

괘사는 본래 단사라 부른다. 단彖이란 단斷이란 뜻이다. 괘사는 괘명 뒤에 붙어 있고, 하나의 괘의 대의에 대한 총체적 설명이다. "원형리정元亨利貞" 네 자와 같은 것인데, 〈건〉괘의 괘사다. 〈주역〉 64괘에 64조목의 괘사가 있다.

효사는 해당 효의 효상에 대응하는 길흉의 뜻에 대한 설명이다. 〈주역〉은 64괘이고, 매 괘마다 여섯 효가 있어서 64괘에는 모두 384효가 있으므로 모두 384개의 효사가 있다(〈건〉·〈곤〉 양괘의 용효用爻까지 보태면 모두 386효가 된다).

〈주역〉 64괘에는 하나의 배열순서가 있다. 이것이 바로 괘서卦序이다. 통행본 〈주역〉 64괘의 배열순서는 음미하면 할수록 맛이 나는데, 다만 도대체 왜 이와 같이 배열하였는가는 아직까지 분명하지 않다. 학자들이 계발의의啓發意義가 아주 풍부한 많은 연구를 진행하였지만 여전히 일치된 결론을 내리지 못하고 있다. 당대唐代 저명한 경학자 공영달은 일찍이 "둘둘이 서로 짝이 되고, 뒤집은 것이 아니면 음양이 변한 것 二二相耦, 非覆卽變"이라는 말을 사용하여 64괘 괘획 배열의 특징을 개괄하였다. 소위 "이이상우二二相耦"는, 64괘는 둘씩 둘씩 짝이 되어 모두 32짝이라는 것을 가리키는 것인데, 예컨대 〈건〉·〈곤〉이 한 짝이 되고, 〈둔〉·〈몽〉이 한 짝이 되는 것이다. 소위 "비복즉변非覆卽變"은, 짝이 되는 괘의 괘획은 거꾸로 된 것이 아니면 서로 음양이 반대되는 것을 가리킨다. 복覆은 뒤집히는 것이고, 변變은 반대되는 것이다. 〈둔〉을 뒤집어놓으면 〈몽〉이 되고, 〈수〉를 뒤집어놓으면 〈송〉이 되는 등등은 복覆에 속한다. 〈건〉과 〈곤〉은 음양이 서로 반대되고, 〈이頤〉와 〈대과〉도 음양이 서로 반대되는 등등은 변變에 속한다. 〈주역〉 64괘는 모두 32 짝인데, 그 중 28짝은 "복覆"이고, 네 짝은 "변變"이다. 공영달이 "二二相耦, 非覆卽變"라고 개괄한 것은 〈주역〉 괘서의 특징을 기본적으로 반영하였다고 해야 할 것이다.

64괘의 배열 순서를 편하게 기억하기 위하여 옛사람은 괘서가卦序歌를 지었다[182].

> 乾坤屯蒙需訟師, 比小畜兮履泰否, 同人大有謙豫隨, 蠱臨觀兮噬嗑賁, 剝復无妄大畜頤, 大過坎離三十備.
>
> 咸恒遯兮及大壯, 晉與明夷家人睽, 蹇解損益夬姤萃, 升困井革鼎震繼, 艮漸歸妹豊旅巽, 兌渙節兮中孚至, 小過旣濟兼未濟, 是爲下經三十四.

2) 〈주역〉의 편찬체제

〈주역〉이란 이 책은 그 구조가 특수한데, 부호도 있고 문자도 있으며, 부호와 문자 사이에도 또한 내재적인 관계가 있어서, 이해하려면 좀 곤란하다. 그렇다고 해서 따를 수 있는 규칙이 없는 것은 아니다. 이러한 규칙을 우리들은 〈주역〉의 편찬체제라고 부를 수 있을 것이다. 그 체제는 매우 중요하여 〈주역〉을 이해하는 데 시사하는 바가 크다. 예컨대, 방금 이야기한 괘서의 특징이 바로 뚜렷한 예증이 된다. 이 특징은 괘명과 괘사 중에도 반영되어 있다. 〈비否〉〈태〉·〈박〉〈복〉·〈건〉〈해〉·〈손〉〈익〉 등 괘명이 확연히 반대되는 뜻을 갖고

182 독자들이 외우기 편하도록 편의상 한자를 그대로 쓴다. -역자 주

있다. 그 밖에 〈사〉와 〈비〉·〈진〉과 〈명이〉·〈가인〉과 〈규〉·〈기제〉와 〈미제〉 등도 반대되는 뜻을 함께 가지고 있다.[183] 그뿐만 아니라, 〈역〉괘가 반대되는 것을 그 다음 차례로 하였기 때문에 효 가운데도 같은 글을 반대로 한 예가 누차 눈에 띈다.

〈태〉〈비〉 반대. 〈태〉 괘사 : "작은 것이 가고 큰 것이 온다 小往大來."

〈비〉 괘사 : "큰 것이 가고 작은 것이 온다 大往小來."

〈손〉〈익〉 반대. 〈손〉 육오 즉 〈익〉 육이 : "혹 십 붕의 거북으로 더한다 或益之十朋之龜."

〈쾌〉〈구〉 반대. 〈쾌〉 구사·〈구〉 구삼 모두 : "볼기에 살이 없으며 가는 걸음이 머뭇거린다 臀無膚, 其行次且."

〈기제〉〈미제〉 반대. 〈기제〉 구삼 : "고종이 귀방을 정벌한다 高宗伐鬼方." 〈미제〉 구사 : "움직여 귀방을 정벌한다 震用伐鬼方."

괘서가 이러한 특징을 반영하고 있는 것이 비록 64괘에서 보편적인 것은 아니지만 많든 적든 〈주역〉 편찬자의 생각과 그 마음을 드러내고 있다.

괘서 이외에, 〈주역〉 64괘의 명칭과 괘효사지간의 관계도 꽤 주의할 만하다. 대만의 저명한 학자 황패영黃沛榮의 통계에 따르면, 64괘 중에 전체 괘 중 여섯 효 전부가 괘명을 끼워놓고 있는 것이 14괘이다 : 〈비〉·〈리履〉·〈임〉·〈관〉·〈비賁〉·〈복〉·〈명이〉·〈건〉·〈곤〉·〈정〉·〈진震〉·〈간〉·〈점〉. 전체 괘 중 다섯 효가 괘명으로 되어 있는 것이 12괘이다 : 〈몽〉 ·〈수需〉·〈사〉·〈겸〉·〈박〉·〈이頤〉·〈함〉·〈둔〉·〈손損〉·〈여〉·〈태〉·〈환〉. 전체 괘 중 네 효가 괘명과 관계 있는 것이 13괘이다 : 〈동인〉·〈예〉·〈서합〉·〈무망〉·〈감〉·〈항〉·〈진晋〉·〈가인〉·〈승〉·〈귀매〉·〈풍〉·〈절〉·〈소과〉. 전체 괘 중 세 효가 괘명과 관계 있는 것이 6괘이다 : 〈송〉·〈비〉·〈대장〉·〈익〉·〈췌〉·〈손巽〉. 두 효가 괘명과 관계있는 것이 6괘이다 : 〈둔〉·〈수隨〉·〈리離〉·〈규〉·〈해〉·〈쾌〉. 한 효가 괘명과 관계있는 것이 6괘이다 : 〈건〉·〈대유〉·〈대과〉·〈구〉·〈중부〉·〈미제〉. 여섯 효 모두 괘명이 보이지 않는

183 黃沛榮 : 〈역학건곤〉, 〈주역괘효사석례〉 1장 참조.

괘는 〈곤〉·〈소축〉·〈태〉·〈대축〉·〈기제〉 5괘뿐이다. 그는 다음과 같이 여긴다 : "이를 총괄하면, 전체 괘 중에 네 효 이상 괘명과 관계있는 것은 41괘이고[184], 세 효 이상은 47괘에 달하며, 총 64괘 가운데에서 괘명이 있는 것이 모두 241효나 되는데, 이는 명백히 괘효사 편찬자가 고심하여 안배한 것이지 절대로 우연한 현상이 아니라는 것을 보여준다."[185] 이것은 확실히 일종의 우연한 현상으로 간주할 수 없고, 아마도 〈역〉괘를 이름 지은 부분적인 근거를 드러내고 있을지도 모른다.

매 괘 여러 효의 취상도 매우 관심거리이다. 〈주역〉 64괘를 총체적으로 보면, 매 괘의 여섯 효에 있어서 그 취상의 특징은 십분 선명한데, 아래서부터 위로 순차적으로 취상하고 있다. 〈점〉괘로 예를 들어보자.

> 초육은 기러기가 물가에 나아감이다. (간干은 물가이다)
> 육이는 기러기가 반석에 나아감이라. (반磐은 반般, 즉 물가 퇴적지대이다)
> 구삼은 기러기가 뭍에 나아감이다. (높고 평평한 곳을 육陸이라 한다)
> 육사는 기러기가 나무에 나아감이다. (나무는 육상의 초목이다)
> 구오는 기러기가 언덕에 나아감이다. (능陵은 큰 언덕이니 흙산이다)
> 상구는 기러기가 큰 언덕에 나아감이다. (육陸은 아阿자의 오류이고, 아阿는 대능大陵이다)

> 初六 : 鴻漸于干.
> 六二 : 鴻漸于磐.
> 九三 : 鴻漸于陸.
> 六四 : 鴻漸于木.
> 九五 : 鴻漸于陵.
> 上九 : 鴻漸于陸. 其羽可用爲儀. 吉.

여기서 "간"·"반"·"육"·"목"·"능"·"육"은 아래에서부터 위로 향하는 특징

184 양안 : 〈고〉, 〈혁〉 두 괘 포함. 양안이란, 저자의 생각이란 뜻임.
185 황패영 : 〈역학건곤〉 132항

을 나타내고 있다. 또한 〈함〉괘도 같다.

초육 : 엄지 발가락에 느낀다. (엄지 발가락)
육이 : 장딴지에 느낀다. (장딴지)
구삼 : 넓적다리에 느낀다. (넙적다리)
구오 : 등심에 느낀다. (등심)
상육 : 볼과 뺨과 혀로 느낀다. (얼굴의 뺨)

初六 : 咸其拇
六二 : 咸其腓
九三 : 咸其股
九五 : 咸其脢
上六 : 咸其輔頰舌

여기서 "엄지 발가락"·"장딴지"·"넓적다리"·"등심"·"볼과 뺨과 혀" 등도 아래로부터 위로 향하는 특징을 보이고 있다. 황패영의 연구에 의하면, 그 밖의 〈건〉·〈서합〉·〈간〉·〈동인〉 등도 그 취상이 똑같은 특징을 나타내고 있다. 〈주역〉의 취상과 효위는 밀접한 관련이 있음을 알 수 있고, 이것이 〈주역〉 편찬의 법칙 중의 하나일지도 모른다.

이와 관련하여, 효사의 글자 사용도 왕왕 효위와 상관이 있다. 예를 들면, 초효는 하나의 괘의 가장 하단에 위치하고 있기 때문에 대부분 부위가 낮은 물건으로 취상하고 있는데, 사람의 몸으로 말하자면 왕왕 "발가락"·"발"을 써서 상으로 삼고 있고, 사물로 말하자면 왕왕 "신발"·"꼬리" ·"바퀴"·"깔개"·"물에 잠김"·"깊이 팜" 등을 써서 상으로 삼고 있으며, 장소로 말하자면 왕왕 "우물"·"함정"·"골짜기"·"들판"·"물가"·"문"·"외짝문" 등으로서 상을 삼고 있다. 이효와 오효는 〈역〉괘의 중간효이기 때문에 글 가운데 늘 "중中"자를 붙이고 있으며, 또한 이효는 초효와 삼효에 의하여 둘러싸여 있고 오효는 사효와 상효에 의하여 둘러싸여 있으므로 이효와 5효에는 "포包"자를 쓴 것이 많다. 그 밖에 음효로서 이·오효에 있는 것은 "황黃"자를 붙이는 것이 많다. 또 여섯 효 가운데 오효가 가장 존귀하므로 늘 "천天"·"군君"·"제帝"·"왕王"·"공公"·"대인大人" 등의 글자를 붙인다. 기타 여러 가지 효도 글자를 씀에 있어 비교적 뚜렷한 특징을 갖고 있는데, 이것에 관심을 기울일 가치가 있다.

〈주역〉은 본래 서점의 책이기 때문에 효 가운데에는 길흉의 점단지사占斷之辭를 많이 붙이고 있는데, 이러한 점단지사도 왕왕 효위와 관계가 있다. 예컨대, "길吉자는 121번 나타나고, 리利자는 51번 나타나며, 구咎자는 92번 나타나고, 회悔자는 33번 나타나며, 흉凶자는 53번 나타나는 등이다. 그런데, 길흉회린이 위치하는 효위는 역시 대부분 안배를 거친 것이지, 결코 함부로 한 것이 아니다. 대체적으로 말하면, 이·오효는 길 리가 많고, 초·사효는 길 리가 그 둘보다 적고 린려吝厲가 많으며, 삼·상효는 흉이 많고 길이 적다."[186] 황패영이 내놓은 통계를 보면, (1) 이·오효는 길사吉辭가 제일 많았는데 합계가 47.06%를 차지하여 거의 총수의 반에 달했고, 흉사가 제일 적었는데 합계가 13.94%를 차지하였다. (2) 삼효는 흉사가 제일 많았고 상효가 그 다음이었는데, 삼·상효 합계가 62.3%를 차지하였다. 삼효는 길사가 제일 적었는데 6.5%에 불과하였다. (3) 초·사효는 흉함 가운데 길을 찾는 것이 제일 많았는데 44.54%를 차지하였다. 〈주역〉은 항상 "중中"을 숭상한다고 말하는데, 이 통계가 바로 좋은 증명이 된다.

〈주역〉의 편찬체제는 위에서 말한 몇 가지 항목에 그치지 않으며, 학자들은 이를 계속하여 탐구하고 있다. 단지 부인할 수 없는 것은, 연대가 너무 오래되어 어떤 체제는 이미 실전되었을 수도 있는데, 이것도 오늘날 〈주역〉을 이해함에 있어 곤란을 느끼는 주요 원인이다.

3) 〈주역〉 중의 점단占斷 용어

〈주역〉은 서점의 책이어서 자기 나름대로의 점을 묻는 용어가 있어, 고형은 이를 "점단지사"[187]라고 부르는데, 주로 "회悔"·"린吝"·"려厲"·"구咎"·"흉凶"·"리利"·"길吉" 등을 포괄한다. 이러한 용어는 〈주역〉을 이해함에 있어서

186 황패영 : 〈주역건곤〉 146항.

187 고형: 〈주역고경금주〉, 56쪽

매우 중요하다.

"회悔"자는 〈주역〉 중에 33차례 나타나는데, 표현형식에는 "회悔"·"회유회悔有悔"·"유회有悔"·"무회無悔"·"회망悔亡" 등이 있다. 그 뜻은 후회하고 한스러워하다[悔恨]이다. 예컨대, 〈주역정의〉가 "회悔는 그 일이 이미 지나갔는데 이를 돌이켜 후회하는 것이다"라고 말한 바와 같다. 그 밖에 자그마한 곤란한 일을 가리키기도 한다.[188]

"린吝"은 〈주역〉 중에 20차례 나타나는데, 표현형식에는 "린吝"·"왕린往吝"·"소린小吝"·"종린終吝"·"정린貞吝" 등이 있다. 근대 저명한 역학가 상병화尙秉和는 〈둔〉괘 육삼 효사 "왕린往吝"을 주석하여 이르기를, "린吝 자가 처음 보인다. 〈설문〉 구부口部에서 인용하여 린吝이라 하여 '한스럽고 애석하다'라고 말한다. 또 착부辵部에서 인용하여 린遴이라 하여 '나아가는 것이 어렵다'라고 한다. 나는 무릇 '왕린往吝'이라고 말하는 것은 마땅히 '나아가는 것이 어렵다'는 뜻을 따라야 한다고 생각한다. 단지 '린吝'이라고만 말한 것은 마땅히 '한스럽고 애석하다'라는 뜻으로부터 온 것이다."[189]라고 한다. "행난行難"은 바로 앞으로 나아가는 것이 어렵다는 것이다. "한석恨惜"은 애석哀惜하다, 유감遺憾이다라는 뜻이다. 〈주역〉 가운데 "린吝"자는 기본적으로 이 두 가지 뜻을 포함하는 것이다.

"려"자는 〈주역〉 중에 27차례 나타나는데 표현형식에는 "려"·"유려有"·"정려貞" 등이 있다. 〈역전〉은 "려"를 "위危" 즉 "위험危險"으로 풀이한다. 〈건〉 구삼은 "……위태롭지만 허물이 없다(……, 無咎)"인데, 〈문언전〉은 이를 "……비록 위태롭지만 허물이 없다(……雖 危, 無咎矣)"로 해석하여 "위危"로서 "려"를 해석한다. 기타 〈경전석문〉·〈주역집해〉·〈광아廣雅·석고釋詁〉 등의 전적 중에도 모두 "위危"로서 "려"를 해석한다. 예컨대, 〈석문〉은 이렇다 : "려厲는 력세반力世反인데, 위危라는 뜻이다." 〈광아廣雅·석고釋詁〉는, "려厲는 위危이다"라고 한다. 이것은 〈주역〉 가운데 "려"가 바로 "위危"·"위험危險"의 뜻이라는 것을 설명한다.

"구咎"자는 〈주역〉 중에 출현하는 빈도가 비교적 높아서 모두 98차례인데,

188 고형: 〈주역고경금주〉 제131쪽.

189 상병화: 〈주역상씨학〉, 45쪽.

표현형식은 "위구爲咎"·"비구匪咎"·"하구何咎"·"무구無咎" 등이다. "구咎"의 뜻은 "허물"이다. 고형은 "〈주역〉에서 말하는 '구咎'는 회悔보다 중하고 흉凶보다 가볍다. 회는 비교적 작은 곤액困厄이고, 흉은 거대한 재앙禍殃이며, 구咎는 비교적 가벼운 재환災患이다"[190]라고 말한다.

"흉凶"자는 〈주역〉 중에 56번 나타나는데, 그 뜻은 흉험凶險·화앙禍殃이이며, 그 표현형식은 "흉凶"·"정흉征凶"·"종흉終凶"·"유흉有凶"·"정흉貞凶" 등이다.

리利자는 〈주역〉 중에 178번 나타나는데, 그 뜻은 이롭다[有利]·—하는 것이 이롭다[利于]·—함이 마땅하다[宜于]이며, 그 표현형식은 "리利"·"무불리無不利"·"무유리無攸利"·"리견대인利見大人"·"리섭대천利涉大川"·"리유유왕利有攸往"·"리정利貞"·"리영정利永貞" 등이다.

"길吉"자는 〈주역〉 중에 출현빈도가 가장 높아서 100번을 초과한다. 그 뜻은 "선善"·"득得"·"호好"·"유리有利" 등이며, 그 주요 표현형식은 "길吉"·"왕길往吉"·"초길初吉"·"중길中吉"·"종길終吉"·"정길貞吉"·"대길大吉" 등이다.

〈주역〉은 취길피흉趣吉避凶의 책으로서, 이러한 단점지사斷占之辭를 통하여 사람에게 좋고 나쁨을 가리킨다. 다만 〈주역〉을 통틀어 보면, 이러한 단점지사의 배후에는 풍부한 인생지혜를 함축하고 있다는 사실을 발견하기란 어렵지 않다. 예컨대, "회悔"에는 "회한"·"재앙"이라는 뜻이 있는데, 회한은 왕왕 재앙으로 인하여 일어나는 것으로서 둘은 비록 약간의 다른 점이 있지만, 사람에 대하여 경고하는 뜻은 오히려 같은 것이다. "회"는 사람의 자성自省능력이 구현된 것으로서, 자성하여 과실을 알고, 과실을 알고 과실을 고치면 바로 길한 것이다. 그러므로 남송의 저명한 이학자 주희朱熹는 "회悔는 흉함으로부터 길함으로 나아가는 것이다"(〈주역본의〉)라고 말한다. 〈주역〉 가운데 "회"자가 비록 33차례 출현하지만, 〈건〉 상구의 "너무 높이 나는 용에게는 후회가 있다 亢龍有悔"와 〈예〉 육삼의 "쳐다보며 즐거워하니 후회가 있다. 더디게 하여도 후회가 있다 盱豫悔, 遲有悔" 등의 소수의 효사가 "후회가 있다[有悔]"라는 말을 붙인 이외, 그 나머지 여러 조항은 분명하게 "회"의 결과는 "해로움이 없다[無咎]"·"큰 해로움이 없다[無大咎]"·"길吉"·"끝내 길하다[終吉]"·"후회가

190 고형 : 〈주역고경금주〉, 제133쪽.

없다[無悔]"·"후회가 사라진다[悔亡]"라는 사실을 분명하게 사람들에게 알리고 있다. "회"는 개과천선과 밀접한 관계가 있음을 알 수 있다.

또한 "린吝"자도 같다. 〈주역〉 가운데에 비록 "吝린"의 구체적인 표현형식이 다르지만, 효사는 모두 하나의 "린吝"자를 통하여 사람들에게 '이와 같은 행위는 유쾌하지 아니한 일이 생길 수 있으니 빨리 방지하라'고 일러준다. 남송의 저명한 역학가 주진朱震은 말한다 : "린吝이란, 마땅히 후회하고 그쳐서 작은 잘못이 커다란 해에 이르지 않도록 지키는 것을 말한다."(〈한상역전〉 권 7) 주희도 말한다 : "린은 길함으로부터 흉함으로 향하는 것이다." 그러므로 〈계사상전〉에서 이를 말하기를, "걱정과 후회와 허물은 미세한 데에 있다 憂悔吝者存乎介"라고 한다. "개介"는 작은 것이다. 그 뜻은, '우환과 작은 잘못은 마땅히 미세한 곳부터 손을 써야 한다'는 것이다.

〈역경〉의 괘효사 가운데에 있어서 "려厲"가 사람들에게 일러주는 것은 위험이다. 그러나 〈역경〉이 위험을 일러주는 것은, 그 목적이 사람들이 정확하게 위험을 바라보고 이를 피하게 하려는 데 있다. 위험을 정확하게 바라보거나 효과적으로 피할 수 있다면, "비록 위태롭지만 허물이 없을 수 있을 것 雖危無咎矣"이다.(〈건·문언전〉)

"구咎"는 "재환災患"인데[191], 〈주역〉 가운데에 구咎자가 98번 나타나지만, 한 번만 "허물이 된다[爲咎]"(즉 장차 재환을 조성할 것이다)이다. 그 나머지는 "허물이 아니다[匪咎]"가 1번, "어찌 허물이 되겠는가[何咎]"(무슨 허물이 있겠는가, 즉 허물이 없다)가 3번, "허물이 없다[無咎]"가 93번이다. 그러므로 비록 〈주역〉 가운데에 누차 "구"자가 나오지만, 절대 다수가 "허물이 없다[無咎]"로 끝을 맺는다. 당연히 "허물이 없다[無咎]"는 조건이 없는 것이 아니며, 그 조건은 "잘못을 고치는 것[補過]"이다. 〈계사상전〉은, "허물이 없는 것은 잘못을 잘 고치는 것이다 無咎者, 善補過也," "허물이 없음을 떨쳐 일으키는 것은 후회함에 있다 震無咎者存乎悔."라고 말한다. 이것은 〈주역〉에서 말하는 "구咎"는 그 목적이 사람들에게 '허물이 있어서 뉘우치고 그 잘못을 잘 고치면 허물이 없음에 이른다는 것을 일깨워주는 데 있는 것이다. 위진 시기의 저명한 현학자 왕필王弼이 말한 바와 같다 : "무릇 무구無咎라고 말하는 것은 본래 모두 허

191 한국에서는 주로 "허물"로 번역한다. -역자 주

물이 있는 것[有咎]이다. 방지하는 도리를 얻었으므로 무구無咎함을 얻은 것이다."(〈주역주〉) 북송 시기의 저명한 철학가 장재張載도 말한다 : "무릇 무구無咎라고 말하는 것은 반드시 그 처음에는 후회함이 있는데 지금은 이를 고칠 수 있는 것을 구하는 것이다. 허물이 있지만 면하는 것은 잘 진작해서 고치기 때문이다."(〈역설〉) 〈주역〉에서 보기에는, "구咎"가 무서운 것이 아니라 진작 무서워해야 할 것은 "구咎"이면서도 스스로 알지 못 하고, "구咎"이면서도 고칠 생각을 하지 않는 것이다. 그 반대로, 만일 "종일 부지런하고 終日乾乾," "두려움으로 끝내고 시작할 수 있다면 懼以終始," "그 중요한 부분은 허물이 없다 其要無咎"라는 것을 알 수 있다.

〈주역〉의 괘효사 중에 "흉凶"은 아마도 가장 사람이 겁을 먹게 하는 단점지사일 것인데, 그러나 〈주역〉을 통틀어 보면 "흉"이 생기는 것은 모두 원인이 있는 바, 〈주역〉의 괘효사는 바로 사람들이 "흉"이 생기는 원인을 인식하고 "흉함을 피하는[避凶]" 길을 찾도록 도와주는 것이다. 〈계사전상〉 중에 말한다 : "길흉이라는 것은 잃고 얻음의 상이다 吉凶者, 失得之象也." "실失"로써 "흉凶"을 해석한 것은 퍽 음미할 가치가 있다. 송나라 사람 양만리楊萬里가 말했다 : "말과 행동 사이에 있어 아주 착하고 정당하여 도덕적인 기준에 맞는 것을 득得이라 하고, 그렇지 않는 것을 실失이라고 한다."(〈성제역전〉 권 17) 청나라 사람 이광지는 〈주역절중〉 권 13에서 조옥천趙玉泉의 말을 빌어서 이렇게 말했다 : "길은 이치에 따라서 얻는 상이다. 흉은 이치를 거슬러서 잃는 상이다." "실失"의 함의가 매우 광범하여 '일사일물一事一物의 잃음에 한정되지 않는다'라는 것을 알 수 있다. 만일 그 보편적 의의 방면에 집중한다면, 조옥천이 말한 바에 따라 '실失은 이치에 거스르는 것[逆理]이다'라고 할 수 있을 것이다. "역리逆理"는 "실도失道"이고 바로 객관법칙을 위배하는 것인데, "도를 잃으면 도와주는 바가 적다[失道寡助]"라는 것이어서 그 결과는 반드시 흉험한 것이다. 그러므로 〈주역〉의 효사 중에 "흉"을 생기게 하는 원인이 비록 각양각색이라고 하더라도, 그 귀결점은 하나이니, 바로 "실도失道"이다.

"리利"자는 하나의 단점어斷占語로서 주로 사람들에게 응당 어떻게 해야 하고, 어떻게 하는 것이 마땅하며, 어떻게 하면 좋은 점이 있고, 어떻게 하면 좋은 점이 없다는 것을 일깨워준다. 〈주역〉은 "리利"를 178차례나 이야기하고 있는데, 그것이 사람들의 "이익"과 "좋은 점"에 관심이 있다는 것을 충분히 설명하고 있다. 그러나 〈주역〉이 말하는 "리利"는 사람들에게 부당한 이득을 차지하고 이점을 탐하라고 가르치는 것이 아니라, 정확한 방향을 지시하여 길함을 좇고 흉함을 피하게 하는 것이다. 주희는 〈주역본의〉 권 1 가운데에서 말했다 : "리利라는 것은, 생물이 마치는 것이고 물건이 각 그 마땅함을 얻는 것이며, 서로 방해하지 않는 것이다. 그러므로 때에 있어서는 가을이고, 사람에 있어서는 의義이요, 각자가 각기 그 분수를 얻는 조화로움이다." 바로 "리"란 "마땅함[宜]"이요, 물건이 각 그 마땅함을 얻는 것이며, 조화롭고 어지럽지 않으며, 서로 어긋나지 않는 것이다.

〈역경〉이 길吉을 논함에 있어서 조건을 중시하고 길흉지간의 전환을 중시하는데, 그 목적은 사람에게 경고하려는 바가 있기 때문이다 : 무엇이 길하고, 어떻게 하여야 길할까? 흉은 어떻게 길로 바뀔 수 있을까?

요컨대, 〈주역〉 중에 있는 길흉과 좋고 나쁜 말은, 그 담겨 있는 의미가 모두 아주 풍부하고, 결코 표면상의 자의字義에 국한되지 않는데, 그렇게 하여야만 쉽게 점치는 비결이 될 있을 것이나 〈주역〉이 길함을 좇고 흉함을 피하게 하는 이론적 근거를 잃어버릴 수도 있다. 공자는 젊은 시절에 〈주역〉을 박수, 무당류의 이야기 거리로 보고 중요하게 여기지 않았는데, 만년에 〈역〉을 열심히 공부하고서는 비로소 그 가운데에 고대의 유실된 가르침이 있다는 것을 알고 덕의德義를 관찰할 수 있었다. 공자가 〈역〉을 읽고 체득한 것은 이렇다 : 〈역〉을 배우는 것은 사람으로 하여금 "큰 과실이 없도록[無大過]" 할 수 있다. 이것은 우리들이 오늘날 〈주역〉을 학습하는 방향과 목표가 되어야 할 것이다.

4) 〈역전〉 및 그 해경체제 解經體制

〈역전〉은 지금까지 보기로는 〈주역〉을 해석한 가장 오래된 저작으로서, 모두 10편인데, 한 대인은 "십익十翼"이라고 불렀으며, 각각 〈단전彖傳〉 상·하, 〈상전象傳〉 상·하, 〈문언전文言傳〉, 〈계사전繫辭傳〉 상·하, 〈설괘전說卦傳〉, 〈서괘전序卦傳〉, 〈잡괘전雜卦傳〉이다.

〈단전〉은 주로 괘사를 해석한 것인데, 괘사는 본래 "단사彖辭"라고도 불렀고, "단사"를 위하여 전을 지었기 때문에 "단전"이라고 부른다. 〈단전〉은 모두 64조항인데, 64괘를 상하경으로 나누는 방법에 따라 〈단전〉도 상·하 두 편으로 나뉜다. 〈상전〉은 또한 〈대상전〉과 〈소상전〉으로 나뉜다. 전자는 매 괘마다 하나가 있는데, 괘상과 괘명을 풀이한 뒤에 그 가운데에서 의리를 끌어내는데, 그 이론사유의 특징은 천도를 미루어 인도를 밝힌다는 것이다. 후자는 매 괘마다 여섯이 있는데, 그 중심은 효위를 드러내 보여서 해당 효가 길하고 흉한 이치를 뚜렷이 가리켜주는 데 있다. 〈문언전〉이라고 명명한 것에 대하여는 옛사람들에게 많은 종류의 의견이 있는데, 문식건곤설[文飾乾坤說 : 건곤을 꾸민 것이라 설]·의문언리설[依文言理說 : 문장에 의거하여 이치를 말하였다는 설] 등이 그것이다. 공영달의 〈주역정의〉는 이렇게 여긴다 : "〈문언〉이라는 것은, …… 건·곤은 〈역〉의 문호이다. 그 나머지 괘와 효는 모두 건·곤으로부터 나왔다. 그래서 (건·곤의) 의리가 깊고 오묘하여 특별히 〈문언〉을 지어 이를 해석하였다." 이 견해는 퍽 일리가 있다. 〈계사전〉은 또한 〈계사〉라고도 부르고, 상·하 두 편으로 나뉘는데, 〈주역〉의 통론이 되며, 그 내용은 팔괘의 기원·〈주역〉의 제작·〈주역〉의 성질 및 작용·점서의 방법 및 공자가 〈역〉을 해석한 자료 등을 포함하고 있다. 〈설괘전〉은 계통적으로 팔괘를 해설한 전문적인 저작이다. 〈서괘전〉은 64괘에 대한 순서 및 순서의 근거에 대한 총체적인 설명이다. 〈잡괘전〉은 〈서괘전〉이 제시한 순서를 흩어놓고 둘씩 맞대어 핵심적인 언어로 괘의를 설명한 것이다.

〈역전〉은 〈역〉을 풀이한 작품으로서, 그것이 경을 풀이함에 있어서는 일정한 체계를 따르고 있다. 이에 그 핵심을 뽑아서 아래와 같이 나누어 논술한다.[192]

당위설 當位說

당위설은, 하나의 괘 여섯 효의 위치에는 고정적인 속성이 있어, 이·사·육은 짝수로서 음위陰位이고, 일·삼·오는 홀수로서 양위陽位라는 것을 가리킨다. 양효가 양위에 있고 음효가 음위에 있는 것을 〈역전〉은 당위·정위라고 부르고, 이와 반대가 되면 부당위가 된다. 일반적으로 말하면, 당위는 길하고 부당

192 본장에서 논하는 것은 모두 주백곤 : 〈역학철학사〉, 제1권, 56-61항 참조.

위는 흉하다. 〈역전〉 중에 "당위當位"는 5번 나타나고, "위당位當"은 2번 나타나며, "위부당位不當"은 17번 나타나고, "정위正位"는 5번 나타나며, "위정당位正當"은 4번 나타나고, "수부당위雖不當位"는 4번 나타나며, "유득위柔得位"는 3번 나타나고, "유위有位"는 1번 나타나며, "재위在位"는 1번, "거위居位"는 1번, "미득위未得位"는 1번, "미당위未當位"는 1번 나타나서, 합계 45번 나타나는데, 이러한 경을 해석하는 체계가 〈역전〉에서 중시를 받았다는 것을 알 수 있다. 이는 〈역전〉이 보기에는 효사의 길흉회린과 그 효가 차지하고 있는 효위가 정당하냐의 여부는 매우 일정한 관계가 있다는 것을 설명한다.

응위설 應位說

응위설이란, 하나의 괘 여섯효에 있어서 초와 사·이와 오삼과 상의 위치가 서로 응한다는 것을 가리킨다. 응하는 자리 사이에 만일 하나가 음이고 하나가 양이면 응함이 있음[有應]이 되고, 반대로 만일 똑 같이 음이거나 똑 같이 양이면 응함이 없음[無應]이 된다. 일반적으로 말하자면, 유응은 길하고, 무응은 흉하다. 〈역전〉의 응위설에서 늘 쓰는 용어는 "상하응上下應"·"강유개응剛柔皆應"·"강유응剛柔應"·"중정이응中正而應"·"상하적응上下敵應"·"강유접剛柔接"·"유우강柔遇剛" 등이다. 그 중의 "적응敵應"은 바로 무응을 말한다.

승승설 承乘說

승승설이란, 하나의 괘 여섯 효 가운데 서로 가까이 있는 두 효에 있어서 아래에 있는 것이 위에 있는 것에 대하여 말하는 것을 "승承"이라 하고, 위에 있는 것이 아래에 있는 것에 대하여 말하는 것을 "승乘"이라 한다는 것을 가리킨다. 만일 상효가 양이고 하효가 음이면, 음승양[陰承陽 : 음이 양을 받들고 있음], 양승음[陽乘陰 : 양이 음을 올라타고 있음]이 된다. 만일 상효가 음이고 하효가 양이면, 음승양陰乘陽, 양승음陽承陰이 된다. 〈역전〉은 음승양陰承陽, 양승음陽乘陰은 이치에 따르는 것이고, 이치에 따르면 길하며, 그 반대로 음승양陰乘陽, 양승음陽承陰이 되면 이치를 거스르는 것이 되고, 이치를 거스르면 흉하다고 여긴다. 이러한 승승承乘관계를 〈역전〉은 늘 "비比"를 사용하여 해석한다.

중위설 中位說

중위란, 자리가 상하괘의 가운데에 있는 것을 가리키는데, 예컨대 이효가 하괘의 가운데 자리에 있고, 오효가 상괘의 가운데 자리에 있는 것과 같다. 〈역전〉은 중간에 자리하는 것이 중도에 부합한다는 것을 상징한다고 여긴다. 만일 중간에 자리하고 또한 당위이면, 〈역전〉은 중中이고 또한 정正이어서 중정의 덕이 있다는 것을 상징하므로 길하다고 본다.

왕래설 往來說

왕래설은, 괘 가운데의 각 효는 상하로 왕래할 수 있다는 것을 가리키는데, 위에서부터 아래로 이르는 것을 래來라고 하고, 아래에서부터 위로 가는 것을 왕往이라고 한다. 〈역전〉도 가끔 이러한 효위의 변화로서 괘의와 괘효사의 길흉을 설명하고 있다.

추시설 趨時說

〈단전〉·〈상전〉은, 괘상의 길흉은 그 처한 시기가 다름으로 인하여, 예컨대 똑같이 가운데 자리에 있더라도 반드시 모두가 길한 것이 아니니, 때에 적합하면 길하고 때에 어긋나면 흉하다고 여긴다.

세분한다면 당연히 아직도 몇 가지 체계가 있을 것이나, 여기서는 재차 하나하나 설명하지 않는다. 총괄하면, 〈역전〉이 보기에는 〈주역〉이라는 책은 그 괘효사와 괘효상 사이에는 내재적인 논리관계가 존재하고 있고, 괘효사가 말하는 길흉과 좋고 나쁨은 모두 괘효상 방면의 근거가 있다는 것이다. 그리고 괘효상 속에 숨겨져 있는 길흉과 좋고 나쁨의 의의는 또한 괘효사를 통하여 드러난다는 것이다. 〈주역〉의 이러한 체계는 응당 서법방면의 근거가 있겠지만, 〈주역〉 편찬의 체계와도 내재적인 관계가 있다. 이 점에 있어서는 아직 학계의 진일보적인 연구가 필요하다.

5) 역학사상의 상수파와 의리파

전통역학에 있어서 〈역전〉의 지위는 상당이 높아서 〈주역〉과 같은 경전의 위치를 차지하고 있으며, 이 때문에 〈역전〉의 경을 풀이하는 체계도 우두머리로 받들어져서 사람들이 〈주역〉을 주해하는 범식範式이 된다. 그런데 한 대학자들은 암송하기에 편리하게 할 목적에서 원래 단행본이던 〈역전〉 7종류를 경經과 전傳의 합본으로 편성하였는데, 이것이 후세에 미친 영향이 아주 커서, 2천년 동안 경학가들이 전으로 경을 풀이하는 것이 풍조가 되었다. 당연히 "이전해경[以傳解經 : 역전으로서 역경을 풀이함]"이라 하더라도 그대로 〈역전〉을 되풀이하는 것이 아니라, 〈역전〉의 방법에 의거하여 〈주역〉 가운데의 문제를 탐구하고 해석하는 것이다. 그러므로 역대 역학가는 〈역전〉의 기초 위에서 다시 한 걸음 더 나아가 허다한 해경解經의 새로운 체계를 형성하였는바, 이로 인하여 역학도 많은 유파를 형성하게 되어 소위 "양파육종兩派六宗"의 설이 있게 되었다.

> 〈좌전〉에 기재된 여러 가지 점은 대개 태복이 후세에 전한 법과 같다. 한유는 상수를 말하는데 옛것과 거리가 멀지 않다. 한 번 변하여 경京·초焦의 설이 되었는데, 상스러움을 구하는 쪽으로 들어갔고, 다시 변하여 진陳·소邵의 설이 되었는데 조화가 무궁무진하여 〈역〉은 마침내 백성들이 사용하는 바와 맞지 않게 되었다. 왕필은 상수를 배척하고 노장으로서 설명하였고, 이는 한 번 변하여 호원·정자의 설이 되었는데, 처음으로 유가儒家의 이치를 천명闡明하였다. 다시 변하여 이광李光·양만리楊萬里의 설이 되었고 또한 역사적인 사실을 참고하여 증명하였는데, 〈역〉은 마침내 그 논의의 실마리를 열었다. 이 양파육종은 이미 서로 공박攻駁하게 되었다.
>
> (〈흠정사고전서총목·경부총서〉 권1)

뜻은 이렇다 : 역학발전사에는 양파의 관점이 존재하고 있는데, 상수파와 의리파가 그것이다. 상수파 역학은 한대 고문파 역학·경방京房과 초연수焦延壽의 역학·진단陳摶과 소옹邵雍의 역학을 대표로 하는데, 이 삼자 사이에는 계승과 발전의 관계가 있다. 의리파 역학은 왕필의 현리玄理로 역을 설하는 학과 호원胡瑗·정이程頤의 유가이론으로 역을 설하는 학 및 이광李光·양만리楊萬里의 역사를 인용하여 역을 설하는 학으로 대표되는데, 이 삼자 간에도 역시 계승과 발전의 관계가 있다.[193]

193 여소강주편 : 〈역학사전〉, 347항, 장춘, 길림대학출판사, 1992. 참조

"양파육종"설은, 비록 반드시 완벽하고 정확하다고 할 수는 없으나, 역학사에 대한 개괄로서는 기본적으로 역사적 사실에 부합한다. 그러나 비록 작게 나누어서 "육종"이라고 하나 철저하게 "양파"로서, 상수파는 음양기우陰陽奇偶의 수와 괘효상 및 팔괘가 상징하는 물상에 치중하여 〈주역〉(〈역전〉을 포함한다)의 문의文義를 해석하고, 의리파는 괘명의 뜻과 괘의 성질에 치중하고 괘효상과 괘효사 중의 의리를 상세히 밝혀내는 것에 의거하여 경문을 주해한다. 양파의 학설은 각자 치중하는 바가 있는데, 피차간에 공박이 있고 또한 융합이 있으나, 둘 다 〈역전〉을 "정통"으로 받든다. 그 가운데, 상수파의 설은 〈역전〉의 해경체계 중 취상설에서 유래하고, 의리파의 설은 〈역전〉의 해경체계 중 취의설에서 유래한다. 그러므로 두 파는 비록 서로 다른 점이 있다 하더라도 모두 괘효상과 괘효사 사이에 논리관계가 존재한다는 것을 인정하고 있고, 모두 둘 사이의 논리관계를 밝히려고 시도하며, 모두 둘 사이의 논리관계를 이해함을 통하여 자신의 역학체계·철학체계를 세워서 말하고 있으며, 또한 둘 다 〈역전〉의 영향을 받았기 때문에 서로 통하는 점도 있다.

한대에 있어서 〈주역〉은 오경지수五經之首로 극진히 중요시되었는데, 학자들이 〈역〉을 풀이함에 있어서는 세 종류의 경향이 있었다 : 하나는 맹희孟喜·경방의 상수역학이고, 또 하나는 비직費直의 의리역학이며, 다른 하나는 참위讖緯역학(상수파의 갈래로서, 상수파에 넣을 수 있다)이다. 그 중 맹경은 관학으로 정해져서 한대 역학의 주류가 되었다. 비직의 역학은 민간에서 유전되어 나중에 왕필에 의하여 계승되었다. 진당 시기에는 역학의 연구가 현학의 영향을 받았는데, 왕필의 〈주역주〉는 한역의 상수학의 번쇄한 학풍을 일소하고, 노장을 참고하여 곧바로 현리를 탐구하였다. 당의 공영달은 왕의 명을 받들어 〈주역정의〉를 편찬하였는데, 왕필의 주를 채용하여 의리역학이 널리 발전·확대되는 아주 좋은 기회를 얻게 하였다. 당연히, 공영달은 자신의 문호를 고수하지 않고 다른 집안의 설도 더불어 취하였으므로 〈주역정의〉는 실제 한역이 송역으로 넘어가는 과도기의 교량이 되었다. 동시에 이정조李鼎祚는 〈주역집해〉를 편찬하여 한역계통 중 상수파의 주석을 모아서, 한역 상수지학의 부분 자료를 보존할 수 있게 하였다. 송대에는 역학발전이 새로운 단계에 진입하였는데, 의리지학과 상수지학이 발전을 맞이함과 동시에 역수학易數學과 도서학圖書學

도 다채롭고 성대하여 장관을 이루었다. 송역은, 그 형태로 말하자면, 양송兩宋에 그치지 아니하고 청대까지 계속하여 연속적으로 발전하였다.

"오사五四" 신문화운동 이후에 역학 연구는 서양학의 영향을 받으면서 역학의 발전도 현대 단계에 진입하기 시작하여, 상수·의리의 분야는 이미 관심의 초점이 되지 못하였다. 비교해서 말하자면, 산실된 문헌사료를 집록하는 것을 중시하고, 문화사의 각도에서 〈주역〉 괘효사 중 명물名物제도의 탐구를 중시하는 것이 이 시기 역학연구의 스포트라이트가 되었다. 근래에 〈주역〉과 관련 있는 출토出土문헌이 대량으로 출간·배포되어 역학 연구는 또다시 참신한 시대에 진입하게 되었다.

부록 2. 주역 64괘

〈주역〉 상경

乾(一) ䷀
乾: 元, 亨, 利, 貞.
건은 원하고 형하고 이하고 정하다(크고 형통하고 이로우며 바르다).
初九: 潛龍勿用.
초구는 못 속에 잠긴 용이니 쓰지 말라.
九二: 見龍在田, 利見大人.
구이는 나타난 용이 밭에 있으니, 대인을 봄이 이롭다.
九三: 君子終日乾乾, 夕惕若, 厲无咎.
구삼은 군자가 종일토록 강건하게 분발하다가 저녁이 되어서는 두려운 마음으로 반성하면, 위태로우나 허물은 없을 것이다.
九四: 或躍在淵, 无咎.
구사는 혹 뛰어 올랐다가 다시 못에 돌아오면 허물이 없을 것이다.
九五: 飛龍在天, 利見大人.
구오는 나는 용이 하늘에 있으니, 대인을 봄이 이롭다.
上九: 亢龍有悔
상구는 지나치게 높이 오른 용이니, 후회가 있다.
用九: 見群龍无首, 吉.
용구는 뭇 용을 보되 앞장서서 머리가 되려고 하는 것이 없으면 길하다.

곤(二) ䷁
坤: 元亨, 利牝馬之貞. 君子有攸往, 先迷後得主. 利西南得朋, 東北喪朋. 安貞, 吉.

곤은 원하고 형하고 이롭고 암말의 바름이다. 군자의 행함에 있어 먼저 하면 길을 잃고 뒤에 하면 (길을) 얻게 된다. 서와 남은 벗을 얻어 길하고, 동과 북은 벗을 잃는다. 편안한 마음에서 바르게 하니 길하다.

初六: 履霜, 堅冰至.

초육은 서리를 밟으면 굳은 얼음이 얼게 된다.

六二: 直方大, 不習, 无不利.

육이는 곧고 모나서 큰지라, 익히지 않아도 이롭지 않음이 없다.

六三: 含章可貞. 或從王事, 无成有終.

육삼은 빛남을 머금고 바르게 할 수 있으니, 혹 왕을 따라 일을 해서 이룸은 없어도 마침은 있게 된다.

六四: 括囊, 无咎无譽.

육사는 주머니를 잡아 매듯이 조심하면 허물이 없으며 영예로움도 없다.

六五: 黃裳, 元吉.

육오는 누런 치마니 크게 길하다.

上六: 龍戰于野, 其血玄黃.

상육은 용이 들에서 싸우니, 그 피가 검고 누렇다.

用六: 利永貞

용육은 영원토록 바르게 함이 이롭다.

屯 (三) ䷂

屯: 元, 亨, 利, 貞. 勿用有攸往. 利建候.

둔은 크게 형통하고 바르게 함이 이롭다. 스스로 나아가지 말고 제후를 세움이 이롭다.

初九: 磐桓, 利居貞. 利建侯.

초구는 머뭇거림이니, 바른 데 거함이 이롭다. 제후(보필할 자)를 세움이 이롭다.

六二: 屯如邅如, 乘馬班如, 匪寇婚媾. 女子貞不字, 十年乃字.

육이는 어렵고 걷기 어려우며 말을 탔다가 내리니, 도적이 아니라 청혼하러 온 것이다. 여자가 곧아서 시집가지 않다가 십년 만에야 올바른 짝에게 시집간다.

六三: 卽鹿无虞, 惟入于林中, 君子幾不如舍, 往吝.

육삼은 사슴을 쫓음에 몰이꾼이 없느니라. 오직 숲속으로 들어감이니, 군자가 기미를 보아 그치는 것만 같지 못하니, 가면 애석(인색)하리라.

六四: 乘馬班如, 求婚媾, 往吉, 无不利.

육사는 말을 탔다가 내리니, 청혼을 구하여 가면 길해서 이롭지 않음이 없다.

九五: 屯其膏, 小貞吉, 大貞凶.

구오는 은혜를 베풀기 어려우니, 조금 바르게 하면 길하고 크게 바르게 하려 하면 흉하다.

上六: 乘馬班如, 泣血漣如.

상육은 말을 탔다가 내려서 피눈물이 흐른다.

蒙(四) ䷃

蒙: 亨. 匪我求童蒙, 童蒙求我. 初筮告, 再三瀆, 瀆則不告. 利貞.

몽은 형통하다. 내가 어리고 몽매한 이를 찾는 것이 아니라 어리고 몽매한 이가 나를 찾아옴이니, 처음 점치거든 알려주나 두 번 세 번 하면 더럽히는 것이고. 더럽히면 알려주지 말아야 한다. 바르게 함이 이롭다.

初六: 發蒙, 利用刑人, 用說桎梏, 以往吝.

초육은 몽매함을 깨우치게 하되 사람에게 형벌을 씌운 후 질곡을 벗기는 방법이 이로우니, 형벌로써만 해나가면 애석하다.

九二: 包蒙吉 納婦吉 子克家

구이는 몽매함을 (나무라지 않고) 감싸면 길하고, 지어미를 들이면 길하며, 자식이 집을 다스린다.

六三: 勿用取女, 見金夫, 不有躬, 无攸利.

육삼은 여자를 취하지 말라, 돈이 많은 사내를 보고 몸을 간수하지 못하니, 그렇게 하면 이로울 바가 없다.

六四: 困蒙, 吝

육사는 곤한 몽이니 애석하다.

六五: 童蒙, 吉

육오는 어린 몽매함이니 길하다.

上九: 擊蒙, 不利爲寇, 利禦寇.

상구는 몽매함을 깨쳐야 하니 도적이 되게 함은 이롭지 않고, 도적이 되는 것을 막음이 이로우니라.

需 (五) ䷄

需: 有孚, 光亨, 貞吉, 利涉大川.

수는 믿음이 있고, 빛나서 형통하고, 바르게 해서 길하니, 큰 내를 건넘이 이롭다.

初九: 需于郊, 利用恒, 无咎.

초구는 들에서 기다림이라. 항상하게 함이 이로워서 허물이 없다.

九二: 需于沙, 小有言, 終吉.

구이는 모래에서 기다림이라. 조금 이런저런 말 있으나 마침내 길하다.

九三: 需于泥, 致寇至.

구삼은 진흙에서 기다림이니, 도적이 오게 됨을 만든다.

六四: 需于血, 出自穴.

육사는 피에서 기다림이니 구멍으로부터 나온다.

九五: 需于酒食, 貞吉.

구오는 술과 음식으로 기다림이니 바르게 하여 길하다.

上六: 入于穴, 有不速之客三人來, 敬之, 終吉.

상육은 구멍에 들어가니, 청하지 않은 손님 세 사람이 오나, 공경하면 마침내 길하다.

訟 (六) ䷅

訟: 有孚窒惕, 中吉, 終凶. 利見大人, 不利涉大川.

송은 믿음이 있으나 막혀서 두렵고, 중도로 함은 길하고 끝까지 함은 흉하다. 대인을 봄이 이롭고 큰 내를 건넘이 이롭지 아니하니라.

初六: 不永所事, 小有言, 終吉.

초육은 일하는 바(송사)를 길게하지 않으면, 조금 (좋지 않는) 말을 들으나 마침내 길하다.

九二: 不克訟, 歸而逋, 其邑人三白戶, 无眚.

구이는 송사를 이기지 못하여, 돌아가 도망가니, 그 읍사람 삼백 호는 재앙이 없다.

六三: 食舊德, 貞勵, 終吉. 惑從王事, 无成.

육삼은 옛 덕을 지켜고 바르게 하면, 위태로우나 마침내 길하다. 혹 왕의 일에 종사하나 이룸이 없다.

九四: 不克訟, 復卽命, 渝, 安貞, 吉.

구사는 송사를 이기지 못함이라. 돌아와 명을 따라서 자신의 생각을 바꾸고, 마음을 편안케 하고 바르게 하면 길하다.

九五: 訟, 元吉.

구오는 송사에 있어 크게 길하다.

上九: 或錫之鞶帶 終朝 三褫之

상구는 혹 반대(관복의 띠)를 주더라도 조회를 마치는 동안 세 번 빼앗는다.

師(七) ䷆

師: 貞, 丈人吉, 无咎.

사는 바르게 함이니 장인이라야 길하고 허물이 없다.

初六: 師出以律, 否臧凶.

초육은 군사를 출병함에 율법으로써 함이니, 그렇지 않으면 이기더라도 흉하다.

九二: 在師中, 吉无咎. 王三錫命.

구이는 군사 중에 중간에 있으니(군사를 쓰는데 중도로 하기 때문에) 길하고 허물이 없다. 왕이 세 번 명을 준다.

六三: 師或輿尸, 凶.

육삼은 군사에 대한 일을 혹 여럿이 주장하면(군사에 있어 혹 시체를 수레로 싣게 되면) 흉할 것이다.

六四: 師左次, 无咎.

육사는 군사가 (전투의 정세에 따라) 후퇴함이니 허물이 없다.

六五: 田有禽, 利執言, 无咎. 長子帥師, 弟子輿尸, 貞凶.

육오는 밭에 새가 있거든(적이 나라에 침입하면) 임금의 말을 받들어 치는 것이 이롭고 허물이 없다. 장자가 군사를 거느려야 하고, 차자들이 여럿이 주장하면 바르더라도 흉하다.

上六: 大君有命, 開國承家, 小人勿用.

상육은 임금이 (상과 벼슬의) 명을 내림이니, 나라를 열고 가문을 이음에 소인을 쓰지 말 것이다.

比(八) ䷇

比: 吉. 原筮, 元永貞, 无咎. 不寧方來, 後夫凶.

비는 길하다. 처음 점으로 하되 원하고 영하고 정하면 허물이 없다. 편안치 못하여야 바야흐로 오는 것이니 뒤에 오면 대장부라도 흉하다.

初六: 有孚比之, 无咎. 有孚盈缶, 終來有他, 吉.

초육은 성심으로 친비하여야 허물이 없다. 믿음이 있음이 질그릇에 가득차면, 마침내 다른 것이 오게 되어 길할 것이다.

六二: 比之自內, 貞吉.

육이는 안으로부터 친비하니 바르게 해서 길하다.

六三: 比之匪人.

육삼은 사람답지 않는 사람과 친비한다.

六四: 外比之, 貞吉.

육사는 밖으로 친비하니 바르게 해야 길하다.

九五: 顯比, 王用三驅, 失前禽, 邑人不誡, 吉.

구오는 드러나게 친비하는 것이니, 왕이 (사냥감을) 세 군데로 모는 법을 씀으로써 앞의 새를 잃으나, 읍사람이 경계하지 않으니 길하다.

上六: 比之无首, 凶.

상육은 친비하는 데 있어 나서는 사람이 없으니 흉하다.

소축(九) ䷈

小畜: 亨. 密雲不雨, 自我西郊.

소축은 형통하니, 빽빽이 구름끼고 비가 오지 않는 것은, 내가 서쪽 들로부터 하기 때문이다.

初九: 復自道, 何其咎, 吉.

초구는 도로부터 회복함이니 무슨 허물이랴? 길하다.

九二: 牽復, 吉.

구이는 이끌어 회복함이니 길하다.

九三: 輿脫輻, 夫妻反.

구삼은 수레의 바큇살이 탈락하니 부부가 반목한다.

六四: 有孚, 血去惕出, 无咎.

육사는 믿음이 있으면 피가 사라지고 두려움에서 나와서 허물이 없다.

九五: 有孚攣如, 富以其隣.

구오는 믿음으로 서로 이끌어서, 부를 그 이웃과 함께 한다.

上九: 旣雨旣處, 尙德載, 婦貞厲. 月幾望, 君子征凶.

상구는 이미 비오고 이미 그침은 덕을 숭상해서 가득 참이니, 지어미가 고집하면 위태하다. 달이 거의 보름이니 군자가 가면 흉할 것이다.

履: (十) ䷉

履: 履虎尾, 不咥人, 亨.

호랑이 꼬리를 밟더라도 사람을 물지 않음이라 형통하다.

初九: 素履往, 无咎.

초구는 본래 밟은대로 가면 허물이 없다.

九二: 履道坦坦, 幽人貞吉.

구이는 밟는 길이 탄탄하니 은거해서 도를 닦는 사람이라야 바르고 곧아서 길하다.

六三: 眇能視, 跛能履, 履虎尾, 咥人, 凶, 武人爲于大君.

육삼은 애꾸가 능히 보며 절름발이가 능히 밟음이라. 호랑이 꼬리를 밟아서 사람을 무니 흉하고, 무인이 임금이 된다.

九四: 履虎尾, 愬愬終吉.

구사는 호랑이 꼬리를 밟음이니, 조심 조심하면 마침내 길하다.

九五: 夬履, 貞厲.

구오는 겁없이 과감하게 밟음이니 바름을 얻어 행하더라도 위태하리라.

上九: 視履考祥, 其旋元吉.

상구는 밟아온 것을 봐서 상서로운 것을 살피되, 두루 잘 (주선)했으면 크게 길하다.

태 (十一) ䷊

泰: 小往大來, 吉, 亨.

태는 작은 것(음)이 가고 큰 것(양)이 오니, 길해서 형통하다.

初九: 拔茅茹, 以其彙. 征吉.

초구는 띠 뿌리를 뽑는 것을 그 무리와 함께 한다. 그렇게 나아가는 것이 길하다.

九二: 包荒, 用憑河, 不遐遺, 朋亡, 得尙于中行.

구이는 거친 것을 포용하며, 걸어서 강을 건너는 용기를 내며, 먼 것을 버리지 않으며, 붕당을 없애면, 중도로 행함에 가상함을 얻을 것이다.

九三: 无平不陂, 无往不復, 艱貞无咎. 勿恤其孚, 于食有福.

구삼은 평평한 것으로서 기울어지지 않는 것이 없으며 가는 것으로서 돌아오지 않는 것이 없으니, 어렵게 생각하고 바르게 하면 허물이 없다. 근심하지 않고 믿음을 가지고 있으면, 먹는 데 복이 있다.

六四: 翩翩不富以其隣, 不戒以孚.

육사는 (새가) 빠르게 날면서 부유하지 않아도 그 이웃과 함께 하여, 경계하지 않고 믿는다.

六五: 帝乙歸妹, 以祉元吉.

육오는 제을이 누이를 시집보냄이니, 복이 있고 크게 길하다.

上六: 城復于隍. 勿用師, 自邑告命, 貞吝.

상육은 성이 무너져 해자로 돌아감이라. 군사를 쓰지 말 것이고, 읍으로부터 명령을 내리니 바르고 굳게 하더라도 애석하다.

否 (十二) ䷋

否: 否之匪人, 不利君子貞, 大往小來.

비는 사람의 도가 아니니, 군자의 바름이 이롭지 않으며, 큰 것(양)이 가고 작은 것(음)이 온다.

初六: 拔茅茹, 以其彙. 貞吉, 亨.

초육은 띠뿌리를 뽑는 것을 그 무리로써 한다. 바르게 하여 길하고 형통하다.

六二: 包承, 小人吉, 大人否, 亨.

육이는 감싸고 받드는 것이니, 소인은 길하고 대인은 막히는 일이 있으나 도에는 형통하다.

六三: 包羞.

육삼은 감추고 있는 것이 부끄럽다.

九四: 有命无咎, 疇離祉.

구사는 군주의 명이 있으면(명에 맡기면) 허물이 없어 모두가 복을 받는다.

九五: 休否, 大人吉. 其亡其亡, 繫于苞桑.

구오는 비색한 것을 그치게 하는 것이라 대인에게 길하다. 그 망할 듯 망할 듯 해야 총생한 뽕나무에 맨다.

上九: 傾否. 先否後喜.

상구는 비색한 것이 기울어지니, 먼저는 비색하고 뒤에는 기뻐한다.

同人(十三) ䷌

同人: 同人于野, 亨. 利涉大川, 利君子貞.

광활한 들에서 사람들과 같이 하면 형통하리니, 큰 내를 건넘이 이로우며 군자의 바른 도로 함이 이롭다.

初九: 同人于門, 无咎.

초구는 사람과 함께함을 문 밖에서 하니 허물이 없다.

六二: 同人于宗, 吝.

육이는 사람과 함께 함을 일가끼리 하니 인색하다.

九三: 伏戎于莽, 升其高陵, 三歲不興.

구삼은 군사를 숲에 매복시키고, 그 높은 언덕에 올라가서 삼 년 동안을 일어서지 못한다.

九四: 乘其墉, 非克攻, 吉 .

구사는 그 성벽에 오르되 능히 공격하지 않음이니 길하다.

九五: 同人先號咷, 而後笑, 大師克相遇.

구오는 사람과 함께 함에 있어 먼저는 울부짖고 뒤에는 웃으니, 큰 군사로 이겨야 서로 만날 것이다.

上九: 同人于郊, 无悔.

상구는 사람과 함께 함을 먼 들에서 함이니 뉘우침이 없느니라.

大有 (十四) ䷍

大有: 元亨.

대유는 크게 착하고 형통하다.

初九: 无交害, 匪咎, 艱則无咎.

초구는 해로운 것을 사귐이 없으니 허물이 아니나, 어렵게 처신하면 허물이 없을 것이다. (저자는 '사귐으로 인한 해가없음은 허물이 아니니, 어렵게 처신하면 허물이 없을 것이다'라고 해석함)

九二: 大車以載, 有攸往, 无咎.

구이는 큰 수레로 실음이니, 일을 해 나가도 허물이 없다.

九三: 公用亨于天子, 小人弗克.

구삼은 공이 천자에게 제사를 지냄이니 소인은 하지 못할 바이다.

九四: 匪其彭, 无咎

구사는 너무 성대하지 않게 하면 허물이 없다.

六五: 厥孚交如, 威如, 吉.

육오는 그 믿음으로 서로 사귀는 것이니 위엄있게 하면 길하다.

上九: 自天祐之, 吉无不利.

상구는 하늘로부터 돕는지라, 길해서 이롭지 않음이 없다.

謙 (十五) ䷎

謙: 亨, 君子有終.

겸은 형통하니 군자가 마침이 있다.

初六: 謙謙君子, 用涉大川, 吉.

초육은 겸손하고 또 겸손한 군자니 큰 내를 건너더라도 길하다.

六二: 鳴謙, 貞吉.

육이는 이름이 널리 알려져 있음에도 겸손함이니, 바르고 굳게 해서 길하다.

九三: 勞謙, 君子有終, 吉.

구삼은 공로가 있음에도 겸손함이니 군자가 마침이 있어 길하다.

六四: 无不利, 撝謙.

육사는 겸손함을 베풀어 폄에 이롭지 않음이 없다.

六五: 不富以其隣, 利用侵伐, 无不利.

육오는 이웃으로 인하여 부유하지 않게 된 것이니, 승복하지 않는 자는 정벌함이 이롭고, 이롭지 않음이 없다.

上六: 鳴謙, 利用行師, 征邑國.

상육은 (통철하게 반성하여) 우는 겸이니 군사를 동원해서 읍국을 침이 이롭다. (저자는 '명성이 널리 알려졌음에도 겸손함이니 군사를 동원해서 읍국을 침이 이롭다'고 해석함)

豫(十六) ䷏

豫: 利建侯, 行師.

예는 제후를 세우고 군사를 행함이 이롭다.

初六: 鳴豫, 凶.

초육은 즐거움에 겨워 우는 것이니 흉하다.

六二: 介于石, 不終日, 貞吉.

육이는 절개가 돌과 같은 지라, 날이 마침을 기다리지 않으니, 굳고 바르고 길하다.

六三: 盱豫悔, 遲有悔.

육삼은 쳐다보며 즐거워하는 뉘우침이 있으며, 더디게 하여도 후회가 있다.

九四: 由豫, 大有得. 勿疑, 朋盍簪.

구사는 즐거움이 있게 하는 것이다. 크게 얻음이 있으니, 의심치 말면 벗이 비녀를 합하듯 할 것이다.

六五: 貞疾, 恒不死.

육오는 바르되 병들으나 항상 죽지 않는다.

上六: 冥豫, 成有渝, 无咎.

상육은 즐거움에 어두워졌으나, (생각과 행동에) 변함이 있으면 허물이 없다.

隨(十七) ䷐

隨: 元亨利貞, 无咎.

수는 크게 형통하고 바르게 함이 이롭고, 허물이 없다.

初九: 官有渝, 貞吉. 出門交有功.

초구는 주장하고 지키던 것에 변함이 있으니 바르게 하면 길하다. 문 밖에 나가서 사귀면 공이 있다.

六二: 係小子, 失丈夫.

육이는 소자에게 매여 장부를 잃는다.

六三: 係丈夫, 失小子. 隨有求得, 利居貞.

육삼은 장부를 따르고 소자를 잃는다. 따름에 구하는 것을 얻으나, 바른 데 거처함이 이롭다.

九四: 隨有獲, 貞凶. 有孚在道, 以明, 何咎.

구사는 따르는 바에 얻으려는 마음이 있으면 바르게 하더라도 흉하다. 도에 믿음을 두고, 밝음으로써 하면 무슨 허물이리오?

九五: 孚于嘉, 吉.

구오는 아름다운 것을 성실하게 함이니 길하다.

上六: 拘係之, 乃從維之. 王用亨于西山.

상육은 붙들어 매고 좇아서 얽음이니, 왕이 서산에서 제사를 지낸다.

蠱(十八) ䷑

蠱: 元亨. 利涉大川. 先甲三日, 後甲三日.

고괘는 크게 형통하고 큰 내를 건넘이 이롭다. 갑으로 먼저 사흘하며 갑으로 뒤에 사흘한다.

初六: 幹父之蠱, 有子, 考无咎, 厲終吉

초육은 아버지의 일을 주관함이요, 아들이 있으면 죽은 아버지가 허물이 없을 것이니, 위태롭게 여기고 조심해야 마침내 길할 것이다.

九二: 幹母之蠱, 不可貞.

구이는 어머니의 일을 주관함이니 곧게만 할 수 없을 것이다.

九三: 幹父之蠱, 小有悔, 无大咎.

구삼은 아버지의 일을 주관함이니, 조금 뉘우침이 있으나 큰 허물은 없을 것이다.
六四: 裕父之蠱, 往見吝.
육사는 아버지의 일을 너그럽게 함이니, 그렇게 일을 해나가면 위태로울 것이다.
六五: 幹父之蠱, 用譽.
육오는 아버지의 일을 주관함이니 명예롭다.
上九: 不事王侯, 高尙其事.
상구는 왕과 후를 섬기지 않으니, 그 일을 높이 숭상하도다.

臨 (十九) ䷒
臨: 元亨, 利貞. 至于八月有凶.
임은 크게 형통하고 바르게 함이 이로우니, 팔월에 이르러서는 흉함이 있다.
初九: 咸臨, 貞吉.
초구는 느껴 임함이니 바르게 해서 길하다.
九二: 咸臨, 吉, 无不利.
구이는 느껴 임함이니, 길해서 이롭지 않음이 없다.
六三: 甘臨, 无攸利. 旣憂之, 无咎.
육삼은 (쾌락에 젖어) 달게 임함이라, 이로울 것이 없다. 그러나 이미 근심하는지라 허물이 없다.
六四: 至臨, 无咎.
육사는 지극하게 임함이니, 허물이 없다.
六五: 知臨, 大君之宜, 吉
육오는 지혜로 임함이라, 임금의 마땅함으로 길하다.
上六: 敦臨, 吉无咎.
상육은 돈독하게 임함이니, 길해서 허물이 없다.

觀 (二十) ䷓
觀: 盥而不薦, 有孚顒若
관괘는 제사를 지낼려고 세수하였으나 제사공물을 올리지 않았을 때 같이 하면 믿음이 있어서 우러러 볼 것이다.

初六: 童觀, 小人无咎, 君子吝.

초육은 어린 아이의 봄이니, 소인은 허물이 없고 군자는 인색하다.

六二: 窺觀, 利女貞.

육이는 엿보는 관이니, 여자가 바름게 함이 이롭다.

六三: 觀我生進退.

육삼은 나의 생김새(행동)를 관찰해서 나아가고 물러난다.

六四: 觀國之光, 利用賓于王.

육사는 나라의 도덕과 문화의 빛남을 봄이니, 왕에게 벼슬하는 것이 이롭다.

九五: 觀我生, 君子无咎.

구오는 나의 살아가는 모습을 보되 군자면 허물이 없다.

上九: 觀其生, 君子无咎.

상구는 그의 살아가는 모습을 보되 군자면 허물이 없다.

噬嗑 (二十一) ䷔

噬嗑: 亨. 利用獄.

서합은 형통하니 형벌과 옥사를 쓰는 것이 이롭다.

初九: 履校滅趾, 无咎.

초구는 죄가 작을 때 형틀을 신겨서 발꿈치를 멸해서 (앞으로 더) 커지지 않도록 하니 허물이 없다.

六二: 噬膚滅鼻, 无咎.

육이는 살을 씹고 코를 멸하게 함이니(악한 사람을 중하게 처벌함) 허물이 없다.

六三: 噬腊肉, 遇毒, 小吝, 无咎.

육삼은 말린 고기를 씹다가 독을 만남이니, 조금 인색하나 허물이 없다.

九四: 噬乾胏, 得金矢, 利艱貞, 吉.

구사는 마른 고기를 씹어서 쇠와 화살을 얻으나, 어렵게 행동하고 바르게 함이 이롭고, 길하다.

六五: 噬乾肉, 得黃金, 貞厲, 无咎.

육오는 마른 고기를 씹어서 황금을 얻으니, 바르게 하고 위태롭게 여기면 허물이 없다.
上九: 何校滅耳, 凶.
상구는 형틀을 씌워서 귀를 멸하니 흉하다.

賁(二十二) ䷕
賁: 亨. 小利有攸往.
비는 형통하니 나아가는 것이 조금 이롭다.
初九: 賁其趾, 舍車而徒.
초구는 그 발꿈치(신발)를 꾸밈이니 (신발을 보이려고) 수레를 버리고 걷는다.
六二: 賁其須.
육이는 그 수염을 꾸민다.
九三: 賁如濡如, 永貞吉.
구삼은 꾸밈이 윤택하니, 오래하고 바르게 하면 길하다.
六四: 賁如皤如, 白馬翰如, 匪寇婚媾.
육사는 꾸미는 것이 희며 흰말이 나는 듯 하니, 도적이 아니라 혼인하려는 것이다.
六五: 賁于丘園, 束帛戔戔, 吝, 終吉.
육오는 언덕과 동산에서 꾸미니, 묶은 비단이 자잘하여 인색하나, 마침내 길할 것이다.
上九: 白賁, 无咎.
상구는 (희게) 소박하게 꾸미니 허물이 없다.

剝(二十三) ䷖
剝: 不利有攸往.
박은 나아가는 것이 이롭지 않다.
初六: 剝牀以足蔑, 貞凶.
초육은 상의 다리를 깎여져 손상됨이니 바르게 하여도 흉하다. (저자는 '상의 다리를 깎아서 멸하니 계속하여 고집을 부리면 흉하다'라고 해석함)
六二: 剝牀以辨蔑, 貞凶.

육이는 상의 판을 깎여져 손상됨이니, 바르게 하여도 흉하다.
六三: 剝之, 无咎.
육삼은 (음이 양을) 깎아도 허물이 없다.
六四: 剝牀以膚, 凶.
육사는 상을 깎여 손상되어 피부에까지 이르니 흉하다.
六五: 貫魚, 以宮人寵, 无不利.
육오는 생선을 꿰어서 궁인과 같은 총애를 얻으면 이롭지 않음이 없다.
上九: 碩果不食, 君子得輿, 小人剝廬.
상구는 큰 과실은 먹지 않으니, 군자는 수레을 얻고 소인은 집을 갉을 것이다.

復 (二十四) ䷗
復: 亨. 出入无疾, 朋來无咎. 反復其道, 七日來復. 利有攸往.
복은 형통하니, 나가고 들어 옴에 병이 없고, 벗이 와서 허물이 없다. 그 도를 반복하고 칠일에 와서 회복하니, 나아가는 것이 이롭다.
初九: 不遠復, 无祇悔, 元吉.
초구는 머지 않아 회복할 것이다. 후회하는 데 이르지 않을 것이니, 크게 착하고 길하다.
六二: 休復, 吉.
육이는 아름답게 회복함이니 길하다.
六三: 頻復, 厲, 无咎.
육삼은 자주 (애써) 회복하려 함이니, 위태하나 허물이 없다.
六四: 中行, 獨復.
육사는 (다른 음들의) 중심에서 행하되 홀로 (초구에) 돌아오도다.
六五: 敦復, 无悔.
육오는 두텁게 회복함이니 후회가 없다.
上六: 迷復, 凶, 有災眚. 用行師, 終有大敗, 以其國君, 凶. 至于十年, 不克征.
상육은 회복하는데 길을 헤맴이라 흉하니, 재앙이 있다. 군사를 움직이면 마침내 크게 패하고, 나라를 다스리면 임금이 흉하다. 십 년에 이르도록 능히 정복하지 못한다.

无妄 (二十五) ䷘

无妄: 元亨, 利貞. 其匪正有眚, 不利有攸往.

무망은 크게 형통하고 바르게 함이 이로우니, 바르지 않으면 재앙이 있기 때문에 (바르지 않은 상태에서) 나아가는 것은 이롭지 않다.

初九: 无妄, 往吉.

초구는 망령됨이 없으니, 나아가는 것이 길하다.

六二: 不耕穫, 不菑畬, 則利有攸往.

육이는 갈지 않고 거두며, 밭을 일구지 않아도 삼 년된 좋은 밭이 되니, 나아가는 것이 이로우니라.

六三: 无妄之災, 或繫之牛, 行人之得, 邑人之災.

육삼은 무망의 재앙이니, 혹 (길가에) 매어진 소를 행인의 가져간 것이 (이로 인하여 읍사람이 피해를 입게 되어) 읍사람의 재앙이로다.

九四: 可貞, 无咎.

구사는 바르고 굳게 할 수 있으니, 허물이 없다.

九五: 无妄之疾, 勿藥有喜.

구오는 무망의 병은 약을 쓰지 않아도 기쁨이 있다.

上九: 无妄, 行有眚, 无攸利.

상구는 무망에 나아가면 재앙이 있어서, 이로움이 없다.

大畜 (二十六) ䷙

大畜: 利貞, 不家食, 吉. 利涉大川.

대축은 바르고 굳게 함이 이롭고, 집에서 먹지 않으니 길하다. 큰 내를 건너는 것이 이롭다.

初九: 有厲, 利已.

초구는 위태함이 있으니, 그치는 것이 이롭다.

九二: 輿說輹.

구이는 수레의 바큇살이 벗겨짐이다.

九三: 良馬逐, 利艱貞. 日閑輿衛, 利有攸往.

구삼은 좋은 말로 쫓아감이니, 어렵게 여기고 바르게 함이 이롭다. 날마다 수레 모는 것과 호위하는 것을 익히고, (그와 같이) 나아가는 것이 이롭다.
六四: 童牛之牿, 元吉.
육사는 송아지의 곳두레니, 크게 착하고 길하다.
六五: 豶豕之牙, 吉.
육오는 불 깐 돼지의 어금니니, 길하다.
上九: 何天之衢, 亨.
상구는 어찌 하늘의 거리인가? 형통하다.

頤 (二十七) ䷚

頤: 貞吉. 觀頤, 自求口實.
이는 바르고 길하다. 턱을 움직여 음식물을 씹어서 몸을 기르는 것(양생)을 보며 자신을 기르는 도를 구한다.
初九: 舍爾靈龜, 觀我朶頤, 凶.
초구는 네 신령스러운 거북이를 놓아두고 나를 보고서 턱을 벌림이니, 흉하다.
六二: 顚頤, 拂經, 于丘頤, 征凶.
육이는 거꾸로 기름이라, 법도에 어긋나니, 언덕(상구)에서 기르려 해서 가면 흉하다.
六三: 拂頤, 貞凶, 十年勿用, 无攸利.
육삼은 기르는 것을 거스린 것이다. 바르게 해도 흉해서 십 년을 쓰지 못하니 이로운 바가 없다.
六四: 顚頤, 吉. 虎視眈眈, 其欲逐逐, 无咎.
육사는 거꾸로 길려져도 길하다. 호랑이가 눈을 부릅뜨고 노려보듯이 그 욕심이 계속되더라도 허물이 없다.
六五: 拂經, 居貞吉. 不可涉大川.
육오는 상도에 어긋나나 바르게 거처하면 길하다. 그러나 큰 내를 건널 수는 없다.
上九: 由頤, 厲吉, 利涉大川.
상구는 기르는 것을 있게 하는 자니, 위태롭게 여기면 길하고, 큰 내를 건넘이 이롭다.

大過 (二十八) ䷛

大過: 棟橈, 利有攸往, 亨.

대과는 기둥이 휘였으니(기둥이 휠 정도의 역량이 과하니), 나아가는 것이 이롭고 형통하다.

初六: 藉用白茅, 无咎.

초육은 (땅에 자리를) 까는 데 흰 띠를 쓰니, 허물이 없다.

九二: 枯楊生稊, 老夫得其女妻, 无不利.

구이는 마른 버들이 싹이 나며, 늙은 지아비가 젊은 아내를 얻으니, 이롭지 않음이 없다.

九三: 棟橈, 凶.

구삼은 기둥이 휘어지니, 흉하다.

九四: 棟隆, 吉. 有它, 吝.

구사는 기둥이 높아짐이니 길하다. (마음에) 다른 것이 있으면 애석하리라.

九五: 枯楊生華, 老婦得其士夫, 无咎无譽.

구오는 마른 버들이 꽃을 피우며 늙은 지어미가 젊은 지아비를 얻음이니, 허물이 없으나 명예도 없다.

上六: 過涉滅頂, 凶, 无咎.

상육은 지나치게 건너다 이마를 멸함이라. 흉하나 허물이 없다.

坎 (二十九) ䷜

坎: 習坎, 有孚, 維心亨. 行有尙.

습감(거듭된 감. 구덩이 속에 또 구덩이)은 믿음이 있어서 오직 마음이 형통하니, 나아가면 가상함이 있을 것이다.

初六: 習坎, 入于坎窞, 凶.

초육은 구덩이 속에 또 구덩이다. 구덩이에 빠짐이니, 흉하다.

九二: 坎有險, 求小得.

구이는 구덩이 속에 위험이 있으나, 구하면 조금은 얻으리라.

六三: 來之坎坎, 險且枕, 入于坎窞, 勿用.

육삼은 오고 감에 구덩이와 구덩이며, 험하고 깊다. 구덩이로 들어가 빠지니,

용쓰지 말아야 한다.

六四: 樽酒簋貳, 用缶, 納約自牖, 終无咎.

육사는 한 동이의 술과 두 대그릇의 밥을 질그릇을 받침그릇으로 사용하여, 간략하게 드리되 (밝은) 창문에서 하면, 마침내 허물이 없을 것이다.

九五: 坎不盈, 祇旣平,无咎.

구오는 구덩이가 차지 않았고, 언덕이 이미 평평하게 되었으니 허물이 없다.

上六: 係用徽纆, 寘于叢棘, 三歲不得, 凶.

상육은 밧줄로 묶어서 가시 넝쿨에 두었는데, 삼 년이 되도록 얻지 못하니 흉하니라.

離 (三十) ䷝

離: 利貞, 亨. 畜牝牛, 吉.

리는 바르게 함이 이롭고, 형통하니, 암소를 기르면 길하리라.

初九: 履錯然, 敬之, 无咎.

초구는 발걸음이 두려운 듯 조심스럽게 하니, 공경하면 허물이 없다.

六二: 黃離, 元吉.

육이는 누렇게 (중간에) 걸림이니, 크게 길하다.

九三: 日昃之離, 不鼓缶而歌, 則大耋之嗟, 凶.

구삼은 날이 기울어질 때의 걸림이니, 질그릇을 치고 노래하지 않으면 큰 노인의 탄식이 있을 것이다. 흉하다.

九四: 突如其來如, 焚如, 死如, 棄如.

구사는 갑자기 와서 타오르고, 죽이며, 버리니라.

六五: 出涕沱若, 戚嗟若, 吉.

육오는 눈물 나옴이 물 흐르는 듯하며, 슬퍼서 탄식함이니, (그렇게 뉘우치면) 길하리라.

上九: 王用出征, 有嘉, 折首, 獲匪其醜, 无咎.

상구는 왕이 출정하면 아름다움이 있을 것이니, 괴수를 참하고, 잡는 것이 그 졸개가 아니면 허물이 없다.

咸(三十一) ䷞

咸: 亨, 利貞, 取女吉.

함은 형통하고, 바르게 함이 이로우니, 여자를 취하면 길하다.

初六: 咸其拇.

초육은 엄지 발가락에 느끼는 것이다.

六二: 咸其腓, 凶, 居吉.

육이는 장딴지에 느끼면 흉하고,(느낌에 따라 움직이지 않고) 머물러 있으면 길하다.

九三: 咸其股, 執其隨, 往吝.

구삼은 넓적다리에 느낌이라. 따르는 데만 집착하니, (그렇게 따라) 가면 애석할 것이다.

九四: 貞吉, 悔亡. 憧憧往來, 朋從爾思.

구사는 바르게 하면 길하고 후회가 없어진다. 자주 자주 가고 오면 벗이 네 뜻을 따르리라.

九五: 咸其脢, 无悔.

구오는 등심에 느낌이니 후회가 없을 것이다.

上六: 咸其輔頰舌.

상육은 볼과 뺨과 혀로 느끼는 것이다.

恒(三十二) ䷟

恒: 亨, 无咎, 利貞. 利有攸往.

항은 형통하고 허물이 없으며, 바르고 굳게함이 이롭다. 나아가는 것이 이롭다.

初六: 浚恒, 貞凶, 无攸利.

초육은 항상함을 깊이 구하는 것이다. 고집해서 흉하니, (그렇게) 나아감에 이로움이 없다.

九二: 悔亡.

구이는 후회가 없어진다.

九三: 不恒其德, 或承之羞, 貞吝.

구삼은 그 덕이 항구하지 않음이라. 혹 부끄러운 일을 당할 수 있으니 고집하면 애석하리라.

九四: 田无禽.

구사는 사냥하는 데 밭에 새가 없다.

六五: 恒其德, 貞, 婦人吉, 夫子凶.

육오는 그 덕을 항구하게 하면 바르니, 부인은 길하고 남편은 흉하다.

上六: 振恒, 凶.

상육은 항상 빠르게 흔들리니, 흉하다.

遯 (三十三) ䷠

遯: 亨, 小利貞.

돈은 형통하고 바르게 함이 조금 이롭다.

初六: 遯尾, 厲, 勿用有攸往

초육은 도망하는 데 꼬리라. 위태하니 나아가지 말 것이다.

六二: 執之用黃牛之革, 莫之勝說.

육이는 누런 소의 가죽으로 묶음이라. 그 묶음은 무엇으로도 벗겨낼 수 없다.

九三: 係遯, 有疾, 厲. 畜臣妾吉.

구삼은 매이는 물러남이라. 병이 있고 위태하다. 신하와 첩을 기르는 데는 길하다.

九四: 好遯, 君子吉, 小人否.

구사는 좋아도 도피하는 것이니, 군자는 길하고 소인은 비색하다.

九五: 嘉遯, 貞吉.

구오는 아름답게 도피하니 바르고 굳게 해서 길하다.

上九: 肥遯, 无不利.

상구는 살찌게 도피함이니 이롭지 않음이 없다.

大壯 (三十四) ䷡

大壯: 利貞.

대장은 바르고 곧게 함이 이롭다.

初九: 壯于趾, 征凶, 有孚.
초구는 발꿈치에 장성함이니, 나아가면 흉할 것이 틀림 없으리라.
九二: 貞吉.
구이는 곧고 바르게 해서 길하니라.
九三: 小人用壯, 君子用罔, 貞厲. 羝羊觸藩, 羸其角.
구삼은 소인은 장성함을 쓰고 군자는 업신여김을 쓰니, 고집하면 위태하다. 숫양이 울타리를 받아서 그 뿔이 걸린다.
九四: 貞吉, 悔亡. 藩決不羸, 壯于大輿之輹.
구사는 바르게 하면 길해서 후회가 없다. 울타리가 터져서 걸리지 않으며, 큰 수레의 바퀴살이 건장하다.
六五: 喪羊于易, 无悔.
육오는 장성한 양을 쉬운 방법으로 힘을 잃게 하면 후회가 없을 것이다.
上六: 羝羊觸藩, 不能退, 不能遂, 无攸利, 艱則吉.
상육은 숫양이 울타리를 받아서, 물러날 수도 없으며 나아갈 수도 없어서 이로운 바가 없으니 어렵게 여겨 대처하면 길할 것이다.

晉 (三十五) ䷢
晉: 康侯用錫馬蕃庶, 晝日三接.
진은 나라를 평안히 하고 잘 다스리는 제후에게 말 주는 것을 많이 하고, 하룻날에 세 번 접대한다.
初六: 晉如, 摧如, 貞吉. 罔孚, 裕, 无咎.
초육은 나아가거나 물러남에 바르게 하면 길하다. 믿지 않더라도 너그럽게 하면 허물이 없다.
六二: 晉如, 愁如, 貞吉. 受茲介福, 于其王母.
육이는 나아가는 것이 근심스러우나 곧고 바르게 하면 길하다. 큰 복을 왕모로부터 받는다.
六三: 衆允, 悔亡.
육삼은 무리가 믿어서 뉘우침이 없어진다.
九四: 晉如鼫鼠, 貞厲.

구사는 나아가는 것이 다람쥐니 고집부리면 위태하리라.

六五: 悔亡, 失得勿恤, 往, 吉, 无不利.

육오는 뉘우침이 없을 것이니, 잃고 얻음을 걱정하지 말고, 나아가면 길해서 이롭지 않음이 없다.

上九: 晉其角, 維用伐邑, 厲吉, 无咎, 貞吝.

상구는 그 뿔 끝에 나아감이니, 오직 읍을 치는 데 쓰면, 위태하나 길하고 허물이 없거니와, 바름에는 인색하다.

明夷 (三十六) ䷣

明夷: 利艱貞.

명이는 어려운 처지에서 바르게 함이 이롭다.

初九: 明夷于飛, 垂其翼. 君子于行, 三日不食. 有攸往, 主人有言.

초구는 명이가 나는 데 그 날개를 드리움이니, 군자가 감에 있어 사흘을 먹지 못한다. 나아감에 있어 이러쿵저러쿵 주인이 말이 있도다.

六二: 明夷, 夷于左股, 用拯馬壯, 吉.

육이는 명이의 때에 왼 다리를 상함이나, 구원하는 말이 건장하면 길할 것이다.

九三: 明夷于南狩, 得其大首, 不可疾貞.

구삼은 명이의 때에 남쪽으로 사냥해서 그 큰 머리를 얻으나, 빨리 바르게 할 수는 없다.

六四: 入于左腹, 獲明夷之心, 出于門庭

육사는 왼쪽 배에 들어가서 명이의 (임금의) 마음을 얻어서 문뜰로 나온다.

六五: 箕子之明夷, 利貞.

육오는 기자의 명이이니, 바르게 함이 이롭다.

上六: 不明晦, 初登于天, 後入于地.

상육은 밝지 않아서 그믐이니, 처음엔 하늘에 오르고 뒤에는 땅으로 들어간다.

家人 (三十七) ䷤

家人: 利女貞.

가인은 여자가 바르게 함이 이롭다.

初九: 閑有家, 悔亡.

초구는 집안을 법도로써 잘 방비하면 후회가 사라진다.

六二: 无攸遂, 在中饋, 貞吉.

육이는 (부인의 직분은) 이루는 바가 없이 집안에 있으면서 음식을 잘 해 먹이면 바르고 길할 것이다.

九三: 家人嗃嗃, 悔厲吉. 婦子嘻嘻, 終吝.

구삼은 가인이 엄하게 하니 너무 엄하게 한 후회는 있으나 길하다. 부녀자가 희희덕거리면 마침내 애석할 것이다.

六四: 富家, 大吉.

육사는 집을 부유하게 하니 크게 길하다.

九五: 王假有家, 勿恤吉.

구오는 왕이 가도를 세움에 지극함이니 근심하지 않아도 길하다.

上九: 有孚威如, 終吉.

상구는 믿음있고 위엄있게 하면 마침내 길할 것이다.

睽 (三十八) ䷥

睽: 小事吉

규는 작은 일은 길하다.

初九: 悔亡. 喪馬勿逐, 自復. 見惡人, 无咎

초구는 후회가 없어진다. 말을 잃고 쫓지 않아도 스스로 회복하니, 악한 사람을 만나도 허물이 없다.

九二: 遇主于巷, 无咎.

구이는 주인을 골목에서 만나면 허물이 없을 것이다.

六三: 見輿曳, 其牛掣, 其人天且劓, 无初有終.

육삼은 수레를 당기고(구이) 그 소를 막으며(구사), 그 사람이 머리를 깎이고 또 코를 베이니, 처음은 없고 마침은 있다.

九四: 睽孤遇元夫, 交孚, 厲, 无咎.

구사는 어긋남에 외로워서 착한 지아비를 만나서 미덥게 사귐이니, 위태하나 허물이 없다.

六五: 悔亡, 厥宗噬膚, 往何咎.

육오는 후회가 없어지니, 어진 사람(구이)이 살을 씹으면(뜻을 합해서 정치를 하면) 나아감에 무슨 허물이 있으리오.

上九: 睽孤, 見豕負塗, 載鬼一車, 先張之弧, 後說之弧, 匪寇婚媾, 往遇雨則吉.

상구는 어긋남에 외로워서, 돼지가 진흙을 짊어진 것과 귀신을 한 수레 실은 것을 봄이라. 먼저 활을 멕였다가 뒤에 활을 벗겨서, 도적질 하려는 것이 아니라 혼인을 하자는 것이니, 나아가서 비를 만나면(의심이 풀려 화합하면) 길할 것이다.

蹇 (三十九) ䷦

蹇: 利西南, 不利東北. 利見大人, 貞吉.

건은 서남이 이롭고 동북은 이롭지 않다. 대인을 봄이 이로우니, 바르게 하면 길하할 것이다.

初六: 往蹇, 來譽.

초육은 나아가면 어렵고 오면 명예로울 것이다.

六二: 王臣蹇, 蹇匪躬之故

육이는 왕과 신하가 어려우나, 그 어려움이 자기 때문에 그런 것이 아니다.

九三: 往蹇, 來反

구삼은 나아가도 어렵고 (아래로) 오면 그 반대가 될 것이다.

六四: 往蹇, 來連.

육사는 나아가면 어렵고 오면 (구삼과) 연합될 것이다.(저자는, '나아가도 어렵고 돌아와도 어려움이 연속될 것이다' 라고, 통설과 달리 해석하였다)

九五: 大蹇, 朋來

구오는 크게 어려움에 벗이 온다.

上六: 往蹇, 來碩, 吉. 利見大人.

상육은 나아가면 어렵고 오면 커져서 길하리니, 대인을 봄이 이롭다.

解 (四十) ䷧

解: 利西南, 无所往, 其來復, 吉. 有攸往, 夙吉.

해는 서남쪽이 이롭고, 갈 바가 없기 때문에 돌아오는 것이 길하다. 갈 바가 있거든 일찍하면 길할 것이다.

初六: 无咎.

초육은 허물이 없다.

九二: 田獲三狐, 得黃矢, 貞吉.

구이는 사냥해서 세 마리 여우를 잡아서 누런 화살을 얻으니, 곧고 바르게 해서 길하다.

六三: 負且乘, 致寇至, 貞吝.

육삼은 짐을 지고 또 수레를 탐이라. 도적이 오도록 만들었으니 바르더라도 인색하다.

九四: 解而拇, 朋至斯孚.

구사는 너의 엄지 발가락을 풀면(초육과의 관계를 끊으면) 벗이 와서 믿으리라.

六五: 君子維有解, 吉. 有孚于小人.

육오는 군자가 오직 풀음이 있으면 길하다. 소인을 처리하는 데에 믿음이 있다.

上六: 公用射隼于高墉之上, 獲之, 无不利

상육은 공이 새매를 높은 담 위에서 쏘아서 잡으니, 이롭지 않음이 없다.

損(四十一) ䷨

損: 有孚, 元吉, 无咎, 可貞, 利有攸往. 曷之用? 二簋可用享.

손은 믿음이 있으면 크게 착하고 길하며 허물이 없어서, 바르고 굳게 할 수 있다. 나아가는 것이 이로우니, 무엇을 쓰리오? 두 대그릇으로 제사에 쓸 수 있느니라.

初九: 已事遄往, 无咎, 酌損之.

초구는 일을 마치거든 빨리 가야 허물이 없으리니, 참작하여 덜어낸다.

九二: 利貞, 征凶. 弗損益之.

구이는 바르고 굳게 함이 이롭고, 나아가면 흉하니, 덜지 말아야 보태는 것이 된다.

六三: 三人行, 則損一人. 一人行, 則得其友.

육삼은 세 사람이 가면 한 사람을 덜고, 한 사람이 가면 그 벗을 얻는다.

六四: 損其疾, 使遄有喜, 无咎

육사는 그 병을 덜어내되, 빨리하게 하면 기쁨이 있어서 허물이 없다.

六五: 或益之十朋之龜, 弗克違, 元吉.

육오는 혹 더하면 십붕의 가치가 있는 귀한 거북도 거절하지 못할 것이니 크게 착하고 길하다.

上九: 弗損益之, 无咎, 貞吉. 利有攸往, 得臣无家.

상구는 덜지 말고 더하면 허물이 없고, 바르고 길하니, 나아가는 것이 이로우니, 신하를 얻음이 일정한 집이 없다.

益 (四十二) ䷩

益: 利有攸往, 利涉大川.

익은 나아가는 것이 이롭고, 큰 내를 건넘이 이롭다.

初九: 利用爲大作, 元吉, 无咎.

초구는 크게 일을 하는 것이 이로우니, 크게 길하고, 허물이 없다.

六二: 或益之十朋之, 弗克違, 永貞吉. 王用享于帝, 吉.

육이는 혹 보태면 십붕의 가치가 있는 귀한 거북도 거절할 수 없으며, 영원토록 바르게 하면 길하고, 왕이 상제께 제사를 지내도 길하다.

六三: 益之用凶事, 无咎. 有孚中行, 告公用圭.

육삼은 보태주는 것을 흉한 일에 쓰는 것은 허물이 없다. 믿음을 갖고 중도로 행하며, 공에게 고하는데 홀을 쓰듯 신심을 다하여 한다.

六四: 中行告公從, 利用爲依遷國.

육사는 중도로 행하여 공(윗사람)에게 고하면 윗사람이 이를 따를 것이니 윗사람에게 의지하며 나라를 옮김이 이롭다.

九五: 有孚惠心, 勿問元吉, 有孚惠我德.

구오는 은혜를 베푸는 마음을 지성으로 하는 것이다. 묻지 않아도 크게 착하고 길하니, 성심성의로 나의 덕을 은혜롭게 생각할 것이다.

上九: 莫益之, 或擊之. 立心勿恒, 凶.

상구는 보태는 바가 없고 (오히려) 혹 치려고 한다. 마음을 세움이 항상하지 않으니 흉하니라.

夬 (四十三) ䷪

夬: 揚于王庭, 孚號有厲. 告自邑, 不利卽戎, 利有攸往.

쾌는 왕의 뜰에서 드날림이니, 성심으로 호령해서 위태로운 듯 조심한다. 읍으로부터 고함이 있으나, 군사를 쓰는 것은 이롭지 아니하며, 나아가는 것이 이롭다.

初九: 壯于前趾, 往不勝, 爲咎.

초구는 발꿈치가 나아가는데 용감함이니, 가서 이기지 못하면 허물이 될 것이다.(저자는 '앞 발가락에 상처를 입었는데도 나아가면, 이기지 못 하고 허물이 되리라'고 해석함)

九二: 惕號, 莫夜有戎, 勿恤.

구이는 두려워하며 호령함이니, 깊은 밤에 군사가 있더라도 근심치 말 것이로다.

九三: 壯于頄, 有凶. 獨行遇雨, 君子夬夬, 若濡有慍, 无咎

구삼은 강하고 용감한 것이 광대뼈에 나타나서 흉하다. 홀로 가다가 비를 만나니 군자는 결단할 것을 결단한다. (소인을 싫어하기를 비에) 젖는 듯이 해서 성냄이 있으면 허물이 없을 것이다.

九四: 臀无膚, 其行次且, 牽羊悔亡, 聞言不信.

구사는 볼기에 살이 없으며 가는 걸음이 머뭇거리니, 양을 이끌면 뉘우침이 없을 것이나, 말을 들더라도 믿지 않는다.

九五: 莧陸夬夬, 中行, 无咎

구오는 현륙(악인)을 과감히 결단하여도, 중도를 행함에 허물이 없을 것이다.

上六: 无號, 終有凶.

상육은 호소할 데가 없으니, 마침내 흉함이 있다.

姤 (四十四) ䷫

姤: 女壯, 勿用取女.

구는 여자가 건장함이니 여자를 취하지 말 것이다.

初六: 繫于金柅, 貞吉. 有攸往, 見凶. 羸豕孚蹢躅.

초육은 쇠말뚝에 매면 바르고 길하다. 나아가면 흉함을 보리니, 마른 돼지가 뛰고 있다.

九二: 包有魚, 无咎, 不利賓
구이는 꾸러미 속에 물고기가 있으니 허물이 없으나, 손님에게는 이롭지 아니하다.
九三: 臀无膚, 其行次且, 厲, 无大咎.
구삼은 볼기에 살이 없으나 가는 걸음은 머뭇거리니, 위태롭게 여기면 큰 허물이 없다.
九四: 包无魚, 起凶.
구사는 꾸러미 속에 물고기가 없으니 흉하게 되리라.
九五: 以杞包瓜, 含章, 有隕自天.
구오는 박달나무로써 오이를 쌈이니, 빛나는 것을 머금으면 하늘로부터 떨어짐이 있을 것이다.
上九: 姤其角, 吝, 무咎.
상구는 그 뿔에서 만남이라 인색하나, 허물할 데가 없느니라.

萃(四十五) ䷬
萃: 亨. 王假有廟, 利見大人, 亨, 利貞. 用大牲吉, 利有攸往.
취는 왕이 종묘에 이름이니(또는, 종묘를 둠에 지극하니) 대인을 봄이 이롭고, 형통하고, 바르게 함이 이롭다. 큰 희생을 씀이 길하니 나아가는 것이 이롭다.
初六: 有孚不終, 乃亂乃萃, 若號, 一握爲笑, 勿恤, 往无咎
초육은 믿음 있게 끝내지 못하면 뜻이 어지러워져서 망령되이 모일 것이다. 만일 울부짖게 되면 일제히 비웃음을 받게 될 것이니, 걱정하지 말고 그대로 가면 허물이 없을 것이다.
六二: 引吉, 无咎, 孚乃利用禴.
육이는 당기면 길해서 허물이 없으리니, 정성스럽게 하여 간략한 제사를 올려도 이롭다.
六三: 萃如嗟如, 无攸利, 往无咎, 小吝.
육삼은 모이는 듯 슬퍼하는 하니 이로운 바가 없으나, 나아가면 허물이 없고 조금 인색하다.
九四: 大吉, 无咎.

구사는 크게 길하고 허물이 없다.

九五: 萃有位, 无咎. 匪孚, 元永貞, 悔亡.

구오는 모이는 데 지위가 있고 허물이 없다. 믿지 않더라도 크게 착하고 오래도록 바르게 하면 후회는 없을 것이다.

上六: 齎咨涕洟, 无咎.

상육은 탄식하고 코눈물 흘리니, 허물할 데 없다.

升 (四十六) ䷭

升: 元亨, 用見大人, 勿恤, 南征吉

승은 크게 형통하니, 대인을 보되 걱정하지 말고 남으로 가면 길할 것이다.

初六: 允升, 大吉

초육은 믿고 올라감이니 크게 길하다.

九二: 孚乃利用禴, 无咎.

구이는 정성껏 간략한 제사를 지냄이 이로우니 허물이 없다.

九三: 升虛邑.

구삼은 빈 읍에 오름이다.

六四: 王用亨于岐山, 吉, 无咎.

육사는 왕이 기산에서 제사를 지내면, 길하고 허물이 없으리라.

六五: 貞吉, 升階.

육오는 바르게 하여야 길하니, 섬돌에 오른다.

上六: 冥升, 利于不息之貞.

상육은 오르는 데 어두움이니, 쉬지 않게 바르게 함이 이롭다.

困 (四十七) ䷮

困: 亨, 貞, 大人吉, 无咎. 有言不信

곤은 형통하고 바르고, 대인인지라 길하고 허물이 없으니, (곤궁한 때에는) 말이 있어도 믿지 않는다.

初六: 臀困于株木, 入于幽谷, 三歲不覿.

초육은 엉덩이가 그루터기에 곤함이니, 그윽한 골짜기에 들어가 삼 년이 되어도 볼 수 없다.

九二: 困于酒食, 朱紱方來, 利用亨祀, 征凶, 无咎.

구이는 술과 밥에 곤하나, 주불(부르러 오는 임금의 행차)이 바야흐로 올 것이니, 제사를 지냄이 이롭고, 나아가면 흉하니, 허물할 데 없다.

六三: 困于石, 據于蒺藜,入于其宮, 不見其妻, 凶.

육삼은 돌에 곤하며 가시나무에 거처함이라. 그 집에 들어가도 아내를 볼 수 없으니 흉하다.

九四: 來徐徐, 困于金車, 吝, 有終.

구사는 오기를 천천히 하는 것은 쇠수레에 곤하기 때문이니, 인색하나 마침이 있다.

九五: 劓刖, 困于赤紱, 乃徐有說, 利用祭祀.

구오는 코베고 발꿈치를 베임이니 적불(신하의 행차)에 곤하나, 천천히 기쁨이 있을 것이니, 제사를 씀이 이로우니라.

上六: 困于葛藟, 于臲卼, 曰動悔有悔, 征吉.

상육은 칡 넝쿨과 위태함에 곤함이니, 움직이면 후회가 있다고 말해서 뉘우침이 있으면, 가서 길할 것이다.

井(四十八) ䷯

井: 改邑不改井, 无喪无得, 往來井井. 汔至, 亦未繘井, 羸其甁, 凶.

정은 읍은 고치되 우물은 고치지 못하니, 얻음도 없고 잃음도 없으며, 가는 이와 오는 이가 우물을 푸고 우물 물을 마신다. 거의 이르러 또 우물에 닿지 못함이니, 그 병을 깨면 흉하다.

初六: 井泥不食, 舊井无禽.

초육은 우물에 진흙이 있어 먹지 못한다. 옛 우물에 새가 없다.

九二: 井谷射鮒, 甕敝漏.

구이는 골짜기에 있는 우물인지라 미물에게나 쏟음이고, 항아리가 깨져 샌다.

九三: 井渫不食, 爲我心惻, 可用汲, 王明, 竝受其福.

구삼은 우물이 깨끗하되 먹이지 못해 내 마음을 슬프게 한다. 길어서 쓸 수 있으니, 왕이 밝으면 같이 복을 받을 것이다.

六四: 井甃, 无咎.

육사는 우물을 치니 허물이 없다.

九五: 井冽, 寒泉食.

구오는 우물이 맑아서 찬 샘물을 먹는다.

上六: 井收勿幕, 有孚元吉.

상육은 우물을 길어 취하고 덮지 않으며, 믿음이 있는지라 크게 착하고 길하다.

革(四十九) ䷰

革: 已日乃孚, 元亨利貞, 悔亡.

혁은 시기가 무르익어야 이에 믿으리니, 크게 형통하고 바르게 함이 이로워서 뉘우침이 없어진다.

初九: 鞏用黃牛之革.

초구는 묶되 누런 소의 가죽을 쓰니라.

六二: 已日乃革之, 征吉, 无咎.

육이는 시기가 무르익으면 고치리니, 나아가면 길하고, 허물이 없으리라.

九三: 征凶, 貞厲, 革言三就, 有孚.

구삼은 나아가면 흉하니, 곧고 바르게 하며 위태롭게 여겨야 할 것이니, 고친다는 말이 세 번 이루어지면 (사람들에게) 믿음이 있게 될 것이다.

九四: 悔亡, 有孚改命, 吉

구사는 뉘우침이 없어지고, 믿음으로 개혁하니 길하리라.

九五: 大人虎變, 未占有孚.

구오는 대인이 호랑이 문채와 같이 변하는 것이니, 점치지 아니해도 믿음이 있다.

上六: 君子豹變, 小人革面, 征凶, 居貞吉.

상육은 군자는 표범의 문채와 같이 변하고, 소인은 낯만 고치니, 가면 흉하고 바른 데 거처하면 길하다.

鼎(五十) ䷱

鼎: 元吉, 亨.

정은 크게 착하고 형통하다.

初六: 鼎顚趾, 利出否, 得妾以其子, 无咎

초육은 솥의 발이 엎어지나, 비색한(썩은) 것을 내놓게 되어 이로우니, 첩을 얻으면 그 아들 때문에 허물이 없어질 것이다.

九二: 鼎有實, 我仇有疾, 不我能卽, 吉.

구이는 솥에 내용물이 있으나, 내 짝이 병이 있으니, 내게 다가오지 못하게 하면 길하리라.

九三: 鼎耳革, 其行塞, 稚膏不食, 方雨虧悔, 終吉.

구삼은 솥귀가 떨어져서 솥을 옮겨가지 못하여 꿩죽을 먹지 못하나, 바야흐로 비가 내려 후회를 사라지게 하니 마침내 길하다.

九四: 鼎折足, 覆公餗, 其形渥, 凶.

구사는 솥이 다리가 부러져서 공의 밥을 엎으니, 그 얼굴이 땀으로 젖음이라 흉하다.

六五: 鼎黃耳金鉉, 利貞.

육오는 솥이 누런 귀에 금 고리니, 바르게 함이 이롭다.

上九: 鼎玉鉉, 大吉, 无不利.

상구는 솥이 옥 솥고리이니, 크게 길해서 이롭지 아니함이 없다.

震(五十一) ䷲

震: 亨. 震來虩虩, 笑言啞啞. 震驚百里, 不喪匕鬯.

진은 형통하다. 우레가 옴에 놀라고 두려워하면 웃는 소리가 깔깔거릴 것이다. 우레가 백리를 놀라게 해도 제사지내는 숟가락과 술잔을 잃지 않느니라.

初九: 震來虩虩, 後笑言啞啞, 吉.

초구는 우레가 옴에 놀라고 두려워해야 뒤에 웃는 소리가 깔깔거릴 것이니 길하다.

六二: 震來厲, 億喪貝, 躋于九陵, 勿逐, 七日得.

육이는 우레가 옴에 위태함이라. 재물 잃을 것을 염려해서 구릉에 오름이니, 쫓지 아니하면 칠일만에 얻을 것이다.

六三: 震蘇蘇, 震行无眚.

육삼은 우레쳐서 까무러침이니, 두려워 하며 행하면 재앙이 없으리라.

九四: 震遂泥.

구사는 우레가 드디어 빠짐이라.

六五: 震往來厲, 億无喪, 有事.

육오는 우레가 가고 옴이 위태로우니, 잘 헤아려서 일을 망치지 않게 해야 할 것이다.

上六: 震索索, 視矍矍, 征凶. 震不于其躬, 于其隣, 无咎. 婚媾有言.

상육은 우레가 흩어져서 눈을 두리번 거림이니, 가면 흉하니, 우레가 자기 몸에 맞지 않고 그 이웃에 맞았을 때 두려워해서 조심하면 허물이 없다. 혼구(자기와 친근했던 사람)는 원망하는 말이 있으리라.

艮(五十二) ䷳

艮: 艮其背, 不獲其身, 行其庭, 不見其人, 无咎.

그 등에 그치면 그 몸을 얻지(보지) 못하며, 그 뜰에 걸어다녀도 그 사람을 보지 못하여 허물이 없을 것이다.

初六: 艮其趾, 无咎, 利永貞.

초육은 그 발꿈치에 그침이라 허물이 없으니, 오래동안 바르게 함이 이롭다.

六二: 艮其腓, 不拯其隨, 其心不快.

육이는 그 장딴지에 그침이니, 구원하지 못하고 따르는 지라, 그 마음이 유쾌하지 않다.

九三: 艮其限, 列其夤, 厲薰心.

구삼은 그 허리에 그치고, 그 등뼈를 벌림이니, 위태하여 마음이 찌는 듯 하다.

六四: 艮其身, 无咎.

육사는 그 몸에 그침이니 허물이 없다.

六五: 艮其輔, 言有序, 悔亡.

육오는 그 볼에 그침이라. 말이 차례(조리)가 있음이니 후회가 없어질 것이다.

上九: 敦艮, 吉.

상구는 돈독하게 그침이니 길하다.

漸 (五十三) ䷴

漸: 女歸吉, 利貞.

점은 여자가 시집가는 것이 길하니, 바르게 하기 때문에 이롭다.

初六: 鴻漸于干, 小子厲, 有言, 无咎.

초육은 기러기가 물가에 나아감이니, 소인과 어린 아이는 위태해서 말이 있으나 허물이 없다.

六二: 鴻漸于磐, 飮食衎衎, 吉.

육이는 기러기가 반석에 나아감이라. 마시고 먹는 것이 즐겁고 즐거우니 길하다.

九三: 鴻漸于陸, 夫征不復, 婦孕不育, 凶. 利禦寇.

구삼은 기러기가 뭍에 나아감이니, 지아비가 가면 돌아오지 못하고, 지어미가 잉태하여도 기르지 못하여 흉하니, 도적을 막는 것이 이롭다.

六四: 鴻漸于木, 或得其桷, 无咎.

육사는 기러기가 나무에 나아감이니, 혹 그 평평한 가지를 얻으면 허물이 없을 것이다.

九五: 鴻漸于陵, 婦三歲不孕, 終莫之勝, 吉.

구오는 기러기가 언덕에 나아감이니, 지어미가 삼년을 잉태하지 못하나, 마침내 (육사와 구삼이) 이기지 못하는 까닭에 길할 것이다.

上九: 鴻漸于陸, 其羽可用爲儀, 吉.

상구는 기러기가 하늘에 나아감이니, 그 깃이 의범이 될 만하니 길하다.

歸妹 (五十四) ䷵

歸妹: 征凶, 无攸利.

귀매는 나아가면 흉하니, 이로울 바가 없다.

初九: 歸妹以娣, 跛能履, 征吉.

초구는 누이동생을 시집보내는 데 첩으로써 함이니, 절름발이가 능히 밟음이라. 가면 길할 것이다.

九二: 眇能視, 利幽人之貞.

구이는 애꾸눈이 능히 보는 것이니, 은거하여 도를 닦는 이의 바름이 이롭다.

六三: 歸妹以須, 反歸以娣.

육삼은 누이동생을 시집보내는 데 기다림이니, 돌아가서 첩으로써 시집보냄이라.

九四: 歸妹愆期, 遲歸有時.

구사는 누이동생을 시집보내는 데 기약을 어김이니, 더디게 시집감이 때가 있다.

六五: 帝乙歸妹, 其君之袂, 不如其娣之袂良, 月幾望, 吉.

육오는 제을이 누이동생을 시집보내는 것이니, 그 소군의 소매가 그 첩의 소매의 좋은 것만 같이 못하니, 달이 거의 보름이면 길할 것이다.

上六: 女承筐无實, 士刲羊无血, 无攸利.

상육은 여자가 광주리를 받드는 데 실물이 없음이라. 선비가 양을 찔러서 피가 없으니 이로울 바가 없다.

豐 (五十五) ䷶

豐: 亨, 王假之, 勿憂, 宜日中.

풍은 형통하니, 왕이어야 이르나니, 근심하지 않으면 마땅히 해가 중천에 있다.

初九: 遇其配主, 雖旬无咎, 往有尙.

초구는 그 짝이 되는 주인을 만나되, 비록 평등하게 하나 허물이 없으니, 가면 가상함이 있을 것이다.

六二: 豐其蔀, 日中見斗, 往得疑疾, 有孚發若, 吉.

육이는 그 포장이 풍성함이라. 한 낮에 두수를 보니, 가면 의심의 병(의심과 질투)을 얻으리니, 믿음을 두어 뜻을 펴나가면 길할 것이다.

九三: 豐其沛, 日中見沬, 折其右肱, 无咎.

구삼은 그 장막이 풍성함이라. 한 낮에 작은 별을 봄이요, 그 오른팔을 끊음이니, 허물할 데 없다.

九四: 豐其蔀, 日中見斗, 遇其夷主, 吉.

구사는 그 포장을 풍성하게 했기 때문에 한 낮에 두수를 보니, 그 평등한 주인을 만나면 길할 것이다.

六五: 來章, 有慶譽, 吉.

육오는 빛난 것을 오게 하면, 경사와 명예가 있어서 길할 것이다.

上六: 豐其屋,蔀其家, 闚其戶, 闃其无人, 三歲不覿, 凶

상육은 그 집을 풍성하게 하고 그 집을 포장으로 가림이라. 그 문안으로 엿보니 고요하고 사람이 없어서 삼년이 되어도 보지 못하니 흉하다.

旅(五十六) ䷷

旅: 小亨, 旅貞吉.

려는 조금 형통하고, 나그네가 바르게 해서 길하다.

初六: 旅瑣瑣, 斯其所取災.

초육은 나그네가 추잡하고 자잘함이니, 그 재앙을 취함이라.

六二: 旅卽次, 懷其資, 得童僕貞.

육이는 나그네가 여관에 들어가서 그 노자를 품고, 아이 종의 바름을 얻도다.

九三: 旅焚其次, 喪其童僕貞, 厲

구삼은 나그네가 그 머물던 곳이 불타고, 어린 종에 대한 바름을 잃으니, 위태하다.

九四: 旅于處, 得其資斧, 我心不快.

구사는 나그네가 거처하게 되고, 그 노자와 도끼를 얻었으나, 내 마음은 유쾌하지 못하다.

六五: 射雉一矢亡, 終以譽命.

육오는 꿩을 쏴서 한 화살에 잡았다. 마침내 명예와 복록이 있으리라.

上九: 鳥焚其巢, 旅人先笑後號咷. 喪牛于易, 凶

상구는 새가 그 둥지를 불사르니 나그네가 먼저는 웃고 뒤에는 울부짖는다. 소를 쉽게 여겨 잃음이니 흉하다.

巽(五十七) ䷸

巽: 小亨, 利有攸往, 利見大人.

손은 조금 형통하니, 가는 바를 둠이 이롭고, 대인을 봄이 이롭다.

初六: 進退, 利武人之貞.

초육은 나아가고 물러감이니 무인의 정고함이 이롭다.

九二: 巽在牀下, 用史巫紛若, 吉无咎.

구이는 겸손해서 평상 아래 있음이니, 사와 무를 씀이 많게 하면(정성껏 열심히 설득하면) 길하고 허물이 없다.

九三: 頻巽, 吝
구삼은 자주 겸손함이니 애석하다.
六四: 悔亡, 田獲三品.
육사는 후회가 없어지니 사냥해서 세가지 사냥물을 얻도다.
九五: 貞吉悔亡, 无不利. 无初有終, 先庚三日, 後庚三日, 吉
구오는 바르게 하면 길해서 후회가 없어져 이롭지 않음이 없다. 처음은 없고 마침은 있으니, 경으로부터 먼저 삼 일하고, 경으로부터 뒤로 삼 일하면 길하다.
上九: 巽在牀下, 喪其資斧, 貞凶.
상구는 겸손해서 평상 아래에 있어서 그 재물과 권력을 잃음이니 고집해서 흉하다.

兌 (五十八) ䷹

兌: 亨, 利貞.
태는 형통하고 바르게 함이 이롭다.
初九: 和兌, 吉
초구는 화합해서 기뻐함이니 길하다.
九二: 孚兌, 吉, 悔亡.
구이는 미더워서 기뻐함이니 길하고 후회가 없어진다.
六三: 來兌, 凶.
육삼은 와서 기뻐함이니 흉하다.
九四: 商兌, 未寧, 介疾有喜.
구사는 계산하고 헤아리며 기뻐해서 편치 못함이니, 분별해서 미워하면 기쁨이 있을 것이다.
九五: 孚于剝, 有厲.
구오는 깎는데도 믿으면 위태함이 있을 것이다.
上六: 引兌.
상육은 이끌어서 기뻐함이다.

渙(五十九) ䷺
渙: 亨. 王假有廟, 利涉大川, 利貞.
환은 형통하니, 왕이 종묘에 제사를 지내고 큰 내를 건넘이 이롭고, 바르게 함이 이롭다.
初六: 用拯馬壯, 吉.
초육은 구원하되 말이 씩씩하니 길하다.
九二: 渙奔其机, 悔亡.
구이는 흩어지는 때에 그 평상으로 달려가면 후회가 없어진다.
六三: 渙其躬, 无悔.
육삼은 흩어지는 때에 제 몸만은 후회가 없다.
六四: 渙其群, 元吉. 渙有丘, 匪夷所思.
육사는 흩어지는 때에 무리되게 함이라, 크게 착하고 길하다. 흩어지는 때에 언덕이 있음이 보통 사람의 생각할 바 아니다.
九五: 渙汗其大號, 渙王居, 无咎.
구오는 흩어지는 때에 그 큰 호령을 땀나듯 하면, 흩어지는 때에 왕이 거처해야 할 도리니 허물이 없다.
上九: 渙其血去, 逖出, 无咎.
상구는 흩어지는 때에 그 피가 가게 하고, 두려움에서 나가면 허물이 없으리라.

節(六十) ䷻
節: 亨. 苦節不可貞.
절은 형통하니 쓴 절제는 바르지 못하니라.
初九: 不出戶庭, 无咎.
초구는 호정에 나가지 않으면 허물이 없을 것이다.
九二: 不出門庭, 凶
구이는 문정에 나가지 않는지라 흉하다.
六三: 不節若, 則嗟若, 无咎.
육삼은 절제하지 않으면 곧 슬퍼하리니, 허물할 데 없다.(저자는 '절제하지 않아서 슬퍼하고 탄식하면 허물이 없다'고 해석함)

六四: 安節, 亨.
육사는 절제함에 편안함이니 형통하다.
九五: 甘節, 吉, 往有尙.
구오는 달콤한 절제라 길하니, 가면 숭상됨이 있다.
上六: 苦節, 貞凶, 悔亡
상육은 쓴 절제니, 고집하면 흉하고 뉘우치면 (흉함이) 없어지리라.

中孚 (六十一) ䷼

中孚: 豚魚吉, 利涉大川, 利貞.
중부는 돼지와 물고기까지 믿게 하면 길하니, 큰 내를 건넘이 이롭고 바르게 함이 이롭다.
初九: 虞吉, 有他不燕.
초구는 편안하게 하면 길하나, 다른 생각이 있으면 마음이 편치 못할 것이다.
九二: 鶴鳴在陰, 其子和之. 我有好爵, 吾與爾靡之.
구이는 우는 학이 그늘에 있거늘 그 자식이 화답한다. 내게 좋은 벼슬이 있어서 나와 네가 더불어 얽히고자 한다.
六三: 得敵, 或鼓或罷, 或泣或歌.
육삼은 적을 얻어서 혹 두드리고, 혹 파하며, 혹 울고, 혹 노래한다.
六四: 月幾望, 馬匹亡, 无咎.
육사는 달이 거의 보름이니 말의 짝이 없어지면 허물이 없을 것이다.
九五: 有孚攣如, 无咎.
구오는 믿음이 있기를 당기는 듯 하면 허물이 없을 것이다.
上九: 翰音登于天, 貞凶.
상구는 나는 소리가 하늘에 오름이니 고집해서 흉하다.

小過 (六十二) ䷽

小過: 亨, 利貞, 可小事, 不可大事. 飛鳥遺之音, 不宜上, 宜下, 大吉.
소과는 형통하며 바르게 함이 이로우니, 작은 일은 할 수 있고 큰 일은 할 수 없다. 나는 새가 소리를 남김에 위로 가는 것은 마땅치 않고, 아래로 가게 하면 크게 길하다.

初六: 飛鳥以凶.

초육은 나는 새라. 그래서 흉하다.

六二: 過其祖, 遇其妣. 不及其君, 遇其臣. 无咎.

육이는 그 할아버지를 지나서 그 할머니를 만남이니, 그 인군에 미치지 않고 그 신하를 만나면 허물이 없을 것이다.

九三: 弗過防之, 從或戕之, 凶.

구삼은 지나치게 막지 않으면, 혹 따라와 해치므로 흉할 것이다.

九四: 无咎, 弗過遇之, 往厲, 必戒, 勿用, 永貞.

구사는 허물이 없으니 지나치지 않아서 만남이니, 가면 위태하므로 반드시 경계하여서 쓰지말고 오랫동안 바름을 지키고 있어야 한다.

六五: 密雲不雨, 自我西郊, 公弋取彼在穴.

육오는 빽빽한 구름에 비가 오지 않는 것은 내가 서교로부터 함이니, 공이 구멍에 있는 것을 쏘아 취하도다.

上六: 弗遇過之, 飛鳥離之, 凶, 是謂災眚.

상육은 만나지 않고 이를 지나가고, 새가 그곳을 떠남이라 흉하니, 이것을 재생이라고 이른다.

既濟 (六十三) ䷾

既濟: 亨, 小利貞, 初吉終亂.

기제는 형통하고 바르게 함이 조금 이로우며, 처음은 길하고 나중은 어지러우니라.

初九: 曳其輪, 濡其尾, 无咎.

초구는 그 수레바퀴를 당기며 그 꼬리를 적시니 허물이 없다.

六二: 婦喪其茀, 勿逐, 七日得.

육이는 지어미가 그 포장을 잃음이니, 쫓지 말면 칠 일에 찾을 것이다.

九三: 高宗伐鬼方, 三年克之, 小人勿用.

구삼은 고종이 귀방을 쳐서 삼 년 만에 이기니, 소인은 쓰지 말아야 한다.

六四: 繻有衣袽, 終日戒

육사는 젖는 데 걸레를 두고, 종일토록 경계함이니라.

九五: 東隣殺牛, 不如西隣之禴祭, 實受其福.

구오는 동쪽 이웃의 소를 잡음이, 서쪽 이웃의 간략한 제사가 실제로 복을 받음 만 못하다.

上六: 濡其首, 厲.

상육은 그 머리를 적시니. 위태하다.

未濟 (六十四) ䷿

未濟: 亨, 小狐汔濟, 濡其尾, 无攸利

미제는 형통하고, 어린 여우가 용감하게 건너다가 그 꼬리를 적심이니, 가서 이로울 바가 없다.

初六: 濡其尾, 吝.

초육은 그 꼬리를 적시니 인색하다.

九二: 曳其輪, 貞吉.

구이는 그 바퀴를 당기니, 바르게 하여 길하다.

六三: 未濟, 征凶, 利涉大川.

육삼은 미제에 나아가면 흉하지만, 큰 내를 건넘이 이롭다.

九四: 貞吉, 悔亡, 震用伐鬼方, 三年有賞于大國.

구사는 바르게 하면 길하고 후회가 없어지리니, 움직여 귀방을 쳐서 삼년만에 큰 나라의 상이 있다.

六五: 貞吉, 无悔, 君子之光, 有孚, 吉.

육오는 바르기 때문에 길하고 후회가 없으며, 군자의 빛이 믿음이 있기 때문에 길하다.

上九: 有孚于飮酒, 无咎, 濡其首, 有孚失是.

상구는 술을 마시는 데 믿음을 두면 허물이 없으나, (너무 많이 마셔) 그 머리를 적시면 믿음을 두는 데 옳음을 잃을 것이다.

주역과 인생

초판 1쇄 인쇄 2017년 5월 10일
초판 1쇄 발행 2017년 5월 15일

지은이 楊慶中
옮긴이 배용재

펴낸곳 북앤피플
펴낸이 김혜숙

등록 제2016-000006호(2012. 4. 13)
주소 서울시 송파구 삼학사로 14길 21
전화 02-2277-0220
팩스 02-2277-0280
이메일 jujucc@naver.com

ISBN 978-89-97871-29-2 03150